KB196717

문화가 인문학이 되는 시간

인물편

CULTURISSIME
by Florence Braunstein and Jean-François Pépin

First published by Editions Gallimard, Paris

Published by arrangement with Editions Gallimard
through Sibylle Books Literary Agency, Seoul

Cet ouvrage, publié dans le cadre du Programme d'aide à la Publication Sejong,
a bénéficié du soutien de l'Institut français de Corée du Sud.

이 책은 주한프랑스문화원 세종출판번역지원프로그램의 도움으로 출간되었습니다.

문화가 인문학이 되는 시간

장프랑수아 페팽
플로랑스 브론스타인 지음
조은미·권지현 옮김

인물편

북스힐

서문

제작의 비밀

이 책은 우리에게 세상으로 가는 길을 열어주는, 종이로 만든 호기심의 방이다. 중국을 통일한 진시황제, 프랑크 왕국의 왕비 클로틸드, 음악가 헨델, 샤를 드골 장군, 화가 장미셸 바스키아 등 훌륭한 위인들과 함께 세계를 여행하게 해준다. 여행을 하면서 안토니누스 방벽, 생트푸아 수도원, 토바호 주변에 사는 바탁족의 가옥, 바르셀로나의 사그라다 파밀리아 성당을 발견할 수 있을 것이다. 그래서 이 책은 단지 읽는 데 그치는 것이 아닌 우리가 느낄 수 있게 하는 책, 꿈꿀 수 있게 하는 책이며, 서로 다른 사상과 서로 다른 존재 방식이 남긴 길로 우리를 데려가기 위한 책이다. 필자들은 발견이 풍성하려면 어느 정도의 상상, 꿈, 유머가 있어야 한다는 생각에 중점을 두고 이 책을 썼다.

이 책을 연대순으로 읽는다면 그리스에서 대칭의 원칙에 따라 지어진 저택에 살면서 그 당시 중요했던 철학 및 종교 개념을 섭렵하는, 페리클레스의 애첩 아스파시아의 삶을 알 수 있다. 그런 면에서 이 책은 특정 시대에 관한 무언가를 찾는 사람에게는 체계적이고 질서 정연한 도구가 될 수 있고 고대, 중세, 근대, 현대까지 시간의 흐름에 따라 여행하도록 안내해주는 문화 가이드가 될 수도 있다.

'인물편'에서는 각 시대의 주요 **인물**들을 소개한다. 다양한 영혼을 가졌던 베토벤처럼 유명하든, 검은 모차르트라는 별명이 붙은 슈발리에 드 생조르주처럼 잘 알려지지 않았든, 중국의 유일한 여제인 측천무후처럼 서양에서는 거의 알려지지 않았든, 그들은 모두 그 시대의 주역이다. 시대의 흐름에 따라 차례대로 나타나는 위인보다 우리를 더 잘 비춰볼 수 있는 거울이 있을까? 위대하든 그렇지 않든 그들은 우리에 대해 말하고 있다. 그들의 열정은 곧 우리의 열정이고, 그들의 욕망, 야망, 때로는 지나친 사랑도 곧 우리의 것이다. 매력적인 또는 두려운 거울인 그들의 존재는 우리의 희망과 욕망을 대신 보여준다. 그들은 인간의 조건을 뛰어넘어 영웅이 되고자 했다. 거인의 어깨 위에 앉아서 우리도 학자, 과학자, 예술가, 왕과 왕비, 특출난 남자와 여자를 따라가 보자.

'인물편'에 이어서 '사상·유적편'에서는 시대를 관통한 사상과 인류의 빛나는 문화유산에 대해 설명한다. **사상**은 세상을 바라보는 주요 방식을 소개한다. 고전 철학—아리스토텔레스주의나 실존주의—이 유대인들의 계몽주의인 하스칼라, 오리엔탈리즘, 아르 앵코에랑과 한자리에 모였다. 교리나 이론, 또는 삶의 태도나 방식이 생명을 얻고 의미를 갖는다. 사상에 관한 이 부분은 철학, 종교, 문학, 경제학, 사회학, 고고학에서 비롯된 사상의 비등에 초점을 맞춘다. 사상은 인간이 존재하기 때문에 있는 것이다. 인간은 자신의 기원과 미래, 죽음에 대한 생각을 멈춘 적이 없다. 점점 더 확장되고 복잡해지는 세상이라는 현실에 침잠되어 자신을 둘러싼 수수께끼의 답을 찾으며 두려움을 마주한다. 인간은 세상에 묻고 자신에게 묻는다. 생각하는 사람은 질문을 하는 사람이고, 그 답을 찾기 시작하면서 더 많은 질문을 하는 존재이다.

유적은 시간의 풍파를 이겨내고 우리의 문화유산이 된 물리적 지문이다. 유적을 의미하는 'monument'의 라틴어 어원인 'monumentum'(모누멘툼)은 '기억하다'는 뜻의 동사 'monere'(모네레)에서 파생되었다. 유적은 사건을 기억하고 기념한다. 유적이 역사적이라고 말할 수 있는 것은 그것이 보호되고 보존되었기 때문에 가능한 일이다. 또한 사상적 혹은 예술적이라고 말할 수 있는 것은 유적이 엄청난 작업의 합이기 때문에 가능하다. 이 모든 면이 유적에 관한 부분에서 다루어진다. 유적은 시간의 길 위에 남겨진 작은 조약돌이다. 그것은 때로는 변화, 혁신, 진보를 나타내고 때로는 절정, 완벽, 걸작을 나타낸다. 모든 유적은 독보적이고 타인에게는 이웃 문화권을 대표한다. 웅장하든 소박하든 유적은 선인들이 자기 뒤에 남기고 싶어 했던 것의 가장 강렬한 표현이며 그들의 노하우, 기술, 예술, 감수성의 증거이다.

자, 이제 지식의 길을 따라 좋은 여행을 하길 빈다.

차례

고대 L'ANTIQUITÉ

중세 LE MOYEN ÂGE

근대 LE MONDE MODERNE

현대 L'ÉPOQUE CONTEMPORAINE

인물

고대는 중동에서 인류 최초의 문자가 출현한 기원전 4000년경에 시작해서 보통 중세의 시작으로 알려진 서로마 제국이 멸망한 해인 476년에 끝난다. 전 분야에 걸쳐 막대한 정보가 수집되면서 우리는 고대를 새로운 시각으로 바라보게 되었다. 고대는 더 이상 그리스인과 로마인의 전유물이 아니다. 그 당시에도 다양한 사고방식이 존재했다. 이 책에서는 아시아, 중동, 지중해 연안 등 각 문화권의 자율성을 존중하고 그 지역의 문화를 있는 그대로 관찰하며 태곳적부터 이어져 온 변화를 살펴보고자 했다. 우리는 고대가 우리의 고정 관념을 뛰어넘는 시대이며, 고대인의 사상 속에 반드시 현대 사회를 구성하는 요소들이 담겨 있는 것은 아님을 알고 있다. 현대 사회라는 왜곡된 프리즘을 통해서 고대를 이해하려고 할 필요는 없는 것이다. 고대 사회를 그리스라는 하나의 틀로 규정할 수 없으므로 인도, 아시아, 소아시아, 아프리카까지 고려했다. 우리는 이 책에서 이들 지역의 주요 인물들을 살펴보았는데, 어떤 인물을 선택할지 결정하는 것은 쉽지 않았다. 4500년이라는 긴 시간에서 가장 매력적인 인물들을 선정해야 했기 때문이다. 그렇지만 잘 알려지지 않은 인물들 중에서 역사를 만든 이들을 발굴하는 일은 매우 즐거웠다. 이제 그들이 남긴 발자취를 따라가 보자.

고대 L'ANTIQUITÉ

고대

인물

갈레노스 의학의 아버지

Galenos, 129년~210년

클라우디오스 갈레노스Claudios Galenos는 살아생전 특권을 누렸다. 그는 마르쿠스 아우렐리우스와 콤모두스를 모두 돌보았던 어의였고, 인기 있는 선생이었다. 또한 자신의 지식을 담은 다수의 책을 저술했다. 갈레노스는 그야말로 아랍 의학의 아버지이자 르네상스 시대 이전 많은 의학 관련 책을 저술한 중요한 저자이기도 했다. 그는 오늘날의 터키 지역인 페르가몬의 부유한 집안에서 태어났다. 당시 모든 귀족의 자제들이 그랬듯이 그도 철학 수업을 받았고 수학 공부에 몰두했다. 갈레노스는 아버지가 꾸었던 꿈으로 인해 운명이 결정되었다. 그의 아버지는 꿈에 나타난 의학의 신 아스클레피오스로부터 계시를 받고 아들에게 의사가 되라고 권유했던 것이다. 갈레노스는 실용적이면서도 이론적인 수업을 받았다. 당시에는 인체를 해부하는 일이 금지되었으므로 동물을 해부해 내부 구조를 공부했고, 병을 치료한다는 식물과 광물에 대해서도 배웠다. 그런가 하면 환자들의 꿈을 해몽해주기도 했다. 당시 사람들은 환자가 아스클레피오스의 신전 근처에서 잠을 자면 아스클레피오스가 꿈에 찾아와 아픈 곳을 말해주고 치료법을 알려준다고 믿었다.

검투사들의 상처와 골절

페르가몬의 지방 의학교에서 공부를 마친 갈레노스는 유명한 알렉산드리아의 의학교로 옮겨 몇 년 동안 의술을 갈고닦았다. 다시 낙향한 그는 페르가몬에서 의술을 펼쳤는데, 특히 검투사들을 돌보는 일에서 재능을 펼칠 수 있었다. 그는 이 일을 계기로 상처와 골절 치료의 전문가가 되었다. 이후 로마로 간 갈레노스는 귀족 사회에서 금세 유명해졌고 왕궁까지 진출해 마르쿠스 아우렐리우스 황제와 그의 아들들을 돌보았다. 갈레노스는 해부학 수업과 동물 해부 실습수업도 개설해서 자신의 방법론의 기초를 다지기 시작했다. 그는 외과적 수술이 병을 치료할 수 있다고 보지 않았다. 히포크라테스의 영향을 받아 질병이란 몸속에 흐르는 체액들 사이의 균형이 깨진 탓에 생긴다고 믿었다. 그가 말한 체액은 네 가지로 각 체액은 다혈질, 담즙질, 우울질, 점액질 중 하나의 기질에 해당된다. 갈레노스에 의하면 인간은 신의 숨결인

'프네우마pneuma'를 받고 생명을 얻었는데, 몸속을 돌아다니는 이 프네우마는 각 신체 기관을 본거지로 한다. 육체적 프네우마는 간에, 동물적 프네우마는 심장에, 정신적 프네우마는 뇌에 있다. 갈레노스는 인간의 육체란 신이 창조한 메커니즘이고, 신은 인간이 관찰을 통해 몸을 이해할 수 있도록 해놓았다고 믿었다. 이러한 주장은 왜 그의 이론이 중세에 교회의 강력한 지지를 받았는지 설명해준다.

연구를 종이 위에

지칠 줄 모르는 연구자였던 갈레노스는 모국어인 그리스어로 500권 이상의 책을 저술했다. 그러나 대부분은 평화의 신전에 화재가 일어났을 때 번진 불로 그의 서재가 타면서 소실되었다. 그러자 갈레노스는 다시 책을 쓰기 시작했다. 현재는 150권 정도가 전해지는데 그의 책들이 오랜 세월을 거쳐 오늘날까지 전해질 수 있었던 것은 9세기에 아랍어로 번역이 이루어졌기 때문이다. 예를 들면 『좋은 의사는 철학자이다』, 『인체 각 부위의 유용성』, 『근육의 움직임』, 『영혼의 도덕성은 육체가 가진 기질의 결과이다』 등이 아랍어로 번역된 책이다. 갈레노스는 약학의 아버지로도 알려져 있어서 갈레노스 선서는 약사의 선서로도 불린다. 그는 자신이 남보다 우월하다는 사실을 잘 알고 있었기 때문에 거만하고 남을 무시하는 태도를 보였던 듯하다. 이로 인해 아우렐리우스 황제가 그를 다시 불러들이기 전까지 로마에서 몇 년 동안 쫓겨나 지냈다. 210년에 로마에서 숨을 거두기 전까지 갈레노스는 영예로운 삶을 누렸다.

고대인의 해독제 테리아카

고대는 독약에 취한 시대였다. 고대인은 독약에 집착했는데, 폰투스 왕국의 왕 미트리다테스는 저항력을 기르려고 매일 조금씩 독약을 음용했다고 한다. 갈레노스는 50여 가지 성분으로 만든 해독제인 테리아카theriaca에 관심을 가졌다. 그는 테리아카의 성분 중 독사의 독을 양귀비즙으로 바꾸었다. 그램 단위로 표시한 테리아카의 재료와 제조법은 다음과 같다. 먼저 재료로는 스미르나의 아편 120, 생강 60, 피렌체의 붓꽃 60, 쥐오줌풀 80, 창포 30, 대황 30, 양지꽃 30, 쥐방울덩굴 뿌리 10, 족도리풀 뿌리 10, 용담 뿌리 20, 알프스산 회향(미나리과 식물) 20, 알로에 10, 실론 계피나무 100, 실라의 알뿌리 60, 크레탄 디터니 30, 월계수 잎 30그램이 필요하다. 이 재료들로 반죽을 만드는데 발효 정도에 따라 반죽의 굳기가 달라진다. 반죽을 잘라 액체에 섞어서 마신다.

공자 공손한 스승

孔子, B.C. 551년~B.C. 479년

'쿵쯔Kongzi'가 누구인지 아는 사람이 있을까? 이와 달리 '공자Confucius'라는 이름은 우리에게 훨씬 친숙하다. 중국의 주요 사상가들의 이름은 모두 이런 식이다. 특히 서양인에게는 발음하기도 어렵고 기억하기도 어려워서 라틴어식으로 쉽게 적었다. 공자는 기원전 551년 산둥성에서 태어났다. 당시는 여러 국가가 지치지 않고 싸우던 혼란스러운 춘추 전국 시대였다. 공자는 노나라의 귀족 출신이었지만 아버지를 일찍 여의는 바람에 그 혜택을 누리지 못했다. 그가 유교의 스승이 된 것은 오로지 배우는 재능이 뛰어났기 때문이다. 공자는 아버지, 군주, 왕의 권위를 존중하며 누구나 자신에게 주어진 자리에 머물러야 한다는 생각을 바탕으로 사상을 발전시켰다. 그리하여 유교의 가장 중요한 원칙인 조화가 전해지게 된 것이다. 사회적이고 정치적인 유교의 도덕은 공자의 제자들에 의해 『논어』에 집대성되었다. 처음에 군주들은 공자의 개혁적인 사상을 의심하고 그의 이론을 따르려 하지 않았다. 공자는 한때 현재의 법무부 장관에 해당하는 '대사구大司寇'라는 직책을 맡기도 했으나 왕이 나라를 다스리지 않고 쾌락에 빠지자 스스로 자리에서 물러났다. 그때부터 14년 동안 여러 나라를 돌아다녔다. 그는 제자들과 함께 이곳저곳을 정처 없이 떠돌면서 나라를 제대로 다스릴 수 있는 '천명'을 받은 군주를 찾고자 했다. 그러나 계획이 수포로 돌아가자 고향으로 돌아와 세상을 떠날 때까지 학문에 전념했다. 공자가 사후에 명성을 얻을 수 있었던 것은 그의 사상을 풀이했던 맹자와 같은 학자들 덕분이다. 한나라의 제후들은 유교를 국교로 삼았다.

천명

'천명天命'은 주나라에서 처음 만들어진 개념이었는데 공자와 맹자가 이를 발전시켰다. 당시는 군주가 독재자로 처신할 수 있었던 시대였기에 천명은 군주의 권력 남용에 제동을 걸 수 있는 중요한 개념이었다. 권력을 가진 사람에게는 하늘이 내려준 천명이 있으니 권력자는 공공의 이익을 도모해서 권력을 행사해야 한다는 것이다. 따라서 공정하지 않은 왕에 대해서는 들고일어나 그를 폐위시키는 것이 정당한 행위로 생각되었다. 왕이 신성한 의무를 저버렸기 때문에 스스로 천명을 포기한 것으로 여겼다. 이러한 논리는 새로운 왕조가 등장할 때마다 기존의 왕을 몰아낸 핑계로 이용되었다. 또한 가뭄이나 홍수 같은 자연재해도 제후에게 보내는 하늘의 경고, 천명을 거두겠다는 하늘의 위협으로 해석되었다.

구데아 독실한 군주

Gudea, B.C. 22세기

구데아는 남메소포타미아 라가시의 왕으로 그의 이름은 '부름받은 자'라는 뜻을 담고 있다. 그가 왕위에 있었던 기원전 22세기에 경쟁국인 아카드 왕국은 멸망했지만 라가시는 번영을 누렸다. 구데아는 특히 독실한 신심으로 유명하다. 그는 우르, 니푸르, 우루크에 성지를 건설했다. 기르수에는 도시뿐만 아니라 라가시 왕국 전체를 보호하는 신 닝기르수에게 바치는 신전인 에닌누를 지었다. 신전을 건설할 때 구데아는 중요한 역할을 했다. 매우 미세한 입자의 점토로 첫 번째 벽돌을 만들었던 것이다. 그는 첫 번째 벽돌을 몸소 놓아서 신전을 신성화했다. 구데아를 본떠 만든 조각상이 20점 정도 되는데, 하나같이 전통적인 기도하는 이의 자세로 신 앞에 두 손을 모으고 두 눈을 크게 뜬 형상이다. 또한 긴 튜닉을 입었는데, 오른쪽 어깨는 드러내고 왼쪽 어깨는 가려져 있다. 이마에 두꺼운 천을 둘러서 귀가 조금 가려진 조각상도 있고, 머리를 다 민 조각상도 있다. 단단한 암석인 섬록암을 사용해서 사람의 크기로 만든 조각상들은 신전의 가장 신성한 곳인 신 앞에 놓였다.

구데아의 꿈

고대의 많은 왕이 그랬듯이 구데아도 꿈에서 신전을 건설하라는 닝기르수 신의 명을 받았다. 그러나 꿈이 명확하지 않았고, 구데아에게 신의 명이 의미하는 바를 전달한 것은 다른 신이었다.

오 나의 목동이여, 너의 꿈을 내가 풀이해주겠노라
하늘처럼 위대하고 땅처럼 위대한 인간
머리 위에 신의 왕관을 쓰고
신의 새 안주Anzu를 옆에 두고 발밑에는 폭풍우를 두고
오른쪽과 왼쪽에는 사자가 앉아 있는 자가
나의 형제 닝기르수이다
닝기르수가 그의 집 에닌누를 지으라고 네게 명한다.

그라쿠스 형제 농지 개혁가

Gracchus, B.C. 162년~B.C. 133년 · B.C. 154년~B.C. 121년

그라쿠스 형제로 더 잘 알려진 티베리우스 셈프로니우스 그라쿠스Tiberius Sempronius Gracchus와 가이우스 셈프로니우스 그라쿠스Gaius Sempronius Gracchus는 고대 로마 사회를 개혁하고자 했으나 실패했던 견자였다.

티베리우스 셈프로니우스 그라쿠스

티베리우스는 대농이 소유할 수 있는 농지 면적을 제한해서 소농을 보호하는 대규모 농지 개혁을 계획했다. 그는 로마 시민이 임대할 수 있는 국유지 아게르 푸블리쿠스를 잘 관리해야 한다고 생각했다. 전통적으로 아게르 푸블리쿠스는 원로원 의원들이 후원자들에게 보답하는 차원에서, 그리고 지속적으로 지원을 받으려는 의도로 이용하는 수단이었다. 그래서 로마의 로빈 후드 티베리우스는 농지법 '로가티오 셈프로니아'를 제안했다. 이 법은 가구당 소유 농지의 면적을 1000유게룸(1유게룸=약 2500제곱미터)으로 제한했다. 이렇게 농지를 분배하고 남은 땅은 1인당 30유게룸씩 가난한 사람들에게 나눠준다는 것이었다. 그러나 원로원의 반발이 심했고 캄피돌리오 언덕 부근에서는 폭동까지 일어났다. 결국 티베리우스는 암살당했고 그의 시신은 테베레강에 버려졌다.

가이우스 셈프로니우스 그라쿠스

티베리우스의 동생 가이우스는 형이 이루지 못한 농지 개혁의 꿈을 포기하지 않았다. 그는 위협에도 굴하지 않고 오히려 가난한 사람들에게 나눠주어야 할 농지를 100유게룸으로 늘려야 한다고 주장했다. 그리고 원로원의 권력을 약화시키려고 원로원 의원들의 숙적인 에퀴테스equites에게 유리한 일련의 법을 표결에 부쳤다. 기사 계급에 속하는 시민인 에퀴테스는 전투에 나갈 말의 장비를 갖출 만큼 부유했다. 사

실상 원로원 의원 다음으로 로마에서 가장 부유하고 영향력 있는 계급이었다. 가이우스가 제안한 법안은 실제로 가결되었다. '렉스 칼푸르니아'는 에퀴테스가 사법 제도에 있어서 원로원 의원과 동일한 권리를 누릴 수 있도록 정하고 있다. '렉스 셈프로니아 프루멘타리아'는 가난한 시민들이 매달 싼값으로 밀을 살 수 있게 해주었다. 이전에는 최상류층이었던 원로원 의원들이 가장 먼저 투표를 해서 가난한 사람들이 투표할 수 없도록 필수 정족수를 채웠지만 이제는 유권자의 투표 순서를 제비뽑기로 결정하게 되었다. 결국 이를 참을 수 없었던 원로원은 가이우스를 상대로 최종 권고senatus consultum ultimum를 결정했다. 최종 권고는 원로원 의원들에게 모든 수단을 동원해 국가를 지킬 수 있는 권리를 부여함으로써 누구의 목숨이라도 앗을 수 있게 해주었다. 결국 가이우스는 로마 근교에 있는 푸리나 숲에서 스스로 목숨을 끊었다.

그리스 7현인 황금의 정

The Seven Sages of Greece, B.C. 7세기~B.C. 6세기

고대 그리스에서 '7'은—세계 7대 불가사의처럼—완벽함을 나타내므로 신성한 숫자로 여겨졌다. 그리스 7현인은 지혜를 예술처럼 쓸 줄 알았던 훌륭한 정치인, 법률가, 철학자들이다. 7현인이 누구인지는 출처에 따라 다르다. 가장 오래된 명단은 플라톤이 『프로타고라스』에서 밝힌 것이다. 그러나 데메트리오스 팔레레우스의 작품을 보면 알 수 있듯이 7현인에 대한 전통은 훨씬 더 오래되었다. 그 명단은 기원전 585년경에 아폴론의 사제들이 정한 것이다. 전설에 따르면 어떤 어부가 황금의 정鼎이 그물에 딸려 올라오자 그것을 처음 만난 현인에게 주었고, 그 현인이 황금의 정을 다시 자신보다 더 현명한 현인에게 주는 식으로 계속 이어져 7현인이 정해졌다. 황금의 정이 결국 처음의 현인에게 다시 돌아오자 그는 이를 아폴론 신에게 봉헌했고, 7현인은 각자 인간을 올바른 길로 인도할 수 있는 격언을 신에게 바쳤다고 한다.

고대

인물

델포이의 격언

그리스 7현인이 델포이에서 모임을 가졌다는 전설이 있다. 전설에 따르면 이때 아폴론 신전의 입구인 프로나오스에 인간에게 유익한 격언을 새겼다. 그중 몇 가지를 소개하면 다음과 같다.

- "이유 있는 탓을 한다면 적개심도 유용하다. 이유 없이 칭찬을 한다면 우정도 해롭다." (밀레투스의 탈레스)
- "인간의 행복은 그의 운명이 완성되었을 때 판단한다." (아테나이의 솔론)
- "선행을 했다면 기억하지 말고 선행을 받았다면 잊지 말라." (스파르타의 킬론)
- "행복한 자의 위대함을 질투하는 것도 미친 짓이요, 불행한 자의 고통을 비웃는 것도 미친 짓이다." (미틸레네의 피타코스)
- "현자의 위업은 무엇인가? 해할 수 있는데도 이를 바라지 않는 것이다." (프리에네의 비아스)
- "남에게 많은 것을 주고 자신에게는 아무것도 주지 말라." (린도스의 클레오불로스)
- "행운이 와도 잘난 척하지 말고 행운이 가도 실망하지 말라." (코린토스의 페리안드로스)

범그리스적 문화의 확산을 위하여

7현인은 밀레투스의 탈레스, 아테나이의 솔론, 스파르타의 킬론, 미틸레네의 피타코스, 프리에네의 비아스, 린도스의 클레오불로스, 코린토스의 페리안드로스이다. 그

리스인과 이방인, 귀족과 평민을 뒤섞어놓은 이 명단은 범그리스적 문화를 확산시키고자 하는 의지의 표명이다. 7현인 중 솔론은 법률가이고, 페리안드로스는 독재자, 피타코스는 권력자이다. 그들을 하나로 묶는 공통점은 범인보다 뛰어난 그들의 덕목이다. 기원전 6세기에 7현인은 신이 지배하는 구세계와 고전 철학자들이 상징하는 새로운 지식을 이어주는 역할을 했기 때문에 지고의 경지에 올랐다. 지금까지 전해 내려오는 여러 명단에 늘 들어가는 현인은 탈레스, 솔론, 비아스, 피타코스 등 4명이다. 철학에도 7현인이 있는데, 그들은 소크라테스 이전에 활동했던 철학자들로 스틸포, 킬론, 탈레스, 피타고라스, 엠페도클레스, 페레키데스, 아나카르시스이다.

7현인의 업적

솔론은 아테나이에서 펼친 개혁으로 민주주의의 아버지로 불린다. 탈레스는 신화적 설명을 거부하고 논리적 증명을 주장한 철학자이자 수학자이다. 킬론은 "네 자신을 알라"는 유명한 말을 한 철학자이다. 피타코스는 중용과 절제로 권력을 행사하고 스스로 권력을 포기한 것으로 유명하다. 비아스는 부당한 대의를 옹호하지 않겠다고 선언했으며 법전을 편찬한 변호사이다. 클레오불로스는 로도스섬의 세 도시 국가 중 하나인 린도스를 지혜롭게 다스린 군주이다. 코린토스의 독재자 페리안드로스는 선박이 펠로폰네소스반도를 빙 둘러 가지 않도록 사로니코스만과 코린토스만을 잇는 인공 돌길인 디올코스를 만들어서 코린토스가 번성하게 했다.

나사렛 예수 설교자

Jesus of Nazareth, B.C. 6년경~A.D. 30년

여기서 우리가 다루고자 하는 것은 역사적 인물로서의 나사렛 예수의 생애이지 그에 대한 종교적 해석이 아니다. 19세기 과학적 합리주의의 영향으로 예수라는 인물의 역사성은 오랫동안 부인되었다. 그러나 오늘날에는 예수가 실존 인물이 아니고 사도와 복음서 저자가 만들어낸 상상의 인물이라고 주장하는 것이 불가능해졌다. 그럼에도 불구하고 예수의 생애에 대해서 알려진 것은 많지 않다. 주요 출처는 『신약』의 복음서들로, 기원후 50년경에 작성된 「마가복음」을 비롯해 「마태복음」, 「누가복음」, 「요한복음」 등이다. 그 밖에도 바울로 서신의 일부, 그리고 「유다 복음서」와 「토마스 복음서」 등 『성경』 외경—교회가 인정하지 않았다는 뜻이다—이 예수의 생애를 알 수 있는 기록으로 간주된다. 특히 「토마스 복음서」는 특이하게 예수의 삶을 비유적으로 해석하는 영지주의적인 접근을 했다. 이 복음서의 첫 문장이 그런 관점을 잘 드러내고 있다. "이것은 예수가 토마스에게 한 비밀의 말씀이다." 한편 로마와 유대교에서 찾을 수 있는 자료는 많지 않다. 수에토니우스는 클라우디우스 황제의 전기에서 예수를 언급한 적이 있다. 타키투스는 『연대기』에 네로 황제 치하에서 기독교인을 상대로 한 박해가 있었다는 점과 폰티우스 필라투스가 팔레스타인의 총독으로 있을 때 예수가 죽임을 당했다는 사실을 썼다. 플라비우스 요세푸스도 『유대 고대사』에서 몇 줄에 걸쳐 예수를 언급했다.

예수는 실존 인물인가

우리가 예수에 대해서 실제로 아는 것은 무엇인가? 예수, 혹은 '구원의 신' 예슈아는 베들레헴이 아니라 가족이 살았던 나사렛에서 기원전 6년경에 태어났다고 보는 것이 더 타당하다. 그는 목수인 아버지 요셉—예수도 목수가 된다—과 어머니 마리아에게서 태어났는데 요셉의 전처가 낳은 형제들이 있었던 것으로 보인다. 예수의 어린 시절에 대해서는 거의 알려진 것이 없고 매우 영특했다는 사실만 전해진다. 성인이 된 예수는 요르단강에서 세례자 요한에게 세례를 받고 이웃을 사랑하라는 설교를 하며 다니기 시작했다. 그의 삶에서 중요한 사건은 생애 말엽에 일어났다. 예수는 죽기 1년 전에 예루살렘에 당당히 들어갔고, 그 이후에 제자들과 유월절을 보

내기 위해 예루살렘으로 돌아갔다. 그때 그는 체포되어 십자가형을 받고 30년 4월에 처형당했다. 모순적이게도 예수에 관한 가장 중요한 부분은 그가 부활한 이후 시작된다. 신도들은 예수를 '그리스도'—그리스어로 '기름 부음을 받은 자'라는 뜻—라고 불렀다. 예수의 조상은 다윗왕을 거쳐 아브라함에 이르렀고, 누가는 아담이 조상이라고까지 했다. 기독교인들은 예수를 신이 땅으로 '내려보낸 자'인 메시아이자 신 자체라고 믿는다. 예수는 세계에서 두 번째로 탄생한 일신교의 아버지가 되었다. 그러나 이 부분은 그가 지상에 머무는 동안 행했던 기적과 마찬가지로 역사가—종교를 연구하는 역사가라면 또 모르지만—의 영역에서 벗어난다. 그것은 오히려 신앙주의의 영역에 속한다. 예수는 체포되기 전날 제자들을 겟세마네 동산에 불러 모아 유명한 기도를 통해 자신의 수난이 시작된다고 알렸다.

겟세마네 동산에서의 기도

저희가 겟세마네라 하는 곳에 이르매 예수께서 제자들에게 이르시되 나의 기도할 동안에 너희는 여기 앉았으라 하시고 / 베드로와 야고보와 요한을 데리고 가실쌔 심히 놀라시며 슬퍼하사 / 말씀하시되 내 마음이 심히 고민하여 죽게 되었으니 너희는 여기 머물러 깨어 있으라 하시고 / 조금 나아가사 땅에 엎드리어 될 수 있는 대로 이때가 자기에게서 지나가기를 구하여 / 가라사대 아바 아버지여 아버지께는 모든 것이 가능하오니 이 잔을 내게서 옮기시옵소서 그러나 나의 원대로 마옵시고 아버지의 원대로 하옵소서 하시고 / 돌아오사 제자들의 자는 것을 보시고 베드로에게 말씀하시되 시몬아 자느냐 네가 한시 동안도 깨어 있을 수 없더냐 / 시험에 들지 않게 깨어 있어 기도하라 마음에는 원이로되 육신이 약하도다 하시고 / 다시 나아가 동일한 말씀으로 기도하시고 / 다시 오사 보신즉 저희가 자니 이는 저희 눈이 심히 피곤함이라 저희가 예수께 무엇으로 대답할 줄을 알지 못하더라 / 세 번째 오사 저희에게 이르시되 이제는 자고 쉬라 그만이다 때가 왔도다 보라 인자가 죄인의 손에 팔리우느니라 / 일어나라 함께 가자 보라 나를 파는 자가 가까이 왔느니라. (「마가복음」 14장 32~42절)

「예루살렘에 들어가는 그리스도」,
조토 디 본도네, 1305년, 스크로베니 예배당, 파도바.

네부카드네자르 2세 신의 도구

Nebuchadnezzar II, B.C. 630년~B.C. 562년

칼데아 왕조의 두 번째 왕인 네부카드네자르 2세는 신바빌로니아 시대의 가장 위대한 왕으로 일컬어진다. 그는 수도였던 바빌론의 미화, 그리고 예루살렘 정복과 그 주민들의 강제 이주 등 전쟁에서 거둔 승리로 알려진 인물이다. 그는 신바빌로니아 제국을 세운 나보폴라사르의 장자이자 후계자였다. 네부카드네자르라는 이름은 '오, 나부여, 나의 후계자를 보호하소서'(나부는 바빌론의 지혜의 신이다)라는 뜻이다. 네부카드네자르 2세는 기원전 610년에 군인이 되었고, 그로부터 3년 뒤 아버지를 따라 아시리아 북부의 산악 지대로 원정을 떠났다. 그는 사령관이 되어 기원전 605년 갈그미스 대전에서 이집트에 완승했다. 그해 8월에 아버지가 사망하자 서둘러 바빌론으로 돌아가 왕위를 계승했다.

마르두크 신의 용 무슈후슈, 네부카드네자르 2세가 바빌론에 세운 벨 신전, B.C. 6세기.

왕위에 오른 전쟁의 왕자

기원전 604년 네부카드네자르 2세는 시리아와 팔레스타인으로 가서 유대 왕국의 왕을 굴복시키고 아슈켈론을 차지했다. 그러나 이곳은 대대로 이집트의 파라오가 통치하던 지역이었기 때문에 새로운 충돌이 불가피했다. 네부카드네자르 2세는 전쟁에서 크게 패하고 바빌론으로 후퇴할 수밖에 없었다. 유대 왕국을 포함해서 그에게 항복했던 나라들이 너도나도 이집트와 다시 관계를 맺으려 했으나 네부카드네자르 2세는 곧바로 반격했다. 이 전쟁에서 예루살렘이 함락되었고 유대 왕국의 예호야킨왕은 백성 만 명과 함께 바빌론으로 잡혀갔다. 1년 뒤에 유대 왕국의 새로운 왕 치드키야가 이집트와 페니키아와 손잡고 네부카드네자르 2세에 맞섰다.

예루살렘 정복

네부카드네자르 2세는 다시 예루살렘을 포위하고 기원전 587년에 도시를 함락했다. 치드키야는 자식들이 처형되는 모습을 지켜보아야 했으며 그 뒤에는 두 눈이 뽑혔다. 도시를 둘러싼 성벽은 파괴되었고 솔로몬 성전도 불탔다. 주민의 일부는 바빌론에 포로로 잡혀갔고 몇 년 뒤에 나머지 주민들도 같은 운명을 맞았다. 이리하여 유대 왕국은 사라졌다. 이집트와의 싸움도 계속되어 20년 뒤 네부카드네자르 2세는 다시 승리를 거두었고 이에 힘입어 파라오의 땅을 정복할 마음을 품었다. 그는 아들 아멜 마르두크에게 거대한 제국을 물려주었지만 제국은 페르시아의 왕 키루스 2세의 공격에 버티지 못했다.

건설하는 왕

네부카드네자르 2세가 전쟁만 벌인 것은 아니었다. 그는 건축물을 짓는 데도 공을 들였다. 네부카드네자르 2세는 왕국의 대도시를 방어하는 것—시파르, 아카드, 우루크, 라르사의 성벽을 재건했다—과 자신의 왕조를 보호하는 신들을 기리는 것에 동시에 노력을 기울였다. 왕의 신앙심은 전국으로 퍼져서 규모가 큰 도시마다 성전이 확장되고 개축되었다. 바빌론에서는 마르두크 신을 기리는 신전인 에사길라를 확장했다. 세계 7대 불가사의 중 하나인 공중 정원도 네부카드네자르 2세의 작품으로 알려져 있다. 그는 오늘날의 이란 출신이었던 아내 아마티스가 어릴 적 보았던 언덕들을 추억하기를 바라며 이 공중 정원을 만들었다.

네페르타리 람세스 2세의 연인

Nefertari, B.C. 13세기

'아름다운 친구'라는 뜻의 이름을 가진 네페르타리는 이집트 제19왕조의 람세스 2세와 혼인할 당시 겨우 열세 살이었다. 람세스 2세는 열다섯 살이었다. 두 사람은 만나자마자 한눈에 서로에게 반했고 그 사랑은 평생 이어졌다. 람세스 2세에게는 부인이 8명이나 있었지만 네페르타리는 왕궁을 대표하는 왕비, '아름다운 얼굴', '감미로운 사랑', '매력적인 여인'이었다. 상이집트의 아크밈—생식의 신인 민Min을 섬기는 지역—출신이었던 것으로 보이는 그녀는 제18왕조의 파라오들 중 한 명을 배출한 귀족 가문에서 태어났다.

여신 같은 여신

평생 권세를 누렸던 네페르타리는 람세스 2세의 자식을 여럿 낳았다. 그중 아들 하나는 후계자로 오랜 세월을 보냈다. 람세스 2세가 약 아흔 살까지 살아 장수를 누렸고 60여 년 동안 재위했기 때문에 그의 아들은 파라오가 될 수 없었다. 람세스 2세는 100여 명의 자식보다 오래 살았다. 네페르타리를 극진히 사랑했던 람세스 2세는 그녀에게 아부심벨 신전을 바치고 '왕비의 계곡'에서 가장 훌륭한 묘를 지어주었다. 람세스 2세의 재위 30년경에 세상을 떠난 네페르타리는 이미 여신으로 간주되었다. 그녀는 신과 신격화된 왕의 영원한 생명을 상징하는 앙크를 손에 쥔 모습으로 아부심벨 신전에 표현되어 있다. 그녀가 사망하자 왕은 크게 상심했다. 람세스 2세는 가장 오래되고 가장 아름다운 사랑의 고백으로 시를 지었다. "나의 사랑은 하나요. 그 누구도 그녀에 비할 수 없소. 그녀는 저세상으로 떠나면서 내 마음을 훔쳐 갔소."

네페르티티 아름다운 여인이 왔다가 갔노라

Nefertiti, B.C. 14세기

네페르티티는 클레오파트라 다음으로 잘 알려진 이집트의 여왕일 것이다. '네페르티티'는 '아름다운 여인이 왔다'는 의미이다. 네페르티티의 코에 대해서는 의견이 분분해도 베를린의 이집트 박물관에 보관된 그녀의 흉상은 그야말로 완벽한 미를 보여준다. 이 흉상은 아마도 예술가들에게 모델처럼 사용되었을 것이다. 그래야 여왕이 필요할 때마다 자세를 취하지 않아도 되었을 테니 말이다. 아크나톤의 부인이었던 그녀는 여성 생식의 상징으로 숭배되었으나 모순적이게도 이집트의 적들을 무찌르는 승리의 전사로 형상화되었다.

절세미인

'아름다운 여인이 왔다'는 뜻의 이름으로 인해 사람들은 오랫동안 네페르티티가 미탄니(시리아) 출신의 공주 타두키파일 것이라고 생각했다. 그러나 이 가설은 무너졌다. 타두키파는 아크나톤의 전임자였던 아멘호테프 3세의 부인이었기 때문이다. 네페르티티는 아멘호테프 3세의 첫 번째 부인 티예의 형제인 귀족 아이Ay의 딸이었을 가능성이 더 높다. 그러니까 그녀는 사촌과 결혼한 셈이다. 이는 왕가의 일원들을 더 잘 통제하고 결혼을 통해 왕위를 찬탈하려는 자가 나타나는 것을 막기 위해 자주 쓰던 방법이었다.

지성과 권력을 갖춘 여인

아크나톤은 아마르나(당시에는 '아톤의 지평선'이라는 의미의 아케타톤으로 불렸다)를 새로운 수도로 정하는 개혁을 단행했는데, 이는 신성한 옛 도시 테베를 버리고 기존의 신들을 섬기는 성직자들을 박해해서 유일신인 살아 있는 아톤, 태양을 섬기게 하고자 함이었다. 파라오는 자신의 이름을 아멘호테프('아멘이 기뻐한다')에서 아크나톤('아톤에게 이로운 자')으로 바꾸고 새로운 종교의 사제가 되었다. 네페르티티도 사제였다.

그녀는 사제의 역할 외에도 남편에게 지대한 영향을 준 것으로 보인다. 네페르티티의 영향력이 워낙 커서 아크나톤이 사망한 뒤에 그녀가 왕위를 물려받았다고 생각하는 학자들도 있다. 안크트케페루레 네페르네페루아톤이라는 여자 이름으로, 또는 스멘크카레라는 남사 이름으로 통치했다는 것이다. 네페르티티는 또한 아크나톤의 두 번째 부인인 키야가 남편의 총애를 잃고 사망한 일에도 관여했을 것이라고 추정된다.

묘연한 행방

네페르티티에 관한 언급은 아크나톤의 재위 12년 이후에는 찾아볼 수 없다. 그들의 여섯 딸 중 하나인 메리타톤이 왕비의 역할을 대신했다. 네페르티티는 죽은 것일까? 아니면 새로운 수도의 북쪽 궁에 칩거한 것일까? 아니면 고향으로 돌아간 것일까? 지금까지 네페르티티의 미라는 발견되지 않았다. 가장 흥미로운 가설은 그녀가 현자가 되어 권력을 내려놓고 자리에서 물러났으며 어린 투탕카멘을 보살폈다는 것이다. 그러나 그 이후에 이루어진 연구에 따르면 투탕카멘은 그녀의 아들이 아니었고, 왕의 계곡 KV35 무덤에서 발견된 미라 '젊은 부인the Younger Lady'도 그녀의 딸이 아니었다.

노자 도의 대가

老子, B.C. 6세기

중국 도교의 창시자 노자는 기원전 6세기에 중국 초나라 고현의 곡인리에서 태어났다는 사실을 빼면 그 생애에 대해 알려진 것이 별로 없다. 노자의 삶은 기적적인 징조로 시작되었다. 그의 어머니가 혜성을 본 뒤 자두를 먹고 그를 수태했는데, 그래서 자두를 의미하는 '이李'가 노자 가족의 성씨가 되었다. 그는 태어날 때부터 흰 수염과 긴 귀—중국인은 대대로 이 두 가지 특징을 지혜의 상징으로 본다—를 가진 노인의 모습을 하고 있었다고 한다. 그래서 그의 이름이 늙을 '노老'와 아이 '자子'를 합친 '노자'가 된 것이다. 노자는 사후에 유교 학자들에 의해 현인으로 추앙되었고, 도교 학자들에 의해 신의 반열에 올랐다. 도교는 618년에서 907년까지 중국을 다스렸던 당나라의 정치적 교리인 황노 사상의 법적 토대가 되었다. 황노 사상은 나중에 유교에 자리를 내주었다.

노자의 사상

노자의 존재를 언급한 주요 문헌은 역사가 사마천의 『사기』이다. 『사기』에 따르면 노자는 주나라 왕실에서 장서고를 관리하는 일을 했다. 그는 이곳에서 덕의 도를 배우고 싶어 했던 공자를 만났다. 노자와 교류하며 그에게서 깊은 인상을 받은 공자는 사흘 동안 말을 하지 못하고 자신이 배운 것을 깊이 생각했다고 한다. 그는 노자를 구름 위를 나는 용에 비유했다.

그리고 물소가 온다

노자의 죽음에 관한 이야기는 그의 출생에 관한 이야기만큼이나 희한하다. 지상에서 덕의 길을 닦기 위해 아무리 노력을 기울여도 헛되다는 것을 깨달은 노자는 주나라 왕궁을 떠나 물소를 타고 진나라로 향했다. 노자가 함곡관에 이르렀을 때 그곳을 지키던 윤희가 그의 지혜를 담은 책을 쓰라고 말했다. 그렇게 탄생한 책이 바로 『도덕경』이다. 약 5500자로 쓰인 이 책은 해독하기 어렵다. 구두법도 지키지 않고 시적 언어로 쓰인 아포리즘 모음집인 『도덕경』은 절제, 내적 고요를 추구하고 무위를 위해서 행동을 거부할 것을 설파한다. 노자는 물소를 타고 다시 길을 떠났으나 그 이후 노자를 본 사람은 없었다. 이런 인물에 대해 중국에서는 전통적으로 지혜가 높아 수명의 한계를 뛰어넘는다고 본다. 그래서 노자가 150~200살까지 살았다고 믿는다. 현대 역사가 중 일부는 노자가 실존하지 않았다고 보고 그가 현자의 이상적인 상일 뿐이라고 주장한다. 여러 시대에 걸쳐 나타났던 실제 인물들의 장점만 모아놓은 인물이라는 지적이다. 마찬가지로 『도덕경』도 한 사람이 아니라 여러 사람이 쓴 공동 저작이라고 주장한다.

도, 무의 길

도는 비어 있어서
아무리 써도 채워지지 않는다.
깊고 넓은 도는
만물의
근본이다.

날카로운 것을 무디게 하고
얽힌 것을 푼다.
빛 속에서도 구분하며
먼지처럼 흩어지는 것을 모은다.

보이지 않는 깊은 곳에
도가 있다.
도는 모르는 자의 자식이자
신들의 조상이다. (노자, 『도덕경』)

다윗 음악가 왕

David, B.C. 1030년경~B.C. 961년경

다윗(히브리어로 '사랑받는 자'라는 뜻)은 사무엘의 예언에 따라 이스라엘의 두 번째 왕이 될 운명이었다. 그러나 처음부터 그럴 기미가 보였던 것은 아니다. 다윗은 아버지 이새와 마찬가지로 베들레헴에서 태어나 평범한 양치기로 살고 있었다. 음악적 재능이 남달랐던 덕분에 사울왕의 궁정에 들어갔고 그곳에서 시종으로 일하며 하프를 연주했다. 왕의 감성을 울릴 줄 알았던 다윗은 곧 사울의 총애를 받아 그의 딸 미갈과 결혼까지 하게 되었다. 그러나 사울이 블레셋과 참혹한 전쟁을 벌이면서 행복한 시절도 막을 내렸다. 다윗은 골리앗과의 싸움에서 이겨 왕국을 구했지만 사울은 그에게 고마워하기는 커녕 그를 시기해서 벌을 내렸다. 결국 다윗은 왕실과 멀어졌지만 여러 차례 암살의 표적이 되었다. 목숨이 위태롭다고 느낀 그는 도망쳐 정처 없이 떠돌았고 블레셋 사람들에게까지 품을 팔며 살았다. 다시 전쟁이 터지자 다윗의 운명도 바뀌기 시작했다. 길보아산에서의 전투가 사울에게 불리하게 전개되었고 결국 사울과 그의 아들 요나단은 목숨을 잃었다. 사무엘의 예언과 골리앗을 이긴 전적을 등에 업고 패전한 왕의 사위 다윗은 마침내 이스라엘의 왕이 되었다. 그러나 그를 왕으로 인정한 것은 남부의 부족들뿐이었기 때문에 7년 동안 원정을 다닌 후에야 북부에서도 권위를 확립했다. 이후 그는 예루살렘을 차지해서 헤브론을 대신할 수도로 천명했다.

언약궤

조직을 이끄는 데 능했던 다윗은 부족 전체를 다스린 최초의 군주였다. 그는 예루살렘에 궁을 두고 그곳에 언약궤를 가져다 놓았다. 그의 궁은 중동의 화려한 문화 중심지로 명성을 얻었다. 다윗은 용병으로 이루어진 상비군을 두었다. 그는 음악적 재능이 있었던 것으로도 전해지는데, '찬양의 책'인 「세페르 테힐림」—'시편'으로 더 잘 알려져 있다—을 썼다고도 한다. 신의 영광을 노래하는 150편의 시를 그가 혼자 쓰지는 않았다고 하더라도 집필에 참여했음은 분명한 듯하다. 다윗의 가정생활은 혼란스러운 편이었다. 난을 일으켰던 아들 압살롬이 죽자 다윗은 또 다른 아들 솔로몬을 후계자로 지명했다. 다윗에게는 많은 애첩이 있었지만 그는 자신의 병사였던 히타이트인 우리야의 아내 밧세바에게 매료되었다. 그는 결국 방해가 되는 우리야를

「음악가들에게 둘러싸인 다윗왕」, 미세화, 『성녀 엘리자베스의 시편집』, 13세기.

절대적 믿음

「시편」 119편의 감동적인 글은 다윗이 썼다고 알려져 있으며 조물주의 무한한 사랑을 느끼는 피조물의 절대적 믿음을 가장 잘 보여준다.

내가 모든 재물을 즐거워함 같이
주의 증거들의 도를 즐거워하였나이다
내가 주의 법도를 묵상하며
주의 도에 주의하며
주의 율례를 즐거워하며
주의 말씀을 잊지 아니하리이다
주의 종을 후대하여 살게 하소서
그리하시면 주의 말씀을 지키리이다
내 눈을 열어서 주의 법의
기이한 것을 보게 하소서
나는 땅에서 객이 되었사오니
주의 계명을 내게 숨기지 마소서
주의 규례를 항상 사모함으로
내 마음이 상하나이다 (「시편」 119편 14~20절)

밧세바에게서 떼어놓으려는 계략을 꾸몄다. 다윗은 우리야에게 라바 전투의 최전선에서 싸우라고 명했고 나머지 전선에서는 군대를 모두 퇴각시켰다. 적에게 노출된 우리야의 죽음은 이미 예견된 일이었다.

왕의 여자

다윗은 이미 결혼한 처지였음에도 밧세바를 만나서 후계자도 낳았다. 전해지는 바에 따르면 그는 왕궁의 테라스에 있다가 목욕 중인 밧세바를 발견했다. 밧세바에게 첫눈에 반한 다윗은 그녀를 궁으로 데려오게 해서 수차례 안았다. 밧세바는 다윗의 아이를 가졌고 그 소식을 들은 다윗은 밧세바에게 남편 우리야와 관계를 가지라고 했다. 그래야 우리야가 아무것도 모른 채 아이의 아버지가 될 것이기 때문이었다. 그러나 약삭빠른 밧세바는 이를 거절했다. 그녀는 왕비가, 그리고 모후가 되고 싶었다. 결국 다윗은 우리야를 전쟁터에 보내 죽이려는 음모를 꾸몄고 우리야는 전장에서 목숨을 잃었다. 마침내 과부로 자유로운 몸이 된 밧세바는 다윗과 혼인했고 아들을 낳았다. 그러나 신은 그들의 행동을 허락하지 않았고 예언자 나단은 다윗에게 즉각적인 벌이 내려질 것이라고 말했다. 다윗은 후회하며 기도를 드렸지만 태어난 아들은 곧 죽고 말았다. 다윗과 밧세바는 다시 아들을 낳았는데, 그가 바로 다윗의 뒤를 이어 왕위에 오를 솔로몬이다.

대 카토 엄격한 감찰관

Cato the Elder, B.C. 234년~B.C. 149년

대大 카토의 이름은 마르쿠스 포르키우스 카토Marcus Porcius Cato이다. 대 카토라는 별칭은 그의 직업이었던 감찰관censor에서 비롯되었다. 그는 사치에 반대해 기원전 181년 이를 금지하는 법인 '렉스 오르키아Lex Orchia'를 통과시켰다. 대 카토는 막강한 세력을 떨치던 스키피오 가문을 늘 비난했다. 스키피오 가문은 대단히 많은 재산이 있었고 로마 문화의 그리스화를 옹호했다. 대 카토는 그 점도 마음에 들지 않았다. 그리스화가 로마를 약화시키리라고 믿었기 때문이다. 뛰어난 웅변가였던 그는 로마의 역사에 관한 책을 집필하기도 했는데,『기원』은 총 7권으로 구성되었으나 극히 일부분만 오늘날까지 전해진다. 반면 그가 쓴 농학 개론서인『농업론』은 그대로 전해진다. 이 책은 수확을 많이 하려면 노예를 어떻게 부리는 것이 가장 효과적인지 설명한다. 대 카토의 삶은 그의 가르침을 그대로 보여줄 만큼 엄격했고 과시를 일절 거부하는 그의 신념과 정확히 들어맞았다. 대 카토는 부 자체를 비난한 것이 아니라 귀족이 돈을 남용하는 것에 분노했다.

위대한 웅변가

대 카토는 로마에서 150차례 이상 연설을 함으로써 웅변이라는 장르의 위상을 높였다. 그의 연설문 중 80여 편의 일부 또는 전체가 오늘날까지 전해진다. 그가 연설에서 다룬 주제는 매우 다양했지만 로마인들의 행복을 증진하려는 바람은 늘 나타났다. 반면 여성에 관한 관심은 훌륭하면서도 모순적인 부분이 있다. 예를 들면 그는 여성의 재정적 독립을 보장하는 법인 '렉스 보코니아'를 옹호했지만 여성의 옷에 대한 사치를 규제하는 법인 '렉스 오피아'를 부활시키려다가 실패하기도 했다. 타협을 모르고 지나칠 정도로 엄격한 성격으로 유명했던 대 카토는 완고한 기성세대 로마인의 전형이었다. 오늘날 그는 덕성과 검소의 상징으로 여겨진다. 그가 쓴『아들을 위한 교훈』은 바람직한 삶을 살기 위해서 지켜야 하는 규율을 담고 있다.

무화과가 일으킨 전쟁

대 카토는 원로원에서 연설을 할 때마다 시작이나 끝부분에서 항상 "카르타고를 반드시 무너뜨려야 합니다!"라고 열정적으로 외쳤다. 그는 위협적인 카르타고를 섬멸하는 것이 얼마나 시급한 일인지 사람들에게 알리고 전쟁을 시작하도록 설득하려고 과일을 이용했다. "그는 마침내 설익은 무화과를 원로원에 들고 가서 모두에게 보여주었다. 의원들이 탐스러운 무화과를 보고 좋아하자 그는 언제 딴 무화과인지 아느냐고 물었다. 무화과는 매우 신선해 보였다. '이 무화과는 사흘 전에 카르타고에서 딴 것입니다. 적이 얼마나 가까이에 있는지 아시겠습니까?' 이 말에 의원들의 마음이 흔들렸고 결국 로마는 카르타고에 전쟁을 선포했다"(아베 로몽, 『로마의 위인들: 로물루스에서 아우구스투스까지』, 1775).

람세스 2세 정실부인 7명, 첩 200명, 자녀 100여 명을 둔 남자

Ramses II, B.C. 1305년경~B.C. 1213년

위대한 파라오 람세스 2세를 말하지 않고 고대 이집트를 논하기란 불가능하다. 신의 아들치고는 의외로 인정 욕구가 과했던 그는 66년의 통치 기간 동안 왕국을 넓히고 거대한 신전을 짓고 자신의 업적을 기록하고 늘리는 일에만 전념했다. 람세스 2세는 자신을 돋보이게 할 수 있는 것이라면 무엇이든 자기 공으로 돌렸다. 전임 왕을 기리는 동상이나 오벨리스크, 신전의 벽에 새겨진 카르투슈와 왕호를 지우고 거기에 자신의 이름을 새겨 넣기도 했다. 5개로 이루어진 그의 이름 중 '람세스 메리아멘'은 '태양신 라가 아몬의 사랑을 받는 자를 만들었다'는 뜻이다.

공동 통치

람세스 2세는 이집트 제19왕조의 세 번째 왕이다. 할아버지인 람세스 1세의 짧은 통치가 끝난 뒤 아버지 세티 1세는 이집트의 힘을 키우고 생긴 지 얼마 되지 않은 왕조의 뿌리를 튼튼히 했다. 람세스 2세의 어머니 투야는 파라오의 전차 부대를 지휘하던 고급 장교의 딸이었다. 세티 1세는 정치적 안정을 강화하기 위해 아들과 함께 이집트를 통치했다. 따라서 기원전 1279년 람세스 2세가 파라오가 되었을 때 아무도 왕위 계승을 반대하지 않았다. 그는 자신의 왕위를 물려받을 후계자들보다 오래 살았다.

호전적인 군주

람세스 2세가 재위했던 당시 이집트가 두려워해야 할 강력한 적은 하나뿐이었다. 바로 히타이트의 왕이었다. 히타이트 제국은 아나톨리아 중동부(지금의 터키)에서 아르메니아와 시리아 북부까지 펼쳐져 있었다. 람세스 2세는 파라오가 되자마자 전쟁을 준비했다. 전차 부대와 기마 부대를 보강하고 수도를 테베에서 나일강 하구의 피람세스로 옮겼다. 기원전 1274년에 유명한 카데시 전투가 벌어졌다. 카데시는 오론테

스강 부근에 있는 시리아의 요새 도시였다. 히타이트의 왕 무와탈리 2세는 레바논을 횡단한 이집트 군대의 동태를 오래전부터 파악하고 있었다. 그는 군대를 이끌고 오론테스강과 카데시 사이에서 적이 나타나기를 기다렸다. 젊고 혈기 왕성한 람세스 2세는 1개 부대만 이끌고 오론테스강을 건넜다. 히타이트 군대는 그 기회를 놓치지 않았고 수 킬로미터에 걸쳐 행군하는 이집트 군대의 허리를 끊어놓는 데 성공했다. 궁지에 몰린 람세스 2세는 전쟁에서 패배할 듯 보였다. 그러나 아버지 신인 아몬라에게 기도를 올리자 그 즉시 효력이 나타났다. 원군이 도착하며 전세가 바뀐 것이다. 히타이트 군대는 후퇴할 수밖에 없었다.

카데시

이집트와 히타이트는 카데시 전투에서 저마다 승리했다고 주장했다. 람세스 2세는 「펜타우르의 시」로 승리를 자축했다. 이 시는 카르나크 신전과 아부심벨 신전에 새겨져 있다. 이 전투로 인한 히타이트의 손실이 상당했고 군대가 오론테스강 너머로 후퇴했으니 람세스 2세의 말이 어느 정도 맞기는 맞다. 무와탈리 2세는 이집트 군대가 카데시를 정복하지 못했으니 자신들이 승리한 것이라고 주장했는데, 이 또한 틀리지 않은 말이다. 결국 모두가 승자가 된 셈이다. 이후로는 작은 규모의 교전만 이어졌다. 이집트와 히타이트가 레바논과 시리아 국경 지대를 뺏고 빼앗기는 일이 반복되었다. 람세스 2세의 재위 21년에 두 나라는 결국 평화 조약을 맺었다. 조약문은 은으로 만든 2개의 판에 새겨져서 하나는 람세스 2세가 히타이트의 왕이 된 하투실리 3세에게 주었고, 나머지 하나는 하투실리 3세가 람세스 2세에게 주었다. 이어 조약문의 내용은 카르나크 신전의 벽에 새겨졌고, 두 나라의 연합은 정략결혼을 통해서 유지되었다. 람세스 2세는 히타이트의 공주 2명과 혼인했다.

건축하는 파라오

람세스 2세는 지칠 줄 모르는 건축가였고, 그래서 원래 '큰 집'을 의미하는 '페르-오per-o'가 어원인 '파라오pharaoh'라는 왕명을 과감히 택한 것이다. 그는 카르나크 신전의 유명한 다주식 홀을 확장했고, 아비도스에 세티 1세의 신전을 완성하고 자신의 신전도 지었다. 그는 아버지와 자신의 장제전을 테베의 나일강 서안에 짓기도 했다. 람세스 2세의 장제전은 '라메세움Ramesseum'이라고 불린다. 새로운 수도 피람세스에도 거대한 신전 몇몇과 작은 신전을 많이 지었다. 누비아에는 6개의 신전을 건설할 것을 명했는데, 그중 가장 유명한 것이 아부심벨 신전이다. 왕의 신전에는 람세스 2세의 좌상 4개가 있고, 암벽을 깎아 만든 더 작은 크기의 조각상도 있다. 이 조각상은 람세스 2세가 가장 사랑했던 본처 네페르타리의 모습을 조각한 것이다. 이 외에도 왕궁의 건축가들은 수많은 오벨리스크와 거대 석상을 만들었다. 그중 제일 아름다운 석상으로는 멤피스에 있는 누워 있는 모습의 람세스 2세 거상을 꼽을 수 있을 것이다.

평탄치 않은 사후

람세스 2세는 저세상으로 떠나 동료인 신들을 만났다. 그러나 그가 마지막 숨을 거두기까지는 꽤 곡절이 많았다. 람세스 2세는 골염으로 인해 극심한 고통을 느끼다가 세상을 떠났다. 그는 왕의 계곡 KV7 무덤에 묻혔는데, 람세스 3세 재위 29년부터 도굴꾼들이 들끓었다. 제21왕조에는 성직자들이 그의 미라를 '데이르 엘바흐리의 비밀 장소'(TT320 무덤)로 옮겼다. 이 무덤은 1881년에 발굴되었는데 당시 50개가 넘는 다른 미라도 함께 발견되었다. 바깥 공기가 닿으면서 미라에 곰팡이가 생기기 시작하자 크리스티안 데로슈 노블쿠르는 미라를 1976년 람세스 2세를 주제로 열린 대규모 전시회를 기념해 프랑스로 보내서 보존 처리한 뒤 연구했다. 람세스 2세의 미라는 현재 카이로의 이집트 박물관에서 전시 중이다.

마니 예수의 쌍둥이?

Mani, 216년~274/277년

마니교의 창시자 마니 또는 마네스는 오늘날의 이란인 페르시아에서 태어났다. 아버지는 기독교와 유대교가 혼합된 종파인 엘카사이파의 일원이었다. 청년 시절 마니에게 천사 시지고스—자신의 '쌍둥이'—가 찾아와 그리스도의 말씀을 전파하라는 사명을 일러주었다. 마니는 그때부터 긴 여행을 시작했고, 242년에 페르시아의 황제 샤푸르 1세를 만났다. 황제는 마니를 환대했으며 마니교가 국민 정체성을 정립하는 데 토대가 될 수 있겠다는 생각에 그가 자유롭게 제국 내에서 전도할 수 있도록 했다. 그러나 황제의 후계자들은 뜻이 달랐다. 바흐람 1세는 마니교 신자들을 박해했다. 마니는 몸을 피했지만 배신을 당해 제국의 수도인 크테시폰으로 다시 끌려와 순교하게 된다. 그는 자신을 감고 있던 사슬의 무게에 짓눌려 질식사했고, 그의 시신은 절단되어 도시 사방에 전시되었다.

새로운 비교秘教 엘카사이파

엘카사이파는 세례를 중시하는 유대 기독교의 한 분파로 영지주의의 영향을 받았다. 2세기에 출현해서 10세기에 소멸한 이 종파는 실존을 증명할 수 없는 신비한 창시자가 있었다고 주장했다. 그가 바로 엘카사이Elkasai이고, 『엘카사이서』를 쓴 사람이다. 『엘카사이서』는 전통적인 유대교와 기독교의 영향이 뒤섞인 사상의 기초를 발전시켰다. 나사렛의 신자들은 그리스도를 중심으로 한 첫 공동체에 참여했던 유대인들이었다. 아버지에게 받았던 엘카사이파 교육은 마니에게 평생 영향을 미쳤다. 이는 마니교를 전파하기 위한 선교사들이 매우 중요했다는 점에서 나타난다. 마니는 엘카사이파 교도를 개종시키지 않고 이 종파를 그냥 떠났지만 사람들은 그를 엘카사이파의 계승자로 본다.

마르쿠스 아우렐리우스 지혜로운 통치자

Marcus Aurelius, 121년~180년

마르쿠스 아우렐리우스는 스토아학파에서 영감을 얻은 사상을 발전시킨 저명한 철학자이자 지혜로운 황제의 전형이다. 그는 로마 제국의 유력 가문 출신이다. 그의 할아버지는 세 번이나 집정관을 지냈으며 로마의 총독이었다. 또한 할머니는 로마에서 가장 많은 재산을 물려받은 상속자였고, 친척 아주머니는 안토니누스 피우스 황제와 결혼했다. 아우렐리우스는 정치적 미래가 밝았지만 그렇다고 그가 황제의 자리에 오르리라고 예견할 수 있는 것은 없었다. 그가 열일곱 살의 나이에 안토니누스 피우스 황제의 후계자로 입양된 것은 순전히 우연이었다. 그러나 그는 마흔 살이 되어서야 최고의 권력을 갖게 된 늦된 황제였다.

제국을 향한 긴 행진

마르쿠스 아우렐리우스가 지혜로운 황제가 된 것은 오랜 시간을 버티며 기다렸기 때문일 것이다. 아우렐리우스는 안토니누스 피우스의 딸 파우스티나와 혼인하면서 자신이 모델로 삼은 황제와 더욱 가까워졌다. 146년부터 그는 호민관의 권력과 자신을 공동 황제로 만들어준 군사 권력인 최고 명령권을 가졌다. 아우렐리우스는 안토니누스의 또 다른 양자인 루키우스 베루스와 책임을 나눠서 졌다. 루키우스 베루스가 이른 나이에 사망할 때까지 두 사람은 로마 제국의 공동 황제였다.

단독 황제

마르쿠스 아우렐리우스는 카이사르 마르쿠스 아우렐리우스 안토니누스 아우구스투스라는 이름으로 로마의 운명을 결정하는 자리에 올랐다. 그는 팍스 로마나('로마의 평화')를 이루기 전에 십수 년에 걸쳐 여러 차례 전쟁을 벌여야 했다. 아르메니아를 점령한 파르티아 제국과 다뉴브강을 넘어 포 계곡으로 진출하던 마르코마니족이 그 상대였다. 이 적들이 다시 위협이 되자 아우렐리우스는 177년에 총사령관으로서 군대를 이끌고 다뉴브강까지 직접 진격에 나섰다. 그러나 이 전쟁에서 아우렐리우스는 병을 얻었다. 그는 180년 3월 17일에 오늘날의 빈 지역인 빈도보나에서 세상을 떠났다.

살기 위해 철학하기

『명상록』은 마르쿠스 아우렐리우스가 생애 마지막 10여 년 동안 그리스어로 기록했던 일기를 모아 엮은 것이다. 따라서 이 책에 실려 있는 글은 아우렐리우스가 자기 자신에게 가식 없이 하는 말임을 알 수 있다. 그는 행동을 더욱더 바로 하자고 다짐하고, 많은 것을 자책하고, 유혹이나 편협—일반인에게도 위험하지만 로마를 다스리는 군주에게 나타난다면 더욱 위험할—에 빠지지 않기 위한 훈련 방법도 고안했다. 건조하고 차가운 문체로 써 내려간 『명상록』은 현자의 올바른 삶을 찬양한다. 현자는 자신이 좌우할 수 있는 일에만 개입하고 자신이 어찌할 수 없는 일에는 무관심하다. 『명상록』은 의무감도 높이 산다. "운명이 네게 짐 지우는 것에 맞추라. 운명이 네게 벗으로 주는 사람들을 진심으로 사랑하라"(『명상록』 제6권 30).

왕관을 쓴 철학자?

마르쿠스 아우렐리우스는 어렸을 적부터 스토아학파에 관심을 가졌다. 스토아학파는 아타락시아, 즉 열정으로 야기되는 고통이 없는 상태에 이르기 위한 금욕적 삶을 권한다. 그가 얼마나 열심히 스토아학파의 원칙을 지키려고 했던지 어머니의 불평에도 불구하고 거친 천으로 지은 옷을 입고 땅바닥에서 자는 것도 마다하지 않았다. 황제가 된 뒤에도 시간을 할애해서 스토아학파의 사상을 연구했고 선생을 선택해서 수업을 들었다. 동시대인들은 아우렐리우스의 생활 방식을 비난했다. 그러나 그가 제도의 간소화와 일관성을 확보하기 위해 법체계를 개혁했을 때만은 스토아학파의 영향을 받지 않은 것으로 보인다. 그의 통치는 기독교인들에 대한 폭력적인 박해로도 기억된다. 마르쿠스 아우렐리우스는 황제이기도 했지만 철학에 매진한 한 인간이기도 했다.

모세 강에서 건진 아이

Moses, B.C. 13세기~B.C. 12세기

모세는 『구약 성서』에 나오는 유명한 인물 중 하나이다. 그는 기원전 13세기에 세티 1세와 람세스 2세가 지배하던 이집트에서 살았다. 그의 부모인 아므람과 요게벳은 유목민인 하비루—이집트인들이 부르던 이름으로 '히브리'는 하비루에서 온 말이다—에 속하는 레위족 출신이었다. 모세가 태어난 시절은 노예가 된 히브리인들이 늘어나는 것을 막기 위해 파라오가 히브리인 가정에서 태어난 장자를 죽이라는 명령을 내린 때였다. 요게벳은 모세가 태어난 사실을 감추고 등나무로 짠 바구니에 갓난아이를 담아 나일강에 띄워 보냈다. 이 이야기도 전설적인 인물의 탄생에 관한 여느 이야기들과 크게 다르지 않다. 사실 모세의 이야기는 아카드의 사르곤왕 이야기와 유사하다. 모세는 파라오의 딸이 그를 강에서 발견해 구했기 때문에 히브리어로 '강에서 건진 아이'라는 뜻의 이름을 갖게 되었다. 모세는 이집트어 '메수mesu'에서 비롯된 이름으로, 일반적으로 '아이'라는 뜻으로 쓰인다. 이집트 왕궁에서 성장한 그는 강하고 재주 있는 남자가 되었다. 어느 날 공사장을 방문한 모세는 작업반장이 히브리인 노예를 때리는 장면을 목격했다. 모세는 반장을 죽여서 땅에 묻었다. 그리고 사건에 대한 소문이 퍼지자 아라비아반도의 미디안으로 도망가기로 마음먹는다.

신의 계시

미디안에서 모세는 사제 이드로의 딸들이 물을 긷지 못하도록 막던 목동들을 쫓아 보냈다. 그리고 딸들 중 하나인 십보라와 결혼했다. 그 이후 시간은 평화롭게 흘러갔다. 모세는 장인의 양 떼를 돌보며 대부분의 시간을 보냈다. 그러던 어느 날 꺼지지 않고 불타는 관목을 보고 놀라 가까이 갔다가 야훼의 목소리를 들었다. 야훼는 모세에게 히브리인들이 이집트의 굴레에서 벗어날 수 있게 하라고 명했다. 모세는 도망치려고 했지만 야훼가 '나는 스스로 있는 자'라는 의미의 자신의 이름을 말하자 뜻을 굽혔다. 그때 이미 여든 살이었던 모세는 이집트로 돌아갔다.

열 가지 재앙

모세는 야훼의 명령을 파라오에게 전했다. “내 민족을 풀어줘라.” 그러나 자신을 신으로 생각했던 람세스 2세는 그 어떤 명도 받지 않았다. 람세스 2세는 마법사들을 불러 모았고, 그들이 막대기를 뱀으로 둔갑시키는 등 마법을 부릴 때마다 모세는 자신의 신이 더 우월하다는 것을 입증해야 했다. 그래도 파라오는 뜻을 굽히지 않았고 모세는 몇 달 동안 파라오의 저항을 꺾기 위해 이집트에 닥칠 열 가지 재앙을 예고했다. 피로 물든 나일강, 개구리, 파리, 해충의 출몰, 악질에 걸린 가축, 사람에게 생긴 독종, 우박, 메뚜기의 공격, 3일간 계속되는 암흑 등이 그것이다. 파라오는 열 번째 재앙에 항복하고 말았다. 열 가지 재앙 중 가장 참혹한 재앙인 장자들의 죽음 때문이었다. 히브리인들은 드디어 이집트를 떠났다. 그러나 분노에 찬 파라오는 군대를 보내 그들을 쫓았다. 히브리인들은 나일강 하구의 늪지대인 얌수프에 이르렀는데, 그곳은 바로 홍해였다. 모세가 신에게 기도해 바닷길이 열리자 히브리인들은 걸어서 홍해를 건넜고, 전차를 탄 이집트인들이 건너려 하자 바닷길이 다시 닫혔다.

모세와 여인들

이드로의 딸 십보라(‘새’)는 모세의 첫 번째 부인이다. 그녀는 이집트 남쪽에 있던 쿠시 왕국(지금의 에티오피아)에서 출발한 배를 타고 가다가 난파를 당한 뒤에 이드로에게 입양되었다. 따라서 전통적으로 백인으로 표현된 그녀는 사실 흑인이었을 것으로 추정된다. 부부는 두 아들 게르솜과 엘리에젤을 얻었다. 게르솜은 ‘망명’, 엘리에젤은 ‘신은 구원자’라는 의미이다. 십보라는 모세의 목숨을 두 번 구했는데 그중 한 번은 이집트에서 탈출할 때였다. 모세는 그때까지 아들에게 할례를 받게 하지 않았는데, 이에 분노한 신이 죽음으로 그를 벌하려고 했다. 그러자 십보라가 동굴에서 직접 아들에게 할례를 행했다. 그녀는 모세가 십계명을 받은 직후 자매가 파놓은 함정에 빠져 죽었다. 모세는 케트루라라는 두 번째 아내를 맞았는데 그녀에 대해서는 알려진 바가 거의 없다.

십계명

모세와 그의 형 아론이 이끄는 히브리인들이 시나이산에 이르렀을 때였다. 산 정상에서 폭풍우가 심하게 몰아치자 모세는 불타는 관목과 신의 부름을 떠올렸다. 그는 산을 올라가 야훼로부터 십계명을 받았다. 하지만 그가 자리를 비운 시간—40일의

낮과 밤—이 길어지자 히브리인들은 이집트에서 믿던 이교로 돌아갔다. 특히 황금 송아지로 표현된 신성한 소 아피스를 섬겼다. 모세는 분노했다. 그는 우상을 숭배하는 자들을 모조리 죽이고 히브리인들이 자격이 없다며 십계명이 적힌 석판을 깨뜨렸다. 그래서 다시 시나이산에 올라 십계명을 받았다.

약속의 땅

고난은 여기서 끝나지 않았다. 히브리인들은 아직 약속의 땅인 가나안에 도착하지 못했다. 그러자 모세를 의심하는 자들이 생겼다. 그들은 벌써 몇 년째 지속되고 있으며 끝날 것 같지도 않은 방황의 목적을 의심했다. 그들은 젖과 꿀이 흐르는 땅에 들어갈 자격을 갖출 때까지 40년 동안 방황했다. 신을 의심했던 모세는 그 땅에 들어갈 수 없었다. 그는 백스무 살에 후계자로 여호수아를 지목한 뒤 네보산에서 가나안을 바라보며 숨을 거두었다.

베르킨게토릭스 위대한 왕

Vercingetorix, B.C. 82년경~B.C. 46년

베르킨게토릭스는 이름이 아니라 아르베르니어로 '위대한 왕' 또는 '영웅들의 위대한 왕'이라는 뜻의 칭호이다. 베르킨게토릭스는 오늘날 프랑스의 오베르뉴 지방에 해당하는 아르베르니에서 기원전 82년경 태어났다. 귀족이었던 아버지 켈틸루스는 스스로 왕이 되겠다고 하여 처형당했다. 사실 왕권은 마지막 왕이 약 50년 전 로마에 패배한 이후 폐지되었다. 베르킨게토릭스도 추방되었다. 갈리아에서 로마 군대를 따라다니며 군사 교육을 받을 수 있는 조건이었는데, 사실은 로마 군대의 전술과 무기 종류를 속속들이 알기 위함이었다. 그는 갈리아 기사단을 이끌며 6년 동안 율리우스 카이사르를 모셨다. 전쟁과 그로 인한 피해가 지속되자 처음에는 무기력하게 상황을 지켜보던 갈리아족은 분노하기 시작했다. 기원전 52년 베르킨게토릭스는 카르누테스족이 오를레앙에서 상인들을 학살하며 반란을 일으킨 틈을 타 로마에 대한 반란을 꾀했다. '장발의 갈리아'를 뜻하는 갈리아 코마타(당시 로마의 지배를 받지 않았다)의 모든 사람이 그를 따른 것은 아니지만 베르킨게토릭스는 갈리아 중부 및 아르모리카의 부족들에게 수장으로 인정받았다.

카이사르와 프랑스 제3공화국

카이사르는 베르킨게토릭스를 알고 있었다. 로마를 위해 싸우는 갈리아 비정규 기병대의 지휘관 베르킨게토릭스와 같은 막사를 쓴 적이 있었기 때문이다. 포로를 오래 잡아두어 쇠약하게 만들거나 반죽음이 되도록 만드는 것은 카이사르가 거두는 승리에는 걸맞지 않았다. 베르킨게토릭스의 여건은 다른 포로들에 비하면 그나마 인간적인 편이었다. 그렇다고 때가 되었을 때 베르킨게토릭스를 능멸하지 않거나 처형하지 않은 것은 아니었다. 역사 연구에서 오랫동안 배제되었던 베르킨게토릭스라는 인물은 프랑스가 프로이센과의 전쟁에서 패배하고 빌헬름 1세가 통치하는 신생 독일 제국에 알자스와 로렌 지방을 빼앗긴 이래 제3공화국에서 프랑스 국민의 상징이 되었다. 프랑스의 영원한 위대함을 고양시키기에 적합한 영웅을 하루빨리 만들어내야 하는 상황이었기 때문이다.

전쟁의 왕

물자를 보급받아야 하는 로마군의 상황을 알고 있었던 베르킨게토릭스는 초토화 작전을 썼다. 이는 재산이 파괴되는 것을 두고 보지 못한 일부 귀족과 서민들의 원망

을 샀다. 이때 아바리쿰(지금의 프랑스 부르주)의 비투리게스족은 수도를 파괴하기를 끝까지 거부했는데, 결국 로마군은 이 도시를 점령하고 주민을 모조리 학살했다. 이 사건이 베르킨게토릭스에게 도움이 되었다. 로마군의 잔혹한 행각에 새로운 동맹이 하나둘 합류했던 것이다. 그중 하이두이족은 세력이 막강했다. 카이사르는 게르고비아에서 패배한 뒤 남쪽으로 후퇴해야 했는데, 베르킨게토릭스는 그런 그를 이동이 빠른 소부대들을 보내서 공격하려고 했다. 그러나 갈리아의 모든 수장이 그를 따르기를 거부했고 디종 근처에서 로마군과 회전을 벌였다. 결과는 참혹했다. 살아남은 자들은 베르킨게토릭스가 있는 알레시아로 갔다. 로마군의 포위는 계속되었다. 노약자는 요새에서 쫓겨나서 갈리아와 로마의 요새 사이를 방황하다가 굶어 죽었다. 연합군이 지원군을 보냈지만 수장들은 합동으로 공격을 준비하지 못했다. 결국 그들은 카이사르에게 차례로 패했다. 베르킨게토릭스가 항복하는 장면은 잘 알려져 있다. 그는 혼자 말을 타고 장교들에게 둘러싸인 카이사르 앞까지 가서 그의 발밑에 자신의 검과 투창, 투구를 던졌다. 갈리아의 족장들과 병사들은 노예가 되어 로마로 잡혀갔다. 전통에 따라 베르킨게토릭스는 지하 감옥에 갇혔다. 6년 뒤에 카이사르의 승리를 기념하기 위해 그를 대중에게 공개했다. 베르킨게토릭스는 마메르티노 감옥에서 목이 졸려 죽었으며 시체는 게모니에 계단에 던져졌다.

불굴의 여왕 부디카

프랑스인들이 베르킨게토릭스를 로마에 대한 갈리아족의 저항의 상징이라고 본다면, 같은 역할을 한 인물로 영국인들은 부디카 여왕(30?~61)을 꼽는다. 이케니족(지금의 노퍽에 살던 부족)의 왕 프라수타구스의 부인이었던 부디카는 남편이 남긴 유언장의 희생양이 되었다. 네로 황제의 로마가 막강하다는 사실을 알았던 남편이 왕국을 보호한답시고 왕국의 절반을 황제에게 남겼기 때문이다. 이는 비극적인 실수였다. 로마는 이 유언장을 핑계로 막대한 세금을 부과해 백성들을 옥죄고 노예로 만들었다. 부디카는 저항했지만 끔찍한 처벌을 받았다. 두 딸이 로마 병사들에게 강간당했던 것이다. 이 야만적인 행위에 이케니족의 저항이 거세졌고 로마군과 그들의 동맹군이 학살당했다(7만 명이 사망했다고 한다). 이에 네로는 가차 없는 진압을 명했다. 결국 패배한 부디카는 음독자살했고, 두 딸은 싸우다가 죽었다는 설도 있고 역시 음독자살했다는 설도 있다. 웨스트민스터교와 멀지 않은 곳에 전차를 타고 있는 부디카의 동상이 세워져 있다. 그녀는 오늘날까지도 정복자에 대한 저항을 상징하는 인물로 남아 있다.

사도 바울로 기독교 공헌가

Paul the Apostle, 5년과 15년 사이~64년경

바울로—유대식 이름은 사울, 라틴어식 이름은 파울루스—는 키리키아(지금의 터키)의 타르수스에서 기원후 5년에서 15년 사이에 태어났고 64년경에 로마에서 참수되어 생을 마감했다. 그는 기독교의 창시자 중 하나이자 예수 다음으로 중요한 인물로 여겨진다. 『신약』을 구성하는 27권 중 13권을 그가 썼다. 또한 바울로는 그의 예언과 로마 입성을 다룬 「사도행전」의 주요 인물이기도 하다. 서신 형식으로 작성된 13권 중 7권은 그가 직접 부른 내용을 받아쓰게 했다고 전해지는데 바로 「데살로니가전서」, 「갈라디아서」, 「빌립보서」, 「빌레몬서」, 「로마서」, 「고린도전서」, 「고린도후서」이다. 나머지 6권은 '제2 바울로 서신'(바울로의 이름을 빌려 쓴 차명본으로 전해지는 「골로새서」, 「에베소서」, 「데살로니가후서」)과 '제3 바울로 서신'(바울로의 후계자들이 썼다고 전해지는 「디도서」, 「디모데전서」, 「디모데후서」)으로 나뉜다.

바울로는 어떤 인물이었나

바울로는 소아시아에서 그리스 문화의 영향을 크게 받은 유대인 집안에서 태어났다. 그래서 그리스의 일상어인 코이네를 구사했지만 역시 유대인이었던 동시대 철학자 알렉산드리아의 필론과는 달리 문학적이고 학문적인 형태의 그리스어는 할 줄 몰랐다. 바울로와 필론은 자신들의 글에 '70인역'이라고 불리는 『성경』의 그리스어 번역본을 사용했다. 종교적으로 바울로는 바리새파에 속했기 때문에 죽음 이후의 삶을 믿었고 『구약 성경』 외에 랍비들의 주해도 받아들였다. 그는 예루살렘에서 바리새파의 지도자인 가말리엘의 가르침을 받았다. 바리새파는 사두개파와는 달리 기독교인들을 보호했다. 그러나 바울로는 유대 공동체의 정통성을 지켜야 했기 때문에 예수를 메시아로 인정하는 기독교인들을 추방하거나 채찍으로 때리는 등 박해했다.

신의 계시

사울은 다마스쿠스로 향하는 길에 환상 속에서 신을 보았다. 말 그대로 눈을 멀게 한 빛이 나면서 "사울아, 사울아, 너는 왜 나를 박해하느냐?"라고 하는 신의 목소리가 들렸던 것이다. 사울은 아나니아를 만나 기독교로 개종하고 세례를 받았다. 그는 세례식 도중에 시력을 되찾았다. 그로부터 몇 년이 지난 42년경에 바울로가 된 사울은 두 가지 일을 한다. 유대교와 기독교를 절충시킬 해법을 찾는 것과 선교 활동으로 이교도(비유대인)를 개종시키는 것이었다.

선교, 언쟁, 죽음

바울로는 새로운 신앙을 널리 퍼뜨리기 위해 길을 나설 때마다 몇 년씩 걸린 선교 여행을 세 차례 떠났다. 그 외에도 예루살렘과 안티오케이아에서 가진 베드로, 야고보와의 회합에도 열심히 참여했다. 그들은 원래 유대인이 아니면서 이교도였던 새 신자들이 적응할 수 있도록 종교 의식을 바꾸는 작업을 했다. 베드로와 야고보는 할례를 받았다. 그렇다면 개종한 그리스인들에게 할례를 강요해야 할까? 성인에게도 할례를 행해야 할까? 할례를 강요하지 않기로 한 결정은 예루살렘에서 내려졌다. 안티오케이아에서는 유대인들이 지키는 음식과 관련된 금기를 유지하고 이교도와는 같이 식사하지 않도록 하는 결정을 내렸다. 이 문제로 바울로는 베드로가 가식적이라며 신랄하게 비판했다. 이러한 갈등이 그가 58년 예루살렘에서 체포되었던 일에 일정 부분 기여했다. 할례와 유대교의 음식 관련 금기를 따르지 않아도 된다고 가르친 것이 배교 행위라는 판결을 받은 바울로는 카이사레아로 보내져 미결수 신세로 감옥에서 지냈다. 60년에 두 번째 재판을 받은 그는 자신의 로마 시민권을 내세워 지방 관리가 자신의 죽음을 결정할 수 없다고 항변했다. 그래서 그는 로마로 이송되었고, 그곳에서 사형 선고를 받았다. 바울로는 64년경에 참수되었다.

바울로의 메시지

바울로는 기독교의 두 번째 창시자로 여겨진다. 그도 그럴 것이 신흥 종교였던 기독교가 세계적인 종교로 발전할 수 있었던 것은 그 덕분이었다. 바울로가 유대인뿐만 아니라 모든 사람을 대상으로 포교했기 때문이다. "너희는 유대인이나 헬라인이나 종이나 자주자나 남자나 여자 없이 다 그리스도 예수 안에서 하나이니라"(「갈라디아서」 3장 28절). 그뿐만 아니라 바울로는 '이교도의 사도'가 되어 예수의 죽음과 부활로 약속받은 구원 안으로 믿는 자를 모두 규합함으로써 예수가 신비체의 지위를 확보할 수 있게 했다. 그리스도론에서는 믿음이 구원하고, 희망이 살게 하며, 사랑이 초월하게 한다고 본다. "내가 사람의 방언과 천사의 말을 할찌라도 사랑이 없으면 소리 나는 구리와 울리는 꽹과리가 되고, 내가 예언하는 능이 있어 모든 비밀과 모든 지식을 알고 또 산을 옮길 만한 모든 믿음이 있을찌라도 사랑이 없으면 내가 아무것도 아니요"(「고린도전서」 13장 1~2절).

사마천 중국 최초의 역사가

司馬遷, B.C. 145년경~B.C. 86년경

사마천은 중국 최초의 역사가이다. 전한 무제가 다스리는 한나라 시대에 살았던 그는 태사령 사마담의 아들이다. 사마담은 별의 위치를 파악해 달력에 적용하고 궁의 일상 및 의식과 관련된 연대기를 작성하는 일을 맡았다. 사실 중국의 역사서를 최초로 쓰려고 했던 사람은 사마담이었지만 그는 뜻을 이루지 못하고 죽었다. 중국에서 대대로 중시되었던 덕목인 효심과 공경심이 깊었던 아들 사마천이 아버지의 소원을 들어준 셈이다. 삼년상이 끝나자 사마천은 아버지의 뒤를 이어 태사령이 되었다. 기원전 105년에는 새로운 시대를 열고자 하는 황제의 뜻에 따라 중국 달력을 개혁했다.

목숨이 달린 거세

기원전 98년에 사마천의 삶을 바꿔놓은 사건이 발생했다. 훈족의 선조인 흉노를 정벌하러 이릉 장군이 국경으로 파견되었다. 원래 이릉은 싸우면서 후퇴하는 척하다가 원군이 도착하면 반격에 나서 적을 칠 생각이었다. 그러나 원군은 오지 않았고 결국 이릉은 항복하기로 결심했다. 그러나 이릉의 행동은 한나라 고위 관리로서의 명예를 지켜야 한다는 법도에 맞지 않았기 때문에 무제는 그의 가족 전원을 말살하라는 명을 내렸다. 그러자 사마천은 이릉을 진심으로 옹호하는 글을 황제에게 올렸다. 글을 보고 노한 황제는 사마천에게 죽음이나 수치스러운 거세 중 하나를 택하라고 했다. 그 당시 법으로는 형벌을 받는 대신 벌금을 낼 수도 있었는데 사마천은 가난해서 그럴 만한 돈이 없었다. 또한 명예를 지킬 수 있는 자살은 부모에게 효도해야 한다는 법도와는 맞지 않았다. 결국 사마천은 거세를 택했고 친구 임안에게 보내는 편지에서 그런 선택을 한 이유를 밝혔다. 그 뒤 사마천의 실총 기간이 이어졌다. 궁은 사마천이 자살도 하지 않았고 궐석 재판 이후 역시 자살보다 불명예를 택한 이릉도 옹호했다는 이유로 그를 비난했다.

일생의 역작, 『사기』

무제는 사마천에게 너무 심한 벌을 내렸다고 생각했는지 2년 뒤에 그를 사면하고 중서령으로 복귀시켰다. 중서령은 환관만이 맡을 수 있는 황제의 개인 비서이다. 사마천은 남은 일생을 『사기史記』를 쓰는 데 보냈다. 그는 세계, 그러니까 중국의 역사를 그 기원부터 쓰고자 했다. 그래서 그의 책은 전설적인 황제들인 삼황오제에서 시작해 전한 무제에 이르기까지 중국의 2500년 역사를 다룬다. 물론 사마천 이전에도 역사서는 있었다. 공자가 쓴 『춘추春秋』가 그 예이다. 그러나 사마천은 자신의 역사적 지식을 주제별로 묶고 특정 시대만을 다루지 않아서 최초로 진정한 역사가로서의 면모를 보였다. 모두 130권으로 구성된 『사기』는 다섯 부문으로 나뉜다. '본기'는 왕 및 황제들의 생애를, '세가'는 귀족들의 생애를 다루었다. '표'는 연표인데 기록된 내용 중 기원전 841년부터는 신빙성이 높고 그 이전까지는 전설에 가깝다. '서'는 경제와 문화를 다루었고, '열전'은 노자처럼 앞에서 다루지 못한 위인들에게 할애되었다. 전통에 머물렀던 사람보다 개혁자의 생애를 더 다룬 것이 사마천의 성향을 보여준다. 그는 왕조의 계승에 대해서도 견해를 밝혔다. 뛰어난 인물이 세운 왕조는 계속 이어지다가 미천한 군주에 의해 종말이 앞당겨졌다. 권력에 대해 분석하는 것은 위험이 따르는 법이므로 사마천의 딸은 아버지가 사망하자 『사기』를 감춰두었다. 왕이 두 번 바뀐 뒤에야 그의 손자가 공개하기로 결심하면서 『사기』는 세상의 빛을 보게 되었다. 이 책은 오늘날에도 중국 역사가들에게 귀감이 되고 있다.

사포 티아소스에서 황홀경까지

Sappho, B.C. 7세기~B.C. 6세기

사포는 그리스 세계에서 아르킬로코스, 알카이오스, 티르타이오스에 버금가는 위대한 시인의 하나로 꼽힌다. 레스보스섬의 미틸리니에서 태어난 그녀는 기원전 596년에 시칠리아로 유배 갔던 기간만 빼면 평생 고향에서 지냈다. 가족들의 이름만 보아도 시적이다. 그녀의 아버지는 스카만드로니모스였고, 어머니는 클레이스, 형제는 에리기이오스, 라리코스, 카라코스였다. 후대에 'Sappho'로 알려진 그녀의 이름은 원래 'Psappho'에서 이오니아식으로 변형된 형태이다. 사포는 안드로스섬의 부유한 상인 케르칼라스와 결혼했다. 전해오는 말에 따르면 그녀는 비참한 최후를 맞았다. 사포는 젊은 어부 파온과 사랑에 빠지는데, 사람들이 그런 그녀를 경멸하자 마음의 상처를 입고 레프카다의 절벽에서 바다로 뛰어들었다. 매력적인 외모는 아니었는지 사포는 못생기고 키가 작으며 까무잡잡하다고 기술된다. 그녀의 시는 정치와 사랑을 동시에 다루었다. 그녀가 죽은 뒤에 추종자들이 전한 작품들만 지금까지 남아 있다.

사포와 젊은 여자들

사포의 이름은 여자들의 동성애를 표현하는 사피즘sapphism이라는 단어를 낳았다. 사포는 결혼 전에 음악, 노래, 춤에 전념하는 여자들과 함께 지냈다. 그 여자들은 아프로디테 여신을 섬기는 교육을 받는 귀족 가문의 처녀들이었을 것으로 추정된다. 사포는 그 여자들과 동성애 관계를 맺으며 그들에게 종교 의례를 가르쳐주었다. 말하자면 입문식이었던 셈이다. 그들이 '마이나스'라는 이름으로 디오니소스 신을 섬기는 여사제들의 모임인 티아소스thiasus의 일원이었을 것이라는 추측도 있다. 사포의 시 중에는 동성애에 관해 분명하게 드러낸 것도 있지만 대체로 사랑에 대한 가슴 아픈 후회와 사랑의 덧없음을 노래하고 있다. 그녀의 시는 그리스 전역을 충격에 빠뜨렸는데, 동성애 자체보다는 사포가 동성애를 알린 방식 때문이었다. 그 당시 남성의 동성애는 허용되었으며 소년들의 교육에도 포함되어 있었지만 사포의 시로 표현된 여성의 동성애는 아테네 시인들의 비웃음을 샀다. 그녀가 이성애자로 결혼도 했고 딸 클레이스를 두었다는 것을 보여주는 글들도 있다.

사포의 작품 중에서 시 전체가 온전히 전해진 것은 28행으로 이루어진 「아프로디테 송가」, 단 한 편이다. 사포는 이 시에서 아프로디테에게 사랑하는 젊은 여자를 유혹할 수 있게 해달라고 빈다. 사포의 시가 가진 장점—야외 목욕 장면, 제단 위의 꽃과 화환, 타고 있는 향의 반복적인 등장—은 그녀가 젊은 여자들에게 아프로디테 여신을 위한 사랑의 게임을 얼마나 잘 가르쳐주었는지 보여준다는 데 있다. 살아생전 유명세를 겪었던 사포가 남긴 작품은 그녀의 사후에도 반향을 일으켜 시 모음집으로 오늘날까지 전해 내려올 수 있었다.

호메로스는 여자였을까

호메로스Homeros의 전기를 쓴다는 것은 불가능한 도전이다. 그에 관해 참고할 만한 자료가 거의 없기 때문이기도 하고, 그가 실존 인물이 아니거나 실제로는 여자였을 것이라는 가설을 배제할 수 없기 때문이다. 헬레니즘 문명이 꽃핀 이후, 그러니까 호메로스가 사망한 지 500년이나 지난 뒤에야 그의 이름이 문헌에 나타난다. 그 이전에는 그런 인물이 있었는지 증명되지 않았다. 그렇다면 호메로스가 실존했다고 믿을 수 있을까? 그렇지 않다. 그리스에서는 호메로스라는 이름이 통속적으로 '포로' 또는 '맹인'이라는 뜻으로 통했기 때문이다. 훌륭한 시인은 앞을 보지 못해야 했다. 그래야 보이지 않는 세계, 신과 뮤즈의 세계를 볼 수 있기 때문이다. 호메로스가 썼다고 전해지는 시들은 어쩌면 그리스 왕들의 왕궁에 출입했던 시인들의 작품을 합친 결과물일지도 모른다. 그 시인들을 '아에데스'라고 한다. 19세기의 영국 작가 새뮤얼 버틀러와 프랑스 현대 철학자 레몽 뤼예는 호메로스가 여자라는 주장을 펼쳤다. 기원전 7세기에 살았던 시칠리아 출신의 여류 시인이었다는 것이다. 그러나 호메로스의 대표작인 『일리아드』와 『오디세이아』를 읽어보면 기원전 8세기의 작품일 가능성이 크다는 것을 알 수 있다. 그렇다면 답은 무엇일까? 호메로스의 인기가 워낙 높다 보니 히오스섬에서 바빌론, 스미르나에 이르기까지 많은 도시가 호메로스의 고향임을 자처했다. 고대 그리스 시대부터 그를 다룬 전기가 나왔지만 믿을 만한 저서는 없고 늘 설화와 전설 사이를 오간다. 호메로스의 수수께끼는 아직 풀리지 않았다. 그렇더라도 『일리아드』와 『오디세이아』를 펼치자. 이 두 책은 고대 그리스 사회를 살펴볼 수 있는 좋은 자료이다.

샹카라 불이일원론자

Shankara, 8세기

인도 철학은 오늘날까지 8세기의 철학자 아디 샹카라Adi Shankara의 사상에 바탕을 두고 있다. 보통의 시민이라면 인간에 대한 그의 너그럽고 개방적인 사상에 동조할 것이다. 샹카라에 대한 전기는 10여 편으로 꽤 많은데 모두 그의 사후에 작성되어 저자들은 엄격한 방법론을 적용하기보다는 환상과 기적을 더 많이 활용했다. 여기에서는 믿을 수 있을 만한 내용만 취해서 샹카라의 삶에 관해 살펴보려고 한다. 석가모니와 마하비라를 계승한 샹카라는 유일하고(일원적) 영원한 현실의 자각을 통한 해방의 길, 즉 브라만(최고아)의 길을 가르쳤다. 분열과 반목의 발현은 마야(환상)의 반영이다. 샹카라는 브라만이 절대신보다 우위에 있다고 하여 다른 사상가들을 뛰어넘었다.

여덟 살의 승려

샹카라는 인도 남부 케랄라주의 푸르나강 유역에 위치한 칼라디에서 태어났다. 그는 일찍이 아버지를 여의었다. 산야신sannyasin('포기한 자')이 되겠다는 결심을 했을 때 그는 고작 여덟 살이었다. 승려가 되겠다는 결정은 주로 성인이 되었을 때 내리기 때문에 그의 어머니는 깜짝 놀라 아들을 만류했지만 소용이 없었다. 샹카라는 대승불교(마하야나)의 영향을 받은 고빈다의 제자가 되었다. 대승 불교는 불이일원론을 자각해야 많은 사람을 구원한다는 불교의 한 갈래이다. 해탈—영혼의 해방과 환생의 끝—하면 정신과 육체가 구분되지 않는다. 샹카라는 바라나시(베나레스)에서 절대자에 대한 탐구를 계속했다. 그는 그곳에서 만다나 미슈라와 논쟁을 벌이며 베단타 학파의 해석과 특히 그들이 옹호하는 제물을 바치는 제식에 반대하고 브라만의 접근법이 더 우월하다고 주장했다. 그러나 샹카라는 힌두교의 신들 중 특히 시바와 비슈누를 경외했다. 그는 동시대인들과 달리 박티bhakti, 즉 헌신을 권장할 필요를 느끼지 않았다. 모든 형태의 제식주의도 마찬가지였다. 그의 메시지는 인도 전역을 돌아다니며 만났던 다른 산야신과 지식인에게 반향을 불러일으켰지만 여전히 불교와 자이나교를 믿었던 대중에게는 상당히 낯설었다. 샹카라는 서른두 살에 히말라야의 케다르나트에서 숨을 거두었다.

위대한 업적

샹카라는 산스크리트어로 300편 이상의 글을 쓴 것으로 알려져 있다. 그러나 그가 정말 이 방대한 분량의 글을 다 썼는지는 확실히 알 수 없다. 그의 글은 주로 주해의 형식을 띤다. 예를 들어 『브라흐마 수트라 바스야』는 근원의 불이원성을 내세우는 『브라흐마 수트라』('베단타 수트라'라고도 한다)를 분석한 책이다. 샹카라는 힌두교의 철학적 근간이 되는 『우파니샤드』를 읽고 자신의 견해를 적은 책 『우파데샤사하스리』('천 가지 가르침')도 썼다. 이 책은 절반은 산문, 절반은 시의 형식을 취하고 있다. '가장 아름다운 차별의 꽃'이라고 번역되는 그의 저서 『비베카추다마니』는 스승과 제자가 나눈 대화 형식으로 쓴 철학서이다. 그는 시바에게 바치는 찬가도 썼다. 샹카라는 오늘날까지 큰 영향을 미치고 있다. 인도의 철학자이자 영적 스승 라마크리슈나와 비베카난다가 그의 사상을 배우고 전 세계에 알렸기 때문이다.

산야신이 된다는 것

산야신은 모든 욕망과 인연을 포기한 사람이다. 소유했던 것을 모두 버리고 아슈람(암자)에서 아슈람으로 옮겨 다니며 방랑의 삶을 산다. 처음에는 스승인 구루의 도움을 받아 절대자와 하나가 되는 것을 추구한다. 불의 신 아그니 앞에서 입문할 때 산야신은 순례자의 막대(단다), 물병(카만달루), 허리를 묶는 천(카우피남), 주황색 승려복(카비) 등 새로운 삶에 걸맞은 물건을 받는다. 산야신은 지속적인 명상을 통해 최고아인 브라만을 실현하고자 한다. 정처 없이 떠돌고 공양으로 생계를 해결한다. 산야신의 삶은 본질이자 모든 것의 기원이요 목적인 브라만과 달리 인간의 삶이 덧없음을 보여주는 본보기이다.

석가모니 깨달은 자

Sakyamuni , B.C. 563년경~B.C. 483년경

석가모니는 인도 북부 카팔라 왕국을 다스리던 슈도다나왕의 아들로 태어났다. 왕자는 자신의 삶과 가르침으로 신앙의 세계를 뒤흔들어놓을 운명이었다. 기원전 563년경에 태어난 그의 이름은 '모든 소원을 이루게 하는 사람'이라는 뜻의 싯다르타였다. 그의 어머니 마야 부인은 아이를 낳고 얼마 되지 않아 세상을 떠났기 때문에 싯다르타는 이모의 손에서 자랐다.

고통 없는 구원

"비구들이여, 첫째, 괴로움의 성스러운 진리가 있습니다. 태어남도 늙음도 병도 죽음도 괴로움입니다. 근심과 고통, 절망 역시 괴로움입니다. 싫어하는 대상과 만나는 것도 괴로움입니다. 좋아하는 대상과 헤어지는 것도 괴로움입니다. 원하는 것을 얻지 못하는 것도 괴로움입니다. 이른바 집착의 대상이 되는 다섯 가지(육체, 감각, 표상, 의지, 인식) 자체가 괴로움인 것입니다. 둘째, 괴로움이 일어남의 성스러운 진리가 있습니다. 이는 다름 아닌 갈애이니, 다시 태어남을 가져오고 환희와 탐욕이 함께하며 여기저기서 즐기는 것입니다. 곧 감각적 욕망에 대한 갈애, 존재에 대한 갈애, 존재하지 않음에 대한 갈애를 말합니다. 셋째, 괴로움이 소멸함의 성스러운 진리가 있습니다. 이는 갈애의 남김 없는 소멸과 버림, 놓아버림, 벗어남, 집착 없음을 말합니다. 넷째, 괴로움의 소멸로 인도하는 도道 닦음의 성스러운 진리가 있습니다. 이는 곧 여덟 가지 구성 요소를 가진 성스러운 도이니 바른 견해, 바른 사유, 바른 말, 바른 행위, 바른 생계, 바른 정진, 바른 마음 챙김, 바른 삼매三昧를 말합니다." (『초전법륜경』)

자기만의 길을 닦다

싯다르타는 스물아홉 살까지 화려하고 쾌락적인 삶을 향유했다. 왕이었던 아버지는 아들을 궁에만 머물게 하고 사치스러운 생활을 하도록 했으며 나쁜 것은 보지 못하게 했다. 하인들은 모두 젊고 아름다웠으며 건강했다. 어느 날 싯다르타는 바깥세상을 보고 싶은 마음에 아버지의 뜻을 거스르고 궁을 떠나 도시 이곳저곳을 돌아다녔다. 그는 앙상한 노인의 몸을 보고 늙음을 이해했고, 나병 환자를 보고 질병을 이해했으며, 곧 화장될 시체를 운반하는 장례 행렬을 보고 죽음을 이해했다. 인간의 고

명상에 잠긴 석가모니, 채색 조각, 나무, 13세기.

난을 마주하고 충격을 받은 싯다르타는 호화로운 생활을 버리고 궁을 떠나 거지꼴로 떠돌아다니기 시작했다. 긴 여행을 하는 동안 그는 현자와 은자, 수행자를 만나 그들에게 가르침을 받았다. 그러나 자신의 길은 스스로 닦아야 했다.

보리수 아래에서

보리수 아래에 앉아 깊은 명상에 잠겼을 때 싯다르타의 나이는 서른다섯 살이었다. 그의 명상은 49일 동안 계속되었고, 49일째에 그는 삶이 고통이라는 깨달음을 얻었다. 싯다르타는 그 고통을 없애줄 길을 찾아야 했다. 이제 그는 붓다Buddha, 즉 '깨달은 자'('깨어나다'라는 뜻의 산스크리트어 'budh'에서 파생된 말)가 되었다. 그의 가르침의 가장 큰 축은 사성제에 들어 있다. 사성제란 고성제, 집성제, 멸성제, 도성제를 말한다. 석가모니는 바라나시(베나레스)에서 10여 킬로미터 떨어진 사르나트에서 설파할 때 사성제를 언급했다. 그는 사르나트에서 처음으로 가르침을 설파했으며 그로부터 45년 동안 불교의 교의를 전파했다. 그리고 기원전 483년경 쿠시나가라에서 이질을 앓다가 여든 살에 열반했다.

자애로운 어머니, 구담미

석가모니의 삶에서 가장 중요한 영향을 미친 여성은 마하파사파제 구담미일 것이다. 그녀는 석가모니의 어머니인 마야 부인과 자매지간으로 석가모니에게는 이모이다. 자매는 슈도다나와 혼인을 했지만 마야 부인은 미래의 석가모니인 싯다르타를 낳고 얼마 되지 않아 세상을 떠났다. 결국 구담미가 싯다르타를 길렀고, 조카의 교육에 매진하기 위해 정작 자신의 아이는 유모에게 맡겼다. 싯다르타를 훌륭하게 기른 그녀는 훗날 차가월, 즉 좋은 일이 일어나도록 만드는 운명을 지닌 사람인 '전륜성왕'이 된다. 싯다르타가 깨달음을 얻은 뒤에 구담미는 불교 수행을 하며 출가를 원했으나 석가모니는 꿈쩍하지 않았다. 불가에 여자를 받는 법은 없기 때문이었다. 그러나 구담미는 뜻을 굽히지 않았으며 머리를 깎고 승복을 입은 뒤에 조카를 따라나섰다. 그녀는 석가모니의 가르침에 귀를 기울였고 그의 가르침을 마음 깊이 새기고 따르고자 했다. 불교의 교리에 변화를 가져온 인물은 석가모니가 가장 아끼던 제자 아난다이다. 아난다 덕분에 여성도 승려가 될 수 있었다. 그러나 비구니는 훨씬 더 엄격한 삶을 살아야 했다. 남성 승려보다 8개나 더 많은 규칙을 지켜야 했기 때문이다. 구담미는 대표적인 여승이 되었고 가장 높은 서열인 나한이 되었다. 그녀는 사성제를 터득했을 뿐만 아니라 열반에 들기까지 했다. 열반은 더 이상 윤회를 하지 않아도 되는 최고의 경지이다. 석가모니는 여성을 받아들이는 것을 탐탁지 않게 여기는 듯했으나 자신을 길러준 구담미를 매우 존경했고 그녀가 몸져눕자 직접 돌보는 것도 마다하지 않았다. 백스무 살이 된 구담미는 죽음이 다가온 것을 느끼고 가족에게 둘러싸여 이승을 떠날 준비를 했다. 그녀는 아난다에게 울지 말라고 핀잔을 주었다. 세상을 떠난 구담미의 시신을 태우자 사리가 나왔고, 아난다는 그중 한 알을 석가모니에게 주었다.

세네카 소설 같은 인생

Seneca, B.C. 4년~A.D. 65년

루키우스 안나이우스 세네카Lucius Annaeus Seneca는 히스파니아(지금의 에스파냐) 남부의 코르두바에서 태어났다. 그의 아버지 대大 세네카는 유명한 수사학 교사로 로마에서 활동했다. 어머니 헬비아는 부유한 집안에서 자란 학식 높은 여자였다. 귀족 가문의 청년이 으레 그렇듯이 세네카도 최고의 도시 로마에서 공부를 해야 했다. 이모가 그를 돌봐주었다. 그런데 몸이 약했던 세네카에게 로마의 악취는 전혀 도움이 되지 않았다. 그래서 그는 이모와 함께 이집트 지방 지사였던 이모부 가이우스 갈레리우스를 따라갔다. 세네카는 그곳에서 스토아 사상을 중심으로 철학 교육을 받았다. 기원후 31년 로마로 돌아온 뒤에는 법률가로 활동하며 정치인이 되기 위해 거쳐야 할 과정인 쿠르수스 호노룸cursus honorum을 시작했다. 당시 권력의 핵심인 칼리굴라의 궁에 고문으로 들어가면서 문제가 시작되었다. 세네카의 재능을 시기한 칼리굴라가 그를 죽이려고 했기 때문이다. 그러나 칼리굴라는 세네카의 명이 어차피 짧다는 이야기를 듣고 생각을 바꾸었다. 세네카는 41년에 칼리굴라가 암살되자 이번에는 새 황제 클라우디우스의 세 번째 부인 메살리나의 간계에 빠졌다. 메살리나는 그가 클라우디우스의 조카인 율리아 리빌라와 간통했다고 주장했다. 결국 세네카는 코르시카로 쫓겨났고, 그곳에서 철학과 자연 과학을 깊이 있게 공부했다. 세네카는 클라우디우스 황제의 서기관이었던 해방 노예 폴리비오스가 형제를 잃고 슬픔에 잠기자 그에게 바치는 글 「위로」를 발표해서 로마로 복귀하려는 어설픈 시도를 했다.

네로의 가정 교사

클라우디우스는 메살리나를 처형한 뒤 칼리굴라의 누이이자 자신의 조카인 소小 아그리피나와 네 번째 결혼을 했다. 이 결혼으로 로마가 떠들썩해지자 아그리피나는 황실의 체통을 지켜야겠다고 생각하고 세네카를 로마로 불러들였다. 이듬해에 세네카는 돈 많은 여자 폼페이아 파울리나와 결혼했다. 그는 이미 고위 행정관인 집정관의 자리에 올랐고 결혼을 통해서 세력가인 친위대 대장 섹스투스 아프라니우스 부루스와 알게 되었다. 세네카는 클라우디우스가 입양한 아들인 네로의 선생이 되었다. 54년에 클라우디우스가 세상을 떠났다. 버섯 요리를 먹고 독살당했다고 전해지는데 야심에 찬 아그리피나가 이 사건과 무관하지 않은 것으로 추정된다. 부루스는 권세를 누렸고 덩달아 세네카도 상승일로에 있었다. 세네카는 원로원을 존중하고 해방 노예들의 절대 권력에 종지부를 찍겠다고 약속한 네로 황제의 첫 공식 연설문을 작성했다.

강압적인 어머니

세네카가 성공하자 강력한 적들도 나타났는데 그중 황제의 어머니가 선두에 있었다. 아그리피나는 아들을 통해 나라를 다스릴 생각이었는데 부루스와 세네카로 인해 중요한 결정에서 밀려났다. 네로는 어머니의 간섭을 부담스러워했다. 아그리피나는 몇 번의 사고—타고 가던 배의 난파 등—를 모면했지만 결국 친위대의 칼에 쓰러지고 말았다. 세네카가 보고도 못 본 척한 것인지 아니면 음모에 적극적으로 가담한 것인지는 알 수 없지만 대중은 그에게 책임을 돌렸다. 네로는 권위적인 어머니를 물리치고 난 뒤 또 다른 권위적인 사람의 말을 들을 생각은 전혀 없었다. 부루스가 죽자 결국 세네카의 영향력도 종말을 고했다. 세네카도 그 사실을 인식하고 공직을 떠나고자 했다. 그러나 황제는 만족하지 못하고 64년에 그를 독살하려다가 실패했다. 이듬해에 세네카는 피소의 음모에 가담했다는 누명을 썼다. 원로원 의원이었던 피소는 곡물의 여신 케레스를 기리는 제전이 키르쿠스 막시무스에서 열렸을 때 네로를 칼로 찔러 죽일 계획을 세웠다가 실패했다. 네로는 세네카에게 자살을 명했다. 의연한 로마인 세네카는 결국 손목을 그었다. 타키투스의 『연대기』는 그의 마지막이 무척 힘들었음을 보여준다. 고행의 삶으로 늙고 지친 세네카의 몸에서 피가 잘 나오지 않아 죽을 때까지 많은 시간이 걸렸다. 그래서 세네카는 독을 마셨지만 이마저도 듣지 않았다. 그의 노예들이 뜨거운 탕에 그를 넣었지만 역시 마찬가지였다. 세네카는 자신을 한증실에 데려다 달라고 했고, 결국 그곳에서 질식해 죽었다. 세네카의 최후는 그의 격언이 의미하는 바를 비극적으로 보여준다. "현자는 살 수 있는 만큼이 아니라 살아야 할 만큼 산다."

소크라테스 타락한 실레노스

Socrates, B.C. 469년경~B.C. 399년

소크라테스는 글을 한 편도 남기지 않았다. 우리가 소크라테스의 철학에 대해 알 수 있는 것은 그의 제자들 덕분이다. 그는 플라톤의 대화에 반복적으로 등장하고 크세노폰의 저서에도 주요 인물로 나온다. 소크라테스는 아테네 근교 알로페케의 가난한 집안에서 태어났다. 아버지는 석공인 소프로니스코스이고 어머니는 산파인 파에나레테이다. 그에게는 배다른 형제 파트로클레스가 있었다. 소크라테스는 악처로 유명한 크산티페와 혼인해서 자식을 셋 두었다. 그는 전형적인 아테네 시민 교육을 받았고, 보병으로 세 차례 참전해 용감하게 싸웠다. 포티다이아 전투에서는 알키비아데스의 목숨을 구했고 델리움 전투에서는 크세노폰의 목숨을 구했으며 암피폴리스 전투에도 참전했다. 기원전 431년에서 기원전 404년까지 아테네와 스파르타가 맞붙었던 펠로폰네소스 전쟁이 벌어졌던 때였다.

무엇보다 이성

소크라테스가 물러터지고 여성스러운 인물이었다는 착각은 금물이다. 그는 동시대 남자들과 마찬가지로 폭력적인 성향을 가졌다. 다른 남자들과 큰 차이점이 있다면 그것은 동시대인의 감탄을 불러일으킬 만큼 소크라테스가 자기 절제를 잘했다는 사실이다. 소크라테스는 그 무엇보다 이성이 우위에 있어야 한다고 생각했다. 이성은 인간 내면의 신성한 것 또는 '신의 신호', 즉 다이모니온daimonion—훗날 다이몬daimon이 된다—을 나타낸다. 이 신성한 것이 인간에게 무엇을 해야 하고 하지 말아야 할지 알려준다. 소크라테스는 정치에 입문하는 것을 금기로 여겼다. 그렇다고 그가 시민의 삶에 관여하지 않은 것은 아니다. 소크라테스는 제도가 올바르게 기능하는지 감시하는, 50인으로 이루어진 집단의 일원인 프리타네이스였다. 그런 역할을 하고 있었기 때문에 아르기누사이 해전에서 전사한 병사들의 시신을 가지고 돌아오지 않았다는 이유로 사형에 처해지게 된 장군들을 옹호할 수 있었다. 물론 변호에 나선 프리타네이스는 소크라테스 혼자였고 아무도 그의 말을 들어주지 않았다. 장군들은 집단 처형되었고, 소크라테스는 개별적으로 재판을 받을 수 있게 하는 법을

만들자고 주장했다. '30인 정권' 시대였던 기원전 404년 소크라테스는 추방자를 검거하는 일을 거부하기에 이르렀다.

아름다운 죽음의 표본

소크라테스는 죽음에 대한 두려움을 거부했다. 그것은 미지의 것을 두려워한다는 말이기 때문이다. 그는 기원전 399년 재판을 받고 사형 선고가 내려졌을 때 의연하게 판결을 받아들였다. 그를 고발한 자들은 명망 있는 시민이었던 아니토스와 그보다는 영향력이 약했던 멜레토스와 리콘이었다. 그들은 소크라테스를 불경죄로 고발했다. 소크라테스는 아테네의 신들을 인정하지 않고 새로운 신들을 소개해서 젊은이들을 타락시켰다는 비난을 받았다. 사실 이러한 비난의 성격이 보여주듯이 재판은 다분히 정치적이었다. 피티아가 '가장 현명한 인간'으로 선언한 소크라테스는 늘 질투와 반감의 대상이었다. 무료로 수업을 하던 소크라테스와 달리 고액의 수업료를 받던 수사학자인 소피스트들에게도 그랬고, 다이몬이 한 번도 말을 걸지 않는다며 앙심을 품은 시민들에게도 그랬다. 그뿐만 아니라 소크라테스가 역설과 엘렝코스(상대방의 무지를 증명하기 위한 대화법)를 사용하며 대화를 나누기 위해 거리에서 만난 사람들도 그를 마뜩잖아했다. 그런 사람이 많아지면서 결국 500명의 재판관 중 280명이 그에게 사형을 언도했다. 소크라테스는 한 달 동안 감옥에 갇혀 지내다가 사형이 집행되는 날 독배를 마셨다. 독당근으로 만든 독약이었다고 전해진다.

아름다움을 사랑한 실레노스

소크라테스는 추남으로도 유명하다. 그는 디오니소스를 추종하는 반인반수인 사티로스 또는 실레노스와 종종 비교된다. 그러나 외모가 젊은 애인들에게 발휘했던 그의 매력을 가리지는 못했다. 이는 그의 산파술—몸이 아니라 영혼의—덕분이었다. 소크라테스의 애인들은 뛰어난 외모로 칭송받았던 알키비아데스, 카르미데스, 크리아티스 같은 젊은이들이었다. 그들의 관계는 온전히 육체적이었다고 할 수만은 없고 사회적이고 철학적인 두 가지 관점에서 설명이 가능하다. 그것은 고전 시대의 아테네에 존재했던 교육 체계와 매우 특이한 미적 관념이라는 맥락에서 이해되어야 한다. 그런 청년들을 일컫는 '칼로스 카가토스Kalos Kagathos'라는 표현은 아름다움과 선의 결합, 그 합이 이루는 이상적인 완벽함을 상징했다. 소크라테스와 그의 '다이몬'이 아테네 청년들을 홀린 것 자체가 타락했다는 비난을 받게 된 이유였다. 동성애는 허용되었던 시대였으므로 청년들이 아테네의 신들을 외면하게 만든 소크라테스의 영향력이 공격을 받았다.

소포클레스 스물네 번의 우승자

Sophocles, B.C. 496년경~B.C. 406년경

소포클레스는 그보다 약간 앞선 세대인 아이스킬로스, 그와 동년배인 에우리피데스와 함께 위대한 그리스 비극 작가로 꼽힌다. 그는 123편의 희곡을 집필했지만 그중 『오이디푸스왕』, 『콜로노스의 오이디푸스』를 포함한 8편만 오늘날까지 전해진다. 소포클레스는 활동하는 내내 칭송을 받았던 보기 드문 작가이다. 그는 디오니소스 축제에서 열린 비극 경연 대회에서 열여덟 번 우승했고 레나이아 축제에서는 여섯 번 우승했다. 디오니소스 축제에서 첫 우승을 거머쥐었을 때 아이스킬로스를 제치고 상을 받았다. 마지막으로 우승을 차지했을 때 그의 나이는 여든일곱 살이었다. 경쟁자였던 아이스킬로스가 사망하자 에우리피데스가 적수로 떠올랐다. 그러나 소포클레스는 일등 수상으로는 타의 추종을 불허했다. 또 일등이 아니었을 때에는 분명 이등이었을 것이다.

신과 인간의 사랑을 독차지하다

소포클레스의 생애를 다룬 문헌은 드물다. 작자 미상의 전기, 플루타르코스와 아테나이오스의 작품, 그리고 『수다*Suda*』—10세기 말에 그리스어로 편찬된 백과사전 겸 문법 사전으로 작품과 발췌문을 소개했다—정도가 전부이다. 소포클레스는 아테네의 성벽 밖에 있는 작은 마을인 콜로노스에서 태어났다. 아버지 소필로스는 무기와 갑옷을 만드는 부유한 대장장이였다. 소포클레스는 좋은 교육을 받았다. 첫 음악 수업을 람프로스에게 받았고, 체육에서 훌륭한 평가를 받았다. 완벽한 신체 조건과 결합된 그의 예술적 자질은 열여섯 살 소년이었던 그가 살라미스 해전의 승리를 축하하는 노래를 부를 수 있었던 이유를 설명해준다. 승승장구하던 소포클레스는 델로스 동맹을 맺은 국가들이 바친 조공을 수령하고 관리하는 헬레노타미아이로 지명되었다. 얼마 뒤에는 페리클레스의 명을 따르는 고급 장교인 10인의 전략가 중 하나로 선출되었다. 그리고 여든세 살이라는 지긋한 나이에도 프로보울로스proboulos에 임명되었다. 그는 10인으로 구성된 특별 고문 집단에 속해 시켈리아 원정 당시 에피폴라이 전투에서 스파르타에 완패한 아테네를 재조직하고 재정 수단을 찾는 일

을 맡았다. 소포클레스의 마지막 행적은 그가 죽기 얼마 전 경쟁자 에우리피데스의 장례식에서 장송곡을 부르는 합창단을 지휘한 것이다. 비극 경연 대회에서 소포클레스는 일등상을 스물네 번 받았고 아이스킬로스는 열세 번, 에우리피데스는 다섯 번 받았다.

소포클레스의 비극

소포클레스는 비극에 제삼자를 개입시켜서 그리스 비극의 전통을 흔들어놓았다. 제삼자가 개입하니 장면은 더욱 다양하고 풍성해졌다. 사건의 전개는 기존의 구조를 따랐고 합창단은 12명에서 15명으로 늘어났다. 주인공이 잘못을 저지르면 악순환이 일어나 새로운 잘못을 저지르고, 그렇게 해서 결국 주인공이나 주인공이 속한 무리가 망한다는 결론이다. 소포클레스는 인간이 지혜가 부족하며 무지와 광기에 사로잡혀 있다고 믿었다. 그는 비극적 역설을 기가 막히게 잘 다루었는데 이를 잘 보여주는 작품이 『오이디푸스왕』이다. 아리스토텔레스도 『오이디푸스왕』을 능가하는 작품은 없다고 말했다. 이 작품에는 엘렉트라나 안티고네 등 강한 여인상도 등장한다.

솔로몬 가장 지혜로운 왕

Solomon, ?~B.C. 932년

솔로몬은 가장 잘 알려진 이스라엘 왕이다. 아버지인 다윗왕은 '다윗의 집'이라는 왕조를 세우기까지 했지만 유명세로는 아들을 따라가지 못한다. 솔로몬의 어머니 밧세바도 유명하다. 다윗이 밧세바에게 반해 히타이트 사람인 그녀의 첫 번째 남편이자 자신의 부하였던 우리야를 전쟁터에서 죽게 만들 정도로 미모가 빼어났다. 솔로몬은 지혜로운 판결, 그의 이름을 딴 성전, 그리고 전쟁에서의 승리 등으로 잘 알려져 있다. 솔로몬은 여자들에게 인기가 많았으며 여자들 덕분에 위대한 왕이 되었다고도 알려져 있다. 그래서 도움을 받은 여자들에게 잘 보답해주었다. 솔로몬의 생애는 『성경』의 「열왕기상」과 「사무엘하」에 소개되어 있다.

호색가

솔로몬은 여자들이 만들어낸 남자이다. 그 시작은 어머니 밧세바였다. 사실 다윗에게는 밧세바 외에도 부인이 여럿 있었는데, 그중에는 넷째 아들 아도니야를 낳은 학깃도 있었다. 학깃은 흥미로운 역할을 하는데, 남편이 늙어가자 그 틈을 노려 왕의 조카인 요압 장군과 사제 에브야타르와 공모해 아도니야를 왕으로 만들려고 했다. 이를 놓치지 않은 밧세바가 예언자 나단의 도움을 받아 그들의 음모가 실패로 돌아가게 만들었고, 다윗은 생전에 아직 어린아이였던 솔로몬을 후계자로 지목했다. 왕위에 오른 솔로몬은 요압과 아도니야를 처형하고 에브야타르는 유배를 보냈다. 그 이후로도 여자들이 솔로몬의 삶을 지배했다. 솔로몬은 700명의 아내와 300명의 첩을 거느렸다고 하는데, 왕의 권세를 드러내기 위해 과장했을 가능성도 있다. 아무튼 솔로몬은 결혼을 정치적 도구로 삼았다. 그는 이집트 파라오들이 그랬듯이 연합을 맺고자 하는 군주의 딸들을 아내로 삼았다. 그중 가장 잘 알려진 여자가 마케다, 즉 시바 여왕이다. 솔로몬이 얼마나 지혜로운지 시험하러 먼 길을 온 마케다는 그의 매력에 빠져 연인이 되었다. 역사가들은 이 아름다운 사랑 이야기를 더 현실적으로 바라보았다. 시바 왕국에 금광이 많고 향나무가 자랐기 때문에 여왕은 귀한 금과 향을 수출할 필요가 있었고, 솔로몬은 팔레스타인 해안에 항구들이 있어서 번성한 이스라엘 왕국에서 시작되는 무역로를 확장할 필요가 있었다는 것이다. 사랑의 감정과 비즈니스 감각이 조화를 이룬 사례라고 할 수 있을 것이다.

시인들의 현자 또는 현자들의 시인

솔로몬은 다음과 같은 유명한 이야기의 주인공이기도 하다. 두 여인이 동시에 아이를 낳았는데 한 아이가 질식해서 죽고 말았다. 그러자 살아 있는 아이를 두고 두 여인이 서로 자기 아이라며 싸움을 벌였다. '솔로몬의 판결'이라는 이름으로 알려진 이 『성경』 속 이야기에서 솔로몬은 아이를 반으로 갈라 여자들에게 나눠주라는 판결을 내렸다. 아이가 죽기를 원하지 않았던 생모는 아이를 양보하고 말았다. 이를 통해 진짜 생모를 밝혀낸 솔로몬은 그녀에게 아이를 돌려주었다.

이처럼 지혜롭다 보니 그가 『성경』의 「잠언」 중 일부와 1000편 이상의 찬가 및 시를 지었다는 주장도 있다. 그중 「아가」는 가장 아름다운 사랑의 노래로 꼽힌다. 솔로몬은 「지혜서」의 저자로 언급되기도 한다.

솔로몬 성전

솔로몬은 수도인 예루살렘을 나라의 힘을 보여주는 거울로 삼고자 했다. 그래서 예루살렘 주위를 성벽으로 두르고 새 왕궁과 성전을 지었다. 기원전 587년 네부카드네자르 2세가 이 성전을 파괴했다. 그 폐허에 두 번째 성전이 건설되었고, 훗날 헤로데 1세가 성전을 확장하고 복원했다. 그러나 기원후 70년 티투스가 성전을 다시 파괴해서 지금은 코텔Kotel로도 불리는 서벽만 남아 있다. 기독교인은 이 벽을 '통곡의 벽'이라고 부른다. 솔로몬 성전은 그 자체로 언약궤를 보관하기 위한 성스러운 도시였고 요새였다. 성전은 목적에 따라 기도의 광장, 세정 의식을 위한 탕, 희생 제물을 바치는 제단 등 여러 장소와 건물로 나뉘었다. 성전 공사는 7년이 걸렸고 주민 중 17만 명이 강제로 동원되어 분기마다 한 번씩 한 달 동안 공사에 투입되었다. 공사를 맡은 건축가는 티레의 왕 히람 1세가 보낸 하우람아비였다. 히람 1세는 품질 좋은 레바논산 삼나무도 같이 보냈다.

불가사의한 밀로

솔로몬이 예루살렘에 지은 건축물 중에 지금까지도 고고학자와 역사가들이 의문을 제기하는 것이 바로 밀로Millo이다. 밀로는 「열왕기」와 「사무엘하」에 언급된 성이다. 그것은 여부스인(예루살렘을 세운 사람들)이 지은 성벽의 잔해이거나 솔로몬이 짓고 히즈키야가 재건한 것일 수도 있다. 솔로몬 때부터 네부카드네자르 2세가 예루살렘을 함락할 때까지 왕궁으로 쓰였다는 설도 있으며 예호아스가 자다가 암살당한 곳이라고도 전해진다. 일부 연구자들은 탑이나 성채 등 군사 시설의 일부라고 주장하기도 한다.

스트라본 뛰어난 역사가이자 지리학자

Strabon, B.C. 58년경~A.D. 21년경

스트라본은 폰토스의 아마세이아(지금의 터키 아마시아)에서 태어났다. '스트라본'은 그리스어로 '스트라보strabo', 즉 '눈이 사시인 자'라는 뜻이다. 그의 저서 중 『역사』는 아우구스투스 황제 시절 로마인들에게 알려진 지역을 다룬 책으로 총 47권이었으나 소실되었고 지금은 『지리학』 17권만 전해진다. 폴리비오스의 계승자인 그는 기원전 145년 이후의 로마사와 아우구스투스의 통치 초기 그리스 정복까지 되짚었다. 스트라본은 외가 쪽으로 미트리다테스 5세와 미트리다테스 6세 메가스의 장교들을 배출한 유력 가문에 속했다. 그는 폼페이우스의 아들을 가르치기도 했던 아리스토데모스를 스승으로 두었다. 그 이후에 로마에서 티라니온의 강의를 들었으며 아리스토텔레스학파의 일원인 키케로와 크세나르코스에게도 가르침을 받았다. 그러나 스트라본의 관심은 스토아학파로 더 기울었다.

배움을 위한 여행

기원전 29년 그리스로 향하던 스트라본은 에게해에 있는 야로스섬에 들렀을 때 아우구스투스를 만났다. 그러나 그의 일생일대의 여행은 이집트에서 한 여행이었다. 스트라본은 로마 지방관인 가이우스 아엘리우스 갈루스를 따라 나일강에서 필라이까지 올라갔다. 그는 기원후 17년 게르마니쿠스 장군이 개선할 때 로마로 돌아갔다. 그리고 그곳에서 『지리학』을 집필하며 말년을 보냈다.

『지리학』

스트라본은 『지리학』 제1권과 제2권에서 자신의 연구 방법론을 소개하고 에라토스테네스의 연구에 이의를 제기했다. 제3권에서 제10권까지는 유럽을 다루었는데 특히 그리스에 중점을 두었다. 제11권부터 제14권까지는 소아시아를, 제15권과 제16권은 동방을, 그리고 마지막 제17권은 아프리카, 그중에서도 리비아와 이집트를 다루었다. 단숨에 읽힐 정도로 명쾌하고 쉬운 언어로 누구나 이해하기 쉬운 책을 쓰겠다는 목적을 가진 스트라본은 매우 정확한 지식을 독자에게 전달한다. 갈리아족의 로마화가 어떤 방식으로 이루어졌는지가 특히 중요한 자리를 차지한다. 스트라본은 그리스가 가진 힘의 근원에 관심을 기울였고, 지리적 조건 때문에 해상 강국이 되었다는 점을 훌륭하게 분석해냈다. 그는 또한 세계 7대 불가사의에 대해서도 기록했다.

시바 여왕 마케다인가 발키스인가

Queen of Sheba, B.C. 10세기

에티오피아의 역사서 『왕들의 영광*Kebra Nagašt*』에는 마케다로 소개되고, 『쿠란』에는 발키스로 소개된 여자는 언제 어느 누구에게나 시바 여왕이었다. 그녀가 다스렸던 시바 왕국은 아라비아반도 남쪽, 오늘날의 예멘 자리에 있었다. 태양을 숭배하던 시바 여왕은 대상들로부터 솔로몬왕이 지혜롭다는 말을 전해 듣고 그에게 값비싼 선물을 보냈다. 솔로몬왕이 선물을 거부하자 그녀는 직접 그를 찾아갔다.

털북숭이 여왕

마케다에 관해 전해 내려오는 전설이 많이 있는데 그중 가장 놀라운 전설은 다리에 털이 수북이 났다는 것이다. 이 소문을 듣고 놀란 솔로몬은 왕좌 앞에 거울을 설치하게 했다. 거울을 물이라고 착각한 여왕은 드레스를 걷어 올렸고 그러자 아니나 다를까 털이 수북한 다리가 드러났다. 이러한 꾀를 냈던 것이 부끄럽기도 했지만 그렇다고 그런 여왕을 침실로 들이기도 싫었던 솔로몬은 여왕을 위해 제모 크림을 만들게 했다. 제모 크림의 효과는 매우 좋았던 것 같지만 아쉽게도 그 제조법은 전해지지 않는다.

수수께끼의 여왕

마케다는 솔로몬이 얼마나 지혜로운지 직접 확인하고 싶어서 그에게 수수께끼를 냈다. 그녀는 외모가 비슷하고 옷도 똑같이 입힌 아이들을 데려오게 한 다음에 왕에게 여자아이와 남자아이를 구분해보라고 했다. 그러자 솔로몬은 달콤한 사탕이 든 바구니를 가져오게 했다. 사탕을 본 남자아이들은 바로 달려들었고 여자아이들은 얌전히 기다렸다. 수수께끼가 풀린 것이다.

솔로몬의 연인

솔로몬은 시바 여왕이 유혹에 넘어오지 않자 절망했다. 그래서 신사답지 못하지만 효과적인 속임수를 생각해냈다. 마케다에게 궁전에 있는 동안 물병의 물을 마시지 않기로 약속하라고 한 것이다. 솔로몬은 연회를 열어 일부러 향신료를 많이 넣은 음식을 여왕에게 먹이고 때를 기다렸다. 밤이 되자 여왕은 결국 갈증을 참지 못했고, 약속을 지키지 못한 대가로 왕에게 몸을 바쳤다. 두 사람 사이에서 아들 메넬리크가 태어났으며 메넬리크는 에티오피아의 초대 황제가 되었다. 유대교로 개종한 시바 여왕은 왕궁을 떠나 귀향했다. 그 이후의 행적은 기록으로 남아 있지 않다.

아르키메데스 일상의 발명가

Archimedes, B.C. 287년경~B.C. 212년경

시라쿠사의 아르키메데스는 가장 널리 알려진 고대 그리스의 과학자일 것이다. 수학, 물리학, 역학을 좋아했던 그는 개론서도 많이 쓰고 발명도 활발하게 했다. 아르키메데스는 원에 대해 연구했고 원주율을 계산했으며 그의 이름을 딴 발명품도 남겼다. 그가 고안한 나선 양수기는 나선 모양의 날개가 계속해서 물을 끌어올리도록 만든 장치로 달팽이 집을 절단한 모양을 하고 있다. 아르키메데스의 와선은 한 점에서 출발한 선이 균일한 간격으로 회전해서 나선을 이룬 것이다. 마치 바닐라 아이스크림에 딸기 시럽이 회오리 모양의 선을 그리는 것과 같다. 이 외에도 아르키메데스는 논문집인 '아르키메데스 팔림프세스트*Archimedes Palimpsest*'도 남겼다.

내 원을 밟지 말라!

팔림프세스트란 적혀 있던 글을 지우고 그 위에 다시 글을 쓴 재활용 양피지이다. '아르키메데스 팔림프세스트'는 발견 당시 13세기에 작성된 그리스어 기도문으로 보였다. 그런데 양피지에 자외선과 X선을 쪼이자 10세기에 필경된 아르키메데스의 논문 여러 편이 나타났다. 그중에는 그 유명한 아르키메데스의 원리에 대한 논문도 포함되어 있다. 유체 속에 있는 모든 물체는 유체에 잠긴 부피만큼 아래에서 위로 미치는 힘을 받는다는 '부력의 법칙'이다. 아르키메데스가 거대한 거울을 이용해서 시라쿠사를 포위한 로마 함대를 물리쳤다는 설도 전해진다. 거대한 거울이 돛과 배의 동체를 불태웠다는 것이다. 그러나 이 이야기는 아르키메데스를 숭배하는 전기 작가들의 지나친 상상력의 산물이었음이 드러났다. 과학자들이 대부분 그렇듯이 아르키메데스도 연구할 때 방해받는 것을 싫어했다. 기원전 212년 로마 장군 마르쿠스 클라우디우스 마르켈루스는 시라쿠스를 함락하고 부하들에게 아르키메데스의 털끝 하나라도 건드리지 말라고 엄명을 내렸다. 그런데 아르키메데스가 땅바닥에 기하학 도형을 그려놓고 한창 분석에 몰두해 있을 때 로마 병사가 나타나 그에게 따라오라고 말했다. 아르키메데스는 고개도 들지 않고 "내 원을 밟지 말라!"고 말했다.

아르키메데스가 누구인지 몰랐던 병사는 모욕감을 느껴 자신의 검으로 아르키메데스를 찔렀다. 마르켈루스는 아르키메데스의 죽음을 애도하며 무덤에 그가 발견한 것들을 그려 넣었다.

유레카!

아르키메데스의 생애에 대해서는 거의 알려진 것이 없다. 그래서인지 그에 관한 전설 같은 이야기들이 전해지는데 그중 하나를 소개하면 다음과 같다. 시칠리아에 위치한 시라쿠사의 왕 히에론 2세는 아르키메데스에게 문제를 하나 냈다. 세공인이 만든 황금 왕관이 순금으로 만들어졌는지 아니면 은과 섞였는지 알아내라는 주문이었다. 표본을 추출해서 확인하기에는 왕관이 워낙 귀해서 아르키메데스는 왕관을 제대로 만져보지도 못한 채 답을 구해야 했다. 로마의 건축가 비트루비우스(B.C. 1세기)에 따르면 아르키메데스는 목욕탕에서 답을 찾았다. 왕관을 물에 담가서 질량과 밀도를 구하고 그 값을 황금의 값과 비교하면 되었던 것이다. 아르키메데스는 너무 기쁜 나머지 "유레카(알아냈다)!"라고 외치며 알몸으로 거리를 누볐다고 한다.

아브라함 열국의 아버지

Abraham, B.C. 19세기

『성경』에 나온 계보를 보면 아브라함은 노아와 셈의 후손이다. 그는 메소포타미아의 남쪽에 위치한 갈대아 우르에서 데라의 아들로 태어났다고 전해진다. 아브라함의 생애를 밝히려는 시도는 사실 무모하다. 『성경』과 고고학적 사료가 전혀 일치하지 않기 때문이다. 아브라함은 기원전 1850년경에 태어났다. 데라는 메소포타미아 북부에 있는 하란으로 가족을 데려갔으며 그곳에서 생을 마감했다. 아버지가 사망하자 가족을 가나안 땅(지금의 팔레스타인)까지 데려가야 할 책임은 아브라함에게 돌아갔다. 이 무렵에 유일신 야훼가 아브라함에게 계시를 내린다. 야훼는 일흔다섯의 나이에 자식도 없는 노인 아브라함에게 '하늘의 별처럼, 바닷가의 모래처럼 많은 자손'의 시조로 만들어주겠노라고 약속했다. 아브라함의 원래 이름은 '큰 아버지'라는 뜻의 아브람Abram이었는데, '열국의 아버지'라는 뜻의 아브라함으로 개명했다. 그의 아내 사래Sarai는 훗날 '여왕'이라는 의미의 사라Sarah로 이름이 바뀐다. 아브라함은 사라, 조카 롯 등 가족을 데리고 길을 떠났다. 그들은 곧장 가나안 땅으로 가지 않고 유프라테스강 상류에서 나일강의 삼각지까지 여행했다. 이스라엘 민족이 이집트를 탈출한 내용을 기록한 것이 「출애굽기」이다. 유목민 하비루, 즉 히브리 민족이 나타난 곳이 바로 메소포타미아 지역이다.

이삭과 숫양

도덕적 기준이 높았고 실제로 정숙한 삶을 살았던 아브라함은 자식이 없었다. 그는 아내 사라의 권유를 받아들여 사라의 몸종이었던 하갈을 첩으로 맞이한다. 두 사람 사이에서 태어난 아들이 아랍인의 조상 이스마엘이다. 야훼는 이스마엘이 태어난 뒤에 약속을 지켰다. 아흔아홉 살인 아브라함과 아흔 살인 사라 사이에 아들이 태어난 것이다. 그가 바로 유대인의 조상 이삭이다. 사라와 하갈은 서로를 질투하기 시작했고, 결국 사라가 이스마엘과 하갈을 내쫓기에 이른다. 그러자 신은 아브라함을 세상에서 가장 힘든 시험에 들게 한다. 하나밖에 없는 귀한 아들 이삭을 자신에게 바치라고 요구한 것이다. 아브라함은 신의 말에 복종한다. 그러나 아브라함이 아들의 몸에 칼을 찔러 넣으려는 순간, 아브라함의 믿음을 확인한 야훼는 이삭 대신 숫양을 제물로 바치라고 한다.

변화는 바로 지금

아브라함의 이 이야기는 유대교에 큰 변화를 가져왔다. 신이 기뻐하지 않으므로 인간을 제물로 삼는 것을 금했던 것이다. 그러나 아브라함의 가족은 가나안 사람들과 같이 살면서도 근친결혼의 전통은 버리지 못했다. 이삭은 가나안 처녀와 결혼하지 않고 친척인 리브가를 아내로 맞이했다. 아브라함은 아내 사라가 세상을 떠나자 헤브론에 있는 막벨라 동굴을 샀다. 이곳은 '족장들의 무덤'이라고도 하는데 아브라함, 이삭, 리브가, 야곱, 레아가 잠들어 있기 때문이다. 사라가 죽자 아브라함은 재혼도 하고 아이도 더 낳았다. 그는 백일흔다섯 살에 생을 마감했다. 3대 유일신 종교인 유대교, 기독교, 이슬람교는 아브라함을 선지자로 여기며 우리가 모두 그의 후손이라고 본다.

아내? 누이?

이상적인 족장의 전형이었던 아브라함에게도 어두운 면이 있었다. 팔레스타인으로 향하던 히브리인들은 광활한 네게브 사막을 건너야 했다. 식량이 떨어지자 그들은 이집트로 들어갔는데, 그곳에서 묘한 사건이 벌어진다. 그 당시 아브라함은 이미 나이가 많았고 사라도 나이가 꽤 든 상태였다. 그런데 아브라함은 아내 사라에게 누이 행세를 하라고 시켰다. 아름다운 사라가 추악한 질투의 대상이 되어 자신이 죽임을 당할 수도 있다고 생각했기 때문이다. 사라는 남편의 부탁을 들어주었다. 그런데 이집트인들이 파라오에게 사라의 미모를 칭송했고, 파라오는 사라를 첩으로 삼아 하렘에 데려다 놓았다. 아브라함은 누이를 보낸 대가로 가축, 당나귀, 노예 등을 받았다. 신의 감시가 없었다면 모든 일이 순탄했을 것이다. 신은 파라오와 그의 가족에게 벌을 내렸다. 그러자 파라오는 자신이 속았음을 깨닫고 히브리인들을 내쫓았으며, 남편이라는 사실이 밝혀진 아브라함을 신랄하게 비난하며 그에게 사라를 돌려보냈다.

아소카 고통 없는 자

Asoka, B.C. 304년경~B.C. 238/232년

데바남피자 피자다시 왕자, 즉 '신에게 사랑받는 자애로운 눈빛의 군주'는 기원전 273년에 인도 마우리아 제국의 세 번째 황제로 등극한다. 그는 가족의 반발을 방지하기 위해서 가장 먼저 형제자매를 사형에 처했다. 몇 년 뒤에는 칼링가를 정복할 계획을 세웠다. 칼링가는 오늘날 인도의 동쪽, 바다를 접하고 있는 오디샤주에 있었다. 폭력, 수탈, 살육으로 물들었던 원정은 승리로 끝났다. 그러나 이후 황제는 존재론적 위기를 겪고 불교에 귀의해 오늘날 우리에게 알려진 아소카, 즉 '고통 없는 자'라는 이름을 얻었다. 기원전 304년경에 태어난 그는 기원전 238년 또는 232년에 세상을 떠날 때까지 통치 말기를 모범적인 제국을 건설하는 데 할애했다. 아프가니스탄에서 데칸고원 남쪽에 이르기까지 광활했던 제국에는 문제도 많았지만 아소카는 전권을 쥔 황제가 전적으로 좌지우지하는 정치 체계를 확립했을 뿐만 아니라 진정한 세계관을 수립하고자 했다. 그는 평화로운 나라를 꿈꾸었다. 모든 백성이 행복하고 자유롭게 종교를 선택하며 나라의 보살핌을 받아 형제애 속에서 조화롭게 살기를 바랐다.

다르마, 다르마!

통치의 기본은 다르마dharma를 지키는 것이었다. 다르마는 불해(아힘사), 연민, 자비, 공감으로 이루어진 법이다. 이것이 불교가 힌두교 및 자이나교와 만나는 지점이다. 아소카는 백성에게 불교를 강요하지 않았다. 단지 권유했을 뿐이다. 그는 수도 파탈리푸트라(지금의 파트나)에 공회를 소집해서 불교 교단인 승가를 중심으로 다양한 사상의 조화를 꾀했다. 또한 사르나트와 산치에 탑을 쌓도록 했다. 그뿐만 아니라 여느 관료와 마찬가지로 다르마—우주의 질서와 하나가 되는 데 필요한 개인의 강직함—를 행하기 위한 도덕적 규율을 널리 알리기 위해 직접 나섰다.

다르마를 담당하는 고위 관료

아소카는 다르마의 수행을 백성들에게 전파할 고위 관료들을 뽑았다. 경전에 쓰이

던 지식인의 언어인 산스크리트어로는 다르마라고 하지만 산스크리트어에서 파생된 일상어인 프라크리트어로는 담마dhamma라고 한다. 담마마하마타로 불렸던 고위 관료들은 백성들, 특히 가장 취약한 여성, 어린이, 외국인, 국경 지대의 주민, 소수 종교를 가진 이에게 황제를 대신했다. 그들은 백성이 필요로 하는 것, 백성의 걱정과 바람을 알아보고 수시로 황제에게 보고할 의무가 있었다. 정의를 실현해야 했던 그들은 열성과 도덕적 엄격함을 보여주어야 했다. 담마마하마타의 직위를 만든 것은 무모한 도전으로 보이지만 사실은 동에서 서로, 북에서 남으로 가려면 몇 주나 걸리는 광활한 제국에서 필수 불가결한 일이었다. 이 제도의 독창성은 황제의 눈과 귀가 될 관리를 양성했다는 점보다는 그 관리들이 개인적으로 다르마를 완벽하게 수행했다는 점에 있다.

법륜

아소카는 채식주의자가 되었고 제물을 바치는 것을 금했다. 또한 동물을 학대하지 말 것을 권고하고 길가에는 나무를 심어 그늘을 만들었다. 그는 항상 백성이 행복해지기를 바랐다. 그리고 언제 어디서나 백성에 대한 모든 것을 전해 듣는 '아버지'가 되고자 했다. 황제의 칙령은 돌기둥에 새겨졌으며 돌기둥 중에는 사르나트의 사자상과 같이 기둥머리가 조각되어 있는 것도 있었다. 사자는 인도의 상징이 되었으며 법륜은 국기에 그려져 있다. 아소카가 세상을 떠나자 그의 무능한 아들들은 드넓은 제국의 통일을 유지하지 못했다. 결국 제국은 분해되어 역사 속으로 사라지고 말았다. 이후 불교도 인도에서 영향력을 잃었지만 동아시아 전체로 전파될 수 있었다.

아슈르바니팔 세계 최초의 도서관을 설립한 왕

Ashurbanipal, ?~B.C. 627년경

아슈르바니팔이 통치했던 시대(B.C. 669년경~B.C. 627년경)는 아시리아의 황금기였다. 아시리아는 그 당시 나일강 하구에서 유프라테스강 하구, 그러니까 오늘날의 이집트에서 이라크에 이르는 광활한 영토에서 번성했다. 아슈르바니팔은 할머니인 나키아자쿠투 왕비 덕분에 왕위에 오를 수 있었다. 그녀가 기원전 672년에 아슈르바니팔을 세자로 책봉했기 때문이다. 아슈르바니팔의 형 샤슈슈무우킨은 쇠퇴 일로에 있던 바빌로니아의 왕위에 만족해야 했다.

정치하는 학자

아슈르바니팔은 전왕들과는 달리 학식이 뛰어난 왕자였다. 특히 역사, 문학, 종교학에 능통했다. 수메르와 아카드의 어려운 문자도 읽을 줄 알았다. 몸을 쓰는 훈련도 강도 높게 받아서 훌륭한 기수이자 궁수였고 뛰어난 사냥꾼이었다. 아버지 에사르하돈왕이 죽자 아슈르바니팔은 왕위에 올랐지만 궁정과 지방의 고관들은 그를 인정하지 않았다. 그래서 실제로 정사를 돌보던 나키아자쿠투 왕비가 왕가의 일원부터 시작해서 백성에 이르기까지 모든 사람에게 아슈르바니팔에 대한 충성을 맹세하게 했다. 이것이 '자쿠투의 서약'이다. 얼마 뒤에 그녀는 세상을 떠났고, 아슈르바니팔은 혼자서 형의 반란을 막아내야 했다. 바빌로니아의 왕 샤슈슈무우킨은 엘람과 칼데아의 지지를 받고 아슈르바니팔에게 아시리아의 왕좌를 내놓으라고 요구했다. 아슈르바니팔은 기원전 648년에 바빌로니아를 함락했고, 샤슈슈무우킨은 불타는 궁에서 죽었다. 아시리아는 이 기회를 틈타 칼데아(지금의 이라크)를 손에 넣었고, 그것도 모자라 엘람(지금의 이란 남서부), 페니키아(지금의 레바논), 아르메니아, 그리고 아라비아반도의 많은 지역까지 차지했다. 이집트는 속국으로서 계속 조공을 바쳤다. 아슈르바니팔에 대한 언급은 그의 통치가 끝나고 4년이 지난 기원전 631년 무렵에 멈췄다.

세계 최초의 도서관

아슈르바니팔은 세계 최초의 도서관을 설립했다. 수도 니네베에 세워진 이 도서관은 기존의 왕실 기록 및 연대기를 모으는 것에 그치지 않고 많은 직원과 필경사를 두어 사원에서 가져온 글들을 옮겨 적거나 대조하도록 했다. 달력, 종교 축제, 찬가, 천체 분석, 점술, 동식물과 인간에 대한 기술, 수메르어와 아카드어 사전 등 다루어진 주제도 매우 다양했다. 이 도서관이 세워지지 않았다면 세상과 인간의 창조, 대홍수 등에 관한 기록, 길가메시 서사시, 그리고 설화는 우리에게 전해지지 못했을 것이다. 그 시대의 이야기는 모두 점토판에 새겨져 보존되었으며, 오늘날 약 2만 1000개의 점토판이 전해지고 있다.

아스파시아 삶의 주인

Aspasia, B.C. 470년경~B.C. 400년경

아스파시아는 고대 그리스 여성 중 가장 유명할 것이다. 그녀는 아테네의 황금시대(B.C. 460~B.C. 430)를 연 전략가 페리클레스의 애첩이 아니었던가? 또한 소크라테스에게 수사학, 정치학, 철학을 가르친 선생님, 아니 더 나아가 '스승'이 아니었던가? 소크라테스는 빨리빨리 배우지 못한다고 스승이 매를 들기까지 했다며 불평하기도 했다.

학식 높은 유녀

소아시아의 밀레투스에서 태어난 아스파시아는 아테네의 이방인이었다. 다른 도시에서 태어났지만 아테네에 거주할 수 있도록 허락을 받은 거류민이었던 것이다. 그래서 아테네 태생의 남성과는 결혼할 수 없었지만 그녀는 아테네의 최고 권력자이자 가장 유명한 정치인 페리클레스를 유혹하는 데 성공했다. 페리클레스는 아내와 일방적으로 이혼하고 기원전 445년부터 세상을 떠난 해인 기원전 429년까지 아스파시아를 애첩으로 두었다. 아스파시아는 삶의 질을 유지하기 위해 고급 창녀인 헤타이라hetaira가 되었다. '아스파시아'는 '환영'을 뜻하는 애칭이었다. 고대 그리스 남성들은 외모가 출중하기도 했지만 교양을 갖추었기 때문에 헤타이라를 찾았다. 헤타이라는 돈 몇 푼에 몸을 파는 포르나이pornai와는 달랐다. 포르나이는 주로 피레아스 항구의 누추한 선술집에서 손님을 받았다. 아스파시아는 남자도 직접 골랐고 서비스에 대한 가격도 매우 높게 책정했다. 또한 젊은 부인들이 조언을 들으러 오는 장소를 운영하기도 했다. 규방(기나이케움)에 갇혀 평생 모습을 드러내지 않는 것을 덕목으로 알았던 그 당시의 유부녀들은 누리지 못했던 자유를 아스파시아는 누렸다. 그녀의 수사학과 정치학 수업은 매우 인기가 있었다. 출세에 눈이 먼 젊은이들과 학식을 높이려는 중년 남성들이 그녀의 수업을 들으러 앞다투어 몰려들었다. 소크라테스도 그들 중 하나였다.

친구보다 많은 적

아스파시아는 자유분방하기도 했지만 특히 수사학, 정치학, 철학 등 남성의 전유물이었던 학문을 가르치는 '스승'으로 행동했기 때문에 적이 많았다. 사람들은 그녀가 외모뿐만 아니라 지식을 이용해서 페리클레스를 앞세워 아테네를 사모스와의 전쟁의 소용돌이 속에 빠트렸다고 비난하기도 했다. 사모스는 그녀의 고향 밀레투스와 적대 관계에 있었기 때문이다. 아스파시아는 페리클레스의 도움으로 가까스로 불경죄 처벌을 면했다. 페리클레스가 죽자 아스파시아는 양을 거래하는 부유한 상인 리시클레스와 사귀었다. 리시클레스는 교양이라고는 눈곱만큼도 없는 무식한 남자였는데, 아스파시아는 그런 그를 아테네의 지도자로 만들었다. 당시는 아테네가 스파르타를 상대로 펠로폰네소스 전쟁을 시작한 때였다. 남성이 지배하는 사회에 살았던 아스파시아는 마지막 보호자가 전사하자 역사에서 자취를 감췄지만 동시대의 위인들은 그녀를 높은 학식과 대단한 정치 감각을 가진 여성으로 평가했다.

아우구스투스 세기의 주인공

Augustus, B.C. 63년~A.D. 14년

아우구스투스의 생애를 파악하는 일은 그의 복잡한 이름을 따라가며 실타래를 푸는 것과 비슷할 것이다. 기원전 63년 9월 23일에 태어난 그의 본명은 가이우스 옥타비우스 투리누스Gaius Octavius Thurinus였다. 로마의 삼명법에 따라 명praenomen, 씨nomen, 성cognomen의 순서로 지은 것이다. 간단하게 옥타비우스로 부르기도 했다. 외종조부인 카이사르에게 입양되면서 그의 이름은 옥타비아누스가 되었다. 그러다가 원로원으로부터 아우구스투스라는 종교적 냄새를 풍기는 칭호를 받았다. 아우구스투스라는 이름은 신의 뜻이 담긴 징조를 읽는 유피테르의 사제들에서 유래되었다. 주인에게 신성함을 부여하던 이 이름은 점점 본래의 의미를 잃었고 로마의 황제들은 이를 하나의 칭호로 사용했다. 카이사르도 그런 칭호이다. 아우구스투스의 후계자인 티베리우스도 티베리우스 카이사르 아우구스투스, 즉 '신성한 아우구스투스의 아들'이라는 칭호를 공식적으로 사용했다.

눈코 뜰 새 없이 바쁜 위인

아우구스투스의 정치 인생은 여느 로마 귀족과 마찬가지로 매우 일찍 시작되었다. 그래야 엘리트 코스인 쿠르수스 호노룸을 밟을 수 있었기 때문이다. 아우구스투스는 열두 살 때 외할머니 율리아의 장례식에서 추모사를 낭독했고, 열여섯 살이 되던 해에는 국가 사제단의 일원이 되었다. 그러나 그의 앞길이 활짝 열리기 시작한 것은 카이사르가 암살된 해인 기원전 44년이었다. 그는 당시 달마티아 해안의 아폴로니아에 있다가 황급히 로마로 복귀했는데, 카이사르를 암살한 브루투스와 롱기누스, 카이사르의 후계자를 꿈꾸었던 기병대장 마르쿠스 안토니우스, 아우구스투스를 조종하기 쉬운 애송이로 취급했던 키케로 등 당대의 막강한 경쟁자들과 맞서야 했다. 속내를 잘 드러내지 않는 탁월한 정치가였던 아우구스투스는 조금씩 상황을 역전시켰다. 브루투스와 롱기누스는 죽었고, 그들의 군대는 두 차례에 걸친 필리피 전투에서 대패했다. 안토니우스는 (단검 시카를 들고 다니던) 암살자를 키케로에게 보냈다. 아우구스투스는 가만히 있다가 이득만 취하면 그만이었다. 그는 안토니우스와 고위 성직자였던 레피두스와 함께 로마를 다스리는 새로운 권력자가 되었다. 제2차 삼두 정치가 시작된 것이다. 세 사람은 5년 동안 함께 통치했지만 늘 서로를 빨리 제거하는 데 혈안이 되어 있었다.

경쟁과 살인

이 경쟁 관계에서 아우구스투스는 우위를 차지하지 못했다. 그가 용기라는 덕목을 발휘하지 못하는 사이 안토니우스는 전쟁터에서 용맹을 떨쳤으며 부하들은 그를 우러러보았다. 그러나 외교술이 뛰어나고 훌륭한 전략가이기도 했던 아우구스투스는 사람들을 끌어모으는 데 탁월했다. 그는 자신의 함대를 어린 시절 친구인 마르쿠스 아그리파에게 맡겼고, 유능한 군인이었던 아그리파는 공화파의 마지막 희망이었던 섹스투스 폼페이우스를 물리쳤다. 이 전투는 레피두스를 몰아내는 기회이기도 했다. 아그리파를 지지하지 않았다는 이유로 레피두스는 이듬해에 삼두 정치에서 제외되었다. 안토니우스의 운명은 악티움 해전의 패배로 정해졌다. 그는 기원전 30년 8월 1일에 애인이었던 이집트의 여왕 클레오파트라와 함께 자살했다. 아우구스투스는 선견지명과 함께 책략도 뛰어났다. 그는 미래의 적을 제거하기 위해 카이사르와 클레오파트라 사이에서 난 아들 카이사리온을 암살했다. 그제야 아우구스투스는 앞으로 탄생할 로마 제국의 유일한 주인이 된 것이다. 기원전 27년 원로원은 그에게 아우구스투스라는 칭호를 내리고 모든 권력을 부여했다. 그는 이론상으로는 원로원의 제일인자princeps senatus였고, 여기에서 원수정principatus이라는 정치 형태가 유래했다. 그러나 실제로는 그가 황제나 다름없었다. 행정과 군대를 재조직하고 로마를 수많은 유적으로 장식한 아우구스투스는 죽을 때까지 진정한 제국을 건설하는 데 힘썼다.

비극적인 가족사

황제로서 아우구스투스는 그 당시 알려져 있던 서양 세계의 대부분을 다스렸고 마땅한 영예를 누렸다. 그러나 가족사는 그리 순탄하지 않았다. 그는 로마 시대의 현

모양처인 마트로나의 덕목을 다시 세우기 위해 간통을 금지하는 엄격한 고대법을 부활시켰다. 그로 인해 장녀인 율리아를 추방해야 했으며 평생 다시는 딸을 보지 못했고, 동명인 손녀 율리아에게도 같은 벌을 내릴 수밖에 없었다. 아우구스투스의 통치 말년은 연이은 죽음으로 물든 루이 14세의 통치 말년과 신기하리만치 유사하다. 기원전 11년부터 기원후 4년까지 15년 동안 누나 옥타비아, 양아들 드루수스, 손자 루키우스와 가이우스를 잃었다. 아우구스투스는 할 수 없이 세 번째 부인 리비아의 아들 티베리우스를 후계자로 정하지만 어쩌면 황위 계승을 너무 서둘렀는지도 모른다.

후원자 내무 장관

로마의 문화적 전성기였던 '아우구스투스의 시대'를 만드는 데 공헌한 이에 그의 친구 마이케나스의 이름이 빠질 수 없다. 에트루리아 왕가의 후손이었던 마이케나스는 막대한 재산을 예술을 위해 사용한 것으로 유명하다. 오늘날 일반 명사로 사용되는 '메세나'는 그의 이름에서 유래된 것이다. 아우구스투스 통치 시기 메세나의 정치적 기능을 말하지 않을 수 없다. 루이 14세 시절에 예술가들이 왕실을 선전하기 위해 일했던 것처럼 베르길리우스, 호라티우스, 프로페르티우스를 비롯한 여러 시인은 아우구스투스의 위대함을 찬양했다. 마이케나스는 아우구스투스를 위해 또 다른 역할을 했다. 나폴레옹 시절의 조제프 푸셰처럼 마이케나스도 뛰어난 비밀경찰 조직을 만들어서 황제를 해하려는 음모를 막았다. 황제에 대한 그의 충성은 연회가 열릴 때마다 읊곤 했던 시에서 읽힌다. 그는 죽을 때도 재산을 아우구스투스에게 주었다. 『사랑의 기술』을 발표했던 오비디우스만이 황제의 총애를 잃었다. 그의 자유로운 언사는 황제가 되살리고자 했던 가족의 가치와 정면으로 배치되었고, 오비디우스는 결국 로마에서 영구 추방당함으로써 그 대가를 치렀다.

아카드의 사르곤 천재 사기꾼

Sargon of Akkad, B.C. 24세기~B.C. 23세기

아카드의 사르곤은 왕좌와는 거리가 먼 가난한 집안 출신이었지만 메소포타미아를 통일하고 기원전 2334년에서 기원전 2279년까지 통치했다. 니네베에서 발견된 기원전 7세기의 점토판에는 사르곤의 유년 시절에 관한 내용이 새겨져 있다. 여사제였던 그의 어머니는 아이를 남몰래 가졌다. 아버지가 없으니 아이를 기를 수 없었던 그녀는 사르곤을 등나무 바구니에 담아 유프라테스강에 흘려보냈다. 아키라는 정원사가 아이를 발견해 친자식처럼 길렀다. 사르곤은 자신을 입양한 아버지의 뒤를 이어 정원사가 되었다. 사르곤이 청년이 되었을 때 사랑의 여신 이슈타르가 그의 미모와 힘에 반해 그를 왕으로 만들기로 결심한다. 널리 퍼진 이 이야기는 『성경』에 나오는 모세의 탄생 이야기와도 유사하다.

악마의 미

우리는 키시의 엔시(왕) 우르자바바의 왕궁에서 청년 사르곤을 다시 만난다. 우르자바바왕도 사르곤의 외모에 무관심하지 않았다. 그는 사르곤을 왕의 식탁에서 술을 따르는 높은 자리로 승진시켰다. 이 자리는 왕뿐 아니라 신에게 바치는 음료를 만드는 일도 했다. 권력에 가까이 다가간 사르곤은 왕의 자리를 넘보고 음모를 꾸몄다. 그는 왕이 제사를 바꿔서 이슈타르 여신을 포함한 여러 신을 제대로 모시지 않았다고 모함했다. 사실 사르곤이라는 이름은 아카드어로 '사루키누', 즉 '정통성 있는 왕'이라는 의미이다. 그렇다면 그가 왕위에 오르는 것을 누가 반대하겠는가?

군대가 부여한 정통성

키시의 왕이 된 사르곤은 이웃 도시 국가들을 정복할 계획을 세웠다. 그는 우루크에 이어 수메르 전역을 정복했고, 수메르의 마지막 왕 루갈자게시의 목에 칼을 채워서 니푸르의 엔릴 신전 앞에 두었다. 그렇게 해서 우르, 라가시, 움마가 사르곤의 손에 넘어왔고 마리, 에블라, 그리고 마지막으로 엘람의 수도인 수사까지 차지했다. 사르

곤은 메소포타미아 전역을 지배했고 아카드 제국을 건립했다. 아카드 제국은 기원전 2154년경 구티족의 침략으로 멸망할 때까지 약 200년 동안 건재했다.

이슈타르 여신의 애인

사르곤이 우르자바바왕의 술 시중을 들던 시절에 악몽을 꾼 적이 있다. 사랑의 여신 이슈타르가 왕을 피로 물든 강에 익사시키는 꿈이었다. 이야기를 전해 들은 우르자바바왕은 근심에 빠졌고 결국 사르곤을 죽이기로 결심했다. 첫 번째 계획에는 대장장이의 도움이 필요했다. 사르곤이 운명의 신전 에시킬로 술잔을 가져왔을 때 쇳물에 그를 빠뜨리려는 계획이었다. 그러나 이슈타르가 신전으로 향하던 사르곤에게 미리 귀띔을 해주었다. 사르곤은 대장장이에게 술잔을 건넸지만 신전 안으로는 들어가지 않았다. 두 번째 계획도 역시 실패했다. 사르곤이 루갈자게시왕에게 우르자바바왕의 메시지를 전달했는데, 사르곤을 죽이라는 내용이었다. 이번에도 이슈타르가 개입해서 사르곤은 목숨을 부지했다. 훗날 사르곤이 왕이 되었을 때 루갈자게시는 그를 죽이려 했던 대가를 톡톡히 치렀다.

아크나톤 종교를 개혁한 파라오

Akhnaton, B.C. 14세기

아크나톤은 기원전 1375년경에 이집트의 파라오가 된 아멘호테프 4세로 그리스어로는 아메노피스 4세라고 부른다. 왕위에 올랐을 때 그는 열여섯 살 정도 되었을 것으로 추정된다. 아크나톤은 왕위에 오르기 3~4년 전부터 아버지와 함께 이집트를 다스렸는데, 이는 제18왕조(B.C. 1570년경~B.C. 1290년경)에서 왕위 계승에 분란이 생기는 것을 막기 위해 자주 활용되던 방법이었다. 강인한 성격의 어머니 티예는 아들에게 매우 큰 영향을 미쳤다. 아크나톤이 오랫동안 잊혔던 이집트의 신 아톤을 숭배하게 된 것도 어머니 때문이었을 것이다. 아톤은 태양의 신이다. 젊은 파라오에게 지대한 영향력을 미친 여성은 또 있었다. 바로 그의 아내 네페르티티이다. '네페르티티'는 '아름다운 여인이 왔다'는 의미이다. 그녀는 새로운 신을 섬기는 데 중요한 역할을 했다.

암흑과 기형의 예술, 겜파아텐

카르나크 신전에 새로 마련한 겜파아텐Gempaaten에서 왕과 왕비가 함께 아톤에게 제사를 지낸 것은 이때가 처음이었다. 이집트의 전통적인 종교 건축물은 빛이 점점 사그라지는 효과를 이용해 내부로 들어갈수록 실내가 어두워지도록 설계되었고 가장 안쪽에는 폐쇄된 제단에 신상을 모신 봉안소가 위치한다. 그러나 겜파아텐은 여러 개의 야외 마당으로 이루어져 있다. 이곳에 제물을 바치는 제단이 있어서 제사도 지냈다. 왕가 사람들의 조각상은 완벽한 신체를 표현하지는 않았다. 왕의 굵은 허리와 대퇴부, 불룩 나온 배와 좁은 어깨를 강조했고, 두드러진 턱과 긴 얼굴, 두개골은 기형적으로 보인다. 파라오의 딸들 역시 다소 기형적인 모습으로 표현되었다. 이는 실제로 유전적 결함이 있었기 때문일 수도 있고, 백성의 부모를 자처했던 아멘호테프 4세를 아르메니아 예술의 특징인 양성을 모두 지닌 모습으로 표현했기 때문일 수도 있다.

아마르나

아마르나Amarna는 이집트 중부에 위치한 마을이다. 아크나톤은 재위 6년째 되던 해에 테베에서 북쪽으로 약 300킬로미터 떨어진 이곳 아케타톤, 즉 '아톤의 지평선'으로 수도를 옮겼다. 그의 결정은 옛 신들, 특히 '숨겨진'이라는 뜻의 아몬을 더는 모시지 않고 아톤만 섬기겠다는 의지를 보여준다. 왕의 이름도 그런 의지를 증명한다. 아멘호테프 4세는 아크나톤, 즉 '아톤에게 이로운 자'로 개명한다. 네페르티티는 '아톤의 아름다움은 완벽하다'는 의미의 네페르네페루아톤으로 이름을 바꿨다.

아톤을 믿는 것은 '다양한 양상을 지닌 유일신교'라고 칭할 수 있다. 모든 신이 아톤 안에 담겨 있기 때문이다. 그러나 아크나톤은 관용을 보이지 않고 옛 신에게 지내는 제사를 모두 금지했다. 오직 '떠오르는 태양' 라호라크티만 예외였다. 라호라크티가 매일 떠오르는 태양의 신 아톤의 이미지를 가졌기 때문이다. 아크나톤은 성직자들을 해산시켰는데, 이는 돈과 권력을 차지했던 아몬의 성직자들을 견제하기 위한 정치적 행위였다. 아몬을 모시던 성직자들은 제22왕조에서 독립 왕조를 세우기도 했지만, 이는 신전이 경제 및 문화의 중심지였던 이집트에 참혹한 결과를 가져오고 말았다.

불분명한 종말

아크나톤은 종교 개혁에 힘쓰느라 이집트의 외교 정책을 등한시했다. 점토판에 설형 문자로 기록된 아마르나의 외교 문서에 따르면, 당시 이집트는 주변국에 맹위를 떨치던 강대국이었다. 재위한 지 17년이 되던 해 아크나톤은 왕위에서 물러났으나 그 경위는 거의 알려지지 않았다. 그의 후계자인 스멘크카레도 기껏해야 2~3년 정도 이집트를 다스렸을 뿐이다. 스멘크카레도 네페르네페루아톤이라는 성을 썼던 것을 보면 네페르티티가 파라오를 자처했던 것은 아니었을까 싶다. 이 시기가 지나고 투탕카멘으로 더 잘 알려진 투탕카톤이 왕위에 올라 재위 3년에 아마르나를 떠나 테베로 돌아간다. 투탕카톤은 옛 신들을 다시 섬기기 시작했고, 아톤의 덧없는 명성은 망각 속으로 사라졌다. 아크나톤도 '기록말살형damnatio memoriae'에 처해져서 그의 이름은 왕과 유적 목록에서 사라지고 말았다.

아톤에게 바치는 위대한 찬가

아크나톤이 직접 지었다고 알려진 아톤에게 바치는 찬가는 두 가지 버전이 오늘날까지 전해지고 있다. 그중 짧은 버전은 마후 또는 아니와 같은 고관대작의 무덤에 새겨져 있고, 그보다 긴 버전은 제18왕조 끝에서 두 번째 파라오였던 아이의 무덤 서쪽 벽에 새겨진 것이 유일하다. 이 긴 버전의 제목이 '아톤에게 바치는 위대한 찬가'이다. 대략의 내용은 태양의 신을 찬양하는 것으로, 태양의 신이 없었다면 생명은 존재할 수 없으며 인간은 그의 무한한 덕으로 충만하다는 것이다. 또 다른 주제는 아톤과 그의 아들이자 위대한 사제인 아크나톤이 매우 특별한 관계로 맺어져 있다는 것이다. 아크나톤은 아톤에게 다음과 같은 가슴 떨리는 찬가를 바쳤다.

> 그는 말한다. 지평선에 찬란한 모습을 드리우는
> 살아 있는 원, 최초의 생명체.
> 동쪽 지평선에서 밝게 빛나는
> 당신의 아름다움으로 온 땅이 물듭니다.
> 당신은 아름답고, 위대하고, 반짝입니다.
> 지상 높은 곳에서
> 당신의 빛이
> 당신이 만들어낸 모든 것의 경계선까지 감쌉니다.
>
> 당신은 태양이니 만국의 끝까지 닿고
> 당신이 사랑하는 아들에게 그 나라들을 안겨줍니다.
> 당신의 빛은 땅에서 멀지만
> 모든 인간의 얼굴을 어루만집니다.

자비로운 자연과 태양 아래 행복한 인간을 언급한 이 작품은 야훼의 자애로움으로 행복해지는 인간을 묘사한 『성경』의 「시편」 104편의 다음 구절과 비교되곤 한다. "내 영혼아 여호와를 송축하라 여호와 나의 하나님이여 주는 심히 위대하시며 존귀와 권위로 옷 입으셨나이다."

알렉산드로스 3세 그림자와 분노

Alexandros III, B.C. 356년~B.C. 323년

'알렉산더 대왕'으로 잘 알려진 알렉산드로스 3세는 단일 제국에 대한 환상을 상징한다. 그것은 서른두 살의 젊은 나이에 이미 전설이 되어 세상을 떠난 왕에 대한 환상이다. 알렉산드로스는 태어날 때부터 비범했다. 그는 마케도니아의 수도 펠라에서 필리포스 2세와 올림피아스의 아들로 태어났다. 올림피아스는 알렉산드로스가 어렸을 때부터 그가 제우스의 아들이라고 주입했다. 필리포스 2세는 올림피아스가 침대에 풀어놓은 뱀이 두려워서 왕비의 침실에는 들지 않았기 때문이다. 알렉산드로스는 열세 살 때 부케팔로스라는 거친 말을 온순하게 길들였다. 부케팔로스는 트라키아의 왕 디오메데스가 인육을 먹여 키운 암말이 낳았다는 전설적인 말이다. 알렉산드로스는 부케팔로스가 자신의 그림자에 겁을 먹는다는 사실을 깨닫고 태양을 마주 볼 수 있는 자리에 세워서 결국 말을 타는 데 성공했다. 그는 아테네에 리케이온을 설립한 아리스토텔레스 등 많은 고대 그리스의 위대한 철학자를 스승으로 두었다. 열여섯 살 때에는 아버지 필리포스 2세가 그리스의 도시 국가들을 공격하는 사이에 마케도니아의 섭정을 맡았다. 그로부터 2년 뒤에 알렉산드로스는 카이로네이아 전투에 참전해서 기병대를 지휘하며 승승장구하던 테바이 신성대를 격파했다. 또 한 차례의 전투가 벌어졌을 때 그는 테바이를 쑥대밭으로 만들었다. 기원전 336년에 필리포스 2세가 암살되었는데, 증거는 없지만 암살을 지시한 사람이 알렉산드로스였다는 설도 있다. 마케도니아의 왕이 된 그는 암살자들을 처벌하고 그리스에서 '스트라테고스 헤게몬', 즉 총사령관의 임무를 맡았다. 이로써 필리포스 2세가 살아생전 꿈꾸었던 페르시아 정복을 위해 소아시아에서 전쟁을 지휘하게 된다. 이로부터 10년도 채 안 되어 알렉산드로스는 오늘날의 터키 지역인 소아시아에 3만 5000명의 기병과 보병을 이끌고 입성했다.

신의 아들

알렉산드로스는 자신이 신의 아들이라고 확신했지만 왕들의 왕이 될 운명을 타고났다는 사실을 끊임없이 확인하려고 했다. 그의 어머니는 그가 제우스의 아들이라고 어렸을 때부터 누누이 말해주었다. 알렉산드로스는 고르디움에서 아무도 풀 수 없다던 매듭—유명한 '고르디아스의 매듭'—도 풀었고 전해오는 예언대로 아시아를 정복했다. 델포이의 여사제는 어느 누구도 그를 이기지 못할 것이라고 말했다. 그런

「코끼리를 선물 받은 알렉산드로스」, 미세화, 15세기 초

데도 알렉산드로스는 불안을 떨치지 못했다. 이집트로 원정 갔을 때 그는 오늘날의 리비아와 맞닿은 국경 근처의 시와 오아시스에서 아몬 신의 신탁을 받았다. 알렉산드로스는 이미 멤피스에서 파라오가 되었고, 수도가 될 알렉산드리아의 건설도 계획 중이었다. 그는 아몬 신의 아들이라는 인정만 받으면 되었다. 이집트로 가는 원정길은 험난했다. 병사들은 갈증으로 죽을 고비를 넘겼다. 목적지였던 시와 오아시스에 도착하자 신전의 최고 예언자가 그에게 전통적으로 파라오를 지칭하는 '신의 아들'이라는 칭호를 주었다. 스물네 살밖에 되지 않았던 알렉산드로스는 홀로 신전에 들어가 눈에 보이지 않는 신에게 질문을 던졌다. 이곳에서 오간 대화에 관해서는 알려진 바가 없다. 알렉산드로스는 어머니 올림피아스에게 대화 내용을 말할 생각이었지만 어머니를 만나기도 전에 저세상에 먼저 가고 말았다. 그러나 그의 주변에서는 그가 신의 아들이라는 것에 대해 의심을 할 수 없었다. 그를 찬양하려면 확신이 필요했기에 알렉산드로스가 신의 아들이 틀림없다는 계시가 교묘한 선전으로 빠르게 퍼져나갔다.

보병대의 힘

마케도니아 왕국의 보병대는 '신타그마syntagma'라고 불리는 단위 부대들로 이루어진 군대로 9000명의 병사들을 보유하고 있었다. 5~7미터에 달하는 긴 창인 사리사를 든 병사들이 16줄로 사각형의 대열을 이루고 사방 가장자리에 있는 병사들이 방어 자세를 취하며 움직였다. 첫 번째 줄에 선 병사들은 사리사를 앞으로 들었고, 나머지 병사들은 위로 들고 있다가 자기 차례가 오면 공격에 나섰다. 공격이 시작되면 그 기세가 워낙 강해서 적군의 대열이 흐트러지고 병사들이 나가떨어졌다. 알렉산드로스는 그라니코스 전투와 이소스 전투 등에서 대대적인 승리를 거두었다. 전쟁에서 패하자 페르시아 제국의 왕 다리우스 3세는 도망갔지만 그의 가족은 포로가 되었다. 알렉산드로스는 다리우스 3세의 가족을 잘 대해주었다. 다리우스 3세는 알렉산드로스에게 황금 1만 달란트와 제국의 일부를 주겠다고 했지만 알렉산드로스는 그 제안을 거부했다. 알렉산드로스는 메소포타미아와 바빌로니아를 잠시 내버려 두고 이집트로 갔다. 페르시아 제국의 속국이었던 이집트는 그를 구원자로 맞이했다.

페르시아 정복

알렉산드로스는 오래지 않아 페르시아 제국으로 돌아왔고 그해 여름에는 메소포타미아를 정복했다. 가우가멜라 평원에서 벌어진 전투가 결정적이었다. 다리우스 3세의 군대는 전멸했지만 왕은 기병과 그리스 용병 덕분에 도망칠 수 있었다. 가우가멜라 전투에서 승리한 알렉산드로스는 바빌로니아로 쉽게 진격했다. 바빌로니아는 신전을 파괴하지 않고 페르시아 고관들의 자리를 지켜달라는 조건으로 항복했다. 알렉산드로스는 바빌로니아에 한 달간 머물면서 다리우스 3세의 가족이 페르시아 제국 제2의 수도인 수사에서 풍족하게 살도록 해주었다. 그는 제국의 수도인 파사르가다에와 페르세폴리스를 주저 없이 불사르고 페르시아 제국을 완전히 정복했다. 메디아로 피신했던 다리우스 3세는 기원전 330년 여름에 사트라프satrap였던 베소스에게 암살당했다. 그해 가을에 알렉산드로스와 그의 군대가 완전히 갈라서게 될 징조를 보여준 사건이 발생했다. 병사 중 일부가 아시아 원정을 계속하기를 거부했고, 페르시아 왕궁의 의례—특히 절하기—를 받아들인 일에 저항했으며, 마케도니아인과 페르시아인을 한 민족으로 융합시키려는 계획에 반기를 들었다. 기병대를 지휘했던 필로타스는 역모죄로 체포되어 처형당한다. 필리포스 2세를 섬겼던 그의 아버지 파르메니온도 알렉산드로스의 명령으로 암살당한다. 알렉산드로스는 병사들을 이끌고 중앙아시아까지 신출했나. 4000명에 달하는 보병들이 목숨을 잃는 내가를 치르고 나서야 포로스왕과 그의 코끼리 군대를 물리칠 수 있었다. 이후 알렉산드로스는 갠지스강 계곡까지 진출했지만 병사들이 더 이상 진군하는 것을 거부했다. 그는 새로운 '아시아의 왕'으로 남았다. 알렉산드로스는 광활한 제국을 통치하고 군대의 반발을 막고 그리스의 대사들을 맞이해야 했다. 그러나 알렉산드로스는 기원전 323년 바빌로니아에서 서른두 살의 나이에 급사했다. 당시에는 그가 독살되었다는 소문이 파다했다.

왕의 분노

알렉산드로스 대왕이 유명한 이유는 전쟁에서 쟁취한 승리 때문만은 아니다. 그는 주사가 심했던 것으로도 유명하다. 연회와 애찬은 그와 그의 친한 친구들에게 적정한 수준을 넘어 제국 전체를 잃을 정도까지 술을 퍼마실 수 있는 기회였다. 기원전 328년에 결국 사달이 나고 말았다. 그라니코스 전투에서 알렉산드로스를 치려는 페르시아 병사의 손목을 잘라 왕의 목숨을 구했던 클레이토스는 자제력을 잃고 말았다. 그는 마케도니아인과 패전국의 백성을 융화시키려는 왕의 정책을 비난했다. 그것도 모자라 파르메니온의 죽음을 개탄하고, 알렉산드로스의 책략가로서의 자질을 의심하며 아버지 필리포스 2세의 장점을 추켜올렸다. 최악의 사태를 우려한 장군들이 그를 끌어내 내보내려고 했으나 클레이토스는 장군들을 뿌리치고 연회장으로 돌아와 다시 폭언을 퍼부었다. 알렉산드로스는 더 이상 화를 참지 못하고 사리사를 집어 클레이토스를 찔렀고, 클레이토스는 숨을 거두었다. 취기가 가신 알렉산드로스는 끔찍한 광경에 놀라 눈물을 터뜨렸다. 친구의 시신을 끌어안고 자기도 죽겠다고 하는 그를 주위 사람들이 겨우 말렸다. 후회에 가득 찼던 알렉산드로스는 죽은 영웅을 위해 성대한 장례식을 치러주도록 명했다.

에우리피데스 비극을 노래한 시인

Euripides, B.C. 480년경~B.C. 406년

고대 그리스의 문학 세계는 3명의 비극 작가가 지배했다. 아이스킬로스, 소포클레스, 에우리피데스가 그들이다. 에우리피데스는 자신이 창조한 인물 모두에게 특별한 애정을 드러내고 있어서 우리의 관심을 끈다. 그는 그리스가 살라미스 해전에서 페르시아를 상대로 승리를 거둔 해인 기원전 480년에 태어난 것으로 알려져 있지만 그보다 3~4년 일찍 태어난 것으로 짐작된다. 험담을 좋아했던 작가 아리스토파네스는 자신이 쓴 몇몇 희곡 작품에서 에우리피데스를 허브를 파는 가난한 상인 클레이토와 소상인 므네사르키데스의 자식으로 묘사하며 비아냥거렸다. 그러나 그렇게 가난한 부모가 아들에게 문체에서 드러나는 높은 수준의 교육을 받게 해주었을 리 만무하고, 살아생전 많은 책을 읽었던 것으로 유명했던 에우리피데스에게 그 책들을 다 사줄 수 있었을지도 의심스럽다. 또한 그 당시에 서민 출신이라는 점은 비극 경연 대회에 나가기에 부담스러운 약점이었으니 아리스토파네스는 에우리피데스를 깎아내리려는 의도였을 것이다.

인간적인 주인공들

에우리피데스가 쓴 92편의 희곡 중 19편이 지금까지 전해 내려온다. 그가 포도나무와 예술 창작의 기원인 신성한 황홀경의 신 디오니소스를 기리는 축제 행사로 열린 비극 경연 대회에서 첫 우승을 차지한 것은 기원전 441년이었다. 하지만 그의 경력이 본격적으로 시작된 해는 기원전 455년이다. 에우리피데스는 최고상을 다섯 번 수상했는데 그중 한 번은 사후에 받았다. 물론 그는 늘 최종 후보에 올랐다. 난관에 봉착한 그의 작품 속 주인공들은 인간미 넘치는 인물로 그려졌다. 그들은 반신이 아닌 인간으로서 반응하고 느꼈다. 『알케스티스』, 『메데이아』, 『안드로마케』, 『오레스테스』, 『헬레네』, 『타우리케의 이피게네이아』, 『아울리스의 이피게네이아』, 『탄원하는 여인들』, 『박코스 여신도들』의 인물들이 모두 그렇다. 에우리피데스는 사랑과 광기의 장면을 쓰는 데 가장 탁월한 재능을 보였고 그의 희곡은 고귀한 종교심과는 거리가 멀었다. 에우리피데스의 극에서 '데우스 엑스 마키나deus ex machina', 즉 신은 마지막 장면에 등장해 문제 해결의 실마리를 제공함으로써 드라마틱한 반전을 일으키곤 했다.

에우리피데스의 삶

작품을 제외하고는 에우리피데스의 공적인 삶이나 사적인 삶은 알려진 바가 거의 없다. 그는 시라쿠사에서 외교관으로 활동한 것으로 보이고, 멜리토라는 악녀와 자식들을 낳았다는 설도 있다. 에우리피데스는 자신의 활동 무대였던 아테네가 스파르타와 벌인 펠로폰네소스 전쟁의 소용돌이에 휘말렸지만 아테네 시민들이 굴욕적인 패배를 맛보기 전에 세상을 떠났다. 그는 전쟁이 23년째 계속되던 해에 마케도니아 왕국 아르켈라오스 1세의 왕궁으로 피신했다. 아이스킬로스와 소포클레스가 그보다 더 많은 상을 받기는 했으나 그의 비극 작품들도 헬레니즘 시대에 다른 경쟁자들은 눈에 띄지 못할 정도로 인정받았다.

펜테우스가 받은 벌

『박코스 여신도들』은 이중의 신성 모독을 다룬다. 테베의 왕 펜테우스는 디오니소스에게 제사 지내는 것을 금했을 뿐만 아니라 디오니소스 축제에 참여한 사람들을 몰래 숨어서 엿보았다. 참가자는 여사제와 무녀들로, 디오니소스와 접신한 여자들은 통음난무로 제사를 지냈다. 펜테우스는 결국 그들에게 발각되었는데 그에게 가장 먼저 달려든 여자들은 바로 그의 어머니와 이모들이었다. 펜테우스는 몸이 갈기갈기 찢기는 벌을 받았다.

> 첫 번째 여자인 그의 어머니가 제물을 바치는 여사제로서 살생을 시작했다. 그녀가 달려들자 펜테우스가 그녀의 볼을 어루만지며 말했다. "어머니, 접니다. 당신의 아들 펜테우스입니다. 당신이 에키온의 궁에서 낳은 아들입니다. 저를 불쌍히 여겨주세요, 어머니. 저의 실수를 벌하려고 당신이 낳은 자식을 죽이지 마세요." 하지만 그의 어머니는 입에 거품을 물고 눈이 뒤집혀 이미 정신이 나간 상태였다. 박코스 신이 그녀의 몸에 들어온 것이다. 펜테우스는 어머니를 설득하지 못했다. 그녀는 아들의 왼팔을 손으로 붙잡고 옆구리에 매달려 팔을 뜯어냈는데 아무런 힘도 들이지 않았다. 신이 그의 손으로 한 일이다. 이노는 다른 쪽에서 살을 뜯어내고 있었다. (…) 사방에서 비명이 들렸다. 펜테우스는 있는 힘껏 숨을 참으며 신음을 토했다. 박코스의 여신도들은 함성을 질렀다. 누군가는 팔을 들고 있었고, 또 다른 누군가는 장화가 신겨진 발을 들고 있었다. 찢긴 허리에서는 살점이 떨어져 나갔다. 피

범벅이 된 여자들은 펜테우스의 살점을 마치 공을 던지듯이 사방으로 던졌다. (…) 그의 어머니가 펜테우스의 머리를 두 팔로 들어서 박코스의 지팡이(덩굴무늬가 새겨져 있고 머리 부분이 솔방울이나 석류로 장식된 긴 막대기)에 꽂았다. (에우리피데스, 『박코스 여신도들』, 1114～1140행)

올림피아스 몰로소이의 여인

Olympias, B.C. 375년경~B.C. 316년

올림피아스는 에피로스—그리스와 알바니아 사이에 있던 왕국—국왕의 딸로, 알렉산드로스 3세의 어머니로 잘 알려져 있다. 그녀의 아버지는 투견을 기르는 거친 전사들인 몰로소이족을 다스렸다. 알렉산드로스 3세의 애견 페리타스도 그런 투견이었고, 조각상으로 남겨진 경비견 몰로시안 하운드의 이름도 여기에서 유래했다. 원래 미르탈레Myrtale라는 이름으로 불렸던 올림피아스는 기원전 356년 올림픽 경기에서 그 전해에 결혼한 필리포스 2세가 우승한 것을 기념하기 위해 이름을 바꾸었다.

순결한 미르탈레에서 잔인한 왕비로

제우스의 여사제이며 도도나 신전의 신성한 신비로움을 잘 알고 있었던 올림피아스는 성마른 성격과 잠잘 때도 함께했던 뱀에 대한 무한한 애정으로 더 유명하다. 필리포스 2세는 올림피아스에게 익숙해졌고, 기원전 356년 그녀와의 사이에서 알렉산드로스 3세가 태어났다. 필리포스 2세에게는 부인이 셋이나 더 있었다. 올림피아스와 마찬가지로 그들과도 정략적으로 혼인한 것이었다. 그래야 군주인 그들의 아버지와 연합을 맺을 수 있기 때문이었다. 후에 남편과 갈라선 올림피아스는 에피로스에 있는 아버지에게 돌아갔다. 이때 그녀는 자신이 신과 관계를 맺었다는 이야기를 퍼뜨렸다. 알렉산드로스 3세가 제우스와의 육체적 결합으로 태어났다는 것이다. 필리포스 2세는 마케도니아 출신의 젊은 귀족 여성인 클레오파트라에게 빠져 그녀와 결혼했고 딸을 낳았다. 그는 얼마 뒤 자신의 부하였던 파우사니아스에게 암살당했는데 올림피아스가 이 사건에 연루되었을 가능성도 제기되고 있다. 마케도니아로 복귀한 매력적인 과부는 왕위에 오른 알렉산드로스 3세가 없는 틈을 타서 클레오파트라와 그녀의 딸을 죽였다.

비참한 최후

알렉산드로스 3세는 페르시아를 정복하기 위해 그리스를 떠날 때 어머니 올림피아스가 아니라 안티파트로스 장군에게 마케도니아의 섭정을 맡겼다. 야심가였던 올림피아스는 안티파트로스가 죽을 때까지 그와 자주 부딪쳤다. 그의 후임자인 폴리페르콘은 올림피아스와 손잡고 안티파트로스의 아들인 카산드로스와 경쟁했다. 카산드로스는 알렉산드로스 3세의 배다른 형인 아리다이오스를 왕좌에 앉혔는데 그가 필리포스 3세이다. 그러자 군대가 들고일어나 올림피아스 편에 섰고, 올림피아스는 이 기회를 틈타 필리포스 3세를 체포해 그의 부인, 카산드로스의 형제, 그리고 100여 명의 동조자와 함께 처형했다. 그러나 피바람은 그녀에게도 불어왔다. 카산드로스가 올림피아스가 있는 피드나를 포위하고 항복할 때까지 기다린 것이다. 즉결 재판을 받은 올림피아스는 자신이 명한 학살 피해자들의 가족과 친척이 던진 돌에 맞아 죽었다.

개 팔자가 상팔자

『박물지』를 쓴 대大 플리니우스와 『영웅전』을 쓴 플루타르코스는 알렉산드로스 3세의 애견인 페리타스의 공식 전기 작가였다. 이 개는 사자를 잡아먹고 코끼리를 쓰러뜨리는 모습을 본 그의 삼촌이 선물한 것이다. 알렉산드로스 3세는 페리타스와 떨어져 지낸 적이 없다고 한다. 정복지인 아시아에까지 데리고 갈 정도였다. 페리타스가 인도에서 죽자 그는 자신의 애견을 기리기 위해 펀자브 지역에 도시를 만들었다.

유클리드 기하학의 끝판왕

Euclid, B.C. 3세기경

유클리드(그리스식 이름으로는 에우클레이데스)의 학문적 업적은 많이 알려져 있으나 그 생애는 거의 알려진 바가 없다. 그렇다고 해서 수학에서 가장 활발하게 연구가 이루어진 분야인 기하학의 아버지를 건너뛰기도 힘들다. 그의 생애에 대해 그나마 전해지는 정보는 5세기의 신플라톤주의 철학자 프로클로스 덕분이다. 프로클로스는 자신의 저서에서 유클리드의 가장 중요한 저작인 『에우클레이데스의 원론』을 언급했다. 이 글을 보면 유클리드가 이집트에서 파라오가 된 최초의 그리스인 알렉산드로스 3세의 장군으로 그의 후계자가 된 프톨레마이오스 1세 소테르의 궁에서 살았음을 알 수 있다. 『에우클레이데스의 원론』이 무척 어렵다고 생각한 왕과 유클리드가 나눈 대화도 나온다. "기하학을 배우는 데 『에우클레이데스의 원론』보다 더 짧은 지름길이 있지 않은가?"라고 왕이 묻자 유클리드는 "기하학으로 가는 왕도는 없습니다"라고 답했다. 유클리드는 왕과 그의 사절만이 갈 수 있는 알렉산드리아와 이집트 남부를 잇는 길을 빗대어 말한 것이다. 유클리드는 메가라의 에우클레이데스와 이름이 동일해서 종종 혼동된다. 메가라의 에우클레이데스는 플라톤과 동시대 인물로 유클리드보다 백 년 정도 앞선 시대의 사람이다.

중요한 연구

유클리드의 생애에 대해 알 수 있는 자료가 더 이상 없으니 이제 그의 저서를 살펴보자. 유클리드의 가장 중요한 업적은 그가 『에우클레이데스의 원론』을 쓰면서 지켰던 과학적 방법론이라고 할 수 있다. 즉 먼저 정의를 내리고, 그다음에 모두가 동의하는 명제를 만들고, 마지막으로 새로운 제안을 하는 것이다. 그는 주로 직선과 원을 사용해서 증명했기 때문에 훗날 사람들은 유클리드의 기하학을 자와 컴퍼스를 바탕으로 한 기하학이라고 정의하기도 했다. 가장 유명한 공준은 그의 이름을 딴 유클리드 공준으로, "직선 밖의 한 점을 지나면서 그 직선에 평행한 직선은 단 하나 존재한다"라는 것이다. 『에우클레이데스의 원론』 외에도 유클리드는 수학과 수학을 기반으로 한 과학과 관련된 책을 많이 썼다. 『주어진 값』, 『도형의 분할』, 『광학』과 같은 책의 일부 혹은 전체가 후대에 전해지는 반면 『포리스마』(정리와 문제의 중간 지점에 있는 부정명제), 『원뿔 곡선』, 『착오의 서』('프세우다리아')는 소실되어 전해지지 않는다.

전한 무제 위대한 한

前漢 武帝, B.C. 156년경~B.C. 87년

중국의 수많은 위대한 군주 중에 전한의 위대함을 절정에 달하게 한 무제는 특별한 위치를 점한다. 그가 통치하던 시절에 유교가 국교가 되었고, 능력에 따라 인재를 등용하는 제도의 기틀이 마련되었다. 황제가 되기 전의 유철劉徹 왕자는 왕좌와는 거리가 멀었다. 그는 전한 경제와 효경 황후 왕 씨의 열 번째(또는 열한 번째) 아들이었기 때문이다. 아버지의 뒤를 이을 공식 후계자는 후궁 율희의 아들 유영으로 정해진 지 오래였다. 그러나 오만한 야심가였던 율희가 금세 미움을 샀고 왕 씨와 황제의 첫째 누이인 유표 공주가 주축이 되어 음모를 꾸민다. 유표는 미래의 황제에게 자신의 딸을 아내로 맞이하라고 했다. 유영은 이를 거부했고, 결국 어린 유철이 황제의 조카와 혼인했다. 그 이후로 자극적이고 퇴폐적인 사건이 줄을 이었다. 왕 씨는 자신의 환심을 사려 했던 고위 관리에게 후궁 율희가 황후가 되도록 공식적으로 요청하라고 시켰다. 이는 황제인 천자에게는 도를 넘은 요청이었다. 법도를 모르는 관리는 결국 처형당했다. 유영도 태자의 자리에서 쫓겨나 지방에 보내졌다. 그는 얼마 뒤 범죄를 저지른 혐의로 투옥되었고 스스로 목숨을 끊었다. 율희는 가택 연금에 처해졌다. 절망에 빠진 그녀는 자살했다고도 하고 슬픔을 이기지 못하고 상심해서 죽었다고도 한다.

서슬 퍼런 할머니

경제가 세상을 떠나자 당시 열다섯 살이었던 무제가 왕위에 올랐다. 야심이 있었던 무제는 과감한 개혁('건원신정')을 단행해서 중앙 권력을 강화했다. 유교 사상을 배운 충신들을 써서 지방의 왕으로 행세하는 수많은 군주와 귀족을 제대로 제어하고 싶었기 때문이다. 이 개혁은 궁에서 절대 권력을 행사하던 두씨 집안의 영향력을 줄이려는 목표도 있었다. 그런데 두씨 집안은 영향력이 대단했던 할머니 효문 황후의 집안이기도 했다. 그녀는 개혁이 실패로 돌아가게 하고 개혁파를 잡아들여 처형하거나 자결하게 만들었다. 무제는 황제였으나 고립되고 말았다. 서슬 퍼런 할머니는 무제를 폐위시키고 그의 형제 중 하나를 황제로 만들려고 했다. 이때에도 그를 구한 것은 어머니 왕 씨였다. 그녀는 시어머니를 구슬려서 적어도 겉으로는 손자와 화해하게 만들었다. 그리고 무제에게 때를 기다리는 것이 유일한 방법이라고 조언했다.

이에 따라 그는 국사를 돌보지 않았고—그래서 권력은 자연스럽게 다시 할머니와 두씨 집안에게 돌아갔다—사냥과 여행에 몰두했다. 그렇다고 나라를 다스릴 준비를 하지 않은 것은 아니었다. 그는 중간 서열의 관리로 자신을 지지해줄 젊은 인재들을 등용했다. 6년이라는 기다림의 시간이 지나자 효문 황후 두 씨는 세상을 떠났고 무제는 드디어 왕권을 차지했다.

제국의 확장

즉위한 뒤 무제는 통치 능력을 발휘했다. 전임 황제들과는 상반되는 대외 정책을 펼치면서 전방 공격을 감행했다. 북쪽으로 여러 차례 원정을 보낸 것이 흉노의 위협을 완전히 제거하지는 못했지만 국경을 강화하면서 위협을 어느 정도 제어할 수는 있었다. 그리고 남중국(광저우 주변 영토), 오늘날의 베트남 북부와 중부, 한국의 북부와 중부를 차지했다. 기원전 101년경 전한의 영토는 최대로 확장되었다. 그러나 이러한 성공은 더 많은 세금을 거둬들여서 백성들을 가난에 빠트리는 대가로 얻어진 것이었다. 가난으로 인해 백성들이 봉기하는 일이 늘어나자 무제는 억압과 폭력으로 정권을 지켰다.

피 흘리는 말

무제가 이끈 원정에는 종교적 목적과 군사적 목적이 결합되어 있었다. 원정대는 페르가나 분지를 목표로 삼았다. 이곳은 페르가나산 밑에 있는 광활한 분지로 오늘날의 우즈베키스탄, 타지키스탄, 키르기스스탄 사이에 있다. 첫 공격은 실패로 돌아갔다. 3년 뒤에 다시 이 지역을 공격했는데 이번에는 성공했다. 무제가 아무도 찾지 않는 세상 끝의 땅을 그토록 원한 이유는 무엇이었을까? 바로 말을 확보하기 위해서였다. 전한의 기병대는 흉노를 벌벌 떨게 하는 위력을 떨쳤지만 말이 극도로 부족했다. 도대체 어떤 말들이었기에 무제가 그렇게 집착했던 것일까? 이 지역의 말들은 기생충 감염으로 인해 피를 땀처럼 흘렸다. 이를 본 무제는 말이 영물이라고 생각했던 것이다. 전투 중에 지친 말이 피를 흘리기 시작하면 공포를 조장하는 효과도 있었다.

베일에 싸인 통치 말기

무제는 죽기 전 피해망상에 시달렸다. 모두가 자신을 상대로 음모를 꾸민다고 믿었고, 암살자들이 꿈에서까지 나타나 자신을 쫓는다고 생각했다. 피해망상에 사로잡힌 자가 권력을 쥐고 있다면 얼마나 위험하겠는가. 그 대가를 치른 사람은 태자였던 유거였다. 그는 어머니 무사 황후 위 씨처럼 스스로 목숨을 끊을 수밖에 없었다. 불멸에 집착했던 무제는 불멸을 약속하고 아부만 하는 사기꾼 주술사들을 가까이했다. 하지만 그는 결국 다가온 죽음을 받아들이고 막내아들인 유불릉을 태자로 책봉했다. 무제는 태자의 어머니가 아들에게 나쁜 영향을 미치고 자신의 할머니가 그랬던 것처럼 권력을 탐하게 되지는 않을까 우려해 아내를 죽게 했다. 그리고 얼마 뒤 그도 세상을 떠났다.

진시황제 중국의 통일을 이루다

秦始皇帝, B.C. 259년경~B.C. 210년

중국 최초의 황제로 불리는 진시황제는 중국 역사에서 가장 비판을 많이 받는 인물일 것이다. 최근에는 그에 대해 재평가하려는 연구들도 이루어지고 있다. 포학하고, 잔인하며, 과대망상적이라는 표현이 중국을 통일하고 초대 황제에 오른 그의 이름에 따라붙는 형용사이다. 진시황제는 문자와 법, 도량형을 규격화했으며 도로와 궁전, 능(흙을 구워 만든 병사 모형 7000여 개가 발견되었으며 1987년에 유네스코 세계 유산에 등재되었다)을 지었고 만리장성을 쌓기 시작했지만, 많은 서적을 없앴고 학자를 박해했으며 노동자 수백만 명의 목숨을 빼앗은 장본인이기도 했다. 무슨 수를 써서라도 목적을 이루고야 말았던 진시황제는 과대망상증 환자였을까, 제국의 설립자였을까? 그의 생애를 살펴보고 이에 대한 답을 찾아보자.

영정에서 진시황제로

중국 역사가 사마천의 『사기』에 보면 미래의 황제가 될 영정嬴政은 조나라의 수도 한단에서 태어났다. 부계 쪽에서 보면 그는 진나라 왕의 증손자이고 영자초의 아들이다. 어머니 조희는 조나라의 부유한 가문 출신이었다. 영정은 나라가 어지러울 때 태어났다. 당시 진나라와 조나라가 전쟁 중이었는데 기원전 257년 진나라 군대가 한단을 포위했다. 그때 부유한 상인이었던 여불위가 나타났다. 조희는 과거에 그의 애첩이었고 여불위가 그녀를 영자초에게 양보한 것이다. 여불위가 뇌물을 써서 영자초는 한단을 떠날 수 있었는데 아내와 자식은 남겨두어야 했다. 조희와 영정은 몇 년 동안 힘들게 살았다. 영자초가 진의 왕위에 오르자 조나라는 그의 아내와 아들을 풀어주었다. 조희와 영정은 진나라의 수도인 셴양에 갈 수 있었다. 상황이 변하자 세력가인 여불위는 승상의 자리를 받았다.

영자초의 통치는 오래가지 못했다. 영정은 열세 살에 왕위를 물려받았고, 여불위와 조희가 10여 년 동안 섭정을 했다. 이 시기에 조희는 애인 노애를 궁으로 들게 했다. 추문을 피하기 위해 노애가 환관이라는 소문이 돌게 만들었지만 두 사람 사이에는 자식이 둘이나 있었다. 영정이 성인이 되자 노애는 반란을 일으켜 권력을 차지할 때가 왔다고 믿었다. 그러나 그는 꿈을 이루지 못했다. 노애는 자기 자식들, 그리고 왕의 배다른 형제들을 포함한 동조자들과 함께 처형당했다. 조희의 운명도 정해졌다. 그녀는 죽을 때까지 유배되었다. 사건을 덮으려 한 여불위는 궁을 떠나라는 명을 받았고, 얼마 뒤에 음독자살했다. 이 사건을 계기로 측근까지 의심하게 된 영정은 친척들을 궁에 두어 세력 있는 제후나 적으로 만들지 않으려고 나라의 행정을 언제든지 내쫓을 수 있는 관리에게 맡겼다.

정복의 시대

그 당시는 진, 한, 위, 조, 연, 제, 초가 끊임없이 전쟁을 벌였던 때로 '전국 시대'라고 불렸다. 잘 훈련되고 제대로 된 장비를 갖춘 위력적인 군대를 소유한 정복자 영정은 기원전 230년에 가장 약했던 한을 차지했다. 그 뒤 약 10년 동안 조, 연, 위, 그리고 오랫동안 저항했던 광활한 왕국 초가 무너졌다. 그보다 규모가 작았던 북동쪽의 나라 제가 마지막까지 경쟁하다가 항복했다. 이렇게 중국을 통일한 영정은 새로운 제국을 건설했다. 이때 그는 진시황제라는 이름을 갖게 되었다. 당시 진시황제는 적어도 1만 년은 계속될 제국을 세웠다고 믿었지만 그가 죽고 4년이 지난 뒤 진은 멸망하고 말았다.

진시황제가 만든 중국

중국을 통일하고 죽음에 이르기까지 11년 동안 진시황제는 중국의 절대자였다. 그는 군주가 곧 법이고, 법은 그 자체로 근거가 된다는 원리에 따라 통치했다. 그리고 무력을 사용해 나라를 다스렸다. 그는 머리였고 몸을 이루는 관리들은 그의 뜻을 따랐다. 제국은 36개의 행정 구역인 군으로 나뉘었고 지방 관리가 파견되었다. 그리고 정기적으로 감찰관이 각 군으로 감찰하러 다녔다. 황제가 능력에 따라 뽑힌 감찰관을 임명하거나 해임했다.

경쟁자는 죽음으로 다스릴지니

진시황제의 독재에 반감을 품은 자들도 나타났다. 황제를 암살하려는 시도가 여러 차례 있었고 그중 한 번은 성공할 뻔했다. 연나라 왕이 황제에게 배신한 장군의 머

진시황릉의 병마용, B.C. 3세기.

리를 보낸다는 핑계로 암살자를 보내 그를 죽일 계획을 세웠다. 황제는 공물을 받아들였다. 연나라의 특사가 더 좋은 보물, 그러니까 진의 정복에 결정적으로 유리할 연나라의 지도를 바치겠다며 황제에게 가까이 다가갔다. 그는 지도 안에 숨겨둔 독을 바른 단검을 들고 황제에게 달려들었으나 옷소매밖에 잘라내지 못했다. 진시황제는 그 틈을 타서 과시용으로 들고 다니던 검으로 자신을 보호했으며, 그러는 사이에 근위대가 암살자를 죽였다. 이와 같은 직접적인 공격은 아니었어도 유생들도 진시황제에게 반기를 들었다. 오늘날의 총리에 해당하는 승상 자리에 올랐던 이사李斯는 열정적인 법가였다. 그러나 유생들은 전통의 이름으로 개혁을 거부했다. 기원전 213년 황제는 칙령을 내려 농업과 의학에 관한 책을 제외한 모든 책을 불태우라고 명했다. 남은 것은 황제의 도서관에 보관된 책뿐이었다. 유생들은 분서갱유에 항의해 들고일어났다. 그러나 수도와 지방에서 수백 명이 처형되었고 수천 명이 유배되어 만리장성을 쌓다가 지쳐 죽어갔다.

불멸의 꿈

진시황제의 묘는 60제곱킬로미터나 되어 세계에서 가장 규모가 크지만 사실 그는 죽지 않고 영원히 살기를 원했다. 위대한 군주라면 불멸을 누릴 자격이 충분한 것이다. 진시황제의 전령들은 영생한다는 신선을 찾아 전국을 누볐다. 머나먼 섬들에 영생을 누리는 자들이 있다는 소문을 듣고 거대한 배를 건조해 수백 명의 선원과 관료들이 바다로 나갔다. 하지만 그들은 영영 돌아오지 않았다. 또 어떤 산에 신선들이 산다는 소리가 들리자 그들이 내려올 수 있도록 3만 6000개의 계단을 만들었다. 그러나 신선들은 내려오지 않았다. 격노한 황제는 붉은색—신의 벌을 받은 자의 색—옷을 입고 머리를 밀어버렸다. 계단을 만들기 위해 동원된 수십만 명의 인부가 목숨을 잃었다. 진시황제가 불로불사약을 원한다는 소문을 들은 한 방사가 황제에게 황화 수은인 진사辰沙 알약을 주었다. 아름다운 붉은색—복을 상징하는 색이기도 하다—과 광택으로 '붉은 진주'라는 이름이 붙은 것이다. 진시황제는 꼬박꼬박 진사를 챙겨 먹었고 그로 인해 수은 중독으로 명을 다했다. 그의 후계자인 이세황제는 나약하고 무능했으며 3년 정도 통치하다가 승상에게 자살을 강요당했다. 진은 건국자의 예언을 보란 듯이 깨뜨리고 멸망했으며 한이 그 뒤를 이었다.

측천무후 중국의 유일무이한 여성 황제

則天武后, 624년~705년

측천무후는 중국의 역사에서 유일무이한 인물이다. 중국 유일의 여성 황제이기 때문이다. 중국을 다스린 여성은 또 있었지만 '막후'에서 어리거나 유약한 황제들을 통해 권력을 맛보았을 뿐이지 공개적으로 드러난 적은 없었다. 측천무후는 귀족 계층에 속하지 않았다. 장교의 딸이었던 그녀는 미모가 뛰어났지만 교활한 성격이었다. 측천무후는 열네 살에 당 태종의 수많은 후궁 중 하나가 되었다. 태종이 죽자 전통에 따라 절에 들어갔다. 그러나 그녀는 이미 태종의 뒤를 이을 후계자와 내연의 관계였다. 훗날 당 고종이 되는 황태자는 측천무후를 절에서 불러와 후궁으로 삼았다. 이는 황궁에서는 유례가 없던 일이어서 유교를 숭상하는 고위 관리들은 그들의 관계를 근친상간으로 보았다.

권력의 쟁취

나약했던 당 고종은 얼마 지나지 않아 야심가인 측천무후의 꼭두각시가 되었다. 측천무후는 주술을 부렸다는 죄명으로 잡혀온 황후와 고종이 가장 총애하던 후궁의 사지를 자르게 했다. 두 여인은 식초가 담긴 통에 갇혀 며칠 동안이나 살이 타들어 가는 고통을 느끼며 죽어갔다. 655년에 그녀는 황후가 되어 '하늘이 원하는'이라는 의미의 '측천則天'이라는 이름을 얻었다. 그녀의 반대 세력은 무자비하게 제거되었다. 음모의 희생자가 되거나 처형당했고, 그 가족들도 똑같은 운명을 맞았다. 고종이 죽자 측천무후의 셋째 아들 이현이 당 중종이 되었다. 그러나 그가 말을 잘 듣지 않자 측천무후는 불과 한 달 뒤에 그를 퇴위시켜버렸다. 막내아들이 당 예종으로 그 뒤를 이었다. 말도 잘 듣고 무능력했던 예종은 684년에 황제의 자리에 올랐다. 측천무후도 그때부터 마음대로 나라를 다스릴 수 있었다. 그녀는 충신들이 저항하자 피비린내 나는 숙청을 감행하고 스스로 황제가 되었다. 이리하여 당 왕조는 사라지고 주 왕조의 시대가 열렸다. 주나라는 이처럼 측천무후가 세웠고, 주나라를 다스린 군주도 측천무후뿐이었다.

측천무후, 18세기.

유아독존

그 당시 예순여섯 살이었던 측천무후는 이후 15년 동안 왕좌에 앉아 권력을 독점했다. 그녀는 여성의 권리를 신장하고 불교를 부흥시켰으며 신분에 상관없이 인재를 등용했다. 또한 과거 시험에서 급제한 사람과 귀족 가문 출신이 아니더라도 능력 있는 사람을 뽑아서 당나라의 고위 관리들을 물갈이했다. 이에 반감이 커진 대신과 장군들은 음모를 꾸미고 궁을 장악했다. 노령에도 불구하고 측천무후는 왕좌에서 물러나려 하지 않았다. 목에 칼을 들이대고 나서야 그녀를 끌어내릴 수 있었다. 측천무후는 후궁으로 물러나 705년 12월 16일에 그곳에서 생을 마감했다. 그녀가 내쫓았던 셋째 아들이 다시 황제가 되어 당 중종의 이름을 되찾고 죽을 때까지 나라를 다스렸다. 이리하여 측천무후의 통치는 막을 내렸다. 그녀는 중국의 진정한 황제가 되기 위해 모든 것을 바친 정열적인 여인이었다.

측천무후의 판관, 적인걸

측천무후의 통치 시절에 적인걸狄仁傑이라고 하는 명망 있는 판관이 있었다. 지방에서 일하던 그는 참과 거짓을 구분하는 능력과, 고문 및 거짓 자백 강요를 일삼던 다른 판관들과 달리 공정한 판결을 내리는 능력으로 인정받았다. 당나라의 수도 장안에 있는 황궁에 불려간 그는 재상으로 임명되었다. 적인걸의 조언을 귀 기울여 듣던 측천무후는 그를 높이 평가하고 존경해 그에게 죽을 때까지 궁에 머물 수 없겠느냐고 묻기도 했다. 적인걸은 귀족 작위를 받아 양문혜공이 되었다. 그의 명성은 사후에도 계속 이어져 16세기에는 정교한 분석으로 어려운 사건을 해결하는 추리 소설의 주인공으로 등장하기도 했다. 그를 주인공으로 한 소설 중에서 가장 유명한 것은 18세기에 발표된 『적공안狄公案』이다. 외교관이자 중국 전문가였던 로베르트 판 휠릭이 이 책을 발견해 번역했다. 그는 판관 디라는 인물을 중심으로 역사 추리 소설을 쓰기도 했다. 작가인 프레데리크 르노르망도 적인걸의 모험 이야기를 썼다.

카이사르 대머리 바람둥이

Caesar, B.C. 101년경~B.C. 44년

기원전 101년경에 태어난 율리우스 카이사르Julius Caesar는 사랑의 여신 베누스와 로마의 전설적인 시조로 알려진 트로이아의 영웅 아이네이아스의 후손이라고 전해진다. 그는 귀족 출신이었지만 젊은 나이에 민중파와 가까워졌다는 명목으로 독재자 술라에 의해 추방을 당했다. 카이사르는 비티니아 왕국의 니코메데스 4세에게 도움을 청했다. 비티니아 왕국은 오늘날의 터키 북서부에 위치해 있던 번성한 왕국이었다. 니코메데스 4세는 카이사르에게 이내 빠져들었다. 로마에서는 카이사르를 '비티니아의 왕비'라고 놀리는 소문이 퍼졌다. 타의 추종을 불허할 정도로 매력이 있었던 카이사르는 일생 여성과 남성을 가리지 않고 사람들을 매료시켰다.

야망에 이끌린 카이사르

기원전 78년 술라가 사망하자 로마를 차지하려는 야망에 찬 사람들에게 기회가 주어졌다. 카이사르도 그들 가운데 하나였으며 초고속으로 정상의 자리에 올랐다. 그는 에스파냐에서 회계 감사관으로 일할 때 돈을 갈취해서 빚을 탕감했고, 크라수스, 폼페이우스와 제1차 삼두 정치를 벌이다가 기원전 59년에 집정관이 되었다. 1년 뒤에는 갈리아 키살피나(지금의 이탈리아 북부)와 갈리아 트란살피나의 총독을 지내면서 집정관일 당시 지출했던 경비 대부분을 회수했다.

카이사르는 매우 부유했으나 현금에 쪼들리고 있을 때 장군으로서 승승장구하기 시작했다. 암비오릭스가 이끄는 벨가이 군대와 베르킨게토릭스가 이끄는 갈리아 군대를 무찌르고, 파르살루스 전투에서 폼페이우스를 상대로 승리를 거둔 것이다. 기원전 53년에 크라수스가 사망하자 카이사르는 로마의 운명을 손에 쥔 유일한 사람이 되었다. 눈치 빠른 이집트의 클레오파트라는 프톨레마이오스 왕국의 화려한 배를 타고 나일강을 거슬러 올라가는 긴 여정 당시 카이사르를 유혹했다. 10년 동안 독재를 했던 카이사르는 스스로 독재관 취임식을 마련했지만 시민들의 반발이 심하다는 사실을 알고는 왕관을 냉정하게 거절했다. 지나치게 야망이 큰 그를 못마땅하게 여긴 공화파는 결국 카이사르를 암살하기로 계획했다. 기원전 44년 3월 열닷새 Idus Martias에 카이사르는 원로원에서 칼에 스물두 번 찔려 죽었다. 암살자 중에는 카이사르의 양아들 브루투스도 있었다.

카이사르의 말말말

율리우스 카이사르는 비범한 정치적 행보를 보였으며 지금까지도 인용되는 많은 말을 남겼다. 카이사르가 한 말인지 확인되지 않은 것도 있지만 아무튼 그 덕분에 그는 우리의 기억 속에 여전히 각인되어 있다. 군대를 이끌고 이탈리아에 들어가기 위해 루비콘강을 건널 때 그는 "주사위는 던져졌다Alea jacta est"라고 말했다. 흑해 연안의 폰토스 왕국을 정복한 다음에는 "왔노라, 보았노라, 이겼노라Veni, vidi, vici"라는 말을 남겼다. 자신을 암살하러 온 자들 중에서 브루투스를 알아본 그는 죽어가면서 그리스어로 "아들아, 너도Kai su teknon!"라고 중얼거렸다고 하는데, 후대에는 "브루투스, 너마저!"로 알려졌다. 이 외에 격언도 남겼는데, "카이사르의 부인은 의심을 받아서는 안 된다"라는 말은 부인과 이혼하기 위한 좋은 핑계였다. 카이사르는 "작은 마을의 수장보다 로마의 2인자가 낫다"고 했지만 그는 전자도 후자도 아니었다. "사람들은 자신이 바라는 것을 믿는다", "술이 없으면 병사도 없다"와 같은 말들은 그가 사람들의 심리를 꿰뚫고 있었고 용병술에 능했음을 보여준다.

콘스탄티누스 1세 기독교 황제

Constantinus I, 274년경~337년

콘스탄티누스 1세는 서방 정제正帝가 되는 콘스탄티우스 클로루스 장군과 후에 교회에 의해 화형을 당하는 성녀 헬레나의 아들로 태어났다. 부모가 헤어진 뒤에 그는 동방 정제 디오클레티아누스의 황실이 있는 니코메디아(지금의 터키)로 보내졌다가 디오클레티아누스가 자리에서 물러난 305년까지 그곳에 머물렀다. 콘스탄티우스가 아들을 돌려보내라고 하자 콘스탄티누스는 니코메디아를 떠나 게소리아쿰(지금의 불로뉴쉬르메르)에서 아버지를 만났다. 그곳에서 부자는 브리타니아 원정을 떠난다. 콘스탄티우스가 306년에 에보라쿰(지금의 요크)에서 병사하자 군대는 서둘러 콘스탄티누스를 정제로 추대했다. 콘스탄티누스 1세는 그때부터 20여 년에 걸쳐 경쟁자들을 제거했다. 우선 그는 장인 막시미아누스에게 자살하라고 강요해 그를 제거한 뒤 다른 정제들을 제거하기 시작했다. 막센티우스는 밀비우스 다리에서 벌어진 전투에서 콘스탄티누스 1세에게 패한 뒤 테베레강에 빠져 죽었다. 콘스탄티누스 1세는 일시적으로 동맹 관계에 있던 리키니우스를 시켜 막시미누스 2세를 죽였으며, 이후 쓸모없어진 리키니우스는 교살되었다.

콘스탄티노폴리스

경쟁자들을 제거하고 난 뒤 콘스탄티누스 1세의 통치가 본격적으로 이루어졌다. 330년에 콘스탄티노폴리스를 세운 그는 제국의 완전한 재편, 솔리두스 금화 발행, 군대 개혁, 그리고 무엇보다 로마 제국의 기독교화를 진행했다. 밀라노 칙령으로 기독교인들에게 종교의 자유를 준 콘스탄티누스 1세는 제1차 니케아 공의회를 소집해서 전지전능한 성부, 유일한 아들 성자, 그리고 성령을 일컫는 삼위일체의 크레도Credo('나는 믿는다'는 의미)를 확립했다. 콘스탄티누스 1세가 기독교로 전향한 것은 그 이후의 일인데, 특히 군대의 수호신 솔 인빅투스(무적의 태양신)의 노여움을 살까 두려웠기 때문이다. 전설에 따르면 그는 밀비우스 다리에서 전투가 있기 전날 하늘에서 황금빛의 그리스어 글자 X(카이)와 P(로)가 겹쳐진 모양을 보았다. 이는 그리스어로 예수의 이름 첫 두 글자에 해당한다. 그래서 "이 표를 지니고 승리하리라In hoc signo vinces"가 콘스탄티누스 1세의 좌우명이 되었다. 그러나 신중했던 그는 죽음을 목전에 두고서야 니코메디아의 주교 유세비우스에게 세례를 받았다.

어머니는 성녀, 그렇다면 아내는?

콘스탄티누스 1세의 어머니인 성녀 헬레나가 성지 순례를 가고 예루살렘과 베들레헴에 교회를 지은 것은 325년에서 327년 사이에 있었던 일이다. 가장 놀라운 일은 헬레나가 예수의 무덤에 갔다가 그곳에서 예수가 못 박혔던 십자가와 그의 사지를 박았던 못들을 발견해 콘스탄티노폴리스에 가져왔던 것이다. 그리고 로마에는 폰티우스 필라투스의 법정에 가기 위해 예수가 밟았던 계단을 가져왔다. 가톨릭과 그리스 정교에서 헬레나를 기리기 위해 축일을 정했으며 그녀는 못과 바늘 상인을 수호하는 성녀가 되었다. 콘스탄티누스 1세는 정치적 이유로 파우스타와 혼인했으나 젊은 부인과의 관계는 오래 지속되지 못했다. 파우스타가 그의 맏아들 크리스푸스에게 반해버렸기 때문이다. 그러나 크리스푸스는 계모를 거부했고, 파우스타는 오히려 크리스푸스가 자신을 끈질기게 따라다녔다고 콘스탄티누스 1세에게 거짓을 고했다. 젊은 부인의 말을 믿은 콘스탄티누스 1세는 자신의 맏아들을 사형에 처했다. 이후에 진실을 알게 되었지만 이미 때는 늦어버렸다. 파우스타는 이 일로 증기탕에 갇혀 질식사했다.

키루스 2세 군주의 전형

Cyrus II, ?~B.C. 530년경

키루스 2세 또는 키루스 대제는 기원전 550년에서 기원전 530년까지 거대한 페르시아 제국을 다스렸다. 그에 관한 한 역사적 진실과 전설 중에서 반드시 하나만 믿을 필요는 없을 것이다. 일설에 의하면 어린 키루스 2세는 왕위를 빼앗길 것을 두려워했던 잔인한 왕의 명령으로 짐승에게 던져졌으나 아이가 없던 농부 부부에 의해 기적적으로 구출되었다. 억울한 운명을 피해 살아남은 영웅의 이야기는 고전에서 전형적으로 볼 수 있는 내용이다. 신이 그들을 보살피고 있다는 사실을 보여줄 수 있기 때문이다. 키루스 2세에 대한 역사적 기록을 보면 그는 메디아의 황제 아스티아게스의 봉신으로 황제의 딸과 결혼한 페르시아의 왕 캄비세스 1세의 아들이다. 그의 할아버지 아스티아게스는 손자에게 왕위를 빼앗기는 꿈을 꾼 뒤에 손자를 죽일 계획을 세웠다. 전설과 역사가 만나는 지점은 키루스 2세가 할아버지의 자리를 빼앗고—그러나 목숨도 살려주고 풍족하게 살게 해주었다—페르시아 왕국을 거대한 제국으로 키울 결심을 했을 시점이다.

그는 기원전 546년에 매우 부유했던 왕 크로이소스가 다스리던 리디아를 정복했다. 크로이소스가 감히 페르시아를 공격했기 때문이다. 사르디스 성채가 포위되자 크로이소스는 결국 항복했다. 전설에 따르면 키루스 2세는 다시 한번 지혜를 발휘했다. 크로이소스가 화형대로 가던 도중 키루스 2세 앞을 지나며 "오, 솔론! 솔론!"이라고 외쳤다. 깜짝 놀란 키루스 2세가 이유를 묻자 크로이소스는 그리스의 입법자 솔론이 찾아왔던 이야기를 들려주었다. 크로이소스는 가지고 있던 재물을 펼쳐 보이며 자신이 세상에서 가장 행복한 사람이라고 솔론에게 보란 듯이 외쳤다. 그러자 솔론은 이렇게 말했다. "그 누구도 죽기 전까지는 행복하다고 말하지 말라." 현자의 말을 들은 키루스 2세는 심경의 변화를 일으키게 되고 깊이 후회하는 크로이소스를 사면하고 그에게 재물을 넉넉하게 하사했다. 그 이후 킬리키아, 카리아, 프리기아 등 소아시아 전체가 페르시아 제국이 되었다. 기원전 539년에는 신바빌로니아의 독재 군주 나보니두스가 항복했고, 그 역시 도시가 함락된 이후 사면을 받았다. 키루스 2세는 잡혀 있던 유대인들을 풀어주었는데 그로 인해 유대교 경전에 '신에게 기름 부음을 받은 자'로 기술된다. 그러나 키루스 2세는 바빌로니아의 신 마르두크를 다시 섬기게 했고 자신도 같은 신을 믿었다. 그는 기원전 530년경에 아시아 원정에서 목숨을 잃었다.

키루스 실린더

키루스 2세가 펼친 정책에서 감탄할 만한 점은 패전국의 백성을 죽이지 않았으며 그들의 재산을 약탈하거나 파괴하지도 않았다는 것이다. 심지어 그들에게 계급에 맞는 삶을 누릴 수 있는 재물을 주었고 정복한 지방의 정부 내에서 귀족과 문인이 연합할 수 있도록 만들었다. 이러한 사실은 '키루스 실린더'라고 알려진 일종의 선언문에 나와 있다. 점토를 구워 만든 원통에 쐐기 문자—못 모양으로 생긴 아카드어 문자—로 쓰인 이 문헌은 1879년에 발견되었고 현재 대영 박물관에 전시되어 있다. '키루스 실린더'의 중요성을 인정한 국제연합은 이를 세계 유산으로 지정하고 6개 언어로 번역했다. '키루스 실린더'는 바빌로니아 정복 이후 왕이 내린 명령을 열거하고 개방적이고 관용적인 군주의 이상적인 이미지를 최초로 구축한 기록이다. '키루스 실린더'는 왕의 선전 도구이기도 했지만 패전국의 백성도 인간으로 존중하는, 당시로서는 보기 드문 정책을 행했음을 보여준다.

"나는 모든 사람에게 각자 원하는 신을 섬길 수 있는 자유를 주었다. 그 누구도 다른 신을 섬기는 사람을 학대하지 말 것을 명했다. 또한 집과 재산을 파괴하지 말 것을 명했다. 나는 누구나 자신이 원하는 나라에서 평화롭게 살 권리가 있음을 인정했다."

마키아벨리의 거울, 키루스 2세

소크라테스의 제자이자 플라톤의 경쟁자였던 크세노폰은 『키로파에디아*Cyropaedia*』를 썼다. '키로파에디아'는 '키루스의 교육'이라는 뜻이다. 크세노폰은 이 책에서 키루스 2세가 얼마나 훌륭한 사람인지, 더 나아가 장차 왕이 될 사람에게 교육이 얼마나 중요한 역할을 하는지 기술했다. 왕이 재능을 펼치고 백성의 행복을 위해 나라를 다스리는 능력을 꽃피우는 것은 오직 교육을 통해서만 가능하다는 것이다. 키루스 2세의 사례는 매우 설득력이 있어서 『키로파에디아』는 중세 시대에 '군주의 거울'—완벽한 이미지를 비추므로—이라는 이름으로 알려진 작품들의 전형이 되었다. 일종의 윤리 개론인 이러한 문학 장르는 백성을 다스려야 할 미래의 군주들에게 모범이 되는 좋은 사례를 보여주었다. 먼 훗날 니콜로 마키아벨리의 『군주론』도 이 전통을 계승한 것으로 볼 수 있다.

타키투스 장인의 사위

Tacitus, 55년경~120년경

푸블리우스 코르넬리우스 타키투스Publius Cornelius Tacitus는 가장 위대한 로마의 역사가로 꼽힌다. '코르넬리우스'는 귀족 가문의 성으로 타키투스가 자기 이름에 이 성을 사용한 것은 코르넬리우스 가문에 경의를 표하기 위해서였던 듯하다. 그가 어디에서 출생했는지는 확실하지 않은데, 이탈리아 북부 갈리아 키살피나로 보기도 하고 프랑스 남동부 갈리아 나르본네시스로 보기도 한다. 타키투스는 수사학 교육을 받았고, 그 이후에 변호사가 되기 위해 훌륭한 웅변가인 마르쿠스 아페르와 율리우스 세쿤두스 아래에서 법을 공부했다. 산문 쓰기에 대해서도 배우는 수사학 수업이 장차 타키투스가 역사가가 되는 데 밑거름이 되었다.

장인의 후광

타키투스는 권세 높은 고위 관리인 아그리콜라의 딸과 결혼했다. 아그리콜라는 집정관이 되었다가 나중에는 브리타니아의 총독 자리에까지 오른 인물이다. 그런 아그리콜라가 장인이니 타키투스는 쿠르수스 호노룸을 쉽게 마칠 수 있었다. 4년 뒤에 그는 재정을 관리하는 재무관이 되었다. 이후 무녀들의 신탁에 관한 책을 저술하는 사제 모임의 일원이 되었다가 법무관에 임명되었다. 타키투스는 또한 속주의 수장 자리에 앉게 되었다. 97년에는 최고의 직위인 집정관이 되어 부유한 아시아의 속주를 다스렸다. 베스파시아누스 황제는 그를 원로원 의원으로 임명했다. 타키투스의 죽음에 대해서는 알려진 바가 전혀 없다.

로마를 중심으로 한 저서

타키투스는 로마의 위대함을 찬양하는 책을 여러 권 썼다. 『역사』는 69년부터 96년까지의 로마를 다루었고, 『연대기』는 티베리우스에서 네로 시대까지의 로마를 다루고 있다. 그러나 정작 타키투스가 유명해진 것은 『아그리콜라 전기』와 『게르만족의 기원과 현황』(통칭 『게르마니아』) 덕분이었다. 『아그리콜라 전기』는 5년 전에 세상을 떠난 장인인 아그리콜라에게 경의를 표하는 내용이다. 타키투스는 그의 덕목—로마 시민으로서 갖춰야 할 모든 장점—을 강조했고, 특히 브리타니아(지금의 영국)의 총독으로서 모범을 보였다고 찬양했다. 사실 타키투스는 이 책에서 도미티아누스 황제의 통치를 은근히 비판하고 있다. 황제에게 덕이 부족하다는 것이다. 『게르마니아』는 제국의 경계인 라인강에 정착한 야만족을 연구한 결과물이다. 이 책에서 타키투스는 로마 문명이 야만족 문명보다 우월하다는 선입견을 가지고 있던 동시대인들과는 달리 그 시대에 보기 드문 개방적인 사고를 보여주었다. 야만족들의 악덕을 고발하면서도 다른 한편으로는 소박한 풍습을 찬양하고 그와 대조되는 로마의 방탕을 비난했다. 『게르마니아』는 갈리아와 로마가 통합되지 않으면 야만족이 위협이 되리라는 점을 증명하는 데 집중했다. 타키투스의 모든 저서는 스토아학파의 영향을 받은 것으로 보이며, 따라서 철학적으로도 의미가 크다.

투탕카멘 권력은 한낱 꿈이었으니

Tutankhamen, B.C. 1345년경~B.C. 1327년경

투탕카멘은 세계에서 가장 유명한 파라오이다. 그가 그렇게 명성을 떨치게 된 것은 하워드 카터가 1922년에 발견한 그의 무덤에서 엄청난 보물이 나왔기 때문이다. 당시 언론은 '투탕카멘의 저주'에 대한 기사를 쏟아냈고, 셜록 홈스를 탄생시킨 아서 코넌 도일까지 가세해서 그런 기사에 문학적 보증을 서주었다. 투탕카멘은 종교를 개혁했던 아크나톤과 KV35 무덤에서 발견된 미라로 아크나톤의 여동생으로 추정되지만 지금까지도 정체가 확인되지 않은 '젊은 부인'의 아들이다. 투탕카톤(아톤 신을 경배하기 위해 지은 이름으로 '아톤의 살아 있는 모습'이라는 의미)이라고도 불렸던 투탕카멘은 이집트의 새 수도인 아케타톤('아톤의 지평선')에서 성장했다. 오늘날의 아마르나이다. 투탕카멘의 교육은 '왕실 유모'인 마야와 스승인 '신성한 아버지' 센네젬이 맡았다.

군림하는 것은 통치하는 것이 아니다

투탕카멘은 오늘날의 영국 여왕을 비롯해 1689년 권리 장전이 제정된 이후의 영국 국왕들처럼 '군림하되 통치하지는 않았다.' 그는 열 살이 되던 해 왕위를 물려받았고 배다른 누이 안케세나멘과 결혼했다. 아톤 신을 유일신으로 섬기는 풍습은 금세 폐지되었고 아케타톤이었던 수도와 '-아톤'으로 끝나는 왕명도 바뀌었다. 아직 어린아이였던 투탕카멘과 청소년이었던 부인은 멤피스로 수도를 옮겼다가 다시 테베로 옮겼다. 과거에 섬기던 신들을 다시 섬기기 시작했고 성직자들도 권리를 되찾았다. 아몬 신은 성대한 오페트 제전을 통해 다시 화려하게 복귀했다. 이 제전이 열리는 동안 아몬 신을 카르나크 신전에서 룩소르 신전까지 배로 모시는 긴 행렬이 이어졌다. 투탕카멘은 상징적인 아버지 아몬 신에 대한 의식을 복구했음을 기념하기 위해 카르나크 신전에 '복원의 비'를 세웠다. 그러나 실제로 권력을 행사한 사람은 '신과 같은 아버지' 아이Ay— 투탕카멘의 할머니 티이 왕비의 친척으로 보인다—와 군대의 최고 사령관인 호렘헤브였다. 투탕카멘은 공부를 계속했다. 갈대로 만든 붓과 검은색, 붉은색, 초록색 잉크를 담은 종지 등 그가 사용했던 필기구가 무덤에서 함께 발견되었다. 그는 전쟁과 사냥에 대비해서 몸도 단련했다.

투탕카멘의 관을 살펴보는 고고학자 하워드 카터와 그의 조수, 1922년.

꽃다운 나이에 맞이한 죽음

투탕카멘은 열여덟 살에 갑작스러운 죽음을 맞았다. 사람들은 오랫동안 그가 암살된 것이 아닌지 의심했다. 그러나 투탕카멘은 원래 뼈와 관련된 질병을 앓아서 지팡이—무덤에서 많이 발견되었다—를 짚고 걸어야 했다. 게다가 말라리아에 걸려 몸이 쇠약해지면서 헤모글로빈 수치를 떨어뜨리는 유전 질환에도 시달렸다. 결국 병에 걸려 시름시름 앓던 젊은이가 전차에서 떨어지거나 사냥을 하다가 사고로 심장이 파열되어 사망한 듯하다. 그는 급하게 마련된 무덤에 묻혔다. 이 무덤은 원래 그의 후계자인 아이를 위해 준비되었던 것이다. 예술적 가치가 뛰어난 수많은 보물과 사산아로 태어났던 두 딸이 투탕카멘과 함께 묻혔다. 청상과부가 된 안케세나멘은 나이가 많은 아이 황제와 결혼할 수밖에 없었다. 나중에 아이가 안케세나멘을 암살한 것으로 추정된다. 안케세나멘이 아이와의 결혼을 피하기 위해 히타이트의 왕 수필룰리우마 1세에게 직접 편지를 써서 자신과 결혼할 아들을 하나 보내달라고 했다고 주장하는 이집트 연구자들도 있다. 수필룰리우마 1세는 많이 망설인 끝에 아들

잔난자를 보냈으나 왕자는 가는 도중에 암살당하고 말았다. 아마도 아이가 교사한 것으로 추정된다. 아이는 4년 동안 집권했고 호렘헤브 장군이 그의 뒤를 이었다. 호렘헤브는 제18왕조의 마지막 파라오였다.

티투스 인류의 진미

Titus, 39년~81년

39년 12월 30일에 태어난 티투스 플라비우스 베스파시아누스Titus Flavius Vespasianus—나중에는 티투스 베스파시아누스 아우구스투스가 된다—는 흑사병에 걸려 81년 9월 13일 이른 나이에 사망한다. 그가 아우이자 후계자인 도미티아누스에 의해 독살당했을 가능성도 강력하게 제기된다. 티투스는 수에토니우스의 『황제 열전』에서 일컬어졌듯이 처음부터 '인류의 진미'는 아니었다. 에퀴테스에 속한 지방 귀족이었던 그의 가문은 클라우디우스 통치 시절에 계층 상승을 이루었다. 티투스는 황제의 아들인 게르마니쿠스(브리타니쿠스라는 이름으로 더 잘 알려져 있다)와 함께 궁에서 자랐다. 상급 장교인 트리부누스 밀리툼으로 게르마니아와 브리타니아에서 복무하기도 했다. 그가 아버지 베스파시아누스 밑에서 복무하며 유대에서 로마군을 지휘하게 되었을 때 서른 살이 채 되지 않았다. 68년에 네로가 스스로 목숨을 끊자 권력은 갈바, 후에 자살하는 오토, 처형되는 비텔리우스에 이어 결국 베스파시아누스에게 넘어갔다. 베스파시아누스는 플라비우스 왕조를 세우고 10여 년간 로마를 통치했다.

살육자와 약탈자

황제의 후계자가 된 티투스는 유대에서 전쟁을 이끌었다. 그는 반란을 잠재우고 예루살렘을 차지했다. 그 과정에서 신전을 부수고 도시를 파괴했으며 유대인 수천 명을 처형하고 또 수천 명을 추방했다. 로마로 돌아온 그는 승전의 대가를 받았다. 티투스가 이룬 군사적 업적을 기리기 위해 그의 이름으로 된 개선문까지 세워졌다. 신중한 베스파시아누스는 자신과 티투스, 모두를 위한 승전식을 개최했다. 티투스가 제국의 군대를 지휘했어도 베스파시아누스만이 군대의 최고 통수권자인 임페라토르였다. 티투스와 도미티아누스 형제는 프린켑스 유벤투티스princeps juventutis, 즉 소小 제1시민이었다. 이 명칭은 아우구스투스가 손자들을 위해 도입한 것이었다. 티투스는 장교, 감찰관, (일곱 번의) 집정관, 그리고 친위대 대장 등 여러 직위를 섭렵했으며, 황제가 자리를 비우면 그를 대신했다. 그는 지위가 바뀔 때마다 재산을 불릴 호재로 이용했고 총애와 편의를 돈을 받고 팔았다. 그렇게 해서 음탕한 애첩, 배우와 가수에게 둘러싸여 여유롭고 사치스러운 생활을 누렸다. 로마는 제2의 네로를 두려워하기 시작했다.

"티투스가 질투한다면 사랑에 빠진 것이다"

라신의 『베레니케』(1670)에 나오는 이 문장은 실제로 그랬기 때문에 마음에 와닿는다. 로마인들은 황제의 방탕과 횡령 정도는 용서해줄 수 있었지만 이상한 왕비를 사랑하는 것은 용서할 수 없었다. 클레오파트라와 율리우스 카이사르의 스캔들, 클레오파트라와 마르쿠스 안토니우스의 관계는 로마인들에게 여전히 생생하게 아픈 기억으로 남아 있었다.

베스파시아누스의 유대 원정 때 티투스는 헤로데 아그리파 1세의 딸 베레니케를 만났다. 두 번이나 과부가 되었고 세 번째 남편은 버린 베레니케는 형제인 아그리파 2세와 부부처럼 살았고, 공식적으로도 왕비의 칭호를 가지고 있었다. 마흔 살이 넘었지만 베레니케의 미모는 타의 추종을 불허했다. 티투스는 베레니케에게 눈이 멀었고 두 사람은 연인이 되었다. 한 번 헤어지기는 했지만 75년에 베레니케와 아그리파 2세가 로마에 갔을 때 두 사람은 다시 만났다. 그들의 관계는 약 10년 동안 지속되었고 로마인들은 점점 더 반감을 가졌다. 행복의 시간은 베스파시아누스가 사망하면서 끝이 났다. 황제가 된 티투스는 베레니케와 결혼할 수 없었다. 수에토니우스의 아름답고도 서글픈 표현에 따르면 그들은 '인비투스 인비탐invitus invitam', 즉 '그의 뜻에도 불구하고, 그녀의 뜻에도 불구하고' 헤어졌다. 베레니케는 유대로 보내졌고 두 사람은 다시 만나지 못했다.

황제의 모범

사랑에 눈이 멀었던 방탕아가 하루아침에 절대적 모범인 황제가 되었다. 술이 넘쳐흐르던 연회는 정신의 기쁨이 음식의 풍요를 추월하는 식사 자리로 탈바꿈했다. 친하게 지내던 배우와 가수들 대신 덕이 높은 자들로 바뀌었다. 티투스는 시민들을 위하는 통치를 했다. 79년에 베수비오 화산이 폭발해서 폼페이와 헤르쿨라네움이 파괴되자 황제는 생존자들의 구조 작업에 나섰고, 이듬해에 로마에서 흑사병이 창궐했을 때도 동일한 조치를 취했다. 그는 사형 언도를 거부했고 좋은 일을 하지 않은 날을 '잃어버린 날'이라고 말했다. 또한 왕조의 영광을 위해서 콜로세움을 완공했다. 콜로세움을 개장하면서 로마 시민들을 위해 100일 동안 경기를 개최했다. 티투스는 두 번 결혼했다. 첫 번째 부인과는 사별했고 두 번째 부인과는 이혼했다. 두 번째 부인과의 사이에서 딸 플라비아 율리아를 낳았다. 플라비아 율리아는 사촌과 결혼했다가 과부가 되었고 삼촌인 도미티아누스의 공식 첩이 되었다. 티투스는 마흔한 살에 흑사병에 걸려 급사했다.

파탄잘리 문법 학자이자 신비주의자

Patañjali, B.C. 2세기경

파탄잘리의 생애는 호메로스의 생애와 마찬가지로 미스터리로 남아 있다. 이 훌륭한 두 저자는 모두 이름 없이 성만 전해진다. 파탄잘리는 박식한 문법 학자로 기원전 2세기경에 산스크리트어 문법서인 『마하바스야』를 썼고 요가 관련 격언집인 『요가 수트라』를 완성했다. 『요가 수트라』는 '정신적 힘', '요가 수행', '사마디'(황홀경), '독존'(해탈)의 네 부분으로 구성되어 있다. 파탄잘리와 관련해 또 다른 가설도 설득력이 있다. 기원전 5세기에서 기원전 2세기에 살았던 수많은 사상가를 파탄잘리라는 총칭으로 분류한 것일 수도 있다.

파탄잘리의 저작

『마하바스야』는 파니니(B.C. 4세기)의 작품 『아쉬타드야이이』에 대한 주해서이다. 『아쉬타드야이이』는 인도의 경전에 사용되는 언어인 산스크리트어로 기록된 최초의 문법서이다. 『요가 수트라』는 인도의 육파 철학 중 하나인 요가학파의 문헌이며 격언들을 모아놓은 책이다. 이 격언들, 특히 삼키아('숫자'라는 뜻)를 바탕으로 요가 수행법이 만들어졌다. 나열된 요소들을 통해서 물질인 프라크리티와 정신인 푸루샤를 구분할 줄 알아야 한다. 사람들은 이 두 가지를 종종 혼동하곤 한다.

파탄잘리의 요가

삼키아는 지식을 통해서 신과 하나가 되도록 이끄는 길로 여겨진다. 그런데 파탄잘리는 사람들이 간과하는 요소인 육체를 중요하게 생각했다. 육체는 『요가 수트라』를 통해 신에게 접근할 수 있는 최고의 도구가 되고 무거운 몸과 저속한 몸은 더 이상 방해가 되지 않는다. 그렇게 되려면 여덟 가지 수행법을 지켜야 한다. 금계(야마), 권계(니야마), 좌법(아사나), 호흡(프라나야마), 감각의 제어(프라티아하라), 집중(다라나), 명상(디야나), 황홀경(사마디)이 그것이다. 금계와 권계는 육체를 아름다움, 우아함,

힘, 단단함의 모델로 변신시키는 수행을 결정한다. 금계는 다음과 같은 권고 사항을 준수해야 가능하다. 즉 남에게 육체적으로나 정신적으로 해를 입히지 않는다, 도둑질하지 않는다, 탐욕을 부리지 않는다. 간음하지 않는다 등이다. 권계는 정화, 만족, 고행, 독성, 염신을 명한다. 독존(카이발리아)은 요가로 다다를 수 있는 최고의 경지로, 분열된 생각에서 벗어나 보편으로 회귀하는 것이다. 이와 같은 내용을 담고 있는 『요가 수트라』는 단순한 요가 수행서가 아니라 인도 철학에서 중요한 위치를 차지한 철학적 사유이다.

페리클레스 일세를 풍미한 정치인

Perikles, B.C. 495년경~B.C. 429년

아테네의 진정한 황금기를 말할 때 정치인이자 군사령관, 탁월한 웅변가였던 페리클레스를 기리며 흔히 '페리클레스 시대'라고 한다. 페리클레스는 기원전 5세기에 아테네를 지중해의 강대국으로 발전시켰다. 페리클레스라는 이름은 '영광으로 둘러싸인'이라는 의미이다. 우리가 그에 대해 알 수 있는 것은 그와 동시대를 살았으며 『펠로폰네소스 전쟁사』를 쓴 역사가 투키디데스가 남긴 글 덕분이다. 투키디데스는 페리클레스에게서 위인의 모습을 보았다. 그는 페리클레스가 있었기에 아테네가 델로스 동맹으로 인한 정치적 연합에서 시작해 해상 제국으로 거듭나 지중해 동부 해역 전체를 다스릴 해상 패권을 장악할 수 있었다고 생각했다. 반면에 아리스토파네스는 페리클레스의 정책과 호전적 기질을 신랄하게 비판했다. 그가 전쟁을 좋아해서 농민들의 생활이 어려워지고 농지가 폐허가 되었다는 것이다. 희극 작가인 아리스토파네스는 페리클레스의 신체에 대해서도 가차 없이 조롱했다. 특히 그의 두개골 변형을 두고 '양파 머리'라는 별명을 붙였다. 그런가 하면 플루타르코스는 『페리클레스의 생애』에서 군인인 그를 찬양했지만 선동적인 정치가라는 점도 꼬집었다.

불리한 외모

페리클레스는 아테네의 폐쇄적인 대부호 계층에 속하지는 않았지만 그래도 금수저를 물고 태어났다. 아버지 크산티포스는 도편 추방에 의해 기원전 484년 아테네에서 쫓겨난 적이 있었지만 막강한 정치인이었다. 아테네로 돌아온 그는 1년 뒤 그리스와 페르시아가 맞붙은 미칼레 전투에 사령관으로 참전했다. 그로부터 얼마 뒤 크산티포스는 아들 페리클레스에게 아테네 북쪽 콜라르고스 데모스(고대 그리스의 정치 행정 구역)에 있는 토지를 물려주고 세상을 떠났다. 페리클레스의 어머니 아가리스테는 아테네 귀족인 에우파트리다이에 속하는 알크마이오니다이 가문 출신이었다. 그런 여자를 아내로 맞이했기 때문에 크산티포스가 정치적으로 출세할 수 있었고 아들 페리클레스도 물질적인 풍요를 누릴 수 있었을 것이다. 그러나 아테네가 민주주의 체제를 형성해가던 시기에 귀족 가문 출신이라는 사실은 정치적으로 큰 위험 요

소였다. 페리클레스의 적수들도 그를 공격할 때마다 바로 그런 점을 물고 늘어졌다. 페리클레스의 외모도 유리하게 작용하지는 않았다. 아가리스테는 출산 전에 사자를 낳는 꿈을 꾸었다고 한다. 그러나 사자의 힘은 아기의 두개골을 변형시키는 데 쓰인 모양이다. 변형이 꽤 심해 페리클레스는 공개 석상에서는 항상 투구를 써서 머리를 감췄다.

내 사랑 아스파시아

성실하고 말 잘 듣는 아들이었던 페리클레스는 사촌인 데이노마케와 결혼했다. 그리고 두 아들 파랄로스와 크산티포스를 낳았다. 이후 페리클레스는 아내와 이혼했는데 데이노마케는 부유한 귀족인 클리니아스와 재혼했다. 클리니아스는 소크라테스의 애인으로 알려진 알키비아데스의 아버지이다. 페리클레스가 진정으로 사랑한 여인은 외국인(그리스인들은 '메테이코스'라고 불렀다)으로, 바로 밀레투스의 아스파시아였다. 페리클레스가 그녀를 다른 여자들과 같이 규방에 가둬두었더라면 아무 일도 일어나지 않았을 것이다. 그러나 아스파시아는 아름답고 정열적이며 똑똑하고 교양 있는 여자였다. 그녀는 페리클레스뿐만 아니라 다른 남자들과도 스스럼없이 어울렸는데 그런 그녀의 일탈적인 행동에 아테네 시민들은 진저리를 쳤다. 헤타이라, 즉 고급 매춘부이기도 했던 아스파시아는 자신이 운영하는 매음굴에서 많은 돈을 벌어들였다. 사람들은 아스파시아가 남성의 전유물이었던 정치와 철학과 관련된 지식도 뛰어나다는 점 역시 못마땅해했다. 그녀는 소크라테스와도 밀리지 않고 이야기를 나눌 정도였다. 결국 아스파시아는 재판을 받았는데 아테네의 순진한 젊은 처녀들을 페리클레스에게 보내서 페리클레스가 온갖 변태 행위를 벌이도록 했다는 것이다. 이는 곧 사형감인 불경죄에 해당했다. 페리클레스가 직접 나서서 변호한 덕분에 아스파시아는 사형을 면할 수 있었다. 페리클레스가 처음이자 마지막으로 눈물을 흘린 때가 바로 그때라고 한다.

조국의 제1시민

페리클레스를 '조국의 제1시민'이라고 칭한 사람은 플루타르코스였다. 나랏일을 하는 사람으로서의 자질을 칭송하기 위한 표현이었다. 그러나 그의 시작은 미미했다. 페리클레스는 디오니소스 신을 기리는 축제에서 아이스킬로스의 『페르시아인들』을 무대에 올리기 위해 단원을 모집하고 감독하고 비용을 지불하는 데 재산을 썼던 코레고스였다. 돈이 많은 젊은이였던 그는 이러한 일들을 통해 자신도 공공의 선을 위해 이바지할 수 있음을 증명했다. 기원전 461년 페리클레스는 경쟁자인 키몬을 도편 추방으로 제거하고 민주정파의 수장이 된 뒤 아테네가 펠로폰네소스 전쟁에 뛰어들게 했다. 25년 넘게 지속된 이 전쟁은 아테네와 델로스 동맹국들의 패배로 끝났다. 스파르타와 펠로폰네소스 동맹국들이 승리한 것이다. 군사령관이자 웅변가이기도 했던 페리클레스는 조각가 페이디아스와 건축가 익티노스의 친구이자 후원자였다. 익티노스는 파르테논 신전을 지었고 페이디아스는 신전의 장식을 맡았다. 페리클레스의 말년은 고난의 연속이었다. 적들이 걸었던 수많은 재판 중 하나가 끝나면서 그는 군사령관 자리에서 쫓겨나고 시민권을 박탈당했으며 무거운 벌금형에 처해졌다. 사람들은 페리클레스에게 전쟁을 벌인 것과, 그의 전략으로 아테네 시민들이 적인 스파르타인들에게 모든 것을 내주고 '긴 성벽Long Walls'(아테네와 피레아스 항구를 잇는 이중벽) 안으로 도피해야 했던 것에 대한 책임을 물었다. 심지어 페리클레스 역시 흑사병으로 두 아들을 모두 잃었는데도 아테네에 흑사병이 창궐한 것을 그의 탓으로 돌렸다. 페리클레스는 기원전 429년 가을에 세상을 떠났다.

시민 개혁

귀족 출신임에도 불구하고 에우파트리다이에 맞서 민주주의를 이끌었던 페리클레스는 아테네의 중요한 시민 개혁을 실현했다. 그는 최빈곤층이 연극을 무상으로 볼 수 있도록 했고 최고 법관이 되기 위해 요구되었던 재산의 총액을 줄였으며 '미스도스misthos'라는 제도를 만들었다. 미스도스는 시민의 의무를 충족한 사람에게는 일하지 못한 날—예를 들어 시민 법정 헬리아이아에 참여한 날—의 일당을 지급하는 보상 제도였다. 금전적 보상을 통해 빈곤층 시민들도 도시에서 생활할 수 있도록 했다. 그런데 페리클레스는 불과 몇 년 뒤에 법령을 통해 부모가 모두 아테네 시민인 경우에만 자녀에게 시민권을 주는 조처를 했으니 모순이 아닐 수 없다. 그 이전에는 부모 중 하나만 아테네 시민이어도 가능했던 일이다. 재미있는 역사적 반전은 그가 자신이 만든 정책의 희생자가 되었다는 사실이다. 밀레투스 출신의 아스파시아와의 사이에서 낳은 아들 소小 페리클레스는 시민권을 받지 못했던 것이다. 아들에게 예외적으로 시민권을 부여하기 위해서 페리클레스는 또 다른 법령을 발표해야 했다.

페이디아스 신에서 인간에게로

Pheidias, B.C. 490년경~B.C. 430년

아테네의 조각가 페이디아스는 그리스 고전주의를 상징하는 대표적인 예술가이다. 인간이나 동물의 형상을 있는 그대로 표현한 그의 작품들은 사실적이면서 동시에 생명력이 느껴진다. 페이디아스는 뛰어난 재능으로 인간이라면 누구라도 감탄을 자아내게 하는 신상神像을 만든 유일한 조각가로 알려져 있다. 페이디아스의 활동은 그의 후원자인 페리클레스와 떼려야 뗄 수 없는 관계에 있다. 페리클레스는 파르테논 신전 건설 당시 그에게 감독을 맡겼다. 두 사람은 비슷한 시기에 실총하고 역사의 뒤안길로 사라졌다.

세 명의 아테나, 한 명의 제우스

페이디아스는 위엄 있는 아테나(아테네의 수호 여신)와 신들의 왕 제우스의 모델을 만들어낸 조각가이다. 그는 아크로폴리스에 세워진 3개의 대형 아테나 여신상을 제작했다. 높이 9미터의 청동상인 「아테나 프로마코스」, 렘노스섬에 이주한 아테네 시민들을 위해 만든 「렘노스섬의 아테나」, 금과 상아로 만든 「아테나 파르테노스」('처녀 아테나'라는 뜻)가 그것이다. 「아테나 파르테노스」는 파르테논 신전에 여신이 존재한다는 것을 구현하기 위해 신전 내부에 세운 높이 12미터의 조각상으로 가장 훌륭한 아테나 여신상으로 꼽힌다. 서 있는 자세의 아테나 여신은 '페플로스'라고 하는 긴 상의를 입고 투구를 쓴 모습이다. 오른손 위에는 날개가 달린 승리의 여신 니케가 서 있다. 왼손은 방패를 쥐고 있으며 왼쪽 팔에는 긴 창을 기대어 놓았다. 이 조각상은 아테네에 위급한 상황이 닥쳤을 때 귀금속 저장고와 같은 역할을 했다. 당장 쓸 수 있는 황금이 1톤이나 있으니 말이다. 페이디아스는 황금을 일부 빼돌렸다는 의혹을 받았지만 금의 무게를 재서 자신이 정직하다는 것을 증명했다. 그러나 그는 불경죄로 비난을 받았다. 아테나의 방패에 자신과 친구인 페리클레스가 아마조네스 전투에 참전한 모습을 새겨 넣었기 때문이다. 페이디아스는 이로 인해 아테네에서 추방되어 올림피아에 머물렀다. 그는 몇 해 전에 세계 7대 불가사의 중 하나인 제우스상을 올림피아에서 제작해서 그곳이 낯설지 않았다. 12미터에 달하는 제우스상은

상의를 벗은 채 허리부터 발목까지 히마티온을 두르고 왕좌에 앉아 있는 모습으로 표현되었다. 월계관을 쓴 제우스는 오른손에 승리의 여신 니케를 들고 있고, 왼손에 독수리가 조각된 긴 왕홀을 쥐고 있다. 콘스탄티노폴리스로 옮겨진 제우스상은 화재로 소실되었고 지금까지 복제본도 발견되지 않고 있다.

내슈빌에 나타난 그리스 여신

5세기에 화재로 소실된 「아테나 파르테노스」는 아테네 국립 고고학 박물관에 보관된 로마 시대의 복제품 「바르바케이온 아테나」를 보면 그 모습이 어떠했는지 짐작할 수 있다. 「바르바케이온 아테나」는 높이가 1미터 정도밖에 되지 않는다. 호기심 많은 사람이라면 내슈빌(미국 테네시주)에 가서 1897년에 테네시주 설립 100주년을 기념하기 위해 만들어진 파르테논 신전의 복제품을 볼 수 있을 것이다. 1990년에 미국의 조각가 앨런 르콰이어가 석고와 유리 섬유로 「아테나 파르테노스」를 실물 크기로 제작하기도 했다. 이 여신상에는 8킬로그램에 달하는 금박이 사용되었다.

프톨레마이오스 천동설의 대표 주자

Ptolemaeos, 90년경~168년경

클라우디오스 프톨레마이오스의 생애에 대한 기록은 별로 남아 있지 않다. 그의 이름인 클라우디오스는 라틴어로 지은 것이고 성인 프톨레마이오스는 그리스와 이집트식 성이다. 그는 알렉산드리아에서 살았으며 그곳에서 훗날 지구가 우주의 중심이라는 '프톨레마이오스의 천동설'로 알려지는 이론을 발전시켰다. 가톨릭교회도 인정했던 이 '진리'는 16세기에 와서야 니콜라우스 코페르니쿠스, 튀코 브라헤, 갈릴레오 갈릴레이와 같은 천문학자들에 의해서 이의가 제기되었다. 그때까지는 프톨레마이오스가 천문학 저서인 『알마게스트*Almagest*』에 기술한 우주론이 그대로 받아들여졌다. 『알마게스트』의 원제는 '수학적 집성'이었다. 그 제목이 '위대한 집성'으로 바뀌었다가 다시 아랍 편찬자들에 의해 오늘날 우리가 알고 있는, '최고의 집성'이라는 뜻의 '알마게스트'로 바뀌었다.

『알마게스트』

프톨레마이오스에 따르면 천동설의 중심인 지구는 한자리에 고정되어 있지만 행성인 달과 태양은 지구를 중심으로 돌고 있다. 달과 태양은 주전원을 그리며 도는데, 행성 자체도 작은 원을 그리면서 지구 주위를 돈다는 말이다. 프톨레마이오스는 그리스의 천문학자이자 수학자였던 히파르코스가 옹호한 개념을 가져온 것이다. 총 13권으로 구성된 『알마게스트』에는 1000개 이상의 항성과 48개의 성좌가 기록되어 있다. 이 책에 소개된 대담한 이론들은 기하학에서 따온 방법론과 유클리드 못지않은 정확한 증명으로 뒷받침되었다. 『알마게스트』에는 천문학과 수학이 조화를 이루고 있다. 수학적 방법론을 적용한 것은 프톨레마이오스의 저작에 일관적으로 드러난다. 시각의 메커니즘과 반사나 굴절 등 빛의 성질을 분석한 『광학』에서도 동일한 방법론이 적용되었다. 음악의 수학적 원리를 다룬 책 『화성』에서도 이 방법론은 중요한 요소이다.

프톨레마이오스의 천동설, 안드레아스 셀라리우스의 『하르모니아 마크로코스미카』에 수록된 천체도, 1660년.

『지리학』

프톨레마이오스의 저서 중에서 『지리학』도 잘 알려져 있다. 『지리학』의 정확한 제목은 '지리학 입문Geographike Hyphegesis'이다. 이 책은 티레의 마리누스가 수행했던 연구를 바탕으로 한 것이다. 이 책에 수록된 지도에는 설명이 삽입되어 있어서 지도 제작법을 엿볼 수 있다. 또한 좌표(경도와 위도)가 적혀 있어서 수천 개에 이르는 장소의 위치를 정확히 찾게 해준다. 우리는 이 책 덕분에 북쪽으로 셰틀랜드 제도에서 남쪽으로 나일강까지, 서쪽으로 카보베르데 제도(또는 카나리아 제도)에서 동쪽으로 중국에 이르기까지 그 당시 로마 시민이 세계에 대해 가졌던 지식과 생각을 정확히 알 수 있다. 1000년 이상 빛을 보지 못했던 『지리학』은 14세기 비잔티움 제국의 지리학자들에 의해 재탄생했다. 이 책이 큰 반향을 불러일으키면서 15세기와 16세기에 프톨레마이오스의 방법대로 제작해서 인쇄한 지도가 많이 증가했다.

프톨레마이오스와 마담 솔레유

프톨레마이오스는 『알마게스트』에서 천문학과 점성학을 확실하게 구분하고 점성학에 대해서는 전혀 다루지 않았다. 그러나 1970년대에서 1990년대까지 라디오와 텔레비전 프로그램을 통해 많은 인기를 얻었던 유명 점성술가 제르맨 솔레유는 그에게 지대한 관심을 보였다. 그녀는 점성술로 정치인에서부터 연예인에 이르기까지 많은 유명 인사의 미래를 점쳤다. 프톨레마이오스도 점성학을 다룬 책으로 '테트라비블로스Tetrabiblos'('4권의 책'이라는 뜻이고 실제로 4권으로 구성되어 있다)라는 제목으로 더 잘 알려진 『아포텔레스마티카*Apotelesmatika*』('별들의 영향'이라는 의미)를 썼다. 이 책에서 프톨레마이오스는 점성학을 정밀과학으로 여기지는 않았지만 하늘과 행성의 움직임이 지상의 삶에 미치는 영향을 기술하는 데 유용하다고 인정했다. 이는 아리스토텔레스가 생각했던 변화하는 물질로서의 자연과 일맥상통한다. 네 가지 체액 또는 요소—건, 습, 온, 냉—의 조화가 행성의 위치에 따라 변한다고 보았기 때문이다. 더욱 놀라운 점은 프톨레마이오스가 이 책에서 별자리 운세와 별자리를 주제로 한 지도 만드는 방법을 소개한다는 사실이다.

플로티노스 모든 것은 하나다

Plotinos, 205년경~270년

플로티노스는 스승인 암모니우스 삭카스와 함께 신플라톤주의의 창시자로 여겨진다. 신플라톤주의는 플라톤의 철학과 기독교를 포함한 동양의 영성을 결합시킨 학파이다. 플로티노스가 세상에 알려진 것은 그의 제자 포르피리오스 덕분이다. 그는 『플로티노스의 생애』를 저술했으며, 스승의 중요한 글을 모아 『엔네아데스』라는 책으로 엮고 그 서문을 썼다. 젊은 시절에 플로티노스는 나서기를 무척 꺼렸기 때문에 그가 알렉산드리아에서 오랫동안 교육을 받았다는 것 외에는 그 시기에 대해서 알려진 바가 별로 없다. 그의 행적이 비교적 잘 알려진 시기는 말년의 10~15년 정도이다.

학문의 시기

플로티노스는 나일강 하구의 리코폴리스에서 태어났다. 상이집트의 리코폴리스는 오늘날의 아시우트이다. 플로티노스의 라틴어식 이름은 플로티누스이며 그는 그리스 문화에서 성장했다. 플로티노스가 했던 선택을 보면 그에 대해 더 많은 것을 알 수 있다. 플로티노스는 생각하는 연습에 자기 시간을 모두 쏟았다. 그는 스물여덟 살 때 알렉산드리아로 공부하러 떠났다. 그리고 그곳에서 스승을 찾다가 암모니우스 삭카스Ammonius Saccas에 대한 이야기를 들었다. 암모니우스 삭카스는 기독교인으로 하역 인부였다가—'삭카스'라는 이름도 짐꾼이라는 뜻의 '사카포로스'에서 유래했다—철학자가 되었다. 플로티노스는 플라톤과 아리스토텔레스의 철학을 결합했다고 알려진 그를 만나보고 그에게 완전히 매료되었다. "내가 찾던 바로 그 사람이야!" 플로티노스는 11년 동안 암모니우스 삭카스 옆을 떠나지 않았다. 직접적인 증거가 없으니 그의 가르침이 정확히 무엇이었는지는 알 수 없다. 훗날 오리게네스에게 영감을 준 그의 철학이 올바른 삶, 진리, 정신의 해방을 추구하는 데 바탕을 두었다는 것만 알려져 있다.

사라진 20년

페르시아와 인도 철학에 대해 알고 싶었던 플로티노스는 암모니우스 삭카스를 떠났다. 그러나 그의 계획은 비극적으로 끝났다. 그는 고르디아누스 3세를 따라 페르시아로 군사 원정을 갔는데, 근위대가 메소포타미아에서 황제를 암살하고 필리푸스 아라부스를 황제로 세웠다. 패주하던 플로티노스는 간신히 살아남아 안티오케이아에 도착했고, 전쟁 지역을 피해 다시 로마로 갔다. 그때 그의 나이가 마흔 살이었고 이후 거의 20년 동안 그는 레이더망을 비껴갔다.

로마인 플로티노스

플로티노스의 제자이자 전기 작가인 포르피리오스가 처음 그를 만난 때는 263년이었다. 따라서 우리는 그의 생애 마지막 7년 동안 무슨 일이 있었는지 보다 잘 알 수 있게 되었다. 우리가 아는 플로티노스는 금욕적인 사람이었는데 포르피리오스가 로마에서 만난 그는 풍요로운 삶을 누리고 많은 신봉자를 거느리고 있었다. 플로티노스는 학파의 수장이라기보다는 플라톤과 아리스토텔레스의 책을 읽고 토론하는 소모임을 이끄는 사람이었다. 그는 글을 분석하는 데 능했고 서로 상반되는 생각을 접목하는 데에도 놀라운 재능을 보였다. 그래서 토론에 참여한 사람들은 모두 만족해서 돌아갔다. 이러한 보기 드문 능력을 가지고 있었기 때문에 플로티노스의 주위에는 귀족들이 몰려들었고, 그들은 자녀의 교육을 그에게 부탁했다. 플로티노스는 영적인 것에 관심을 가지면서도 세속의 일도 간과하지 않는 매우 사려 깊은 인물로 사랑을 받았다. 그는 머리는 하늘에, 심장은 땅에 둔 사람이었다. 플로티노스의 가르침은 그의 삶과 마찬가지로 도달할 수 없는 선善을 끊임없이 추구했다. 오직 신만이 선을 행할 수 있기 때문이다. 270년 플로티노스는 위중한 병에 걸렸다. 나병이라고도 하고 결핵이라고도 전해진다. 변한 그의 외모가 혐오감을 일으키자 소모임은 해체되었다. 플로티노스는 포르피리오스를 시칠리아로 보내고 캄파니아에 있는 친구 집에 머물다가 얼마 뒤에 세상을 떠났다.

이상으로 남은 이상적 도시 '플라토노폴리스'

포르피리오스에 따르면 플로티노스를 좋아했던 사람 중에 갈리에누스 황제와 그의 아내 살로니아가 있었다. 플로티노스는 그런 점을 이용해서 황제에게 캄파니아에 있는 버려진 도시를 재건할 것을 제안했다. 원하는 주민들을 그곳으로 이주시켜서 플라톤이 정한 법칙대로 살게 하자는 제안이었다. 물론 플로티노스도 '플라토노폴리스'의 첫 주민이 되고자 했다. 철학자들을 가까이하는 것은 좋아했지만 제국에 반하는 통치 모델을 세상에 내놓는 데는 관심이 없었던 갈리에누스는 플로티노스의 제안을 거절했다. 이상적 도시는 이상으로만 남게 되었다.

피타고라스 커튼 뒤의 스승

Pythagoras, B.C. 580년경~B.C. 495년경

피타고라스는 기원전 6세기에 활동했던 위대한 종교 개혁가 중 하나이다. 그는 또한 철학자이자 수학자이면서 치유사이기도 했다. 그의 삶 자체가 그의 저서나 다름없었다. 피타고라스는 아무 글도 남기지 않았고 그가 썼다고 알려졌던 71편의 「황금시」는 3세기나 4세기 작품인 것으로 드러났다. 이는 제자들의 입에서 입으로 내용이 전해져 내려가 뒤늦게 글로 옮겨졌기 때문일 것이다. 그러나 피타고라스가 직접 가르친 내용에 대한 기록은 남아 있지 않다. 피타고라스는 사모스섬에서 태어났는데, 수공업자였던 그의 아버지 므네사르코스에게 아들의 탄생 소식을 전한 것은 델포이 신전의 무녀인 피티아였다. 피타고라스의 이름도 '피티아가 알린 자'라는 의미이다. 피티아는 므네사르코스에게 그의 아들이 아름다움과 지혜에 있어서 타의 추종을 불허할 것이라고 예언했다. 청년 시절 피타고라스는 올림픽 경기에 출전해 피그마키아(가죽 끈으로 주먹을 보호하고 싸우는 격투기로 오늘날의 권투와 비슷함)에서 우승하기도 했다. 그러나 피타고라스에게서 가장 인상적인 점은 운동 경기에서 우승한 것이 아니라 지혜를 추구하는 그의 끈기이다. 그는 오랜 기간 끊임없이 지혜를 추구하는 과정에서 인생의 스승을 여럿 만났다.

배움의 첫 단계

피타고라스가 단계별로 어떤 교육을 받았는지 전해 내려오는 이야기가 있기는 하지만 그 내용이 믿을 만한 것인지는 알 수가 없다. 피타고라스가 레스보스섬에서 시로스의 페레키데스에게 가르침을 받았다고 전해지기도 하는데, 사실은 그가 페레키데스의 가르침에 대해 알고는 있었지만 페레키데스를 직접 만난 것은 아니었다. 그러나 페레키데스를 통해 피타고라스는 인간에게는 영생하는 영혼이 있음을 배웠고 꿈을 해몽하는 기술의 중요성을 깨달았다. 그 이후 피타고라스는 페니키아(지금의 레바논)로 가서 비교秘敎의 사제들을 만났다. 그는 엘레프시나, 비블로스, 티레의 사제들도 만난 것으로 보인다. 이집트에 갔을 때는 멤피스와 테베에서 상형 문자를 배웠고, 신의 부활을 믿는 오시리스 신도들의 제사에도 참석한 듯하다. 기원전 525년 페르시아의 왕 캄비세스 2세의 군대가 이집트 정복에 나섰는데 피타고라스를 포로로

잡아 바빌론으로 데려왔다. 피타고라스에게는 칼데아 마법을 배울 절호의 기회였다. 이후 자유의 몸이 된 그는 크레타섬에서 마법사를, 트라키아에서 오르페우스교 신도를, 델포이에서 여사제이자 철학자인 테미스토클레이아를 만났다. 이러한 배움을 위한 전 과정은 피타고라스가 실제로 행했든 행하지 않았든 제자들에게는 강령과 비슷한 가치를 가지고 있었다. 피타고라스학파의 생명력은 다양한 원천에 있다.

스승과 제자

사모스섬으로 돌아온 피타고라스는 별다른 인정을 받지 못했다. 오히려 독재자 폴리크라테스가 그를 추방한 것이 그에게는 호재로 작용했다. 망명자 신세였던 피타고라스는 마그나 그라이키아에서 지냈다. 그는 잠시 시바리스에 머문 적이 있는데 그곳 주민들의 사치와 무기력에 질려서 칼라브리아에 있는 도시 크로톤에 정착했다. 그때 성공도 함께 찾아왔다. 피타고라스는 토목 담당관들에게 영감을 주는 인물이 되었고, 그를 모델로 삼는 제자들이 늘어났다. 그 당시 가장 뛰어난 육상 선수였던 크로톤의 밀로—올림픽에서 여섯 번, 피티아 제전에서 일곱 번, 네메아 제전에서 아홉 번, 이스트미아 제전에서 열 번 우승했다—는 피타고라스의 딸 미이아와 결혼했다. 주민들은 피타고라스를 히페르보레이('북녘')의 아폴론의 현신으로 믿을 정도였다. 피타고라스는 기적을 행할 줄 아는 마술사였을지도 모른다. 수를 다룰 줄 알았던 기술이 그에게 신이 되는 문을 열어주었고 비교에 관한 지식을 갖게 해주었다. 그러나 피타고라스에 대한 칭송이 자자해지고 그의 영향력이 커질수록, 시칠리아와 그리스 등에서 제자가 늘어갈수록 그만큼 적도 많아졌다. 기원전 510년 귀족 사회에서 폭동이 일어났다. 밀로의 집은 잿더미가 되었고 피타고라스의 제자들의 집도 화마에 휩싸였다. 제자들 40명 중 단 3명만 살아남았다. 피타고라스는 또다시 도망자 신세가 되었다. 그는 10여 년 뒤에 메파폰툼에서 사망했다. 그와 피타고라스주의의 영향력은 이미 사망하기 얼마 전부터 쇠퇴하고 있었다.

먼저 웃는 사람이 따귀를 맞으리

피타고라스학파에의 입문은 네 단계로 이루어진다. 문외한은 공동체에서 배제되는데 이는 '귀족들의 우애'라는 설립 원칙에 따른 것이다. 여기서 귀족은 말 그대로 이해되어야 한다. '아리스토이', 즉 '최고의 사람들'만 받아들여진다는 것이다. 네 단계는 지원자, 신입생, 아쿠스마티코이, 마테마티코이이다. 피타고라스는 지원자의 생김새와 몸짓을 살펴보고 가족과 지인에게 둘러싸여 일상생활을 하는 모습까지 관찰한 뒤에 받아들일지 받아들이지 않을지 결정했다. 신입생은 3년 동안 주로 관찰을 하는데 논쟁에 얼마나 적극적으로 참여하는지, 자신을 개혁할 의지는 얼마나 있는지를 평가하기 위한 것이다. 청강생이라고 할 수 있는 아쿠스마티코이는 침묵을 서약하고 5년 동안 주어진 공식들을 외어야 했다. 그 공식들의 증명은 주어지지 않았는데, 설명을 해달라고 묻는 것은 금지되어 있었다. 흰옷을 입는 마테마티코이—진정한 지식 밖에 있는 사람들—는 현교적인 지식을 배우는 단계를 떠나서 비교적인 지식을 배우는 단계로 나아간다. 그들은 피타고라스가 직접 가르치는 수업을 들었는데, 피타고라스는 커튼 뒤에서 자신의 모습을 드러내지 않은 채 강의를 해서 제자들은 그의 말소리만 들을 수 있었다. 피타고라스의 제자들은 스승의 격언과 금기로 가득 찬 삶을 살았다. 고기도, 달걀도, 잠두도 먹으면 안 되었다. 달걀과 잠두는 생명을 상징하기 때문에 금기였다. 신에게는 꽃, 과일, 젖, 꿀만 바칠 수 있었고 관습과는 달리 동물을 희생시키거나 구운 고기를 나눠서도 안 되었다. 모직물이나 가죽을 걸쳐서도 안 되고 육체적으로나 정신적으로 단련해서 균형 잡힌 삶을 만들어가야 했다. 또한 매일 자신의 행동과 생각에 대해 의문을 가져야 했으며 성생활을 피해야 했다. 지나친 기쁨을 표현하는 웃음도 끊어야 했다. 말하자면 지나치게 열심히 몰두하는 일은 모두 잊어야 했던 것이다.

하트셉수트 여자 파라오

Hatshepsut, B.C. 16세기~B.C 15세기

하트셉수트는 굳건한 의지와 섬세한 정치적 감각을 모두 갖춘 훌륭한 여성이었다. 하트셉수트라는 이름은 '가장 고귀한 숙녀'라는 의미를 담고 있다. 투트모세 1세의 딸인 그녀는 배다른 형제인 투트모세 2세와 혼인했다. 이는 남편이 부인의 높은 지위를 이용해 왕위를 찬탈하는 것을 막기 위한 것으로 당시 왕조를 유지하는 가장 확실한 방법이었다. 그러나 몸이 약했던 투트모세 2세는 젊은 나이에 죽었고 첩 이세트에게서 낳은 아들이 왕위를 물려받았다. 그가 바로 투트모세 3세이다. 고모이자 계모였던 하트셉수트는 그 뒤로 7년 동안 섭정을 했는데, 그동안 왕조를 보호하는 신 아몬을 섬기며 막강한 권력을 휘두르던 성직자를 비롯해 고위 관료, 군대의 지지를 얻었다.

궁정 혁명

궁정 혁명이 일어난 뒤 하트셉수트는 파라오가 되었고 대사제 하푸세넵의 인정도 받았다. 그러나 정통성의 기반이 매우 약했기 때문에 서둘러 왕권을 강화하려 했다. 하트셉수트는 파라오의 남성적 특징—가짜 수염까지—이 드러나는 남장을 했고 공식적인 조각상도 남자로 표현되어 있다. 그뿐만 아니라 하트셉수트는 '수백만 년의 사원'—하트셉수트 장제전—벽에 아몬라 신이 그녀의 아버지 투트모세 1세의 모습을 하고 어머니인 아흐메스와 동침하는 장면을 그리도록 했다. 왕위에 오른 조카를 뒤로 물러나게 한 하트셉수트는 20여 년 동안 이집트의 운명을 좌지우지했다. 그녀는 대사제 하푸세넵과 건축가인 세넨무트에게 의지했다. 세넨무트는 그녀의 정부이자 딸 네페루레의 가정 교사이기도 했다. 그러나 네페루레가 세상을 떠나자 하트셉수트는 세넨무트에게 그 책임을 떠넘긴 것으로 보인다. 총애를 잃은 세넨무트가 그 이후로는 공식 석상에서 자취를 완전히 감췄기 때문이다.

순탄한 통치?

하트셉수트가 통치하던 시절은 누비아를 징벌하기 위해 침략했을 때를 제외하면

하트셉수트의 거대 두상, 제18왕조, 하트셉수트 장제전, 테베.

대체로 평화로웠다. 하트셉수트의 가장 큰 업적은 재위 9년에 푼트의 땅(정확한 위치는 알 수 없고 오늘날의 소말리아와 예멘 사이)에 무역 및 외교 원정대를 보낸 것이다. 그곳의 여왕은 불구의 소인이었는데 그녀가 직접 하트셉수트를 위한 선물인 금, 상아, 향, 타조 깃털, 야생 동물을 가지고 오기도 했다. 그러나 하트셉수트의 통치 말년은 암울했다. 딸의 죽음으로 정신적 충격이 컸던 그녀는 성인이 된 조카가 군대의 세력가들을 결집해도 예전과 같은 투지를 불태우지 못했다. 재위 21년부터 하트셉수트의 이름은 더 이상 언급되지 않고 투트모세 3세의 이름만 등장했다. 투트모세 3세는 하트셉수트에 대한 기억을 없애고 그녀가 영원히 잊히기를 바라며 그녀의 카르투슈를 두들겨서 없애도록 명했다. 하트셉수트의 미라는 왕의 계곡 KV60 무덤에서 아무런 장식 없이 바닥에 누워 있는 상태로 발견되었다. 그 옆에는 유모인 사트레의 미라도 함께 발견되었는데 유모의 경우 석관에 보존되어 있었다. 아마도 투트모세 3세가 그런 식으로 벌을 내린 듯하다.

신과 왕비의 결합

하트셉수트 장제전에 있는 부조물들은 하트셉수트의 어머니인 아흐메스 왕비와 그녀가 남편으로 생각한 투트모세 1세의 신성한 결합을 표현하고 있다. 그러나 투트모세 1세의 몸에 들어왔던 신이 진짜 모습을 드러내자 아흐메스 왕비는 그를 남편으로 착각했음을 깨달았다. 육체적인 결합 이후에 아몬라 신은 앞으로 태어날 공주에게 이름을 지어주었다. 고대 이집트 사람들은 이 장면이 파라오의 선전을 위한 것임을 알았으며 후세에 길이 남으리라는 것도 알았다.

"아몬은 토트의 안내를 받아 왕비에게 갔다. 그는 이미 상이집트와 하이집트를 다스리는 왕 아케페르카레(투트모세 1세)로 둔갑한 상태였다. 아몬과 토트는 화려한 궁에서 쉬고 있는 왕비를 발견했다. 아몬은 곧장 그녀에게 다가갔다. 그는 왕비를 원했다. 아몬은 그녀의 몸에 심장을 대고 자신의 본모습을 볼 수 있게 했다. 왕비에게 다가간 그는 그녀의 아름다움에 놀라 사랑의 감정이 온몸을 감쌌다. 그러자 아흐메스 왕비는 두 왕국의 군주이자 존엄한 신 앞에서 이렇게 말했다. '신이시여, 당신의 힘은 정말 위대하군요. 완벽한 당신이 저와 합쳐졌을 때, 당신의 이슬이 저의 살에 스며들었을 때 당신의 얼굴을 보는 일은 얼마나 고귀했는지 모릅니다.' 카르나크의 주인 아몬이 왕비에게 원했던 일을 모두 마친 뒤 말했다. '하트셉수트크네메트아몬, 아몬과 결합한 여자, 고귀한 자들의 얼굴인 여자. 이것이 네 입에서 나온 말에 따르면 내가 네 가슴에 넣은 딸의 이름이 될 것이다. 그 아이는 이 나라를 자비롭게 다스릴 것이다.'"

한니발 바르카 코끼리의 꿈

Hannibal Barca, B.C. 247년~B.C. 183년

한니발 바르카('한니발'은 '바알 신의 은총', '바르카'는 '천둥'이라는 뜻)는 인류 역사상 희대의 전략가로 꼽힌다. 카르타고 사람인 한니발은 로마를 벌벌 떨게 할 정도로 위세를 떨쳤지만 패전을 맛보고 결국 스스로 목숨을 끊었다. 그는 명망 높은 군인 집안에서 태어났다. 아버지 하밀카르 바르카는 카르타고 군대의 사령관이었으며, 한니발은 아버지와 함께 에스파냐로 첫 원정을 떠났다. 당시 에스파냐는 에브로강을 기점으로 북쪽은 로마가, 남쪽은 카르타고가 지배했다. 한니발이 어렸을 때 아버지에게 로마를 영원히 미워하겠다고 약속했다는 설도 있다. 그는 결국 그 약속을 지켰다. 한니발은 당시 지중해를 지배한 두 열강이 맞붙었던 제2차 포에니 전쟁에서 분노를 폭발시켰다. '포에니'는 '페니키아인'을 뜻하는 말로 카르타고가 페니키아에 기원을 두기 때문에 결국 카르타고인을 가리키는 말이다. 로마가 세 번의 전쟁에서 맞붙었던 상대도 카르타고인들이었다. 한니발의 동생 하스드루발은 아버지가 죽자 카르타고 군대의 총사령관이 되었고, 그가 전사하자 한니발이 그의 뒤를 이었다. 에브로강 남쪽에 위치한 사군툼이 로마와 결탁하자 전쟁이 터졌다. 한니발은 배신에 대한 보복으로 사군툼을 파괴했다.

길고 긴 행군

기원전 218년 한니발의 군대는 에스파냐를 가로질러 갈리아 남부와 론강을 거쳐 알프스산맥을 코끼리를 타고 통과하는 놀라운 일을 해냈다. 그러나 이 과정에서 수천 명의 병사와 많은 코끼리를 잃었다. 일설에 따르면 코끼리 37마리 중 단 1마리만 살아남았다. 로마는 한니발에 대적할 사람으로 장군이자 집정관이었던 푸블리우스 코르넬리우스 스키피오를 보냈다. 그러나 티키누스 전투와 트레비아강 전투에서 스키피오는 로마에 쓰라린 패배를 안겨주었다. 스키피오는 심각한 부상을 입고 로마로 귀환하는 치욕을 맛보았다.

겨울이 지나자 한니발은 행군을 재개했다. 새 집정관들이 로마 군대를 지휘했으나 트라시메노호 전투에서 대패하고 집정관 한 명이 목숨을 잃었다. 로마가 이대로 패할 것은 불 보듯 뻔했다. 이때 로마는 귀족 출신의 퀸투스 파비우스 막시무스, 일명 '쿵크타토르Cunctator'('굼뜬 사람'이라는 의미)에게 독재자의 지위와 전권을 부여했

알프스산맥을 넘는 한니발, 이탈리아 고문서, 15세기.

다. 쿵크타토르는 로마가 불리하다는 것을 알고 소모전을 벌였다. 전면전을 벌이지 않고 카르타고 군대를 지속적으로 괴롭힌 것이다.

카푸아의 향락

그 사이에 한니발은 로마로 진군하지 않고 이탈리아 남부로 향했다. 그는 칸나에 전투에서 다시 한번 로마에 참패를 안겼다. 능수능란한 전략가였던 그는 수적으로 우세했던 로마군을 포위해서 전멸시켰다. 사람들은 한니발이 북쪽으로 진군해 로마를 함락하리라 예상했지만 그의 선택은 달랐다. 한니발은 이탈리아의 도시 국가들이 연합해서 로마를 격리할 것을 제안했다. 그의 계획은 반은 성공했고 반은 실패했다. 한니발은 군대와 함께 모든 '향락'을 즐길 수 있는 카푸아에 머물렀다. 고대에도 이미 온화한 기후로 유명했던 카푸아에서 겨울을 보내며 경험한 연회, 매춘부들과 즐겼던 쾌락은 군사적으로 보면 오히려 독이 되었다. 병사들의 사기가 향락에 묻혔고 결과적으로 한니발은 로마를 굴복시킬 기회를 영영 얻지 못했다.

거울 함정

이때부터 '카푸아의 향락'은 거울로 새를 유인해서 잡는 '거울 함정'이라는 말과 동의어가 되었다. 어려운 시기에 누리는 유유자적한 삶이 치명적인 함정이라는 의미이다. 한니발은 그 이후 10년간 전쟁에서 큰 승리를 거두었지만 문제도 계속 쌓여갔다. 결국 한니발은 카르타고로 불려갔고, 그가 없는 사이 로마는 잃었던 영토를 야금야금 되찾았을 뿐만 아니라 카르타고의 영토마저 넘보기 시작했다. 마침내 카르타고의 자마 지방에서 결전이 벌어졌다. 이 전쟁에서 푸블리우스 코르넬리우스 스키피오의 아들인 스키피오 아프리카누스는 통쾌한 복수를 했다. 한니발은 전쟁에서 패했고 기원전 201년 카르타고는 로마와 강화 조약을 맺었다. 한니발은 떠돌이 신세가 되었다. 한니발을 보호해 주던 사람이 그를 로마군에게 넘기려 하자 한니발은 로마인들에게 복수를 당하느니 차라리 죽음을 택하겠다고 하며 독약을 마시고 생을 마감했다.

함무라비 우주의 왕

Hammurabi, B.C. 1810년경~B.C. 1750년경

아모리인들이 세운 바빌로니아 제1왕조의 여섯 번째 왕 함무라비는 그의 사후 100년 이상 바빌로니아가 메소포타미아를 지배하게 만들 정도로 국가의 약진에 이바지했다. 그러나 이웃한 라르사나 에쉬눈나보다 훨씬 국력이 약했던 작은 왕국의 후계자가 거대한 제국을 건설하리라고 예상한 이는 아무도 없었다. 아버지 신무발리트의 뒤를 이은 함무라비는 기존의 정책을 바꾸고 마리와 같은 이웃의 작은 도시 국가들과 동맹을 맺어야 했다. 함무라비의 수완이 발휘된 분야는 외교였다. 그는 에쉬눈나 군주의 야망에 맞서 다른 도시 국가들을 지원했고 그 과정에서 몇몇 패전국들을 지배하기에 이른다. 엘람 왕국이 이웃 도시 국가들을 규합해서 메소포타미아를 침략하자 함무라비와 그의 연합군이 참전해 전쟁을 승리로 이끌었다. 이때부터 함무라비는 힘을 발휘할 수 있었다. 그는 라르사, 에쉬눈나, 마리를 차지했고 수메르와 아카드를 지배했으며 '수메르와 아카드의 왕, 네 지방의 왕, 우주의 왕'을 자처했다. 그러나 이 시기에 문제도 발생하기 시작했는데 광활한 제국을 다스리기에는 힘이 부쳤기 때문이다. 함무라비는 패전국의 토지와 재물을 탈취해서 충신에게 나눠주는 방법을 썼다. 그러나 이 방법은 단기적으로는 효과를 냈을지 모르나 그의 통치를 끝장낼 수많은 저항의 불씨를 제공하기도 했다.

신과 법전

함무라비는 백성들에게 공동의 신을 모실 의무를 지우는 혜안을 가졌다. 그 신은 지배국을 보호하는 태양신 마르두크였다. 함무라비는 수많은 법을 통일시켜서 명쾌하게 적용할 수 있기를 바랐고, 그의 목적은 익히 알려진 '함무라비 법전'으로 달성되었다. '함무라비 법전'은 현대적 의미의 법전은 아니지만 자세한 판례와 제국 내에서 균일하게 적용될 수 있는 사법적 장치를 담고 있다. 이 법전은 소송 당사자들이 재판을 어디에서 받든 동일한 판결을 받을 수 있도록 하는, 판사들을 위한 일종의 지침서 역할을 했다. 오늘날과 비교하자면 판례집에 더 가깝다고 할 수 있다. 국가의 법을 마련할 첫걸음이었던 이 법전은 사법 제도를 정립하는 데 이바지했다. 그러나 법적 발전과 종교적 약진도 아모리인들의 추락을 막을 수 없었다. 왕조는 히타이트 제국에 의해 무너졌고 이후 카시트 왕조가 들어섰다.

함무라비가 이룬 업적을 설형 문자로 기록한 서판 일부, B.C. 1792년경~B.C. 1750년경.

눈에는 눈, 이에는 이

'함무라비 법전'은 1901년 동양학자 장뱅상 셸이 지휘한 합동 발굴팀이 수사에서 발견했다. 파리의 루브르 박물관에 가면 2미터가 넘는 검은 현무암 돌기둥에 새겨진 법전을 볼 수 있다. 설형 문자 약 3500자로 쓰인 이 법전은 282개의 판례를 기록하고 있다. 살인, 상해, 절도, 결혼, 이혼, 임대차 계약과 관련된 이익 분쟁, 재산권, 교역에 이르기까지 거의 모든 문제를 다루었다. 그러나 이 법전에 실린 법이 현대의 법과 비슷하다고 생각한다면 오산이다. 당시에는 재판을 받는 개인—자유인, 노예, 사제, 귀족—의 지위가 가장 중요한 판결의 척도였다. 어떤 판결이 내려질지는 피의자의 지위에 따라 달라졌다. 자유인에게 상해를 가하는 것은 노예에게 상해를 가하는 것보다 중한 죄이므로 더 엄한 처벌을 받았다. 계층이 동일할 때에는 상응 보복법을 적용했다. "귀족의 눈을 파낸 사람은 눈이 뽑히는 벌을 받는다"(판례 196). 최악의 범죄자에게는 사형을 구형할 수 있었고 사형 방법은 말뚝을 박아 죽이거나 익사시키거나 화형에 처하는 등 다양했다.

헤로도토스 역사학의 아버지

Herodotos, B.C. 484년경~B.C. 425년경

헤로도토스에게 '역사학의 아버지'라는 이름을 지어준 것은 키케로였다. 헤로도토스가 그리스 최초의 역사가는 아니었지만 그는 그리스인들이 무조건 우월하다는 편견을 버리고—이를 이유로 그의 계승자인 투키디데스는 그를 신랄하게 비판했다—연구 대상인 민족들을 초연하게 다룬 최초의 역사가였다. 헤로도토스는 소아시아 할리카르나소스(지금의 터키)의 부유한 집안에서 태어났으나 이른 나이에 독재적인 군주에 반대했다는 이유로 사모스섬으로 추방되었다. 수준 높은 교육을 받았던 그는 페르시아 제국을 누비기 위한 긴 여행을 준비하고 이집트, 리디아, 수사, 바빌로니아를 돌아다녔다. 이어서 트라키아(마케도니아)까지 갔다가 다뉴브강을 따라 내려가 흑해를 지나 스키타이족이 사는 지역과 돈강에까지 이르렀다. 그는 지리학자로서의 확고한 재능을 얻었고, 새로운 부족을 만날 때마다 그들의 관습에 대해 호기심과 보기 드문 개방적 태도를 보였다. 이렇게 조금씩 그가 남길 역작 『역사』의 자료가 쌓여갔다. 할리카르나소스로 돌아온 헤로도토스는 도시를 지배하던 폭군을 축출하는 데 참여했으나 또다시 추방당했다. 그는 아테네로 가서 페리클레스와 소포클레스를 만났다. 이후 헤로도토스는 타란토만에 있는 마그나 그라이키아에 투리이라는 도시를 건설하려는 아테네의 이주민들을 따라 이주했고, 그곳에서 생을 마감했다.

호기심의 왕

헤로도토스가 저술한 『역사』는 모두 9권으로 이루어졌으며 각 권마다 뮤즈의 이름이 붙어 있다. 이 책은 기원전 490년에서 기원전 479년까지 그리스의 도시 국가들과 페르시아 제국이 벌였던 그리스·페르시아 전쟁을 다루었다. 그런데 헤로도토스는 군사 전문가가 아니므로 주로 도시 국가 시민들의 정치적·문화적 특성을 연구했다. 그에게 페르시아 군대는 전술보다 왕들의 왕이라는 한 명의 페르시아 황제가 언어와 관습, 종교가 다른 부족들을 통합하는 능력을 가졌다는 점에서 관심의 대상이었다. 페르시아의 단결을 목격한 헤로도토스는 코이네(공용어)를 비롯해서 같은 제도, 같은 종교를 가졌음에도 침략자에 맞서 방어에 나설 때조차 효율적으로 단결하지 못하는 그리스 도시 국가들을 보고 개탄하기도 했다. 헤로도토스는 풍습, 일상생

활, 제도 등 다양한 방면에 호기심을 보였으며 관심을 가졌다는 점에서 흥미롭다. 그는 이 책에서 과감하게 등장인물들이 직접 말하게 하는 기법을 썼고, 때로는 지역의 종교에 대해 잠시 여담을 늘어놓아 읽는 재미를 더했다. 물론 투키디데스만큼 출처를 엄격하게 정리하지는 않았지만 풍부한 그의 이야기는 뒤죽박죽인 인간 군상을 잘 표현했다고 할 수 있다. 게다가 최근의 고고학적 발견은 그의 기록이 상당히 정확했음을 밝혀준다.

헤로도토스, 바빌론에 살다

헤로도토스는 페르시아 제국에 머물 때 바빌론에 매료되어 그에 관한 열정적인 묘사를 남겼다. 여기에는 지구라트도 빠지지 않았는데, 지구라트는 『성경』에 나오는 바벨탑의 모델이 된 기단이 있는 성탑이다.

> 아시리아에는 대도시가 많다. 하지만 바빌론이 가장 유명하고 가장 강하다. 드넓은 평원에 펼쳐진 이 도시는 정사각형 모양이고 각 면의 길이가 120스타디온이다. 그 어떤 도시도 바빌론처럼 잘 정비되어 있지 않다. 도시 주위로는 깊고 넓은 해자를 파서 물을 흘려보낸다. 그 위로는 50큐빗 너비에 200큐빗 높이의 성벽이 솟아 있다. 성벽의 위와 가장자리에는 탑을 쌓았고 탑 사이에는 충분한 공간을 두어서 4마리의 말이 끄는 전차가 다닐 수 있게 했다. 성벽에는 100개의 청동 문이 있다. 도시 중간을 가로지르는 유프라테스강으로 인해 도시는 두 구역으로 나뉜다. 강은 넓고 수심이 깊으며 유속이 빠르다. 집들은 3~4층으로 지어졌다. 도로는 직선이고 강으로 난 다른 도로가 가로지른다. 외벽은 도시의 철갑 역할을 한다. 내벽도 약하지 않지만 외벽보다는 더 얇다. 둘로 나뉜 도시 구역의 각 중심에는 볼 것이 많다. 한쪽에는 보존이 잘된 큰 왕궁이 있고, 다른 한쪽에는 청동 문이 있는 마르두크 신전이 위치하는데 역시 지금까지도 잘 보존되어 있다. 중앙에는 거대한 탑이 서 있는데, 그 위에 다시 탑이 세워진 꼴로 총 8개의 탑이 있다. 외부에 있는 거대한 나선형 계단이 탑에서 탑으로 이동할 수 있게 해준다. (헤로도토스, 『역사』)

호라티우스 현재를 즐길 줄 아는 자

Horatius, B.C. 65년~B.C. 8년

호라티우스의 라틴어 전체 이름은 퀸투스 호라티우스 플라쿠스Quintus Horatius Flaccus이다. 가장 위대한 라틴어 시인인 그의 작품은 로마 역사의 중요한 순간인 공화정의 종말과 제국의 탄생을 담고 있다. 호라티우스의 아버지는 해방된 노예였는데 재산이 많아서 로마에 정착해 아들에게 문법 학자인 오르빌리우스—호라티우스 말로는 체벌을 아주 좋아하는 선생이었다—의 수업을 듣게 했다. 호라티우스는 열아홉 살에 아테네로 가서 그곳에서 학업을 마쳤다. 우연히 같은 시기에 카이사르의 암살범—브루투스와 롱기누스—도 아테네에서 몸을 피하고 있었다. 기원전 44년에 독재자를 죽인 뒤였다. 호라티우스는 그들과 함께 두 차례에 걸쳐 필리피 전투에 참전했다. 그는 브루투스의 군대가 2차 전투에서 대패하자 탈영했다. 로마로 복귀한 그는 사면을 받았고, 그곳에서 지금의 재무부에 들어가 일했다. 그런데 그때 중요한 사건이 벌어졌다. 마이케나스가 호라티우스를 후원하기 시작했고 장차 아우구스투스 황제가 될 옥타비아누스에게 그의 재능을 알렸던 것이다. 호라티우스가 시를 쓰기 시작한 것은 이즈음이다. 그는 『풍자시집』을 쓰는 데 몰두하고 있었는데 이 시기에 마이케나스가 로마에서 30킬로미터쯤 떨어진 사비니산맥에 위치한 전원주택을 그에게 준 것으로 보인다. 이때부터 호라티우스는 자신의 집이 있는 로마와 사비니산맥, 온화한 기후와 아름다운 풍광으로 귀족들에게 사랑받았던 남부의 캄파니아를 오가며 지냈다.

스스로 일궈낸 성공

정치 감각이 있었던 호라티우스는 일찌감치 옥타비아누스 편에 서서 그를 위해 펜을 들었다. 그는 간소한 풍습, 검소한 삶, 위대한 로마를 위해 의무와 희생을 중시하는 삶으로의 회귀를 주장하는 옥타비아누스를 찬양했다. 이는 『풍자시집』에 '신인homo novus'으로 소개되는 인물을 통해서도 읽을 수 있다. 그는 로마 제국에서 아주 중요하면서도 유례없는 인물이다. 신인은 잘나갔던 조상 덕이나 가족의 영향이 아니라 스스로의 힘으로 성공한 사람이다. 신인의 가장 큰 자질은 그리스 철학의 원칙인 '아우타르케이아', 즉 '자족'의 원칙을 실천한다는 점이다. 호라티우스는 자신의 개인적 걱정에 대해서도 배제하지 않고 이를 특히 『에포디』에서 표현했다. 그는 동시대인들의 사회적 결점을 조롱하는 한편 필리피 전투에서의 패배 이후 로마 세계가 어떻게 될 것인지에 대해 우려를 나타내기도 했다.

마르쿠스 안토니우스가 악티움 해전에서 패하자 호라티우스의 정치가로서의 미래도 밝아졌다. 로마의 유일한 지배자가 된 옥타비아누스도 황제의 자리로 올라가기 위한 여정을 시작할 수 있었다. 여전히 마이케나스를 따르던 호라티우스도 옥타비아누스를 보필했다. 평화가 찾아오자 호라티우스에게는 서정적 영감이 돌아왔다. 『서정시집』에 실린 그는 자연과 와인, 우정을 노래했다. 이 시집에는 마이케나스와 아우구스투스에게 바친 시도 실려 있다. 『서정시집』의 발간으로 호라티우스는 시인으로서 최고의 전성기를 누렸다. 그는 기원전 8년에 마이케나스가 죽고 얼마 지나지 않아 세상을 떠나면서 모든 재산을 아우구스투스에게 남겼다. 호라티우스는 자신의 친구이자 자선가였던 마이케나스의 무덤에서 멀지 않은 에스퀼리노 언덕에 묻혔다.

카르페 디엠!

'카르페 디엠Carpe diem'은 1989년에 개봉한 피터 위어 감독의 영화 「죽은 시인의 사회」가 성공하면서 대중에게 많이 알려졌다. 그러나 '현재를 즐겨라'라는 의미의 이 경구가 사실은 호라티우스가 한 말이라는 사실을 아는 사람은 많지 않다. 이 표현은 『서정시집』 속에서 레우코노에에게 바치는 서정시에 나온다. 호라티우스는 금욕과 쾌락을 적절히 누리는 철학자가 되어 레우코노에가 죽음에 대해 걱정하지 말기를—그리고 미래에 대한 불안으로 현재를 채우지 말고 오늘을 살라고—당부하고자 했다. 전체 문장은 원래 "카르페 디엠, 쾀 미니뭄 크레둘라 포스테로Carpe diem, quam minimum credula postero", 즉 "내일에 대한 걱정은 최소한으로 줄이고 오늘을 잡아라"였다. 그러나 이 격언을 잘못 해석하면 안 된다. 이 말의 의미는 욕망에 탐닉하라는 것이 아니라 오히려 저절로 굴러가는 제국에서 정돈된 삶의 이점을 누리라는 것이다. 쾌락은 영원하지 않기 때문에 더 큰 법이다. 호라티우스가 한 말 가운데 지금까지도 알려진 것들이 또 있다. '사페레 아우데Sapere aude'는 '과감히 알려고 하라'

는 뜻이고, '인 메디아스 레스In medias res'는 '사건의 중심으로'라는 뜻으로, 작품에서 독자가 거두절미하고 바로 사건으로 빨려 들어갈 수 있도록 할 때 사용하는 표현이다.

히포크라테스 의사의 심장을 가진 환자

Hippocrates, B.C. 460년경~B.C. 377년경

히포크라테스는 '의학의 아버지'로 불린다. 질병을 종교적으로 설명하기를 거부하고 인간의 몸 자체와 관련된 혼란에 기인한 것으로 해석했기 때문이다. 그것은 진정한 혁명이었다. 잘못을 저지르는 바람에 신에게 벌을 받아 병에 걸린 것이 아니라 몸의 균형이 깨져 아프다는 의미이기 때문이다. 의사는 환자의 몸이 스스로 치유될 것이므로 회복을 돕기 전에 무엇이 몸의 균형을 깨뜨렸는지 알아내야 한다. 히포크라테스의 생애에 대해서는 알려진 것이 많지 않다. 히포크라테스가 코스섬에서 태어나 그곳에서 의술을 행하고 가르쳤다는 것 외에 그와 관련된 이야기―기적의 치유를 행했다는 등의 이야기―는 역사적인 근거가 없이 떠도는 전설에 가깝다. 히포크라테스는 훌륭한 저서들을 남겼는데 그중 『의사에 관하여』에서는 의사에게 도덕적으로 정직할 것과 환자를 존중하고 환자의 말을 경청할 것을 권고했다. 오늘날까지도 의대생들이 하는 유명한 히포크라테스 선서 역시 이와 같은 내용을 담고 있다.

『히포크라테스 의학 집성』

『히포크라테스 의학 집성』은 그가 썼다고 알려진 논문, 강연 기록, 연구 노트 등 70편의 글을 엮은 것이다. 이 책에는 인체를 우주의 축소판으로 본 히포크라테스의 철학이 담겨 있다. 인체는 4원소(흙, 공기, 불, 물)의 지배를 받고, 각 원소에 인체에 돌고 있는 체액이 상응한다. 흑담즙, 혈액, 황담즙, 점액이 그것이다. 체액이 서로 균형을 이루면 병에 걸리지 않지만 이 중에서 하나라도 넘치면 병이 생긴다. 히포크라테스는 의사가 하는 역할이 적어야 한다고 말했다. 의사는 환자가 상실한 균형을 되찾아주어야 하며, 특히 환자가 병으로 인해 사망하지 않도록 해야 한다. 따라서 의사는 몸의 외부에 존재하는 약을 적게 써야 하는 대신에 사혈하거나 하제는 쓸 수 있다. 히포크라테스는 4체액설에서 냉정하고, 우울하며, 쾌활하고, 화를 잘 내는 네 가지 기질을 정의했다. 체액과 마찬가지로 기질의 경우도 한 기질이 지나치게 우세하면 균형을 잡아줄 필요가 있다. 이러한 점에서 식이 요법이 매우 중요하다. 우리는 우리가 먹은 음식의 결과물이다. 음식을 잘 알면 건강하게 살 수 있다. 예를 들어 다혈

질인 사람은 불과 관련된 음식, 와인이나 고기처럼 몸을 덥히는 음식을 피하고 생선 이나 물처럼 차가운 음식을 먹으면 좋다.

사혈보다 좋은 것은 없어

히포크라테스는 그의 후계자 갈레노스와 함께 사혈을 권장했다. 사람을 아프게 하는 병을 피가 옮긴다고 생각했으며 다른 세 체액에 비해 피가 많다고 여겼기 때문이다. 사혈은 오랫동안 변방의 치료법에 머물다가 17세기에 와서 큰 인기를 누렸다. 몰리에르의 『상상병 환자』에서 토마 디아푸아뤼스가 상상병 환자에게 사혈을 해서 병을 '치유'하는 것을 보라. 사혈의 폐해는 루이 14세의 궁신들로 인해 알려졌다. 당시 사혈로 목숨을 잃는 궁신들이 있었으며 왕가의 일원인 마리테레즈 도트뤼슈 역시 마흔네 살의 이른 나이에 사혈로 목숨을 잃었다.

인물

중세는 476년 서로마 제국의 멸망을 의미하는 로마의 함락으로 시작해 1453년 동로마 제국의 최후를 가져온 콘스탄티노폴리스의 멸망으로 끝나기까지 약 천 년 동안 지속되었다. 르네상스의 인문주의자들은 이 시기를 그들이 이상으로 삼았던 고대와 르네상스 시대 사이의 공백기로 보았다. 중세라는 용어 자체에 지난 천 년이 지적으로 암흑기였다고 폄하하는 이들 인문주의자의 사고방식이 내포되어 있다. 그러나 오늘날 중세에 대한 평가는 완전히 달라졌다. 장차 유럽의 발전에 기반이 될 지적, 정치적, 사회적 가치가 태동한 역동적 시기였다는 것이다.

물론 모든 시대 구분은 자의적이며 콘스탄티누스 황제가 밀라노 칙령을 반포한 313년을 중세의 시작으로 보는 사람들도 있다. 또한 1492년 아메리카 대륙의 발견과 함께 중세가 막을 내렸다고 여기는 이들도 있다. 그러나 중세는 무엇보다 가톨릭 신학자들이 그려낸 세계였다는 점에는 대부분이 동의한다. 이 신학자들은 신앙을 가진 이들에게 천국을 제시하는 동시에 '보편성'이라는 것에 대한 전문적인 논쟁을 벌이기도 했다. 샤를마뉴가 지배한 제국과 함께 새로운 문화적 통일성이 확립되었는데, 이러한 통일된 문화는 라틴어, 기독교 세계, 세속과 영성이라는 양날의 검과 함께 발전했다. 문화와 교육은 신앙과 교회를 위해 봉사했다. 세계의 중심이 된 인간은 전능한 신이 지배하는 보이지 않는 세계와 지식의 경계를 확대함으로써 점점 더 알게 되는 보이는 세계 사이에서 자신의 자리를 찾고자 했다.

중세 LE MOYEN ÂGE

중세

인물

주희 1130년~1200년 P. 225

피터 발도 1140년경~1205년경 P. 250

칭기즈 칸 1162년경~1227년 P. 227

아시시의 프란치스코 1181/1182년~1226년 P. 201

순디아타 케이타 1190년경~1255년 P. 195

성왕 루이 1214년~1270년 P. 189

마르코 폴로 1254년경~1324년 P. 167

조토 디 본도네 1266년경~1337년 P. 220

오컴의 윌리엄 1285년경~1349년경 P. 210

보카치오 1313년~1375년 P. 178

존 위클리프 1320년경~1384년 P. 222

구텐베르크 1400년경~1468년 P. 162

잔 다르크 1412년경~1431년 P. 215

비용 1431년~1463년경 P. 180

카비르 1440년경~1518년경 P. 230

로렌초 데 메디치 1449년~1492년 P. 164

크리스토퍼 콜럼버스 1451년~1506년 P. 232

조반니 피코 델라 미란돌라 1463년~1494년 P. 218

구텐베르크 가난한 천재

Gutenberg, 1400년경~1468년

요하네스 구텐베르크Johannes Gutenberg는 독일 마인츠의 귀족 가문에서 태어났다. 대학 교육을 받았다는 것 외에 그의 어린 시절에 대한 기록은 없다. 1430년경 귀족과 상인 길드 사이의 대립으로 고향에서 쫓겨나 1434년 스트라스부르에 정착한 구텐베르크의 가족은 그곳에서 10년 동안 머물렀다. 구텐베르크는 스트라스부르에서 보석 세공 등 다양한 직업에 종사하면서 비밀스러운 연구 작업을 단행했다. 1438년 3명의 동업자와 맺은 계약서에서 그 흔적을 찾을 수 있다.

끝없는 송사

1438년 구텐베르크의 동업자 중 하나가 사망하자 그 자손이 그의 자리를 물려받고자 소송을 벌였으나 패소했다. 그러던 중에 목판 인쇄기와 인쇄 도구의 구매에 관한 일 등이 외부에 알려졌다. 이는 구텐베르크가 사업 요령과 기밀을 자기만 간직하기가 얼마나 어려웠는지를 잘 보여준다. 그는 마인츠로 돌아가 연구를 계속했으나 비용을 감당할 수 없었다. 1450년 부유한 귀금속 세공사이자 은행가인 요한 푸스트에게 800플로린을 빌리고 그와 동업을 하게 된다. 시간을 들여 완벽한 발명품을 만들어내고자 한 구텐베르크와는 달리 새 동업자는 빨리 수익을 얻으려 했다. 2년 뒤 푸스트는 800플로린을 더 투자했지만 수익을 낼 기미가 보이지 않자 구텐베르크에게 돈을 돌려달라고 요구했고 1455년 소송에서 승소했다. 이러한 어려움 속에서 구텐베르크는 마침내 『구텐베르크 성서』를 만들었다. 한 페이지가 두 단으로 나뉘어 각각 42줄로 인쇄되어서 '42행 성서'라고도 한다. 그러나 책의 판매가 부진해 그는 빌린 돈을 갚을 수 없었으며 결국 모든 것을 잃고 말았다. 인쇄소를 손에 넣은 푸스트는 한때 구텐베르크의 직원이었던 쇼퍼를 고용해 1457년 『시편』을 출간했다. 우수한 인쇄 기술로 제작된 이 책에는 푸스트와 쇼퍼, 두 사람의 이름이 적혀 있다. 1463년 두 사람은 파리에 정착했고 무일푼이 된 구텐베르크는 마인츠 대주교 아돌프 폰 나사우 2세의 도움으로 약간의 돈과 식량, 포도주, 의복 등을 얻을 수 있었다. 평생 이루어낸 업적에 대해 어떠한 인정도 받지 못한 채 그는 1468년 2월 3일 마인츠에서 초라하게 생을 마감했다.

인쇄술을 발명한 사람은 구텐베르크인가

사실 인쇄술은 중국과 고려에서 처음 만들어졌다. 구텐베르크 이전의 유럽에도 목판 인쇄술이 사용된 바 있다. 그러나 현대적 의미의 인쇄술을 발명한 사람은 구텐베르크이다. 19세기 말까지 거의 그대로 사용된 그의 인쇄 기술은 잉크를 묻힌 활자로 구성된 텍스트 위에 프레스로 압력을 가하는 방식이었다. 중국이나 고려에서는 프레스, 즉 압착기를 사용하지 않았던 것이다. 그러나 고려인들은 서구보다 먼저 금속 활자를 사용하고 있었다. 이 금속 활자는 12세기경에 만들어진 것으로 보인다. 금속 활자를 이용해 제작된 책 중에서 현존하는 가장 오래된 책은 14세기 말에 제작된 것이다. 구텐베르크의 발명은 두 가지로 설명할 수 있다. 활자의 재료, 즉 납, 주석, 안티몬을 혼합한 합금과 이 합금을 녹이는 데 사용된 주형이다. 또한 그는 활자에 들러붙지 않는 잉크를 발명했으며 그 기본 원리는 지금도 이용되고 있다.

로렌초 데 메디치 위대한 자

Lorenzo de' Medici, 1449년~1492년

피렌체에서 태어난 로렌초 데 메디치는 모든 형태의 아름다움과 예술을 후원했던 인물이다. 초상화에 나타난 그리 아름답지 않은 그의 외모로 볼 때 아이러니한 일이기도 하다. 그러나 로렌초는 메디치 가문의 부를 이용해서 지속적으로 예술을 장려하고 후원한 까닭에 '위대한 자Magnifico'라고 불렸다. 그는 할아버지 코시모 데 메디치와, 신체 변형이 생길 정도로 심하게 관절염을 앓아 '통풍 환자'라는 별명을 달고 산 아버지 피에로 데 메디치의 뒤를 이어 금융 가문의 전통을 이어나갔다. 당시 가장 저명한 학자들에게 세련되고 수준 높은 교육을 받은 로렌초는 일찍이 인문주의에 눈을 떴다. 또한 어머니 루크레치아 토르나부오니의 세심한 배려 아래 문학, 철학, 음악, 무용, 미술 등을 배웠다. 루크레치아는 신앙시(라우디)를 쓰기도 했다. 1469년 6월 4일 로렌초 데 메디치와 클라리체 오르시니의 정략결혼이 이루어졌다. 메디치가가 로마 시대부터 내려온 귀족 가문인 오르시니가와의 결합을 원했기 때문이다. 두 사람은 9명의 자녀를 낳았고 그중 조반니는 교황 레오 10세가 되었다.

권력과 혈통

메디치가는 정치적·경제적 성공을 바탕으로 피렌체에서 막강한 영향력을 행사했는데 이는 명문 귀족들의 시기를 불러일으켰다. 유력 가문들 사이의 경쟁과 대립은 반란, 음모, 살해로 이어졌다. 1469년 12월 피에로 데 메디치가 죽고 로렌초가 후계자가 되었다. 이 무렵 베르나르도 나르디가 토스카나의 도시 프라토를 점령하려고 했는데 로렌초는 이를 막아내고 나르디와 그를 따르던 30여 명의 반란자를 처형했다. 하지만 곧 더 큰 난관이 찾아왔다. 델라 로베레 가문 출신의 교황 식스토 4세(재위 1471~1484)는 조카인 지롤라모 리아리오의 출세를 위해 그를 유력한 밀라노 공작의 사생아 카테리나 스포르차와 결혼시켰다. 이후 교황과 그의 가문은 로렌초의 최대 적이 되었다.

나의 재산은 어디에?

로렌초 데 메디치는 금융가 집안의 후손이었으나 놀랍게도 그의 경영 능력은 보잘것없었다. 결국 메디치가의 은행은 파산하고 말았다. 로렌초는 각 지점에 과도한 자율권을 부여했는데, 이로 인해 지점장들은 파산을 숨기기 위해 회계장부 조작도 서슴지 않았다. 게다가 그는 유럽 각지의 유력자들에게 담보도 없이 거액을 빌려주었다. 그런데 잉글랜드의 왕 에드워드 4세도, 서양의 대군주 용담공 샤를 1세도 쉽게 빌린 막대한 양의 플로린을 갚지 않았다. 플로린은 메디치가의 문양 중 하나인 백합 꽃잎을 새긴 피렌체의 금화로 메디치가의 영화를 뜻하기도 했다. 런던, 브뤼허, 리옹 등에 설립했던 메디치가의 은행들은 차례로 문을 닫았다. 그러나 로렌초가 개인 은행의 금고와 피렌체의 국고를 아무 거리낌 없이 뒤섞어놓은 덕에 정작 로렌초 자신은 파산을 면했다.

거듭된 세력 다툼

교황 식스토 4세와 지롤라모 리아리오는 피렌체의 파치가 및 살비아티가와 연합했다. 부유하고 거만하며 자신들의 힘과 권리를 확신한 두 가문은 메디치 가문의 그림자에 가려진 채 맥을 못 추는 상황을 인정할 수 없었던 것이다. 이들은 음모를 꾸몄고, 교황의 조카인 라파엘레 산소니 리아리오 추기경이 피렌체를 방문하는 기회를 이용하기로 했다. 추기경은 1478년 4월 26일 피렌체의 산타 마리아 델 피오레 성당에서 미사를 집전했다. 로렌초와 동생 줄리아노가 미사에 참석했다. 정확히 알려지지 않은 상황에서 다툼이 일어났고 거사를 모의한 세력들은 이를 이용했다. 줄리아노는 칼에 맞아 사망했고 로렌초는 부상을 입었으나 기적적으로 몸을 피해 목숨을 건졌다. 피렌체 사람들을 부추겨 메디치가를 제거하려던 파치가와 살비아티가의 계획은 수포로 돌아갔다. 주동자들은 베키오 궁전의 창문에 매달려 교수형에 처해졌고 공모자들은 참수되었다. 리아리오 추기경은 몇 주 동안 투옥되었다. 음모에 가담했던 교황은 오히려 격노하며 로렌초를 파문했고 피렌체에 미사를 비롯한 모든 성무를 일체 금지했다. 그러나 피렌체의 성직자들은 개의치 않았다.

로마와 연합한 나폴리 왕 페르디난트 1세가 피렌체와의 전쟁에 돌입했다. 패전을 거듭하던 피렌체는 1479년 나폴리로 진격해온 터키군의 지원으로 겨우 위기를 넘겼다. 이후 평화 조약이 체결되고 매우 위협적이었던 터키에 대적하는 동맹도 만들어졌다. 크게 요동치던 역사의 흐름 속에서 로렌초는 때로는 인노첸시오 8세와 연합해 페르디난트 1세를 공격하고, 때로는 동맹 관계를 뒤집어 교황에게 대항하는 페르디난트 1세를 지지하기도 했다. 1491년 말 위중한 병에 걸린 로렌초는 카레지의 메디치 빌라에 머물다가 1492년 4월 9일에 사망했다.

메세나의 선구자

사업에는 소질이 없었으나 재능 있는 예술가들을 후원하는 데 있어서는 누구보다 뛰어났던 로렌초 데 메디치는 미켈란젤로를 비롯해 다빈치, 리피, 보티첼리, 베로키오 등 수많은 예술가를 후원했다. 그뿐만 아니라 조반니 피코 델라 미란돌라, 마르실리오 피치노, 안젤로 폴리치아노 등 문인이나 철학자에 대한 지원도 잊지 않았다.

로렌초는 직접 철학이나 연극을 주제로 한 시, 자유사상을 구가하는 노래나 풍자적 글을 쓰고 인쇄해 뜻을 같이하는 지인들의 모임 '플라톤 아카데미' 회원들에게 보냈다. 이들은 로렌초가 카레지에서 피에솔레까지 긴 여행을 다니는 동안 동행하기도 했다. 또한 로렌초는 도미니코회 수도사 지롤라모 사보나롤라가 피렌체에서 설교하는 것을 허락했다. 수도사는 열정적인 설교를 통해 교황청의 부도덕성, 부자들의 지독한 이기심, 사회 규범의 타락을 성토하고 조만간 메디치 가문도 피할 수 없는 세상의 종말이 올 것이라고 역설했다. 독설가인 사보나롤라는 심지어 임종을 앞둔 로렌초의 죄에 대한 사면도 거부했다. 피렌체인들에게 영적 자유를 허락할 생각이 없었기 때문이었다.

마르코 폴로 대칸의 신하

Marco Polo, 1254년경~1324년

마르코 폴로는 베네치아에서 무역상의 아들로 태어났다. 그의 집안은 무역뿐만 아니라 탐험과 여행으로도 잘 알려져 있었다. 마르코가 태어났을 때 아버지 니콜로 폴로는 동생 마테오와 함께 실크 로드를 횡단하고 있었다. 어린 마르코는 할아버지 손에서 자랐다. 그는 열다섯 살이 되어서야 처음으로 아버지를 만났다.

탐험가 집안

니콜로와 마테오 형제는 이 첫 여행에서 원나라의 시조인 몽골 출신의 쿠빌라이 칸(1215~1294) 황제를 알현했다. 중국 북부에서 발흥한 원은 곧 중국 대륙 전체를 점령했다. 원나라는 폴로 형제에게 무역 독점권이라는 큰 특혜를 주었고 그 대가로 이탈리아의 성직자, 학자, 신부, 예술가 등을 데리고 다시 중국을 찾을 것을 요구했다. 서구 문물을 접하고자 하는 이유에서였다.

폴로 형제의 두 번째 중국 여행은 1271년에야 시작되었다. 당시 콘클라베conclave가 새 교황 그레고리오 10세를 선출하는 데 무려 2년이나 걸렸기 때문이다. 교황은 폴로 형제를 쿠빌라이 칸에게 사신으로 보냈으며 마르코도 동행했다. 이들은 오늘날 이스라엘의 도시인 아크레에서 교황이 몽골 황제에게 보내는 편지를 받았다. 수년이 걸린 여정을 마치고 1275년 쿠빌라이 칸을 만난 폴로 형제는 예루살렘에 있는 그리스도의 무덤에서 가져온 성유를 바쳤다. 당시 마르코는 스무 살 정도의 청년이었다. 그는 16~17년 동안 중국에 머물렀다.

대칸의 신하

마르코 폴로는 몽골인들이 사용하던 터키어는 물론 중앙아시아의 알타이어계 언어인 위구르어도 배웠던 것으로 보인다. 니콜로와 마테오 폴로는 실용 기술에 능한 사람들이었다. 이들이 만든 석궁과 투석기를 이용한 몽골족은 여러 번의 시도 끝에 샹양을 함락했고, 이로써 남송을 몰락시키고 중국의 주인이 되었다.

쿠빌라이 칸은 마르코 폴로의 여행 이야기를 흥미롭게 들었으며 그의 통찰력을 간파하고 제국과 주변을 감찰하는 임무를 맡겼다. 여기에는 지금의 한국, 미얀마, 캄보디아, 베트남, 수마트라까지 속한다. 중국에서는 남서부의 윈난에서 남동부의 항저우까지 돌아보았다. 그는 황제 직속 감찰사의 직무를 맡았던 것으로 보이며 칸의 이름으로 전권을 위임받았다는 황금 표찰을 지니고 다녔다. 소금 등 교역 물품과 관세 또한 감찰했다. 하지만 대칸의 죽음과 함께 이런 지위와 그에 따른 보호도 사라졌다. 몽골의 부족장들이 외국인 관리를 인정하는 것은 쉽지 않은 일이었다.

고국으로 귀환

1292년 몽골 공주 코코진이 쿠빌라이 칸의 조부인 칭기즈 칸의 후손 아르군 칸과 결혼하기 위해 지금의 이란 지역인 일 칸국으로 가게 되었다. 폴로 부자가 동행하고자 했다. 대칸은 주저했으나 결국 이를 허락했다. 600명의 궁신과 선원이 14척의 배에 타고 취안저우항을 떠나 베트남, 수마트라, 스리랑카 등을 거쳐 페르시아에 도착했다. 그러나 대장정을 마치고 하선했을 때는 아르군 칸이 이미 사망한 뒤였다. 코코진 공주는 그의 아들 마흐무드 가잔과 혼인했다. 폴로 부자는 다시 배를 타고 베네치아로 돌아갔다. 이들은 많은 보석을 가져와 큰 부자가 되었다.

당시 베네치아 공화국은 영원한 적수인 제노바와 전쟁 중이었다. 마르코 폴로는 전함을 빌려 출정했으나 포로로 잡혀 제노바에서 투옥되었다. 감옥에서 기사도를 소재로 한 소설들을 쓴 루스티켈로 다 피사를 만났다. 마르코는 이 피사 출신의 작가에게 동방의 여러 나라에서 자신이 겪은 수많은 이야기를 들려주었다. 이렇게 '백만 가지 이야기Il Milione'라고도 알려진 『세상의 경이*Le Divisament dou Monde*』('동방견문록')가 탄생했다. 1299년 석방된 그는 베네치아로 돌아가 도나타 바도에르와 결혼해 딸 셋을 낳고 부유한 상인으로 살다가 1324년 1월 8일 세상을 떠났다.

『동방견문록』을 둘러싼 논쟁

원제가 '백만 가지 이야기' 또는 '세상의 경이'인 『동방견문록』은 이탈리아에서 출간 즉시 대성공을 거두었다. '백만 가지 이야기'라는 제목은 마르코 폴로가 보고 겪은 수많은 이야기를 뜻한다. 그의 생전에 이미 140가지 다른 판본으로 출간된 이 책은 세상에 널리 알려졌고, 그 과정에서 가톨릭 교리와 너무 달라 충격을 줄 수 있다고 생각되는 부분은 삭제되거나 다른 표현들로 교체되었다. 『동방견문록』이 이렇게 각색되자 책에 묘사된 너무 놀라운 내용은 지어낸 것이라는 비판이 나왔다. 책에 만리장성이 나오지 않자 마르코 폴로가 중국에 가본 적도 없다는 말까지 나왔다. 그래도 또 다른 대탐험가는 이 책을 머리맡에 놓고 즐겨 읽었다. 그가 바로 크리스토퍼 콜럼버스로, 당시 일본으로 가는 신항로를 찾고 있던 때였다.

무라사키 시키부 일본 문학의 대모

紫式部, 978년경~1014년경

무라사키 시키부는 교토의 명망 있는 귀족 가문인 후지와라 계열의 집안에서 태어났다. 그녀는 당시 남자들만 공부하던 한문을 배우는 등 수준 높은 교육을 받았다. 사춘기를 막 지난 때에 그녀에 비해 나이가 많은 사촌 후지와라 노부타카와 결혼했다. 슬하에 딸 하나를 두고 남편이 결혼한 지 2년 만에 세상을 떠나자 무라사키 시키부의 입지는 곤란해졌다. 종친 중 천황을 제외하고 서열 2위라고 할 수 있는 좌대신 후지와라노 미치나가의 추천으로 궁에 들어간 그녀는 이치조 천황의 황후 중 하나이자 먼 친척이기도 한 후지와라노 쇼시의 궁녀가 되었다. 이때부터 궁녀의 직무를 마친 뒤 시와 소설, 일기 등을 썼다. 그녀의 대표작으로는 『무라사키 시키부 일기紫式部日記』와 『겐지 이야기源氏物語』가 있다.

작품과 이름

『겐지 이야기』는 본격적인 소설로서는 세계에서 가장 오래된 작품이며 일본 문학의 백미로 꼽힌다. 당시의 궁정 문화를 매우 세련되게 묘사한 이 책은 겐지 왕자의 사랑은 물론 시와 음악, 서예에 대한 열정을 그리고 있다. 인물들의 심리 묘사도 뛰어나다. 무라사키 시키부라는 이름은 사실 작가 자신의 진짜 이름이 아니고 이 작품에 나오는 인물의 이름이다. 무라사키는 '자주색'을 의미하며, 시키부는 아버지 후지와라노 타메토키가 일했던 관청의 이름이다. 무라사키 시키부의 본명은 알 수가 없다.

무함마드 최후의 예언자

Muhammad, 570년~632년

아부 알카심 무함마드 이븐 아브드 알라 이븐 아브드 알무탈리브 이븐 하심이라는 긴 이름을 가진 무함마드는 역사와 신앙의 교차로에서 한평생을 살았다. 그의 일생은 여러 자료를 통해 우리에게 전해진다. 『쿠란』을 비롯해 그의 언행을 기록한 『하디스』, 관습을 정리한 『순나』 등이다. 8세기와 9세기에 무함마드의 전기라고 할 수 있는 '시라Sirah'가 여러 권 집필되었다. 이븐 이스하크가 쓴 전기를 비롯해 알와끼디의 『무함마드 전기』, 이븐 사드의 『중요 계급의 책』도 잘 알려져 있다.

어린 시절, 정화된 심장으로

무함마드는 코끼리의 해에 메카에서 태어났다. 그해 아비시니아의 아브라하왕이 군대를 보내 아담이 세웠다고 전해지는 성전 카바Kaaba를 파괴했다. 예멘의 사나에 축조한 신전을 카바 성전이 가린다는 이유에서였다. 그런데 군대를 이끌고 진격하던 왕의 코끼리가 카바 앞에 멈춰 서더니 무릎을 꿇었다. 이 놀라운 사건은 570년에 일어났다고 전해진다.

무함마드는 쿠라이시 부족의 바누 하심 가문에서 아브드 알라와 아미나의 아들로 태어났다. 그가 태어나기 전에 아버지가 사망하자 어머니는 조부 아브드 알무탈리브의 경제적 지원을 받으며 살아갔다. 젖먹이 무함마드는 바누 사드의 베두인족에게 보내져 할리마라는 유모의 손에서 자랐다. 그곳에서 사막의 거친 생활을 경험했고 동시에 순수 아랍어와 당시 크게 유행하던 웅변술을 배웠다. 어느 날 무함마드 앞에 천사 둘이 나타났다. 그들은 사막에 무함마드를 누이더니 가슴을 열고 심장을 꺼내 눈으로 가득 채운 황금 대야에 넣고 깨끗이 씻은 후 다시 몸 안에 넣었다고 한다.

「밤의 여행을 떠난 예언자 무함마드」, 페르시아 미세화, 18세기.

청년 시절, 부유한 결혼 생활과 계시

무함마드는 여섯 살 때 어머니가 사망하자 조부에게 보내졌다. 2년 후 조부마저 사망하자 삼촌 아부 탈리브의 손에서 사촌 알리와 함께 자랐다. 청년이 된 무함마드는 메카에 살던 부유한 과부 카디자 빈트 쿠와일리드의 대상 무역을 관장하다가 그녀와 결혼하게 된다. 당시 무함마드는 스물다섯 살이었고 카디자는 마흔 살이었다. 두 사람 사이에 어려서 죽은 두 아들과 자이나브, 루카야, 움 쿨툼, 파티마 등 네 딸이 있었다. 10년 후 무함마드는 유복한 가장이 되었고 파티마는 사촌 알리에게 시집보냈다. 그는 카바의 '검은 돌'의 위치를 놓고 메카의 여러 부족 사이에 일어난 분규에 개입하기도 했다. 여전히 문맹이었던 마흔 살 즈음에 대천사 가브리엘(지브릴)이 그의 앞에 나타났다. 사색을 위해 자주 가던 메카 근처의 작은 동굴에서 가브리엘은 무함마드에게 '이크라Iqra'('낭송하라')라는 계시를 주었다. 그러나 겁을 먹고 도망친 그에게 가브리엘이 다시 나타났다. 이번에는 사람이 아니라 원래의 모습으로 나타난 천사는 초록색으로 변한 하늘을 전부 가릴 정도로 거대했다. 그 후로 초록은 이슬람을 상징하는 색이 되었다. 무함마드가 들은 신의 말씀을 전부 모아 엮은 것이 이슬람의 경전인 『쿠란』이다. 아랍어로 '암송'을 뜻하는 『쿠란』은 옮겨 적는 데만 23년이 걸렸으며 무함마드가 죽기 직전에 완성되었다.

파티마

'빛의 여인' 파티마 자흐라Fatima Zahra는 무함마드와 카디자가 가장 사랑한 딸로 메카에서 태어났다. 무함마드가 메카를 떠나 메디나로 피신했을 때 파티마도 함께 떠났다. '헤지라'(성천)라고 부르는 이 사건으로부터 이슬람력이 시작되었다. 얼마 후 파티마는 메디나에서 알리와 결혼해 두 아들, 하산과 후세인을 낳았다. 아들 둘과 나머지 딸들 모두가 자손 없이 사망해 무함마드에게 파티마의 아들들은 유일한 자손인 셈이었다. 이런 이유로 파티마는 특히 시아파가 매우 중요하게 섬기는 인물이다. 시아파는 무함마드의 후손만이 그의 후계자, 즉 칼리파(계승자)가 되어 이슬람 공동체 움마를 이끌 수 있다고 믿는다. 파티마는 정치와 거리를 두었으나 남편 알리가 무함마드의 후계자로 선출된 제1대 칼리프 아부 바크르의 권위를 부정했을 때 뜻을 같이했다. 더구나 아버지로부터 물려받은 토지를 아부 바크르에게 몰수당하자 파티마의 분노는 극에 달했고 632년, 아버지를 따라 몇 달 뒤 눈을 감을 때까지 그와 한마디도 하지 않았다.

성년 무함마드, 계시를 위한 싸움

집으로 돌아온 무함마드는 부인 카디자를 비롯해 가족과 친척을 개종시켰다. 하지만 메카 사람들은 무함마드에게 적대적이었고 그는 점점 더 어려운 상황에 처하게 되었다. 거기에다가 개인적인 불행도 덮쳤다. 619년에 부인과 삼촌이 모두 사망한 것이다. 그해는 무함마드가 강력한 계시를 경험한 해이기도 하다. 카바에서 자고 있던 무함마드 앞에 대천사 가브리엘이 나타나 그를 부라크(천마)에 태워 예루살렘으로 데려갔다. 아브라함이 이삭을 제물로 바치려던 곳이었다. 이곳에는 훗날 이슬람 3대 성지의 하나가 되는 '바위의 돔'이 세워진다. 여기에서 무함마드는 하늘로 올라가 그에 앞선 예언자 모세와 예수를 만난 후 신 앞에 엎드렸다. 이러한 승천, 즉 미라지Miraj를 통해 그의 믿음은 더욱 굳건해졌다. 621년 메카 북쪽의 작은 도시 야트리브에서 무함마드에게 마을의 수장직을 맡아달라고 요청했다. 622년 그는 사람들의 눈에 띄지 않게 신도들을 몇몇 무리로 나누어 야트리브로 떠났다. 622년 9월 25일은 야트리브로의 이주, 즉 헤지라가 이루어진 날이다. 야트리브는 이후 마디나트 알나비('예언자의 도시'), 즉 메디나로 불렸다. 헤지라가 시작된 날인 622년 7월 16일은 이슬람력의 시작일로 정해졌다.

메디나에서의 삶도 험난했다. 624년 메카는 1000명의 병사를 메디나로 보냈으나 바드르 전투에서 313명에 불과한 이슬람 전사들에게 패했다. 쿠라이시족의 우상숭배에 대한 이슬람 유일신의 우월함을 보여주는 사건인 셈이었다. 625년 3000명 병력의 메카 군대가 또다시 쳐들어 왔을 때에는 이슬람 전사들이 우후드에서 패하고 무함마드도 부상을 입었다. 그러나 쿠라이시족은 이 유리한 전세를 이용하지 않고 철수했다. 627년 만 명이 넘는 쿠라이시족이 세 번째로 메디나를 공격했으나 성공하지 못했다. 메디나 주위에 칸다끄khandaq, 즉 외곽 호수를 파서 적의 공격에 맞섰기에 이를 '칸다끄의 승리'라고 부른다. 628년에서 629년에 무함마드는 쿠라이시족과의 휴전을 틈타 카바로 순례를 떠났다. 이슬람은 널리 전파되기 시작했고 아라비아반도의 부족들은 대거 이슬람으로 개종했다. 632년 무함마드는 메카로 돌아왔는데 이는 최초의 이슬람 성지 순례, 즉 '하지hajj'인 셈이었다. 무함마드는 632년 6월 8일에 타계했다.

베르나르 드 클레르보 감미로운 목소리와 고행자의 몸

Bernard de Clairvaux, 1090년~1153년

베르나르 드 클레르보는 12세기 가톨릭교의 양심 그 자체였다. 그는 사람들을 과감하게 비난하고 공격했지만 동시에 그들을 위로하고 하느님의 사랑에 귀의할 것을 호소했다. 베르나르는 신의 사랑과 여성의 결합물인 성모 마리아라는 상징적 형상을 이상적인 숭배의 대상으로 만들었다. 그는 프랑스 부르고뉴 지방의 퐁텐레디종에서 하급 귀족의 아들로 태어났다. 신앙심이 매우 깊었던 어머니 알레트로는 아들 베르나르는 물론 다른 여섯 자녀에게도 신앙 교육을 철저하게 시켰다. 베르나르가 열일곱 살이 되던 해 자식들의 사랑을 한 몸에 받던 어머니가 세상을 떠났고, 이를 계기로 그는 신에게 헌신하기로 결심했다.

일찍이 금욕 생활의 이상에 사로잡힌 베르나르는 스물두 살이 되던 해인 1112년 시토 수도회에 입회했다. 여기서 그는 자신이 받은 소명에 대해 부친을 이해시키고 추종자를 모으려 힘썼는데, 실제로 그의 형제들은 물론 동료들 25명이 모두 시토 수도회에 들어갔다. 스티븐 하딩이 원장으로 있던 시토 수도회는 1098년 로베르 드 몰렘이 창설했으며, 역사가 짧고 규모가 작았다. 시토 수도회는 클뤼니 수도회와는 달리 성 베네딕토의 검소하고 금욕적인 삶을 추구했다. 따라서 시토회 수도사들은 가난한 삶을 영위하고 육체노동에 임하며 묵언의 규율을 따랐다. 시토회의 교회들은 장식이 없이 소박했으며 소장 도서들에는 채색 삽화나 금박 문자 등이 사용되지 않았다. 1115년 베르나르는 클레르보에 시토회 수도원을 세우고 수도원장이 되었으며 그의 부친과 다섯 형제도 함께 머무르며 수도사가 되었다. 1113년 시토회는 몰려드는 사람들을 수용하기 위해 수도원을 증축했으나 공간이 턱없이 부족했다. 결국 68개의 시토회 수도원이 세워졌다.

신비주의, 금욕, 지식 경시

베르나르는 클레르보에서 건강을 해칠 정도로 육체의 고행을 실천했으며 다른 수도사들도 이를 따르게 했다. 10년이 넘게 시토회를 확장하기 위해 혼신을 다하면서도 300여 편의 서한과 설교문을 썼다. 베르나르는 지식보다는 믿음을, 신을 알려는 지적인 노력보다는 신에 대한 직관적 깨달음을 강조했다. 그는 배워서 익힌 지식을, 그리고 지식을 쌓아 교만해진 성직자를 불신했다. 또한 당시 부상하던 스콜라 철학

에 반대했고, 신은 이성이나 논리의 문제가 아니라 오로지 믿음의 문제라고 여겼다. 믿음은 시간이 가면서 달라지는 것이 아니었고, 초대 교부들의 가르침을 통해 전해진 믿음은 신성불가침한 것이어야 했다. 수도사들은 자신을 완전히 버린 상태에서만 경전을 읽고 이해할 수 있으며, 경전을 분석하거나 이해하려고 하는 것은 헛수고일 뿐이었다. 그런데 베르나르는 성모 마리아를 숭배하고 모든 시토회 수도원을 마리아에게 바치면서도 마리아의 원죄 없는 수태, 즉 무염시태설과는 거리를 두었다.

베르나르의 신앙과 계율에 반기를 든 대표적 인물은 피에르 아벨라르였다. 그는 최고의 학자, 훌륭한 교육가, 이성의 주창자였다. 베르나르는 아벨라르를 고발하고 유죄 판결을 얻어냈다. 베르나르는 '12세기의 르네상스'라고도 불리는 유럽의 사상적 혁신에 있어서 완전히 이방인이었던 셈이다.

교황권의 옹호자, 왕권의 파괴자,
이단자들의 사형 집행인, 유대인들의 보호자

베르나르 드 클레르보라는 인물은 보는 각도에 따라서 계속 변하는 만화경에 비유할 수 있다. 영성적인 것이 세속적인 것보다 우월하다고 생각한 그는 교황 인노첸시오 2세와 대립 교황 아나클레토 2세 사이의 싸움에 적극적으로 개입해 인노첸시오 2세를 적법한 교황이라고 선포했다. 베르나르는 세속 군주들의 일에도 관여했다. 베르망두아의 백작이자 국왕 루이 6세의 궁정관인 라울이 부인을 버리고 국왕의 처제와 재혼하자, 인노첸시오 2세에게 이를 알리고 재혼을 무효화시킨 것은 물론 라울을 파문시키도록 한 것이다. 베르나르는 1146년 제2차 십자군 원정을 여러 차례 주장했고 원정이 실패로 돌아가자 많은 비난을 받았다. 그러나 무엇보다도 그가 전념한 것은 카타리파 이단과의 싸움이었다. 베르나르는 카타리파의 본거지인 랑그도크 지방을 순회하며 이단 척결을 외쳤으나 이단자들은 회심을 거부했다. 그의 신랄한 연설과 강론은 알비의 이단자들에 맞서 십자군을 일으키는 계기가 되기도 했다. 클레르보의 옛 수도사 로돌프는 유대인들을 강제로 개종시키고자 했으며 거부할 경우 산 채로 화형을 시키려고 했다. 이때 보수적이고 때로 반동적이기도 했던 베르나르는 전통의 이름으로 유대인들을 보호했다. 유대인들은 지금 오류에 빠져 있지만 언젠가 신의 계시를 받아 충심으로 기독교인이 되리라는 것이 그의 생각이었다.

베르나르의 가르침은 "꿀처럼 달다"라고 회자되었다. 그래서 교황 비오 12세는 주교들에게 보낸 한 회칙에서 그를 "꿀처럼 달콤한 박사doctor mellifluus"라고 칭했다. 베르나르는 1174년 성인품에 올랐고 1830년 가톨릭의 '교회 박사'로 인정되었다.

보카치오 이탈리아 문학의 아버지

Boccaccio, 1313년~1375년

조반니 보카치오Giovanni Boccaccio는 이탈리아 산문 문학의 아버지로 일컬어진다. 피렌체의 유력 가문인 바르디 가문과 관계가 있는 상인 집안에서 태어났다. 상인이었던 아버지 보카치오 디 켈리노는 아들이 문학에 관심을 보이는 것이 탐탁지 않았다. 1328년 그는 보카치오를 나폴리로 보내 바르디 가문 소유의 상관商館에서 일하도록 했다. 하지만 아무리 문학의 세계로부터 떨어뜨려 놓으려고 해도 소용이 없었다. 오히려 당시 문예 부흥의 중심지였던 나폴리 궁정의 영향을 받은 보카치오는 단테와 페트라르카의 작품을 접했고 라틴어로 글을 쓰는 작가들과 어울리게 되었다. 그는 나폴리의 왕 로베르토 1세 궁정의 귀족들과 가까이 지냈고, 자신의 작품을 구성하는 주요 주제인 기사도적 삶을 보여주는 모델로 삼았다. 나폴리는 그가 사랑을 배운 곳이기도 하다. 피아메타라는 이름의 여인에게 마음을 빼앗긴 보카치오는 1340년대 초 사랑을 노래한 책『피아메타』를 써서 그녀에게 바쳤다.

피렌체로의 슬픈 귀환

1340년 보카치오는 문학과 사랑에 눈뜨게 해준 나폴리에서의 생활을 갑자기 접게 되었다. 바르디 가문이 도산하자 재정적 어려움에 처한 아버지가 그를 피렌체로 불러들인 것이다. 집으로 돌아온 보카치오는 가난과 싸워야 했고 그 고통은 삶의 마지막 순간까지 지속되었다. 가문의 영화를 되찾기 위한 그의 모든 노력은 실패로 돌아갔다. 실제로 무엇을 했는지는 구체적으로 알려진 바가 없으며, 라벤나와 포를리에 머물렀고 1348년에는 피렌체에 있었다는 정도가 확인된 사실이다. 그 당시 피렌체에는 불과 몇 해 만에 유럽 인구 3분의 1의 목숨을 앗아간 흑사병이 창궐했다.

1363년 보카치오는 궁핍한 삶으로 인해 피렌체를 떠나 고향인 체르탈도로 갔다가 1373년 10월 단테의『신곡』을 대중 앞에서 낭독하기 위해 피렌체로 돌아갔다. 피렌체는 단테의 작품에 대한 강좌를 신설하고 그에게 강의를 맡겼다. 힘겨운 삶을 살던 보카치오에게 페트라르카와의 우정은 큰 위로가 되었다. 그러나 페트라르카가 1374년에 세상을 떠나자 그는 더욱 비참한 생활에 빠져들었으며 결국 몇 달 뒤인

1375년 12월 21일 체르탈도에서 생을 마감했다.

이탈리아식 산문의 창시자

보카치오는 이탈리아식 산문에 품격 있는 문체를 부여했다. 물론 그는 다수의 시와 운문, 라틴어 작품도 남겼다. 연애시 「다이아나 여신의 사냥」, 산문 소설 『필로콜로』, 호메로스에게서 영감을 받아 쓴 『필로스트라토』, 서사시 『테세이다』, 『이교 신들의 계보』, 『유명인들의 운명에 대하여』 등이 그의 작품이다. 그러나 보카치오의 대표작은 『데카메론』이다. 이야기는 1348년 피렌체를 뒤덮은 대역병으로 시작한다. 산타 마리아 노벨라 성당에 모인 7명의 여성과 3명의 남성은 흑사병이 사라질 때까지 피렌체를 떠나 있기로 한다. 시골 별장에 머물게 된 이들은 각자 미리 정해진 주제에 따라 매일 이야기 하나씩을 하면서 시간을 보내기로 하는데, 열흘 동안 모두 100편의 이야기가 소개된다. '데카메론'은 10일간의 이야기를 의미한다. 이 작품을 통해 '짧은 이야기'라는 형식이 새로운 문학 장르로 부상했다. 단편 소설을 프랑스어로 '누벨nouvelle'이라고 하는데, 이 단어는 '새롭다'는 뜻의 라틴어 '노부스novus'의 파생어 '노벨루스novellus'에서 유래한 것이다.

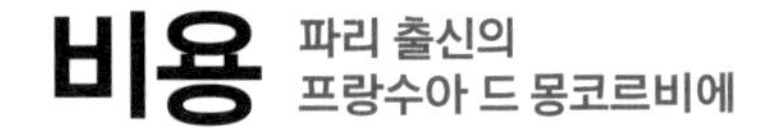

Villon, 1431년~1463년경

프랑수아 비용이라는 가명으로 잘 알려진 프랑수아 드 몽코르비에François de Montcorbier 또는 프랑수아 데 로주François des Loges는 시를 쓰는 불량배 혹은 불량한 시인이라고 할 수 있다. 그의 삶에서 시인과 불량배 중 어느 쪽이 비중이 더 컸는지에 따라 순서가 바뀌는 것이다. 그는 프랑스가 오를레앙 공작을 지지한 아르마냐크파와 부르고뉴 공작을 지지한 부르고뉴파의 싸움으로 혼돈에 빠졌을 무렵 파리에서 태어났다. 당시 프랑스에는 특히 파리를 중심으로 잉글랜드인들이 많이 들어와 있었고, 프랑스 왕 샤를 7세가 잔 다르크의 도움으로 1429년 랭스에서 즉위식을 올리고 있을 때 잉글랜드 왕은 자신이 프랑스 왕위의 계승자라고 선언했다. 일찍이 아버지를 여읜 프랑수아는 어머니에 의해 파리 생브누아르베투르네의 신부 기욤 드 비용에게 맡겨졌다. 비용 신부의 삶을 보고, 또한 그가 행한 교육을 받으며 자란 어린 프랑수아는 프랑수와 비용을 자신의 이름으로 선택했다.

기욤 드 비용은 성직자로서의 혜택을 누렸고 집도 소유했다. 법학 교수이자 생브누아에서 왕을 대리하는 재판관 역할도 맡고 있었다. 학식이 깊은 그는 피후견인인 프랑수아를 자연스럽게 학문의 길로 인도했다. 저명한 학자가 되면 물질적인 안정을 보장받을 수 있기 때문이었다. 명석한 학생이었던 프랑수아는 파리 대학교에서 자유 학예를 전공했다. 1449년 열여덟 살의 나이로 학사 과정을 마치고 1452년 8월 성직자가 된 그의 앞에 신학자로서의 문이 활짝 열려 있었다. 그러나 잉글랜드에 우호적이었던 파리 대학교와 1453년부터 엄연한 프랑스의 통치자였던 샤를 7세 사이에 일어난 분쟁으로 1453년부터 1454년까지 대학 강의가 중단되었다. 프랑수아 비용은 난잡하고 폭력적인 학생들과 어울렸다. 그는 부르주아와 성직자를 조롱하는 심한 장난에서부터 가끔 살인으로 이어진 난투극에까지 휘말리곤 했다.

시와 주먹

1455년 6월 5일 생브누아 교회 관할에 있던 술집에서 싸움이 났고 이때 프랑수아 비용이 필리프 세르무아즈 신부를 죽이는 사건이 벌어졌다. 신부가 단검으로 비용의 얼굴을 치자 비용도 칼을 꺼내 상대를 찔렀는데 다음 날 신부가 죽은 것이다. 그는 형벌을 피하기 위해 파리를 떠나야 했다. 기욤 드 비용 신부는 수완을 발휘해 왕의 사면을 받아냈다. 프랑수아 비용은 양아버지가 있는 곳으로 돌아갔고, 거기서 품행이 좋지 못한 어릴 적 친구들과 식자들을 만났다. 비용은 친구들과 그 지역 학생들이 다니던 나바르 신학교의 제의실에 몰래 들어가 물건을 훔쳤다. 그가 범죄에 가담했다는 사실은 몇 달이 지난 뒤에나 드러났다. 그러나 곧바로 도망친 그는 앙제로 가서 예술가들의 후원자로 잘 알려진 르네왕에게 도움을 청했으나 거절당했다. 그렇게 방랑 생활이 시작되었고, 그 후 몇 년에 걸친 비용의 행적에 대해서는 알려진 바가 없다. 비용이 다시 나타난 곳은 1458년 시인 샤를 도를레앙 공작의 블루아성이었다. 25년간 잉글랜드에 잡혀 있었던 샤를 도를레앙은 불행했던 자신의 삶을 시, 노래, 발라드, 론도 등으로 표현했다. 프랑스 초등 교과서에 실린 샤를 도를레앙의 시 「봄」에서 묘사된 봄은 "계절이 비바람과 추위의 망토를 벗고 어느덧 눈부신 햇살 아래 차려입은 밝고 고운 비단옷"이다.

시인 공작과 시의 왕자

샤를 도를레앙은 프랑수아 비용을 두 번 구해준다. 1457년 12월 19일 그는 딸(마리 도를레앙)의 탄생을 기념하는 사면을 내렸고 또 다른 절도죄로 형을 살고 있던 비용은 감옥에서 풀려났다. 그리고 시 경연 대회를 열어 비용을 초대했는데, 이때 비용이 쓴 시에 감탄해 자신의 시작 노트에 옮겨 적었다고 한다. 하지만 고약한 성질을 고치지 못한 비용은 몇 달 만에 샤를 도를레앙과 사이가 틀어졌고 어떤 금전적 보상도, 관직도 받지 못한 채 블루아성을 떠났다.

이때부터 1461년까지 비용은 다시 암울한 삶을 살았다. 그는 오를레앙 주교 티보 도씨니가 유죄 판결한 죄인들을 가두던 묑쉬르루아르의 지하 감옥에 수감되었다. 죄목은 알려지지 않았지만 성직자로서의 권리가 모두 박탈될 만한 죄였을 것이다. 다시 한번 그에게 구원의 손길이 찾아왔다. 1461년 10월 2일, 즉위한 지 얼마 되지 않은 루이 11세가 마침 묑에서 거행된 '입성식'을 기념해서 경범죄 수감자들을 사면한 것이다. 이 사면으로 비용은 궁지에서 벗어날 수 있었다.

「죽음의 무도」,
목판화, 15세기.

마지막 사건, 그리고 망각 속으로

파리로 돌아온 비용은 1462년 11월 초에 절도죄로 다시 체포되면서 나바르 신학교에서 저지른 절도 사건까지 드러나고 말았다. 그는 성직자 신분임이 참작되어 훔친 물건을 돌려주는 조건으로 겨우 풀려났다. 이 상태는 오래가지 않았다. 풀려난 바로 그 달에 교황의 공증인 페르북이 단검에 살짝 베이는 사건이 있었는데 여기에 또 비용이 연루된 것이다. 피해자의 지위 때문에 엄벌이 내려져 비용은 또다시 성직자 신분을 박탈당하는 것은 물론이고 교수형에 처할 위기에 놓였다. 비용은 파리 고등 법원에 항소했다. 1463년 1월 5일 파리 고등 법원은 파리 재판소의 판결을 파기하고 10년 추방령으로 감형했다.

현재 알려진 비용의 마지막 작품은 가족에게 작별 인사를 할 수 있도록 사흘간 형 집행을 유예한 파리 고등 법원에 제출했던 사의를 표하는 글과 마지막 청원서이다. 1463년 1월 8일 비용은 파리를 떠났고 이후의 그의 행적에 대해서는 지금까지도 알려진 바가 없다.

삶의 이야기가 작품으로

비용의 모든 작품은 그의 파란만장했던 삶의 순간을 담고 있다. 세르무아즈 신부의 죽음 이후 그는 보잘것없는 재산을 고리대금업자에게 상속한다는 반어적인 내용의 발라드 시집 『유증시』를 썼다. 샤를 도를레앙의 궁에 머물 때는 역시 발라드인 「샘물이 옆에서 흘러도 나는 너무나 목마르네」와 「마리 도를레앙에게 보내는 서한」을 썼다. 묑의 지하 감옥에서는 『유언의 노래』를 통해 감옥의 공포, 그리고 젊은 날을 술집과 윤락가에서 탕진해버린 회환 등을 묘사했다. 사형 선고를 받은 후에는 그의 대표작인 「목 매달린 자의 노래」 또는 「비용의 묘비명」이 탄생했다. 황량한 땅 위에 까마귀 먹이로 버려지는 사형수들의 유해를 소재로 한 음산한 작품이다. 「나, 프랑수아는 사람들에게 붙잡혔다」라는 사행시도 이때 쓴 것이다. 그의 마지막 작품은 사형을 면제해준 파리 고등 법원에 보내는 글, 「법원에 바치는 찬가」이다.

빙엔의 힐데가르트 비밀의 언어

Hildegard von Bingen, 1098년~1179년

빙엔의 힐데가르트는 중세 기독교 신비주의의 대표적 인물이다. 귀족 출신인 그녀는 독일 라인헤센의 베르메르스하임 포어 데어 회에에서 태어났다. 힐데가르트는 세 살이 되기도 전에 하느님의 계시를 느꼈다. 눈앞에 쏟아지는 강렬한 빛이 의미하는 바가 무엇인지도 알 수 없는 어린 나이였다. 여덟 살이 되자 마인츠 교구의 디지보덴베르크에 있는 베네딕토회 수녀원에 들어갔고, 수녀원장 유타 데 슈폰하임이 그녀의 스승이 되었다. 슈폰하임 백작의 딸인 수녀원장은 어린 힐데가르트를 기독교 신비주의에 눈뜨게 했다. 1113년경 종신 서원을 한 힐데가르트는 1136년 수녀원장이 죽자 그 후임으로 추대되었다. 그녀는 루페르츠베르크 수녀원과 아이빙엔 수녀원을 설립했다. 그렇지만 가장 유명한 그녀의 유산은 12세기 중반에 집필한 『쉬비아스*Scivias*』로 이 책을 통해 어린 시절부터 그녀가 경험한 환시를 전하고 있다.

"신에게 가는 길을 알라 Sci vias Domini"

힐데가르트는 『쉬비아스』에서 26개의 환시를 삼위일체를 본떠 세 장으로 나눠 보여준다. 첫 번째 장은 천지 창조, 에덴동산으로부터의 추방, 천사들의 합창을 주제로 6개의 환시를, 두 번째 장은 그리스도와 교회를 주제로 7개의 환시를, 세 번째 장은 하느님의 왕국, 선과 악의 대결에 대한 13개의 환시를 담고 있다. 그 구성은 동일하다. 우선 환시를 묘사하고 그다음에 설명을 덧붙인다. 이 외에도 힐데가르트는 『하느님이 지으신 일』을 비롯해 성가 모음집, 의학서 등 수많은 저술을 남겼다. 또한 23개의 철자로 이루어진 '비밀의 언어Lingua ignota'도 만들었다. 힐데가르트만이 말할 수 있는 이 언어는 주로 그녀가 작곡한 성가에 사용되었다. 라틴어를 이용해 만든 이 언어에서 '인간'을 나타내는 '유어Jur'는 라틴어 '비르vir'에서, 아버지를 뜻하는 '포이에리츠Peueriz'는 라틴어 '파테르pater'에서 유래했다.

힐데가르트를 성인으로 추대하는 것은 쉬운 일이 아니었다. 13세기에 복자로 시복되었으나 성자로 시성된 것은 2012년 교황 베네딕토 16세 때이다. 그러나 이미 그녀는 오래전부터 성녀로 추앙받아왔다.

「세상, 육체, 영혼의 비전」,
빙엔의 힐데가르트, 13세기.

샤를마뉴 서구의 위대한 황제

Charlemagne, 742년경~814년

프랑크 왕국의 왕(768~814)이자 랑고바르드족의 왕(774~814)이었고, 서로마 제국의 황제(800~814)의 자리에까지 올랐던 샤를마뉴 대제만큼 막강한 권력을 가졌던 군주는 없을 것이다. 그는 742년경에 대귀족 피핀 가문에서 태어났다. 그의 아버지 단신왕短身王 피피누스 3세는 메로빙거 왕조의 궁재였다. 당시 메로빙거 왕조의 왕들은 유명무실한 군주였고 궁재가 실제로 나라를 통치했다. 751년 피피누스 3세는 교황에게 왕관을 쓴 자와 실제로 왕의 직분을 맡은 자 중에 누가 왕인지를 묻기도 했다. 그는 교황의 도움을 받아 메로빙거 왕조의 마지막 왕 힐데릭 3세를 폐위하고 삭발시켜 수도원에 유폐했다. 왕좌에 오른 피피누스 3세는 교황 스테파노 2세를 위해 이탈리아 북부를 지배하던 랑고바르드족과 전쟁을 치르고 영토의 일부를 빼앗아 이른바 '피피누스의 기증'으로 교황에게 바쳤다. 이 사건은 교황령이 탄생하는 토대가 되었다. 이 시기에 샤를마뉴는 동생 카를로만과 함께 '거위 발'이라는 별명을 가진 어머니 베르트라다의 엄중한 감시 아래 왕이 되기 위한 교육을 받았다.

왕으로 군림하다

768년 피피누스 3세가 사망하자 프랑크 왕국의 관례에 따라 두 아들이 왕국을 나눠 가졌다. 곧이어 형제간 대립이 시작되었다. 샤를마뉴는 랑고바르드 왕국의 왕과 연합하고 그의 딸과 혼인했다. 771년 카를로만왕의 급작스러운 죽음으로 사태는 자연스럽게 해결되었다. 샤를마뉴는 동생이 지배하던 왕국을 점령하고 프랑크 왕국을 통일한 후 세력을 확장하기 위해 끊임없이 전쟁을 벌였다. 그중 32년간 이어진 작센과의 전쟁에서 승리해 라인강부터 엘베강까지 펼쳐진 광활한 영토를 다스리게 되었다. 랑고바르드 왕국과의 연합이 더 이상 필요 없다고 판단한 샤를마뉴는 왕후를 내쫓고 장인이었던 데시데리우스왕과 전쟁에 돌입했다. 781년까지 이어진 이 전쟁에서 승리한 샤를마뉴는 아들 피피누스를 밀라노의 왕으로 책봉했다. 778년 샤를마뉴는 코르도바의 우마이야족을 물리치기 위해 에스파냐의 북부를 침공했지만 실패했고 그의 후위대가 론세스바예스에서 바스크족에게 전멸당하는 참극까지 겪었다. 이 사건은 중세 프랑스의 무훈시 『롤랑의 노래』를 통해 지금까지 전해진다. 샤를마뉴는 788년 바이에른 지역을 점령하고, 791년과 795~796년에는 서진하던 투르크족의 분파인 아바르족과 여러 차례 싸워 다뉴브강의 남쪽, 각각 지금의 헝가리와 오스트리아에 해당하는 판노니아와 카린티아까지 세력을 확대했다. 그는 작센족과 마찬가지로 아바르족도 기독교로 개종시켰다.

샤를마뉴는 전쟁뿐만 아니라 외교에도 매우 적극적이어서 바그다드의 칼리프 하룬 알라시드와 친교를 맺었다. 하지만 그가 정략결혼을 하려고 했던 이레네가 797년에 동로마 제국의 여황제가 되자 사정이 달라졌다. 그녀가 기독교 세계 전체에 대한 정치적 후견권을 요구하고 나선 것이었다. 이제 프랑크 왕국의 샤를마뉴가 카롤루스 마그누스, 즉 샤를마뉴 대제가 될 때였다.

희대의 대관식

많은 성직자가 샤를마뉴를 '새로운 다윗', '제2의 콘스탄티누스'라고 부르며 황제로 추대하고자 했고 역사는 그 기회를 주었다. 799년 교황 레오 3세가 로마 교회의 고위 성직자들로부터 폭정과 부도덕한 행실로 고발당하고 신체적 위해까지 입자 샤를마뉴의 궁으로 피신한 것이다. 800년 샤를마뉴의 호위를 받으며 로마로 귀환한 레오 3세는 잘못을 참회함으로써 재판까지 가지 않고 상황이 해결되었다. 이틀 뒤 레오 3세는 성 베드로 대성당에서 성탄 미사를 보던 샤를마뉴의 머리에 황제의 관을 씌워주었고 성당 안의 로마 시민들은 환호했다. 마치 교황의 은혜를 입는 것처럼 연출된 이 대관식에 대해 샤를마뉴가 크게 노했다는 이야기도 있으나, 실은 샤를마뉴와 레오 3세가 세심하게 준비한 대관식이라는 것이 훨씬 더 그럴듯한 설명이다.

카롤링거 르네상스

16세기보다 훨씬 앞선 시대에 샤를마뉴가 지배한 유럽에서는 소위 카롤링거 왕조의 르네상스 시대가 열렸다. 르네상스는 무엇보다 각 영지의 행정 개혁으로 시작되었다. 샤를마뉴는 자신을 대리해 지방 행정을 주관하도록 각 주에 주백pagi을 세웠고, 사제나 주교들도 이용했다. 이 지방관들은 황제가 정기적으로 파견하는 관리인 지방 순찰사missi dominici의 통제를 받았다. 이 감독관들은 지역의 행정 상황을 점검하고 오로지 황제의 명만 따랐다.

문화에서도 샤를마뉴는 자신의 뜻을 펼쳤다. 그는 이탈리아, 에스파냐, 아일랜드 학자들의 추종을 받던 앵글로색슨족 출신의 성직자 앨퀸의 도움으로 아카데미를 세웠다. 이 왕립 아카데미에서 학자들은 지식을 나누고 라틴어를 제국 전역에 통용되는 학술 언어로 만들었다. 수도사와 성직자는 스크립토리움scriptorium, 즉 필사실에서 학자들의 연구물을 기록했다. 이때 글자들이 서로 연결되는 형태의 새로운 문자가 탄생했다. '카롤링거 소문자'라고 불린 이 글자에서 현재 사용되는 알파벳 소문자가 유래했다. 건축에도 조예가 깊었던 샤를마뉴는 액스라샤펠에 거대한 왕궁을 짓게 했다. 814년 1월 28일, 그는 바로 이곳에서 평소 즐겨하던 열탕욕을 하고 난 후 생을 마감했다.

성왕 루이 카페 왕조의 성인

Saint Louis, 1214년~1270년

성왕 루이는 형제가 많았다. 아버지 사자왕 루이 8세와 어머니 블랑카 데 카스티야 사이에 적어도 11명의 자식이 있었는데 넷째인 루이는 형이 어린 나이에 죽자 왕세자로 책봉되었다. 그는 승마, 사냥, 무기 다루는 법 등 기사가 되는 훈련을 받았고, 『성경』 말씀을 믿고 따르는 독실한 기독교 왕이 되는 교육도 받았다. 종교 교육은 신앙심 깊고 엄격한 왕비가 직접 맡았는데, 당시 어머니의 권위는 정말 긴요했다. 루이는 화를 잘 참지 못하는 기질이라 평생 분노를 억누르며 살아야 했고, 심지어 참회를 위해 수도사에게 채찍질을 당하는 벌을 스스로 구하기도 했다. 당시로서는 흔치 않은 일이었지만 그는 할아버지인 존엄왕 필리프 2세와 함께 지낼 수 있었다. 손자를 매우 아꼈던 필리프 2세는 군주가 되는 데 필요하다고 생각한 모든 것을 직접 가르쳤다.

루이가 왕이 되고 모후가 통치하다

1223년 존엄왕 필리프 2세가 죽고 사자왕 루이 8세가 왕위에 올랐지만 통치 기간은 매우 짧았다. 루이 8세는 프랑스 남부 알비의 이단에 맞선 십자군 원정에서 돌아오는 길에 몽팡시에에서 이질에 걸려 사망했다. 당시 그의 아들 루이는 겨우 열두 살이었다. 왕국의 제후들은 필리프 2세 때 마지못해 받아들였던 왕실의 감독권을 폐지할 절호의 기회라고 생각했다. 또한 제후들의 압력에 시달리던 잉글랜드의 헨리 3세는 프랑스로 영토를 넓혀 왕권을 강화하고자 했다.

블랑카 데 카스티야는 상스의 대주교, 샤르트르와 보베의 주교 등 성직자들의 지지를 등에 업고 왕이 성년이 될 때까지 섭정을 하겠다고 선포했다. 그리고 아들의 입지를 공고히 하기 위해 절차를 뛰어넘었다. 루이 8세가 1226년 11월 8일 사망하자 아들 루이를 랭스로 데려가는 길에 기사로 서임하고 그해 11월 29일 루이 9세로 대관식을 치른다. 루이 9세와 그의 영지를 보호하던 모후의 섭정은 1234년까지 이어졌다. 봉건 제후들은 여성이자 그것도 외국인인 블랑카 데 카스티야의 권위에 반발했고 어린 왕을 마음대로 주무르기 위해 그녀를 밀어내려고 했다. 위그 드 뤼지냥과 피에르 모클레르라는 이름으로 더 잘 알려진 피에르 드 드뢰가 일으킨 첫 번째 반란은 모후와 그 신하들이 많은 양보를 한 후 1227년 4월에 끝이 났다.

구사일생

1227년 여름 다시 대립 상황으로 치달았다. 음모자들은 방돔에서 돌아오던 루이 9세를 몽레리에서 납치하려고 했다. 허술한 경비대의 호위를 받던 왕은 함정에 빠졌다. 그러나 왕의 뒤에는 모후가 있었다. 그녀는 파리에 도움을 요청하는 전언을 전하는 데 성공했다. 젊은 왕에게 애정을 갖기 시작한 파리 사람들은 무기를 들고 몽레리에 도착했다. 그들은 루이 9세를 호위하며 파리까지 이동했고 그 길에 호위병은 더욱 늘어났다. 계획이 실패한 것을 확인한 제후들은 다음 기회를 기다리기로 했다. 1228년 쿠시의 대영주 앙게랑 3세가 주도한 역모에 대항하기 위해 루이 9세는 친위군을 이끌고 직접 전투에 나설 수밖에 없었다. 결국 루이 9세는 전투에서 승리했고, 1229년 4월 11일에 체결된 파리 조약은 왕권을 강화했다. 파리 조약으로 툴루즈의 백작 레몽 7세는 랑그도크 지방을 루이 9세에게 할양하고 자신의 외동딸이 루이 9세의 동생 알퐁스와 결혼하는 데 동의할 수밖에 없었다.

둘만의 사랑?

국내에서 평화를 구축한 루이 9세는 왕조의 연속성을 확립해야 했다. 모후와 대신들은 프로방스 백작 레몽 베랑제 4세의 장녀 마르그리트를 왕비로 선택했다. 결혼식은 1234년 5월 27일 상스에서 거행되었다. 신혼 생활은 앳된 신부가 생각한 것과는 거리가 멀었다. 루이 9세는 교회의 지침에 따라 신혼 첫 세 밤을 기도로 지새운 것이다. 그러나 이를 만회라도 하듯 자식을 11명이나 두었다.

정략결혼은 어느새 진정한 사랑의 결합으로 발전했다. 루이와 마르그리트는 서로 깊이 사랑했고 둘의 관계는 블랑카 데 카스티야의 노여움을 초래했다. 모후는 왕과 왕비가 낮에 단둘이 있지 못하도록 줄곧 따라다녔다. 사랑하는 부부는 모후의 등장을 알리는 방법도 만들었다. 모후의 그림자라도 보이는 순간 신하들이 왕과 왕비에게 재빨리 알리는 것이었다. 며느리에 대한 모후의 병적인 질투로 인해 루이 9세는 1248년 에귀모르트에서 제7차 십자군 원정을 떠날 때 왕비와 자식들을 모두 데려가야 했다. 가족의 행복을 위협하는 존재로 무슬림 부대보다 모후가 더 두려웠던 것이다.

평화의 입맞춤

전해 내려오는 재미난 일화에 따르면, 어느 날 왕비 마르그리트가 미사가 끝날 무렵 옆자리에 있던 여인에게 '평화의 입맞춤'을 했다. '평화의 입맞춤'이란 남성은 옆에 있는 남성과, 여성은 옆에 있는 여성과 가볍게 입술을 맞대는 것을 말한다. 그런데 정숙한 부인처럼 보였던 옆자리의 여자는 매춘부였다. 이를 안 좋게 여긴 루이 9세는 매춘을 금지했다. 그러나 효과가 없자 매춘 행위는 성문 밖 정해진 건물에서만 하도록 명하고, 붉은 등이나 천, 혹은 붉은 칠을 한 물건을 이용해서 그 건물을 붉게 표시하도록 했다. 그리고 매춘부들도 붉은색 옷을 입거나 머리를 붉게 염색해야 했다.

공정한 왕

결혼도 하고 왕권도 다진 루이 9세는 본격적으로 통치를 시작했다. 곧 그는 놀라운 통치력을 발휘했다. 용감한 전사이자 자제력 강한 기독교인인 루이 9세는 카이사르(통치자)에게 속한 것은 응당 국왕 자신의 몫이어야 한다고 생각했다. 하지만 오해해서는 안 된다. 여기서 의미하는 것은 가장 절제된 재판 정의의 실현이다. 루이 9세는 대귀족이든 미천한 평민이든 누구에게든 부당한 손해를 입히지 않으려 애썼다. 그는 이러한 부당한 처사가 발생하는 것을 국왕 개인의 권위를 위해서든 왕국의 이익을 위해서든 용납하려 하지 않았다. 이러한 태도는 왕이 임명한 지방 장관 장 드 주앵빌이 쓴 『성왕 루이 전기』를 통해 널리 알려졌다. 루이 9세의 전기에 보면 뱅센 숲의 한 떡갈나무 아래서 정의로운 심판을 내리는 이야기가 나온다. 일화이기는 하지만 여기서 중요한 것은 성왕 루이가 궁전에서뿐만 아니라 뱅센 숲에서도 진정으로 정의로운 판결을 내리곤 했다는 사실이다.

더 나은 건축을 위한 건설

루이 9세는 개혁을 통해 될 수 있는 한 백성을 전쟁의 참화에서 구하고 구원의 길로 인도하려고 했다. 그가 펼쳤던 개혁 중에는 도박 금지뿐만 아니라 분쟁 발생 후 40일 동안은 당사자들이 평화적인 해결책을 찾아야 한다는 이른바 '40일 칙령quarantaine-le-roi'도 있었다. 그리고 신에 대한 경배를 통해 왕국을 발전시키고자 교회 건축물을 세우고 확장했다. 루이 9세는 루와요몽 수도원의 건립을 명하고 석공들과 함께 공사에 직접 참여했으며, 생드니 수도원을 증축하고, 궁정 사제 로베르 드 소르봉Robert de Sorbon의 이름을 딴 소르봉 신학교, 즉 지금의 소르본 대학교를 창설했다. 또한 시각 장애인들을 치료하고 거처를 제공하기 위해 300개의 침상을 갖춘 깽즈뱅 의료원을 열었다. 그러나 루이 9세 치하에서 만든 건축물 중 단연 백미라고 할 수 있는 것은 에귀모르트 요새와 특히 섬세한 석조 장식과 스테인드글라스로 유명한 생트샤펠 성당이다.

엄격한 신앙인

루이 9세는 1239년부터 기독교 세계 전체가 부러워할 만한 성물을 수집하기 시작했다. 그는 그리스도의 가시 면류관을 구입하고 이를 보관하기 위해 1242년부터 1248년까지 생트샤펠 성당을 건축했다. 그리스도를 매달았던 십자가 조각, 그리스도가 목을 축이도록 막대기 끝에 매달아 올렸던 물과 식초에 적신 스펀지, 로마 병사 롱기누스가 그리스도의 옆구리를 찔렀던 창 등이 성왕 루이가 모은 대표적인 성유물이다.

어린 시절부터 신실한 믿음을 가진 어머니의 영향을 받아 형성된 루이 9세의 깊은 신앙심은 한편으로 십자군 원정으로, 다른 한편으로 비기독교인과 파문당한 기독교인에 대한 축출로 나타났다. 1244년 퐁투아즈에서 이질에 걸린 루이 9세는 자칫하면 루이 8세처럼 병사할 뻔했다. 기적적으로 살아난 그가 내뱉은 첫마디는 십자군 원정에 나서자는 것이었다.

튀니스에 상륙한 프랑스 국왕 루이 9세. 사라센인이 탑에서 프랑스인을 처형하고 있다. 채색 삽화, 『프랑스 혹은 생드니의 연대기』, 14세기 후반.

십자군의 선봉에 서다

1248년 제7차 십자군 원정에 나선 루이 9세는 다미에타와 만수라에서 승리를 거두었으나, 1250년 4월 6일 파리스크르에서 패하고 포로로 붙잡혔다. 5월에 몸값을 지불하고 석방된 루이 9세는 성지에 계속 머물렀으나, 1254년 그가 떠난 후 섭정을 했던 모후의 사망 소식을 듣고 프랑스로 돌아왔다.

비기독교인들에 대한 처우는 아주 열악했다. 1242년 지금의 파리 시청 앞에 위치한 그레브 광장에서 랍비의 교시를 중심으로 엮은 유대교 율법서 『탈무드』를 불태우는 의식이 행해졌다. 루이 9세가 통치하는 동안 『탈무드』 화형식이 여러 번 치러졌다. 1269년 유대인들은 치욕적인 루엘rouelle, 즉 노란색의 바퀴 모양 표지를 옷의 왼쪽에 부착하고 다녀야 했다. 1244년 3월 몽세귀르가 탈환되었고 마지막 남은 이단 카타리파는 모두 산 채로 화형에 처해졌다. 교회의 지침은 일상 풍습에서도 잘 준수되었으며 누구보다도 국왕이 모범을 보여주었다.

마지막 십자군 원정

제7차 십자군 원정이 실패로 돌아간 후 루이 9세는 새로운 원정을 계획했지만 1270년이 되어서야 계획을 실행할 수 있었다. 바로 제8차 십자군 원정이다. 튀니스 인근에 상륙해 카르타고를 손에 넣은 십자군은 술탄의 개종을 원했으나 뜻대로 되지 않았다. 또한 흑사병(혹은 이질)이 퍼지기 시작했고, 출정하기 전부터 건강이 안 좋았던 루이 9세는 결국 병세가 악화되어 1270년 8월 25일에 사망했다.

그의 주검은 토막을 내서 끓이고 살점은 불에 익혀 소금을 바른 뒤 동생 샤를 당주가 있는 시칠리아로 보내졌고, 뼈는 그의 아들 용맹왕 필리프 3세가 프랑스로 가져왔다. '튜턴식 풍습Mos Teutonicus'인 이러한 사체 보존 방식은 고국에서 멀리 떨어진 곳에서 사망해 방부 처리가 여의치 않은 경우 사용하는 방식이었다. 비통에 잠긴 필리프 3세는 장례 행렬을 이끌고 프랑스로 돌아왔다. 아버지 루이 9세의 유해는 물론 튀니스에서 전사한 동생 장 트리스탕, 프랑스로 돌아오는 길에 이탈리아 남부 칼라브리아의 코센차에서 낙마 사고로 죽은 부인 이자벨 드 아라공과 뱃속 아기의 유해까지 같이 송환해왔다.

1297년 교황 보니파시오 8세는 루이 9세를 성인으로 시성했다. 루이는 프랑스의 성왕이 되었다. 축일은 그가 사망한 8월 25일이다.

순디아타 케이타 만덴 헌장

Sundiata Keita, 1190년경~1255년

몇 세기에 걸친 아프리카 음유 시인들의 구전에 따르면 순디아타 케이타는 동화 나라의 인물이자 서아프리카의 강력한 말리 제국의 상징이다. 순디아타가 말리를 지배하던 당시의 역사적 사건들은 어느 정도 알려져 있지만, 그가 왕위에 오르기 이전의 시기에 대해서는 입으로 전해지는 이야기가 전부이다. 그의 아버지는 만덴 또는 만딩의 왕 나레 매그핸 코나테이다. 만덴은 옛 가나 제국의 작은 지방으로 오늘날의 기니에 속한다. 코나테는 이미 혼인해서 왕위를 물려받을 단카란 투마니를 비롯해 여러 아들을 두고 있었다. 따라서 그는 아주 못생긴 여인과 결혼해 아들을 낳을 것이며, 그 아들이 장차 위대한 군주가 될 것이라는 신성한 예언의 음성을 듣고 놀라지 않을 수 없었다.
얼마 후 곱사등 기형을 가진 소골론 콩데를 만난 코나테는 예언을 떠올리며 그녀를 두 번째 부인으로 삼았다. 바로 순디아타 케이타의 어머니이다. 순디아타의 어린 시절은 수난의 연속이었다. 허약하고 장애를 가진 어린 순디아타는 팔꿈치와 무릎으로 기어 다녔다. 그런데 일곱 살이 되던 때 기적이 일어났다. 어느 날 이복형인 단카란 투마니가 나뭇잎을 가져오면서 순디아타를 놀렸다. 엄마에게 나뭇잎조차 갖다주지 못하는 그를 조롱한 것이다. 순디아타는 그 말에 죽을힘을 다해 몸을 일으켜 세웠다. 왕홀이나 쇠막대기를 잡고 몸을 일으켰다고 한다. 그는 일어서는 데 성공했을 뿐만 아니라 천하장사와 같은 힘이 생겨 나무를 뿌리째 뽑아 어머니에게 바쳤다고 전해진다. 1218년 아버지가 죽자 장남 단카란 투마니가 왕좌에 올랐다. 순디아타의 어머니는 가문에서 제외되고 멸시당했다. 생명의 위협을 느낀 모자는 이웃 나라로 피신했다.

결국 역사는…

역사는 13세기 초에 순디아타의 권리를 되찾아주었다. 단카란 투마니의 통치는 인접한 소쏘 왕국(오늘날 말리의 쿨리코로 지역)의 왕 수마오로 칸테의 침공을 받아 곧 끝이 났다. 칸테는 만덴을 점령하고 왕위 계승이 가능한 11명의 왕자들을 처형했다. 그러나 병약한 순디아타는 곧 죽을 거라는 생각에 살려두었다. 순디아타는 남은 부족을 이끌고 작은 마을로 들어가 살았다. 청년으로 성장한 순디아타는 만딩고족을 규합해 은밀히 군대를 만들기 시작했다. 그는 우선 푸타잘론 산악 지대를 점령하고 소쏘 왕국을 공격했다. 1235년 키리나 전투에서 패한 소쏘의 왕은 순디아타를 왕으로 인정했다.

순디아타는 사하라 사막 지역에 걸쳐 있는 거대한 가나 제국을 구성하는 왕국들을 차례로 복속하고, 1240년 가나의 수도 쿰비를 파괴했다. 순디아타는 말리 제국을 건설하고 왕 중의 왕을 뜻하는 만사Mansa가 되었으며, 니제르강과 산카라니강이 합류하는 지점에 위치한 니아니를 제국의 수도로 정했다. 그리고 친위 장군들을 파견해서 북쪽으로는 사하라 사막, 남쪽으로는 적도 밀림, 동쪽으로는 니제르강, 서쪽으로는 세네갈강까지 뻗은 광활한 제국을 통치했다. 이렇게 건립된 말리 제국은 대상 무역과 금광 개발로 엄청난 부를 쌓았다.

인권이 탄생한 곳은 아프리카인가

순디아타는 무슬림이었으나 자기가 다스리는 제국의 일부 지배 엘리트들을 통솔하기 위해서는 애니미즘이나 심령의 힘이 중요하다는 사실을 잘 알고 있었다. 그는 통치 기간 내내 이슬람교와 애니미즘 숭배가 공존하는 정책을 펼쳤다. 전해오는 이야기에 따르면 오늘날 만덴 헌장 또는 '쿠루칸 푸가 헌장'이라고 불리는 선언을 주창한 이가 바로 순디아타이다.

13세기에 이 선언을 정리한 2개의 요약본 내용을 20세기 중엽에 간추려 만든 만덴 헌장에는 인간의 기본 권리 몇 가지가 담겨 있다. 생존의 권리, 자유의 권리(따라서 노예제는 금지된다), 신체 불가침의 권리(고문 금지) 등이 그것이다. 헌장이라고 표현하지만 완벽한 법률 문서라기보다는 지켜야 할 원칙과 강령을 모은 규범집에 가깝다. 만덴 헌장은 2009년 유네스코 인류 무형 문화유산으로 등재되었다. 서아프리카 대제국의 창건자, 관용의 군주, 오랜 번영을 이룬 행정가였던 순디아타 케이타는 죽음도 예사롭지 않았다. 공식적으로는 사고를 당한 것인지 살해당한 것인지 확실하지는 않으나 1255년에 산카라니강에 빠져 익사한 것으로 전해진다. 그가 하마가 되어 온 바다를 다스렸다는 전설도 내려온다.

아베로에스 아랍의 피코 델라 미란돌라

Averroës, 1126년~1198년

라틴어로 아베로에스라고 불렸던 코르도바 출신의 이븐 루시드Ibn Rushed는 동양과 서양의 세계를 연결한 중요한 철학자이다. 아리스토텔레스의 작품과 플라톤의 『국가』에 대한 그의 주석은 이 고대의 원전들이 살아남을 수 있게 했을 뿐만 아니라 그 책들을 중세 유럽의 사상가들에게 전달해주었다. 아베로에스는 법학자 집안에서 태어났다. 그의 할아버지는 코르도바의 재판관인 카디qadi였다. 그는 『쿠란』 외에도 이슬람 법학인 피크흐와 의학을 배웠으며, 무와히드 왕조의 궁에서 의술을 펼쳤다. 1163년부터 1184년까지 마라케시를 지배한 칼리파 아부 야쿠브 유수프 1세가 아베로에스에게 아리스토텔레스에 대한 연구를 맡겼다. 이 작업을 통해 그는 아리스토텔레스의 저서는 물론이고 무함마드와 그 교우들의 언행록으로 알려진 『하디스』를 깊이 있게 연구하게 되었고, 그 결과 이슬람교도의 적대감을 불러일으켰다.

아부 야쿠브 유수프 1세의 아들 아부 유수프 야쿠브 알만수르가 1184년에 즉위하면서 아베로에스의 삶은 새로운 국면을 맞는다. 카스티야 왕국의 알폰소 8세에 맞서 성전을 벌인 새 칼리프는 관용의 덕을 베풀지 않았다. 알라르코스 전투에서 알폰소 8세를 물리친 그는 철학 교육을 금하고 이슬람 법률을 공부하지 않는 학자들을 추방했다. 아베로에스는 왕의 신뢰를 잃었고 1197년 루세나로 추방령이 내려졌다. 이슬람 신학자들은 그를 이단자라고 비난했으나 그의 사면과 귀향을 막지는 못했다. 아베로에스는 다시 궁정으로 복귀했지만 1198년 12월 11일 마라케시에서 사망했다.

왕성한 작품 활동

아베로에스는 '대주해', '중주해', '소주해'(요약본) 등 3부로 묶어 펴낸 아리스토텔레스의 저작에 대한 주해서를 비롯해서, 아리스토텔레스의 논리학을 이용해 신성을 증명하고자 한 『부조리의 부조리』 등 많은 저술을 남겼다. 『결정적 논고』에서는 철학과 신학의 조화를 추구했다. 아베로에스에 따르면 『쿠란』은 각자의 교양 수준에 따라 달리 읽힐 수 있다. 철학적 성찰은 해석의 오류를 범하지 않게 해주고 지식의 폭을 넓히기에 적합하므로 일반 신자들에게 반드시 필요하다고 주장하기도 했다. 그는 의학 백과사전인 『콜리제트』뿐만 아니라 여러 법학자의 학설을 두루 정리한 이슬람 판례집을 만들었다. 아베로에스는 신을 신성한 장인의 모습으로 묘사했다. 저절로 인식될 수 없는 존재인 신은 그의 창조물을 통해서만 인식될 수 있다는 것이다. 실제로 아베로에스는 신이 창조한 요소들에 대해 이성적 사고를 적용해서 신의 본성에 더 다가가고자 했다. 마치 어떤 물건을 보면 그것을 만든 사람에 대해 알 수 있는 것처럼 말이다.

아리스토텔레스의 저작에 대한 아베로에스의 주해는 1220년경 잉글랜드의 스콜라 철학자 마이클 스코트에 의해 라틴어로 번역되면서 그 영향력은 먼 후대까지 이어졌다. 파리 대학교에서 강의하던 철학자 시제루스, 루트비히 4세의 궁전에 머물던 파도바의 마르실리우스 등이 아베로에스의 연구를 이어나갔다.

아비센나 학문의 제왕

Avicenna, 980년~1037년

유럽인들에게 아비센나로 알려졌던 이븐 시나Ibn Sina는 놀랍게도 의학, 음악, 천문학, 시학, 수학, 윤리학, 신학 등 거의 모든 분야에서 천재적 인물이었다. 그 무엇도 그의 학문에 대한 끝없는 갈증을 잠재울 수 없었다. 그리 길지 않은 생애 동안 아비센나가 보여준 분석력과 학습력은 상상을 초월한다. 그에게는 언제나 학문이 가장 중요한 일이자 가장 열정을 쏟은 일이었다. 그렇다고 삶의 즐거움을 멀리한 것은 아니었다. 아비센나는 지금의 우즈베키스탄 부하라의 성직자 집안에서 태어났다. 그의 아버지는 아랍인들이 이곳을 점령한 후 처음 세운 이란 왕조인 사만 왕조에 봉사하는 지역 태수였다. 어렸을 때부터 천재성을 보인 아비센나는 집안 배경 덕분에 당대의 대학자들을 만날 수 있었다. 그는 열 살 때『쿠란』과 위대한 페르시아 시인들의 주요 작품을 다 외웠으며, 모국어인 페르시아어는 물론 아랍어까지 완벽하게 쓸 줄 알았다. 열네 살 때는 의학과 이슬람 법률에 통달했고 논리학과 형이상학에 입문했으며 아랍어로 번역된 그리스 철학자들의 저서를 읽기 시작했다. 모든 방면에서 탁월한 능력을 보인 그는 더 이상 가르침을 받을 스승을 찾을 수 없게 되자 독학으로 학업을 계속했다.

아비센나는 열여덟 살 때 당시 사만 토후국의 군주로 부하라의 태수였던 누흐 이븐 만수르의 병을 고치게 되고 이에 대한 포상으로 궁전의 도서관을 마음대로 출입할 수 있게 되었다. 사람들은 그가 모든 학문을 완벽하게 섭렵했다고 여겼고, 그를 '학문의 제왕'이라고 칭했다.

역사의 소용돌이

학문에만 전념했던 아비센나의 이상적인 삶은 정치적 사건과 가족에게 닥친 불행으로 인해 급격한 변화를 겪는다. 중앙아시아를 침략한 투르크족이 아비센나를 후원하던 사만 왕조를 와해시킨 것이다. 또한 아버지가 사망하자 아비센나는 가족의 생계를 책임져야 했다. 그는 이란 북동쪽 호라산의 도시들을 전전한 후 이란 서쪽에 있는 하마단에 정착했다. 아비센나는 977년에서 1021년까지 이곳을 통치한 아부 타헤르 샴스 알다울라의 보좌역을 거쳐 재상이 되었다. 그는 낮에는 공무를 맡고 밤에는 필생의 대작인『의학정전』을 집필하는 이중의 삶을 살기 시작했다. 의학 이론

「천연두 치료약의 조제」, 페르시아 미세화, 17세기.

을 집대성한 이 책으로 그는 그리스의 의학자 갈레노스에 버금가는 명성을 얻게 된다. 이 최고의 의학서는 아랍권에서뿐만 아니라 12세기 후반 크레모나의 제라르도가 번역한 라틴어판으로 16세기까지 서구에서도 사용되었다.

역사의 소용돌이는 다시 아비센나의 운명을 바꿔놓았다. 1021년 샴스 알다울라가 죽자 아비센나는 음모의 희생자가 되었고, 새로운 군주는 그를 투옥했다. 그러나 아비센나는 수도승으로 변장해 기상천외의 탈옥에 성공한 후 이스파한으로 피신했다. 그곳에서 다시 고위 관리이자 의사로 일하다가 1037년, 쉰일곱 살의 나이에 과로로 생을 마감했다.

전방위 학자

아비센나가 활동하던 시대에 존재했던 지식의 세계에서 그가 탐험하지 않은 곳은 없었다. 알려진 저서만도 매우 많다. 『의학정전』 외에도 그는 아리스토텔레스의 신학과 형이상학에 대한 『주해집』, 형이상학, 논리학, 심리학 등을 다룬 『치유의 서』, 수학과 음악에 관한 연구서, 운명과 사랑 등을 다룬 신비주의 서적들, 『규정의 서』, 『점성술 논박』 등을 집필했다. 역사상 아비센나만큼 모든 분야를 섭렵한 사상가를 찾기는 쉽지 않을 것이다.

아시시의 프란치스코 '작은 형제회'

Francesco d'Assisi, 1181/1182년~1226년

아시시의 프란치스코는 사후에 더할 나위 없는 영광을 누린 인물이다. 실제로 그는 세상을 떠난 지 2년 만에 시성되었고, 요한 바오로 2세는 1979년 그를 생태계의 수호성인으로 선포했다. 그뿐만 아니라 2013년에 선출된 프란치스코 교황의 이름은 아시시의 성자였던 그를 기리기 위함이었다. 그러나 프란치스코가 성인의 삶을 살게 되리라고 애초부터 예견된 것은 아니다.

프란치스코는 아시시의 부유한 포목상 피에트로 디 베르나르도네 데이 모리코니와 프로방스의 귀족 조안나 피카 데 불레몽 사이에서 태어났다. 그가 태어나던 해에 부친은 프랑스에서 사업을 하고 있었다. 그의 모친은 아들의 세례명을 '조반니'로 정했는데, 이탈리아로 돌아온 부친은 '프란치스코'로 바꿔 불렀다. 어린 프란치스코는 산 조르조 인근의 학교에 다니면서 라틴어와 초급 프랑스어를 배웠다. 그는 프로방스 음유 시인들의 작품을 즐겨 읽었는데, 어머니로부터 물려받은 지적 유산으로 볼 수 있을 것이다. 젊은 나이에 포목상이 된 프란치스코는 열정 가득한 젊은이들이 그렇듯 방탕한 생활에 빠졌고 여색을 탐했으며 거리에서 난투극을 벌이곤 했다. 격정에 가득 찬 그는 기사가 되려는 꿈을 품고 군대에 들어갔다. 1202년 아시시와 페루자가 전쟁에 돌입하자 기회가 왔다. 그러나 쓰라린 경험만 했을 뿐이었다. 프란치스코는 1년 동안 포로로 수감되었다가 보석금을 내고 풀려날 수 있었다.

환시

전쟁의 아픈 기억에도 프란치스코는 전혀 좌절하지 않았다. 그는 1205년 브리엔 백작 고티에 2세의 군대에 들어가기 위해 길을 나섰다. 당시 고티에 2세는 시칠리아 왕국의 지배권을 두고 아직 어린아이였던 호엔슈타우펜 왕가의 황제 프리드리히 2세와 전쟁을 벌이고 있었다. 하지만 도중에 프란치스코는 환시를 경험하고 참전을 포기했다. 아시시로 돌아와 기도와 묵상에 전념하던 그는 이와 비슷한 환시를 여러 차례 경험한 후 완전히 새로운 사람으로 거듭났다. 프란치스코는 아시시 근처의 동굴에서 그리스도를 보았고, 로마 순례길에 한센병 환자들을 보듬어주었으며, 아시시의 성문 앞 산 다미아노 성당에 있는 십자가 앞에서 기도하던 중에 허물어져 가는

그 성당을 재건하라는 음성을 들었다.

갑작스러운 회심

프란치스코는 부친의 가게에 있던 옷과 마구간에 있던 말까지 끄집어내어 모두 팔고 받은 돈을 산 다미아노 성당의 신부에게 가져갔으나 거절당했다. 프란치스코는 격분해서 돈을 창밖으로 던져버렸다. 화가 난 부친은 이성적으로 아들을 설복하려고 했지만 아무 소용이 없었다. 그러자 아시시의 주교가 주관하는 주교 법정에 프란치스코의 상속권을 박탈해달라고 요청했다. 재판이 시작되기도 전에 프란치스코는 걸쳤던 옷을 모두 벗어 부친에게 돌려주며 "지금까지는 당신을 이승의 아버지라 불렀으나 이제부터는 하늘에 계신 아버지만을 아버지라 부르겠습니다. 왜냐하면 그분에게 제 모든 재산을 드리며 제 신앙을 맹세했기 때문입니다"라고 선언했다. 주교는 입고 있던 모제타를 벗어 프란치스코를 감싸주었는데 이는 가톨릭교회가 그를 보호한다는 것을 의미했다.

프란치스코는 아시시 인근의 산속에 은거하다가 1206년에 도시로 내려왔다. 그는 즐겨 은거하던 포르치운쿨라 성당을 비롯해 여러 성당을 재건했다. 포르치운쿨라 성당은 현재 천사들의 성모 마리아 대성당 안에 있는 작은 성당이다.

프란치스코회 회칙

프란치스코가 전교를 시작하자마자 12명의 사도와 걸인 형제들이 그를 따랐다. 그는 1209년 청빈, 자비, 육체노동, 적선을 기본 원칙으로 하는 수도회 규칙 '원회칙 Regula primitiva'을 만들었다. 프란치스코를 인정하는 것을 망설이던 교황 인노첸시오 3세는 폐허가 된 산 조반니 인 라테라노 대성당, 즉 성 요한 대성당을 프란치스코가 들어 올리는 꿈을 꾸고 난 뒤 프란치스코회 회칙을 받아들였다. 이렇게 프란치스코회, 또는 '작은 형제회'가 시작되었고 움브리아, 그리고 곧 이탈리아 전역에서 사람들의 마음을 움직였다. 프란치스코는 몇 년 뒤 겸허한 마음으로 프란치스코회의 수장직을 내려놓고 평범한 회원이 되어 빈자 중의 빈자로 살아갔다. 보다 더 체계적인 회칙이 필요하다고 느낀 그는 2개의 회칙을 더 작성했으며 그중 두 번째 회칙을 1223년 교황 호노리오 3세가 교황 칙서를 통해 정식으로 인정했다. 이 회칙을 '인준받은 회칙Regula bullata'이라고 부르는 이유이다. 1212년에 프란치스코의 정신을 따라 아시시의 클라라가 수녀회를 세웠으며 이는 '성 클라라 수녀회'로 불린다.

1224년 여름 프란치스코는 아시시 근처의 라베르나산으로 들어갔다. 그곳에서 6개의 날개를 가진 천사가 그리스도의 사랑으로 환하게 빛나는 모습을 보았다. 이 환시를 경험한 그는 그리스도 고난의 육체적 흔적인 성흔을 갖게 되었다. 그 후 두 해를 고통과 괴로움 속에서 보내고 시력을 거의 잃은 프란치스코는 1226년 10월 3일 선종했다. 2년 후인 1228년 7월 15일 교황 그레고리오 9세가 그를 시성했는데, 이렇게 빨리 성인품에 오른 경우는 거의 없었다.

술탄, 새, 그리고 늑대

프란치스코는 하느님이 만든 모든 피조물에 대한 보편적 사랑을 역설했다. 예를 들어 1219년 이슬람교도를 개종시키기 위한 또 다른 형태의 십자군 원정에 나선 그는 이집트로 향했다. 당시 이집트의 도시 다미에타는 십자군에 포위된 상태였다. 그는 십자군의 진영을 넘어 적진으로 들어가 술탄 알카밀을 기독교로 개종시키려고 했다. 개종시키는 데는 실패했으나 프란치스코에게 감명을 받은 술탄은 이슬람 지역에 위치한 기독교 성지들을 자유롭게 방문할 수 있도록 허락했다. 프란치스코는 이교도뿐만 아니라 동물도 형제로 여겼다. 그는 새들을 대상으로 설교를 했으며 움브리아의 구비오 마을 주민들을 괴롭히던 늑대에게 더 이상 그러지 말라고 설득하고 하느님의 이름으로 마을에 평화를 선물했다. 또한 그는 세상의 모든 생명에게 「태양의 찬가」를 바쳤다.

아우구스티누스 신국神國 시민

Augustinus, 354년~430년

성 아우구스티누스로 불리는 아우렐리우스 아우구스티누스 히포넨시스Aurelius Augustinus Hipponensis는 북아프리카 베르베르인이다. 그는 354년 11월 13일 오늘날 알제리에 해당하는 누미디아의 타가스테에서 태어났다. 해안에서 64킬로미터 떨어져 있는 타가스테는 당시 로마의 지배를 받는 작은 도시였다. 양친 파트리키우스와 모니카가 그리 유복하지 않았던 까닭에 아우구스티누스의 누이와 남동생 나비기우스는 제대로 된 교육을 받지 못했고, 아우구스티누스만이 오랫동안 교육을 받은 것으로 보인다. 그는 타가스테와 마다우로스에서 초등 교육을 마치고 카르타고로 가서 공부를 계속했다. 아우구스티누스는 말을 잘 듣는 학생이 아니었으며, 스승의 권위는 물론 암기식 교육과 획일적인 지식 전수도 받아들이지 않았다. 흥미로운 점은 공교롭게도 그가 타가스테로 돌아가 수사학을 가르칠 때 학생들이 말을 잘 듣지 않는다고 불평했다는 사실이다. 젊은 시절 그는 친구들과 함께 배를 훔치곤 했는데, 이는 배가 고파서가 아니라—실제로 훔친 과일은 가축에게 먹였다—금기를 위반하는 짜릿한 긴장감을 맛보기 위해서였다.

야심에 찬 누미디아 청년

지금은 전해지지 않는 키케로의 『호르텐시우스』를 읽고 철학에 입문한 아우구스티누스는 타가스테에서의 생활에 염증을 느끼고 카르타고로 돌아가 그곳에서 후학을 양성했다. 그러나 그가 명성을 쌓은 곳은 로마였다. 아우구스티누스가 야심 차게 로마에 입성했을 때 그는 스물여덟 살이었다. 아우구스티누스는 카르타고 유학 시절부터 마니교 신자가 되어 로마의 마니교 모임에 자주 참여했다. 이 세상은 악한 신이 창조한 곳이며 사후에야 선한 신의 세계를 알 수 있다는 것이 마니교의 주된 사상이다. 여성 편력도 없지 않았던 그는 카르타고 여인에게서 아들 아데오다투스도 얻었다. 아우구스티누스는 쾌락을 추구하는 한편 수사학 강의에도 열정적으로 임했다. 그러나 똑똑하지도 세심하지도 않은 학생들이 그저 시간이 날 때 자신의 강의를 듣고 돈을 낸다고 생각해 실망을 느낄 뿐이었다.

아우구스티누스를 구원한 사람은 한 원로였다. 그에게 도움을 받은 답례로 밀라노에 자리를 마련해준 것이다. 당시 스러져가는 로마 대신 권력의 중심지로 부상하고 있던 밀라노에서 권력가들과 친분을 쌓으면 빨리 성공으로 (혹은 실패로) 치달을 수 있었다. 그러나 곧 부유한 지방 총독이 되리라고 확신하던 그에게 돌아온 것은 낭패감뿐이었다. 아우구스티누스는 밀라노에서 두 해를 근근이 넘긴 후 타가스테로 돌아갔다. 그러나 밀라노에 체류하던 중에 매우 중요한 인연을 만날 수 있었다. 그를 기독교로 인도하고 387년 4월 부활절 예배 집전 때 세례를 준 밀라노의 주교 암브로시우스이다. 어린 아들의 죽음으로 세상에서 점점 멀어졌던 아우구스티누스는 이제 신의 나라를 꿈꾸기 시작했다.

마지못해 맡은 사제직, 하지만 정력적인 주교

아우구스티누스가 신을 만나기 위해서는 인도의 손길이 더 필요했다. 그가 사제직을 향해 첫발을 내딛게 된 것은 오늘날 알제리의 안나바에 해당하는 히포에 머물 때였다. 당시 그곳의 주교였던 발레리우스는 사명감이 부족했고 무엇보다 마니교나 도나투스파 같은 이단을 구별해낼 학식도 부족했다. 도나투스파는 누미디아의 주교 도나투스에서 유래한 것으로 4세기 초 디오클레티아누스 황제의 박해를 견디지 못해 배교했던 기독교인이 교회로 돌아오는 것을 막은 교파를 말한다. 따라서 아우구스티누스의 존재는 발레리우스 주교로서는 행운이 아닐 수 없었다. 그 후로 한 편의 희극 같은 일이 벌어졌다. 아우구스티누스가 어린 아들의 죽음으로 허탈감에 빠져 있으며 또한 막연하지만 성직자가 되려는 소망이 있다는 것을 알았던 친구들이 그를 발레리우스 주교에게 억지로 데리고 갔고, 주교는 서둘러 그를 장로로 임명하며 교회 조직으로 끌어들인 것이다. 장로란 사도들이 믿음을 전파하는 자로 선택한 이를 말한다. 장로는 '감독자들', 즉 에피스코포이episkopoï (주교제를 뜻하는 episcopacy의 어원이 되는 그리스어)의 관리 아래 선교 활동에 임했다. 아우구스티누스의 직분은 현재 우리가 생각하는 사제는 아니었으나 그는 실제로 사제의 역할을 수행했다. 장로가 된 그는 누구보다 열심히 자신의 일을 해냈다. 392년 마니교도 포르투나투스와의 논쟁에서 아우구스티누스가 너무도 완벽하게 상대의 논거를 반박하자 수치감을 견

「집무실에서 견신見神을 경험하는 아우구스티누스」,
비토레 카르파초, 1502~1503년.

디지 못한 포르투나투스는 망명길에 올랐다. 394년 아우구스티누스는 『도나투스파 반박 시편』을 집필했다.

아우구스티누스의 영향력은 점점 커졌고 당시의 관례에 따라 신자들은 395년 그를 히포의 주교로 선출했다. 그는 히포 교구에서 봉사와 저술 활동을 하며 여생을 보냈다. 아우구스티누스는 『고백론』, 『삼위일체론』, 『신국론』 등을 저술했는데 이는 그가 교회의 아버지라고 불리게 된 계기가 되었다. 430년 8월 28일 그가 생을 마감할 당시 히포는 반달족의 침공을 받았으며 얼마 뒤 완전히 함락되었다.

알리에노르 다키텐 궁정풍 연애의 달인

Aliénor d'Aquitaine, 1122년경~1204년

알리에노르(또는 엘레오노르) 다키텐은 정치 세계의 수장이 빼어난 미모의 여인일 수 있음을 보여주는 탁월한 예이다. 알리에노르의 자손이 유럽 주요 왕가와 혼인 관계로 연결되어 있으므로 그녀는 유럽의 모후라고 할 수 있다. 알리에노르는 아키텐의 공작 기욤 10세와 그의 부인 샤텔로의 에노르 사이에서 태어났다. 기욤 10세의 하나뿐인 아들이 네 살 때 죽자 맏딸 알리에노르가 아키텐 가문의 후계자가 되었다. 명문 귀족가의 관행에 따라 라틴어, 승마, 음악, 문학 등 최고의 교육을 받은 그녀는 예술에 대해 각별한 애정을 갖게 되었다. 당시는 그녀가 후원을 아끼지 않았던 시 문학의 두 장르가 꽃을 피우던 시기였다. 그중 하나는 로맨스어의 일종으로 남부 프랑스에서 사용되던 오크어로 '핀아모르fin'amor'라고 불렸던 궁정 연애를 그린 문학이고, 다른 하나는 몬머스의 제프리가 쓴 연대기와 그가 1135년에서 1138년에 집필한 『브리타니아 열왕사』의 영향을 받은 '브르타뉴 방식'의 역사 이야기이다.

두 번이나 왕비가 된 여인

1137년 아버지의 갑작스러운 죽음으로 불과 열다섯 살이라는 나이에 유럽 대부분의 왕가가 원하는 상속녀가 된 알리에노르는 곧 뚱보왕 루이 6세의 아들과 결혼했다. 그 후 한 달 만에 그녀의 남편은 루이 7세가 되어 1180년까지 왕국을 지배했다. 그 결과 알리에노르는 프랑스의 왕비가 되었다. 결혼 초기에 부부는 행복한 생활을 영위했으나 젊은 왕비는 자유분방한 언행에 익숙했고 음유 시인 트루바두르troubadour를 궁정으로 불러들였다. 이러한 행동은 세련된 궁정풍 연애에 익숙하지 않은 프랑스 궁정에 큰 충격을 주었다. 1146년부터 1149년까지 두 번째 십자군 전쟁에 나선 루이 7세를 알리에노르가 따라가면서 결국 부부는 파경을 맞게 된다. 안티오키아에 이르러 왕비는 삼촌뻘인 안티오키아의 공작 레몽 드 푸아티에를 만났는데, 여기서 왕비는 마치 유혹이라도 하듯 공작에게 과도한 친밀감을 보였다는 비난을 받은 것이다. 마음이 불편해진 루이 7세는 원정을 마친 후 왕비와 다른 배를 타고 프랑스로 돌아갔다. 잠시 화해의 분위기가 일었으나 결국 1152년 왕과 왕비가 서로 근친 관

계라는 이유로 혼인 무효가 선언되었다. 이후 두 달도 채 되지 않아 알리에노르는 잉글랜드 왕 헨리 1세의 손자이며, 앙주와 멘의 백작이자 노르망디의 공작인 헨리 플랜태저넷과 혼인했다. 1154년 남편이 잉글랜드의 왕위에 올라 헨리 2세가 되니, 그녀는 두 번째로 왕비가 되었다.

유럽의 모후

알리에노르는 첫 번째 결혼에서 딸만 둘을 낳았으나 헨리 2세와의 사이에서는 아들 다섯과 딸 셋을 두었다. 맏아들 기욤은 세 살 때 죽었지만 헨리와 훗날 사자심왕이 되는 리처드, 브르타뉴 공작이 될 조프리, 실지왕으로 불리게 되는 존 등 네 아들은 살아남았다. 세 딸은 모두 유럽의 명문 귀족 가문과 혼인했다. 마틸다는 바이에른의 사자공 하인리히와 결혼했고, 알리에노르는 카스티야 왕 알폰소 8세와 결혼했다. 그리고 조앤은 시칠리아 왕 구기에르무 2세와, 후에 툴루즈의 레몽 6세와 결혼했다. 알리에노르는 19세기의 빅토리아 여왕보다 훨씬 앞서서 아들과 딸을 통해 유럽 군주 가문의 조상이 된 것이다.

아버지와 아들의 대립

알리에노르는 잉글랜드에는 잠시 머물렀고 주로 자신의 궁이 있는 아키텐, 특히 푸아티에에서 지냈다. 1173년 그녀의 아들들이 아버지 헨리 2세에게 반기를 들었다. 알리에노르는 자식들을 힘껏 도왔으며 상황이 불리해지자 그들을 궁으로 불러들였다. 결국 반란은 실패로 돌아갔고 그녀는 큰 대가를 치러야 했다. 알리에노르는 첫 번째 남편 루이 7세에게 도움을 청하기 위해 프랑스 왕국으로 도망가던 중 체포되어 15년 동안 유폐되었다. 처음에는 프랑스 시농성에 갇혔다가 후에 잉글랜드의 어느 성으로 이송되었다. 헨리 2세는 결혼을 파기하려 했지만 실패했다. 1170년 헨리 2세가 캔터베리 대주교 토머스 베켓을 살해하도록 뒤에서 꾸민 일 때문에 로마 교황청에서는 잉글랜드 왕의 어떤 청원도 호의적으로 받아들이지 않았던 것이다.

1189년 헨리 2세가 죽고 리처드 1세가 즉위하자 드디어 알리에노르는 자유를 얻었다. 리처드 1세가 같은 해 제3차 십자군 원정을 나서게 되면서 알리에노르가 아들을 대신해 섭정을 했다.

아들과 아들 간의 대립

알리에노르는 리처드왕의 부재를 틈타 잉글랜드의 왕이 되겠다는 야심을 품고 프랑스 왕 필리프 2세와 연합한 막내아들 존과 지난한 싸움을 치러야 했다. 그녀는 존이 은신한 윈저궁을 포위하고 일시적이나마 그의 복종을 얻어냈다. 그러나 1192년 십자군 원정에서 돌아오던 리처드 1세를 붙잡은 신성 로마 제국의 황제 하인리히 6세는 몸값으로 은화 15만 마르크를 요구했다. 잉글랜드의 2년 치 세수에 해당하는 엄청난 돈이었다. 존은 가능한 한 몸값의 지불을 지연시켰으나 알리에노르는 직접 나서서 몸값을 모았고 아들을 데려오는 데 성공했다.

1199년 리처드 1세가 죽자 알리에노르는 다시 정치에 개입했다. 손자 브르타뉴 공작이 앙주의 소유권을 주장했기 때문이다. 그녀는 아들 존을 왕으로 세웠다. 그러나 평온한 상황은 오래가지 않았다. 1202년 문제의 브르타뉴 공작이 필리프 2세를 위해 미라보에서 할머니인 알리에노르를 공격한 것이다. 필리프 2세는 존왕을 반역자로 선포하고 대륙 내 그가 가진 것을 모두 빼앗은 참이었다. 존은 급히 군대를 동원해 알리에노르를 구출했다. 퐁트브로 수도원에서 은거하기도 했던 알리에노르는 1204년 3월 31일 푸아티에에서 여든두 살의 나이로 사망했다. 그녀는 죽기 2년 전 카스티야로 직접 가서 자신의 손녀 블랑카 공주를 필리프 2세의 아들 루이공의 배필로 골라 혼인을 성사시켰다. 이들 사이에서 루이 9세, 즉 성왕 루이가 태어났다.

오컴의 윌리엄 오컴의 면도날

William of Ockham, 1285년경~1349년경

오컴Ockham(또는 Occam)의 윌리엄은 프란치스코회 수도사이자 신학자로 유명론의 선구자로 칭해진다. 이른 나이에 프란치스코회에 들어갔다는 것을 빼면 그의 어린 시절에 대해서는 알려진 바가 거의 없다. 그는 옥스퍼드 대학교에 진학해 논리학을 전공했으며, 12세기 신학자 피에르 롱바르의 저작 『네 권으로 된 명제들』에 대한 주해서를 집필했다. 롱바르의 글들은 르네상스 시대까지 신학의 표준서로 여겨졌다. 오컴의 윌리엄은 자신의 연구를 완전히 매듭짓지는 못했어도 '존경할 만한 초학자venerabilis inceptor'로 불렸으며 그의 철두철미한 논증 때문에 '불굴의 학자doctor invincibilis'로 불리기도 했다. 그는 정통론과는 거리를 두는 입장을 취함으로써 1324년 교황 요한 22세에 의해 아비뇽으로 소환당하기도 했다.

청빈 논쟁

당시 가톨릭교회는 성 프란치스코가 수도사들에게 명한 청빈한 삶을 둘러싼 논쟁으로 시끄러웠다. 프란치스코회 수도사들이 개인의 사적 소유를 일체 반대한다며 교황청이 비판하자 프란치스코 수도회 총장인 체세나의 미켈레Michele di Cesena는 1327년 아비뇽으로 가서 윌리엄과 합류했다. 미켈레와 윌리엄은 그리스도의 삶을 본받아 모든 소유(사용권에 불과한 것이지만)를 거부하고 청빈을 주장하는 이른바 '영성파'의 교리를 승인했다. 그러자 교황은 미켈레와 윌리엄을 파문했다.

1328년 두 사람은 아비뇽을 빠져나와 바이에른의 군주이자 신성 로마 제국의 황제인 루트비히 4세의 궁전으로 피신했고, 1330년에는 다시 루트비히 4세를 만나러 뮌헨으로 갔다. 이 무렵 윌리엄은 여러 글을 통해 청빈의 가치를 옹호하는 데 힘썼다. 그런가 하면 루트비히 4세는 황제권이 교황권보다 위에 있다고 선포한 죄로 교황청에 의해 파문되었다. 루트비히 4세는 심지어 청빈에 대한 교황의 교서들을 분석해 교황 요한 22세가 이단이라고 주장하기까지 했다. 사람이 죽으면 즉시 신을 만날 수 있다는 당시의 생각과는 달리 죽더라도 그리스도의 재림이 이루어진 이후에 신을 볼 수 있다는 요한 22세의 주장이 바로 그 증거라는 것이다. 오컴의 윌리엄은 여

생을 마칠 때까지 『90일간의 작업*Opus nonaginta dierum*』 등 수많은 정치적인 글을 썼다. 요한 22세의 뒤를 이은 베네딕토 12세와 클레멘스 7세와도 대립을 이어간 그는 1347~1349년 무렵 뮌헨의 한 수도원에서 생을 마감했다. 당시 서유럽을 강타했던 흑사병에 걸렸던 것으로 추정된다.

오컴의 면도날

오컴의 면도날은 "필요 없이 많은 것을 가정하지 말라"는 윌리엄의 철학적 논증 방식에 대한 비유이다. 마땅한 이유 없이 많은 것을 가정할 필요가 없다는 의미이다. '단순성의 원리', '경제성의 원리', '검약의 원리'로도 불린다. 단순한 것을 왜 복잡하게 생각하느냐는 논리에 대해 각자 답을 생각해보자.

윌리엄 1세 서자에서 정복왕으로

William I, 1028년경~1087년

윌리엄 1세는 노르망디 공작 로베르 1세의 아들이다. 어머니는 에를레바(또는 아를레트)로 로베르 1세와는 결혼한 사이가 아니기에 윌리엄에게 서자왕이라는 별명이 붙었다. 에를레바는 '덴마크 관습more danico'에 따라 공작과 결혼한 정식 배우자가 아니었으며 북유럽 게르만족의 법에 따르자면 두 번째 배우자, 즉 '프릴라frilla'에 지나지 않았다. 이런 이유로 에를레바는 윌리엄을 낳은 지 얼마 지나지 않아 콩트르빌의 에를뤼앵 자작과 결혼했고, 그 사이에서 윌리엄의 이부동생이 되는 두 아들이 태어났다. 후에 바이외 주교이자 켄트 백작이 되는 오동('오도'로도 불림)과 무르탱이 그들이다. 1034년 로베르 공작은 십자군 원정에 나서면서 자신이 전사할 경우 아직 어린 후계자가 공국을 맡아야 할 때를 대비해 섭정 회의를 설립했다. 불행히도 우려했던 일이 벌어지고 말았다. 1035년 원정에서 돌아오는 길에 로베르 공작이 사망한 것이다.

암흑의 시기

어린 윌리엄 공작은 수년간 험난한 세월을 견뎌야 했다. 노르망디 귀족들은 윌리엄의 서자 신분을 들먹이며 반발했다. 제후들은 요새를 쌓고 내전을 일으켰으며 공작으로서의 그의 권리를 침해했다. 윌리엄의 측근이 되거나 하물며 후견인이 되는 것은 아주 위험한 일이었다. 브르타뉴의 알랭 3세는 독살당했고 브리온의 질베르 백작, 뇌프마르셰의 영주 튀르크틸, 크레퐁 가문의 오스번도 살해당했다. 어린 윌리엄은 여러 번 농가에 숨어 지내야 했다. 다행히 고위 성직자들이 여전히 윌리엄에게 충성했고, 그는 1031년부터 1060년까지 프랑스를 다스린 앙리 1세의 지지를 받았다. 윌리엄은 열다섯 살에 기사 작위를 받았다.

그 후 윌리엄은 혹독한 전쟁들을 치러야 했다. 반발하는 제후들을 굴복시키고 짓밟힌 권위를 회복해야 했다. 1047년 그는 캉의 남동쪽에 위치한 발에스뒨에서 프랑스 왕과 연합해 적을 크게 무찌르는 뜻깊은 승리를 거두었다. 열아홉 살의 젊은 공작에게는 수하의 병사들은 물론 동맹국의 병사들에게 전투 능력을 입증할 좋은 기회였다. 그는 타고난 전술가는 아니었지만 적과 맞서기를 주저하지 않는 용맹스러운 전사였다. 그러나 전세가 불리할 때는 후퇴할 줄도 알았다. 이러한 성격은 그의 통치 방식에서도 그대로 드러났다.

대규모 작전

유력한 봉건 군주가 된 윌리엄은 유럽 강자들 사이의 힘겨루기에 끼어들었다. 먼저 앙주 백작 조프루아 마르텔과 전쟁 중이던 프랑스 왕에게 지원군을 보냈다. 윌리엄 공작의 고모할머니 엠마는 잉글랜드의 애설레드 2세와 혼인했으나 그들 사이에서 태어난 아들 참회왕 에드워드에게는 자손이 없었다. 윌리엄은 이 뜻밖의 행운으로 왕좌에 오를 수 있었다.

1052년 윌리엄은 플랑드르의 보두앵 5세의 딸 마틸다를 부인으로 맞아 막강한 동맹 세력을 얻고자 했다. 그러나 결혼은 생각처럼 쉽지 않았다. 윌리엄과 마틸다가 친족 관계에 있다는 이유로 교회가 반대했기 때문이다. 결국 두 사람은 레오 9세의 혼인 금지령에도 불구하고 결혼했는데, 새 교황 니콜라스 2세는 캉에 수도원과 수녀원을 하나씩 세워 봉헌하는 대가로 혼인 금지령을 풀어주었다. 1054년에서 1060년까지는 혼란의 시기였다. 윌리엄은 또다시 제후들의 반란을 막아야 했고 외부의 적과도 싸워야 했다. 윌리엄과의 연합을 깬 프랑스의 앙리 1세는 조프루아 마르텔과 손잡고 윌리엄을 공격했다. 윌리엄은 1054년에 모르트메르에서, 1057년에는 바라빌에서 적을 격퇴했으며 이 과정에서 멘을 점령했다. 마침내 윌리엄은 루아르강 북쪽 지역에서 가장 강력한 봉건 군주가 되었다. 이제 필요한 것은 왕관뿐이었다.

잉글랜드의 국왕

1066년 1월 5일 참회왕 에드워드가 자손 없이 사망했다. 웨섹스 백작 해럴드는 1065년에 윌리엄과 맺은 서약을 깨고 스스로 잉글랜드의 왕위에 올랐다. 잉글랜드를 공격하기로 결심한 윌리엄은 교황 알렉산데르 2세의 지지를 확보했으며, 9월 27일 노르망디 군대는 마침내 바다를 건너 잉글랜드 땅에 정박했다. 해럴드가 노르웨이 왕 하랄드의 침입을 성공적으로 막은 지 이틀 만이었다. 1066년 10월 14일 헤이스팅스에서 전투가 벌어졌다. 이 전투에서 해럴드가 전사하자 부하들은 항복했다. 1066년 12월 25일 윌리엄은 웨스트민스터 사원에서 잉글랜드의 왕으로 즉위했다.

노르망디가 지배하는 잉글랜드

새로운 행정 체계가 수립되고 앵글로색슨족이 차지했던 고위직은 점차 노르망디인으로 대체되었다. 주교, 대주교 등도 마찬가지였다. 크고 작은 반발이 일어났으나 1071년 완전히 제압되었다. 윌리엄은 요새를 축성해 잉글랜드를 지켰고 런던탑이 그 자취로 남아 있다.

앵글로색슨계 귀족들은 1075년 다시 한번 반란을 일으켰으나 실패로 끝났다. 사실 윌리엄은 주로 노르망디에 머물렀기에 반란을 피하는 것이 어렵지 않았다. 1086년 윌리엄은 잉글랜드 전역에 대한 토지 대장, '둠즈데이 북Domesday Book'을 작성하도록 명했다. 그는 프랑스 왕은 물론 장남 로베르 2세로부터도 노르망디 공국을 지켜내야 했다. 로베르 2세와는 1080년에 화해한다. 호전적 기질의 윌리엄은 1087년 파리 인근의 프랑스령 벡생을 공격하고 낭트를 침공해 불태웠다. 이 무렵 병마가 그를 덮쳤고 1087년 9월 9일 윌리엄은 루앙 근교에서 눈을 감았다. 장남 로베르 2세가 노르망디 공국과 멘 공국을 물려받았고, 둘째 아들 윌리엄 2세는 잉글랜드 왕이 되었다. 셋째 아들 헨리는 막대한 재산을 물려받고 대규모의 영지를 사들였다.

잔 다르크 오를레앙의 성처녀

Jeanne d'Arc, 1412년경~1431년

잔 다르크를 생각하면 비극적 운명을 지닌 프랑스의 영웅이 떠오른다. 잔 다르크를 둘러싼 신화와 시성에 대한 이야기 외에도 프랑스 역사에서 그녀가 보여준 진정한 역할과 그 의미는 여전히 연구 대상이다. 그녀는 단지 대영주들에게 이용당하고 황태자 샤를, 즉 미래의 국왕 샤를 7세에게 버림받은 여인일 뿐인가? 노련한 장수들이 이끄는 군대의 마스코트에 지나지 않았나 아니면 진정한 지휘관이었나? 사리 분별이 확실했던 시골 처녀인가 아니면 정치적 야망을 가진 여성인가? 그녀의 짧은 생애 동안 벌어진 일련의 사건에서 때로는 이에 대한 놀라운 답변들을 찾을 수 있다.

신앙심 깊은 소녀에서 하느님의 사자로

잔 다르크는 프랑스의 바르 공국과 로렌 공국 사이에 위치한 마을 동레미의 농부 집안에서 태어났다. 가축을 소유한 부유한 농민 자크 다르크와 이자벨 로메(동레미 옆 마을의 이름을 붙인 이자벨 부통으로도 불림) 사이에서 태어난 잔 다르크는 자크, 장, 피에르, 카트린 등 4명의 형제자매가 있었다. 그 당시 대부분이 그랬듯이 잔은 어릴 때부터 신앙심이 깊었으며 집안일과 농사일을 도왔고, 가끔 가축을 돌보았다. 이후 성인전이 만들어낸 양 치는 목자의 이미지와는 거리가 먼 생활을 했다. 그녀는 평범한 시골 처녀의 삶을 살았지만 시대는 혼란스러웠다. 전투와 휴전을 거듭하며 계속된 백년 전쟁으로 프랑스는 극심한 분열을 겪고 있었다.

친애왕 샤를 6세

샤를 6세는 발작과 병적인 분노를 일으키곤 했다. 신하들은 그를 왕위에 오르던 때의 모습이던 '친애왕'으로 섬겼지만, 점점 '광인왕'으로 변해간 것도 사실이었다. 이때를 틈타 왕국의 유력 귀족들이 자신들의 특권을 확대하려 하면서 서로 먹고 먹히는 상황이 연출되었다. 1407년 샤를 6세의 동생 루이 도를레앙이 사촌인 부르고뉴 공작, '겁 없는 장Jean sans Peur'의 손에 암살당하는 사건이 일어났다. 부르고뉴 공작 또한 1419년에 살해되는데, 루이 도를레앙의 아들 샤를 도를레앙이 아버지의 원수를 갚은 것이다.

1420년에 맺은 트루아 조약에는 샤를 6세가 사망할 경우 잉글랜드 왕실이 프랑스 왕국을 계승한다는 내용이 들어 있었다. 이로 인해 1422년 샤를 6세가 사망하고 5년이 지난 뒤에도 황태자 샤를은 왕실의 전통대로 랭스에서 대관식을 거행하지 못하고 있었다. 1429년 2월 25일 잔 다르크는 보쿨뢰르의 주둔군 대장이었던 로베르 드 보드리쿠르를 설득해 시농에서 황태자를 만났다. 그녀는 성녀 카타리나와 마르가리타, 그리고 천사장 미카엘의 음성을 들었던 환시를 설명했을까? 잔 다르크는 황태자 샤를에게 선왕의 아들이자 신의 선택을 받은 자로서 랭스에서 대관식을 올려야 한다고 역설했고 샤를은 마침내 이를 받아들였다.

전장의 잔 다르크

보급품을 싣고 오를레앙에 도착한 잔 다르크는 1429년 5월 8일 잉글랜드군에 포위되어 있던 오를레앙을 탈환했다. 7월에는 왕의 행렬이 부르고뉴 공작의 영지를 통과해 랭스에 도착했다. 1429년 7월 17일 황태자 샤를은 대관식을 치르고 샤를 7세로 즉위하게 된다. 같은 해 잔 다르크는 파리를 탈환하고자 했으나 생토노레 성곽을 공격하다가 부상당했다. 샤를 7세에게 군비가 떨어지자 전쟁은 중단되었다. 잔 다르크는 자신의 군대를 이끌고 계속 진격해 1429년 11월 생피에르르무티에를 점령했다. 그러나 1430년 5월 23일 부르고뉴군에 포로로 잡히고 만다.

모두에게 버림받다

부르고뉴파에게 잔 다르크는 여러 번 탈옥을 감행하는 등 골치 아픈 포로였다. 1430년 11월에 이들은 잔 다르크를 잉글랜드에 팔아넘겼고, 잉글랜드는 그녀를 없앨 생각에만 몰두했다. 잔 다르크는 보베의 주교 피에르 코숑에게 넘겨졌다. 그녀는 정치 소송의 대상이 될 수 없었으므로 이단 죄로 기소한 것이다. 그녀가 체험했다는 환시는 사탄의 소행이라는 혐의였다. 또한 갑옷 등 남장을 했다는 것과 더 이상 처녀가 아니라는 것도 죄목이었다. 마지막 죄목은 산파들이 결백을 증명해주었다. 사실 처녀성 검사는 황태자 샤를을 만나기 전에 이미 한 번 겪은 바 있다.

결국 잔 다르크에게 유죄가 선고되었으나 그녀는 그 어떤 것도 자백한 바가 없었다. 코숑 주교는 화형을 명했다. 당시 열아홉 살에 불과했던 잔 다르크는 두려움에 혐의를 모두 인정하고 교회에 복종하기로 했다. 그러나 이틀 뒤 이 모든 것을 철회했다. 교회는 그녀를 다시 죄에 빠진 이단으로 선언하고 1431년 5월 30일 루앙의 비외마르셰에서 화형에 처했다. 그녀에게 큰 도움을 받았던 샤를 7세는 그 어떤 도움도 주지 않았다. 1450년이 되어서야 칙령을 통해 잔 다르크의 무죄가 선포되었다. 1456년 재심이 열렸고 교황청은 그녀를 복권시켰다. 잔 다르크는 1909년에 복자로 시복되고 1920년에는 성인으로 시성되었다. 그러나 사람들은 그녀가 화염 속에서 영원히 사라진 것이 아니라 형벌을 피해 살아남았다고 믿었다. 15세기 초 자기가 잔 다르크라고 주장하는 여인이 둘이나 나타났다. 바로 아르무아즈의 잔과 세르메즈의 잔이다.

또 다른 잔

잔 레네Jeanne Laisné는 잔 다르크에 대한 복권 재판이 진행되던 해인 1456년에 태어났다. 1472년 프랑스 왕 루이 11세는 부르고뉴 공작 용담공 샤를과 전쟁 중이었다. 샤를이 잔 다르크의 도시 보베를 포위하면서 보베의 저항이 힘들어지자 열여섯 살의 처녀 잔 레네가 도끼를 들고 용감하게 부르고뉴 병사들을 물리쳤다. 여기에 용기를 얻은 다른 여성들도 합세했다. 결국 샤를은 보베를 포기했다. 루이 11세가 직접 그녀의 업적을 기렸으며, 잔 레네는 '아셰트 Hachette'(도끼)라는 이름으로 역사에 남았다. 오늘날에도 해마다 6월 말이면 보베에서는 여성들이 남성들을 앞서 걷는 행진을 통해 그녀를 기념한다.

조반니 피코 델라 미란돌라 900개의 명제

Giovanni Pico della Mirandola,
1463년~1494년

조반니 피코 델라 미란돌라는 토스카나 북부 모데나 인근에 위치한 미란돌라에서 그 지역 군주이자 콩코르디아 백작의 아들로 태어났다. 열네 살 때 볼로냐에서 교회법을 배웠으며 2년 뒤에는 페라라와 파도바에서 엘리아 델 메디고의 지도 아래 아리스토텔레스의 철학과 이븐 루시드가 쓴 주해서를 공부했다. 마르실리오 피치노의 영향으로 플라톤주의를 연구했고, 장차 연인 사이가 되는 안젤로 폴리치아노와 시에 관해 논한 서한집도 있다. 1485년 그는 파리에 잠시 체류하면서 아리스토텔레스적 스콜라 철학에 대한 강의를 들었다. 피렌체로 돌아온 후에는 고전 고대 원전과 유대교 원전을 교부 철학과 융합함으로써 기독교 전반에 대해 야심 차게 분석하기 시작했다. 피코는 모든 철학과 종교가 동일한 문제를 단지 다른 방법을 통해 다룰 따름이라고 생각했다. 그는 이러한 차이를 넘어서 인류의 어떤 통일성을 되찾고자 했다.

상습적인 유혹자

조반니 피코 델라 미란돌라는 '화합의 대가'라는 별명을 가지고 있다. 얼핏 보면 관계가 없어 보이는 명제들을 연결하는 그의 능력을 말하는 것이기도 하고, 사람들 사이의 관계를 진정시키는 재능을 말하는 것이기도 하다. 그는 누가 보아도 매력 넘치는 인물이었던 듯하다. 로렌초 데 메디치는 물론 만나는 사람들 누구에게나 호감을 주었을 뿐만 아니라 뭇 여성들의 마음을 사로잡기도 했다. 그는 파리에서 돌아온 후 피렌체 인근 아레초의 귀족 가문 출신인 마르게리타 부인과 사랑에 빠졌다. 그러나 함께 도망치려던 두 사람의 계획이 발각되었고 피코는 마르게리타의 남편 줄리아노 마리오토 데 메디치의 불같은 격노를 겨우 피할 수 있었다. 또 다른 메디치, 즉 로렌초가 도와준 덕분이었다.

900개의 명제, 위대한 업적

사랑 타령에 따른 곤경도 그가 필생의 연구에 전념하는 것을 막지는 못했다. 피코는 저명한 이교, 기독교, 유대교, 이슬람교 거장들의 글을 한데 모아 하나의 단일 철학으로 융합하는 데 힘썼다. 이렇게 해서 얻은 900개의 명제들을 엮어 1486년 로마에서 『철학, 신학, 신비 철학 논제집』이라는 책을 펴냈다. 이 책의 서문이 바로 그 유명한 「인간 존엄성에 관한 연설」이다. 피코는 또한 이듬해 많은 학자를 로마에 초청해 자신의 명제에 대한 토론회를 열 계획을 세웠다. 그러나 교황 인노첸시오 8세의 반대로 불발되었다. 교회 위원회는 이 중 6개의 명제가 이단이라고 선포했고 이어 다른 7개의 명제도 같은 낙인을 찍었다. 피코는 변론이 거부되자 『변론서』를 집필해서 자신의 책을 변호했으나 결과는 참담했다. 교황이 900개의 명제 모두를 이단으로 거부한 것이다. 피코는 프랑스로 도망쳤으나 교황의 명령에 의해 1488년 뱅센 감옥에 잠시 투옥되었다. 이때도 그의 후원자인 메디치가의 로렌초가 프랑스 왕 샤를 8세에게 요청해 풀려날 수 있었다.

교회의 단죄

1488년 여름 피코는 피에솔레에 있는 로렌초의 거처에 머물며 6일간의 천지 창조를 유대인의 신비 철학적 관점에서 분석한 『일곱 형상론』을 집필했다. 이로 인해 또다시 교황청의 분노를 사게 되었다. 신심이 깊고 사보나롤라의 친구이기도 했던 피코는 자신의 저술에 대한 교회의 비판을 순순히 받아들였다. 1491년 수도사가 되기로 결심하고는 모든 재산을 조카 지안프란체스코에게 주었다. 그는 『존재와 유일자』를 집필하며 '통합'의 이상을 추구했다. 이 책에서 플라톤과 아리스토텔레스의 사상이 일치함을 증명하고자 한 것이다.

새 교황 알렉산데르 6세(로드리고 보르자)가 피코를 사면해주면서 1493년에야 겨우 교회와의 타협이 이루어졌다. 점점 더 영적인 삶에 이끌린 그는 마지막 남은 재산도 교회와 가족에게 주었다. 1494년 11월 17일 프랑스 왕 샤를 8세가 피렌체에 입성하던 바로 그날, 아마도 피코는 비서에 의해 독살당한 듯하다. 피렌체에서 메디치 가문을 몰아낸 사보나롤라와 피코가 친분이 두터웠던 것을 이유로 피에로 데 메디치가 사주했다는 설이 유력하다.

조토 디 본도네 선구적 휴머니스트

Giotto di Bondone, 1266년경~1337년

조토 디 본도네가 언제 출생했는지 정확히 알 수 없다. 따라서 조토가 사망할 당시 피렌체 관청에서 그의 나이를 일흔 살 정도였다고 한 것을 바탕으로 추정하고 있다. 그는 토스카나의 한 농가에서 태어났다. 전해지는 이야기에 따르면 어린 조토가 염소를 치면서 숯으로 돌에 그림을 그리고 있었는데 이를 우연히 목격한 치마부에가 그의 천재적인 재능을 알아보고 제자로 삼았다고 한다. 조토의 생애에 대해서는 치우타 디 라포 디 펠라와 결혼해서 8명의 자식을 두었다는 것과, 맏아들도 화가가 되었다는 것 외에는 알려진 바가 거의 없다. 작품으로 그의 삶을 되돌아보자.

화가의 편력

치마부에의 영향을 받은 조토는 성 프란치스코의 생애를 그린 아시시의 성 프란치스코 성당 프레스코화에서 자신만의 양식을 보여주었다. 이 벽화는 1296~1300년 무렵 프란치스코회의 대표를 맡고 있던 조반니 디 무로의 의뢰를 받아 제작되었다. 조토는 몇 년 후 파도바의 아레나 예배당에 예수의 생애를 그린 벽화를 제작해 천재적 재능을 다시 한번 드러냈다. 또한 스테파네스키 주교의 의뢰를 받아 로마의 성 베드로 대성당 입구에 물 위를 걷는 예수를 표현한 대형 모자이크 작품 「나비첼라」를 제작했다. 성 베드로 대성당의 중앙 제단 장식으로, 지금은 바티칸 박물관에 보관 중인 스테파네스키 주교의 초상화, 희년을 선포하는 보니파시오 8세를 그린 산 조반니 인 라테라노 대성당의 프레스코화도 조토의 작품이다. 14세기 초에는 피렌체의 산타 마리아 노벨라 성당의 「십자가에 못 박힌 그리스도」와 산 조로조 알라 코스타 성당의 「성모」를 그렸다.

조토의 명성이 널리 알려지자 피렌체의 유명한 귀족 가문인 바르디가, 페루치가, 주니가 등이 가문의 예배당을 장식할 벽화를 그에게 의뢰했다. 조토는 성 프란치스코, 성 요한, 세례자 요한의 생애를 담은 프레스코화 등을 제작해주었다.

1330년 조토는 나폴리 로베르토왕의 궁정 화가가 되었다. 불행히도 이 시기의

작품 중에는 전해지는 것이 없지만 조토가 나폴리 회화에 미친 영향은 지대했다. 1334년 4월 피렌체로 돌아온 그는 피렌체 대성당의 수석 설계자 겸 건축 책임자로 임명되었다. 조토의 새로운 기법은 르네상스의 여명을 예고했는데, 보카치오는 『데카메론』에서, 바사리는 『예술가 평전』에서 그의 위대함을 기리고 있다.

존 위클리프 은혜의 주여, 우리를 구하소서

John Wycliffe, 1320년경~1384년

존 위클리프John Wycliffe(또는 Wyclif)는 요크셔에서 태어났다. 옥스퍼드 대학교를 졸업했고 퀸스 칼리지에서도 수학한 것으로 보인다. 1356년 머튼 칼리지에서 자유 학예artes liberalis로 학사 학위를, 1360년 발리올 칼리지에서 석사 학위를, 그리고 1372년 신학 박사 학위를 취득했다. 석사 학위를 취득한 후 얻은 성직자로서의 지위는 그에게 성직록을 보장해주었다. 그는 옥스퍼드에 거주하면서 그곳에서 멀리 떨어진 링컨셔에 위치한 필링햄 교구의 보좌 신부가 되었다. 이것은 사실 그가 나중에 비판한 교회의 관행이었다. 성직자가 교구에 가지도 않고 신도들에게 '영혼 치유cura animarum'를 행하지도 않으면서 급여를 받았기 때문이다.

1362년 위클리프는 교회 규정에 따른 성직을 얻었으며 웨스트베리온트림 주교좌성당의 참사회원이 되었다. 그러나 이번에도 거처를 옮기지 않고 관행에 따른 성직록을 받았다. 링컨 주교는 위클리프가 1363~1368년에 옥스퍼드에 살면서 연구를 계속하도록 허락했다. 1368년 위클리프는 필링햄 교구 대신 옥스퍼드에 가까운 러저샬 교구를 맡게 되었다.

곤트의 사나이

1374년 4월 에드워드 3세는 위클리프를 루터워스 교구의 사제로 임명하고 잉글랜드 사절단의 일원으로 브뤼허로 보내 교황의 특사들을 만나도록 했다. 성직자에 대한 국왕의 징세권과 주교 임명에 대한 국왕의 감독권이 논의의 골자였다. 이 자리에서 위클리프는 잉글랜드 군주의 권리를 역설했다. 그는 1370년대에 쓴 『강생의 축복』, 『신권』, 『속권』, 『왕의 통치 체계』, 『교황권에 대하여』 등에서 왕은 교황이라는 중재자를 거치지 않고 오로지 하느님에게만 충실할 의무가 있다고 주장했다. 또한 은총에 기반한 권위라는 개념도 펼쳤는데, 모든 권위는 그 종류를 막론하고 하느님의 은총으로만 주어지며 죄를 범할 경우, 특히 대죄를 저지를 경우에는 은총을 잃어버리므로 권위 또한 박탈당한다는 주장이었다. 따라서 대죄를 지은 성직자가 행하는 성사는 효력이 없으며 교황도 예외가 아니라는 설명이었다. 위클리프는 제비

뽑기로 교황을 선출하자는 제안까지 내놓았다. 행정 기관으로서 가톨릭교회가 누리는 물질적 부에 대한 공격도 이어졌다.

위클리프의 이러한 생각은 '롤라드Lollard'라고 불린 순회 설교자들에 의해 퍼지기 시작했다. 교권을 약화시키고자 했던 에드워드 3세의 아들이자 랭커스터 공작인 곤트의 존John of Gaunt에게는 좋은 명분이었고, 잉글랜드의 하층민에게도 큰 지지를 받았다. 그러나 교회는 달갑게 여기지 않았고 위클리프가 곤트의 존과 결탁한 것도 못마땅해했다. 물론 곤트의 존은 자신의 정치적 필요 때문에 위클리프를 이용한 것일 뿐이었다.

은총을 잃고 버려지다

1377년 2월 교회는 위클리프를 법정에 세웠지만 풀어줄 수밖에 없었다. 같은 해 위클리프의 정치적 활약은 정점에 달했다. 잉글랜드 왕과 의회는 그에게 교황청과 분쟁 중인 문제에 대한 답을 요청했다. 교황에게 권리가 있는 돈을 왕이 보관하고 있는 것이 적법한지의 문제였다. 위클리프는 적법하다고 답했다. 5월에 아비뇽의 그레고리오 11세 교황은 위클리프를 비난하는 칙서를 여러 차례 발표하며 그를 체포할 것을 요구했다. 위클리프는 프랑스 왕의 권익만을 대변하는 그레고리오 11세를 격렬하게 비난했다. 옥스퍼드 대학교는 저명한 학자의 위상을 해치는 그레고리오 11세의 명령을 무시했다.

1378년 곤트의 존의 수하들이 도망친 시종을 웨스트민스터 사원에서 수도원 안까지 쫓아가 죽인 사건이 벌어졌을 때 위클리프는 곤트의 존을 변호했다. 위클리프는 왕의 신하들이 범죄자를 재판할 수 있는 권리를 인용해 교회의 불가침권을 위반한 랭커스터 공작에게 면죄부를 주었다. 위클리프의 마지막 눈부신 활약이었다.

대반란

1381년 6월, 10여 년을 참아온 농민들이 봉기를 일으켰다. 반란자들은 런던을 점령했고 리처드 2세는 런던탑으로 피신했다. 그러나 6월 말 노스 월샴 전투에서 농민군은 완전히 분쇄되었다. 위클리프는 농민의 반란을 공식적으로 지지한 적이 없었으나 교회는 빈민을 적극적으로 옹호한 행동이 결국 반란을 부채질했다며 위클리프에게 죄를 물었다. 더구나 캔터베리 대주교 사이먼 서드베리가 반란군에 의해 살해당하자, 그의 뒤를 이은 윌리엄 코트니는 위클리프에게 이에 대한 책임까지 물었다. 코트니 대주교는 1382년 5월 블랙프라이어스에서 열린 시노드synod에서 위클리프의 이론을 단죄하고 저서를 모두 불태우게 했다.

곤트의 존과 런던의 민중에게 버림받고 교황과 캔터베리 대주교에게 유죄 판결을 받은 위클리프는 중풍에 걸린 채 필링햄 교구에서 여생을 보냈다. 그는 1384년 12월 31일에 사망했다. 교회로부터 파문을 당하지는 않았기에 종교적 절차에 따라 장례가 치러졌다. 그러나 교회와 그와의 악연은 계속되었다. 1427년 교황 마르티노 5세는 사후 재판을 열어 이미 죽은 위클리프를 다시 정죄했다. 결국 1428년 무덤에서 파헤쳐진 그의 유해는 불태워졌고 그 재는 스위프트강에 뿌려졌다.

주희 공자의 후계자

朱熹, 1130년~1200년

주희(또는 주자朱子)는 송나라 우계의 선비 집안에서 태어났다. 열네 살에 아버지를 여의었지만, 그 전에 이미 학문에 정진하기로 부친과 약속한 후였다. 영민했던 그는 보통 서른을 넘겨야 과거에 급제하는 전례를 깨고 열여덟 살에 과거에 합격해서 진사가 되었다. 유교 전통 속에서 성장한 그는 1151년부터 1158년까지 푸젠성 퉁안에서 관직을 맡으면서, 이곳의 조세 징수 방법과 치안 체계를 혁신하고 교육을 감독했으며 유교에 입각한 예식과 행동 규범을 설파했다. 이곳에 부임하면서 송 대의 위대한 유교 학자 이동李侗을 알게 되어 가르침을 받았으며, 불교와 도교를 거부했다. 그는 공자의 가르침을 실천했고, 퉁안 시절 이후 1179년까지는 다른 관직을 마다했다. 황궁이 부패로 들끓자 이곳저곳을 떠돌아다니며 사서오경의 가르침을 전하는 순례객의 삶을 살고자 한 것이다. 그러나 주희는 황제에게 덕치의 길을 알리기 위해 수많은 문집을 쓰기도 했다. 또한 도덕률의 중요성, 교육과 독서, 강론의 역할 등을 놓고 육구연陸九淵 등 다른 사상가들과 논쟁을 벌이기도 했다.

유교 경전의 정립

공자의 저술과 그에 대한 주해를 연구한 주희는 중국의 고전을 집성한 문집을 만들었다. 주희의 주해가 달린 이 책들은 선비들 사이에서 널리 읽혔고, 고위 관직으로 통하는 관문이었던 과거 시험을 준비하는 학생들의 필독서가 되었다. 시험은 『대학』, 『중용』, 『논어』, 『맹자』를 암송하는 것이었는데 이 유교의 사서는 학자라면 반드시 알아야 할 지식의 기본이었다. 여기에 공자의 오경, 즉 『시경』, 『서경』, 『주역』, 『예기』, 『춘추』가 더해졌다.

덕의 실천과 그 어려움

주희는 1179년에서 1181년까지 장시성 남강에서 태수직을 맡았고 1188년에 통치자의 덕망이 중국 정치 체계의 머릿돌임을 주장한 『대학』에 주석을 달아 대표적 유교 경전으로 정립했으나, 결국 중앙의 고위 관직은 끝까지 고사했다. 황제가 여러 번 친히 주희를 황궁으로 불렀으나 소용없었다. 황제에게 모욕감을 준 대가로 그는 지방의 말단 관직을 전전했다. 중앙에서는 그를 비방하는 적들이 많아졌다. 관직을 타협이라고 여겨 기절한 주희의 행동을 못마땅하게 여긴 이들은 그에게 음모자라는 누명을 씌웠다. 왕의 신임을 완전히 잃어버린 주희는 어떤 활동도 할 수 없는 상황에서 1200년 4월 23일 사망했다. 그가 남긴 깊이 있는 학문과 훌륭한 저서를 통해 훗날 그는 성리학의 대가로 추대를 받았다.

칭기즈 칸 세계의 군주

Chingiz Khan, 1162년경~1227년

칭기즈 칸은 지금의 몽골 동쪽, 부르칸칼둔산이 우뚝 솟아 있는 지역에 정착해 살던 한 부족 출신이다. 그는 보르지긴 부족에 충성을 서약한 종족의 수장 예수게이와 몽골 중부 지역의 메르키트족에게서 예수게이가 빼앗아 부인으로 삼은 호엘룬 사이에서 태어났다. 칭기즈 칸의 원래 이름은 '강철처럼 강하다'는 뜻을 가진 테무친Temuchin이었다. 그에게는 카사르, 카치운, 테무게 등 세 형제와 누이 테물린이 있었다. 테무친의 탄생에 관해서는 여러 신화가 전해지고 있다. 몽골인들에게 힘과 권력을 상징하는 핏덩이를 손에 쥐고 있었다든가 푸른 늑대의 모습을 한 조상신이 환생했다는 것이 대표적인 탄생 설화이다.

고난의 세월

테무친은 험난한 시기를 살았다. 몽골인들은 부족들 사이의 동맹 관계가 계속 바뀌면서 줄곧 서로 싸웠으며, 무시무시한 투르크계 타타르족의 침공에 맞서야 했다. 몽골인들 사이의 내전은 복수에 복수를 불렀는데 예수게이도 그 희생자 중 하나였다. 겨우 열두 살에 불과했던 테무친은 성대한 잔칫날 아버지가 독살당하는 장면을 목격했다.

『몽골 비사』에 따르면, 몽골 내 권력을 잡은 타이치오트족의 족장 타르쿠오우타이 키릴투그에게 생포되었던 테무친은 도주에 성공해 어머니와 형제들에게 돌아갔다. 테무친의 가족은 초원으로 도망갈 수밖에 없었고, 먹을 것이라고는 풀뿌리와 물고기밖에 없는 곳에서 혹독한 생활을 견뎌야 했다. 양고기와 발효시킨 말젖을 먹어야 한다고 생각하는 몽골인으로서는 견딜 수 없는 치욕이 아닐 수 없었다. 이보다 더 끔찍한 일은 메르키트족이 테무친의 부인 보르테를 납치한 것이었다. 동족도, 지원 세력도, 부인도 잃은 테무친은 역사의 망각 속으로 사라질 것 같았던 순간에 새로운 운명을 맞이하게 된다.

기적에서 정복으로

테무친에게 일어난 기적은 케레이트족의 족장으로 막강한 힘을 가진 토그릴의 도움을 받은 것이었다. 도움에 대한 대가로 테무친이 줄 것이라고는 결혼 예물로 받았던 검은담비로 만든 모피뿐이었다. 귀중한 물건이기는 했으나 케레이트의 군주 옹 칸, 즉 토그릴에게는 그리 대단한 물건이 아니었을 것이다. 그러나 토그릴은 테무친에게 군사 2만 명을 내주었고 테무친의 친구 자무카에게 그가 다스리는 10여 개의 몽골 부족을 동원해 테무친을 도와주도록 했다. 그 결과 테무친은 메르키트족을 무찌르고 보르테를 데려올 수 있었다. 전쟁에 패한 메르키트족의 최후는 처참했다. 수레바퀴의 굴대보다 키가 큰 남자들은 몽골인들의 집인 유르트를 운반하는 데 동원된 뒤 모두 처형당했고, 여인과 아이들은 노예로 전락했다. 이를 통해 테무친은 그 어떤 적의 대항도 용납하지 않겠다는 의지를 천명했다. 그 후 테무친은 토그릴과 자무카를 제거했고 절대 권력을 거머쥐었다.

테무친은 결국 몽골 부족 전체를 다스리게 되었다. 1206년 몽골의 모든 부족장들이 모인 최고 회의 쿠릴타이에서는 테무친을 세계의 군주, 즉 칭기즈 칸으로 옹립했다. 칭기즈 칸이라는 용어는 고유 명사가 아니라 페르시아 제국에서 '왕들의 왕'에 해당하는 칭호이다.

인간을 넘어선 인간

하나의 군주 아래 통일된 몽골인들은 역사상 가장 거대한 제국을 건설한다. 그들은 1202년 타타르족을 굴복시킨 후 쓰러져가던 금나라로부터 북중국을 빼앗고 만주를 점령했다. 1215년에는 베이징을 함락하고 이어서 이란까지 뻗어 있던 호라즘 샤 왕국, 우즈베키스탄, 투르크메니스탄 등을 모두 점령했다. 가장 오랫동안 저항했던 중국 북동쪽 탕구트족의 서하 왕조도 결국 1227년에 함락되었다. 그러나 서하를 굴복시키던 그 자리에 칭기즈 칸은 없었다. 그해 8월 18일 칭기즈 칸은 몽골의 신 중 '하늘'을 의미하는 '텡그리Tengri' 신에게 영혼을 바치고 눈을 감았던 것이다.

칭기즈 칸, 하나의 전설

『몽골 비사』는 칭기즈 칸의 놀라운 모험을 잘 이해할 수 있는 단초를 제공한다. 열 살 혹은 열한 살의 칭기즈 칸은 맨손으로 곰을 죽일 만큼 대단한 장사였다고 한다. 한번은 말들을 도둑맞은 적이 있었다. 몽골에서 말은 가장 귀한 재산이므로 말 도둑은 사형으로 다스렸다. 어린 칭기즈 칸이 몇 주 동안 도둑들의 뒤를 쫓아가 결국 이들을 다 죽이고 말을 찾아 돌아왔다는 이야기도 전해진다. 또 다른 기록에 의하면 타이치오트족에게 붙잡혀 노예가 된 칭기즈 칸은 저녁이면 움직이지 못하게 손과 목에 칼이 채워졌다. 그는 이 형틀을 오히려 무기로 이용해 간수를 죽이고 도망쳤다. 도주할 때도 여전히 손과 목에 칼이 채워진 채였고, 나중에 누군가가 벗겨주었다. 칭기즈 칸은 우정을 무엇보다 중시했지만 자신을 배신한 자는 친구라도 가차 없이 제거했다. 자신에게 도움을 주었던 토그릴과 그의 아들, 친구였던 자무카가 그들이다. 칭기즈 칸은 정복한 나라의 왕족을 모두 죽였으며 주민 전체를 몰살했고 자신의 친형제를 직접 죽이기도 했다. 용의주도한 그는 몽골 부족들 간 권력 다툼으로 혼란이 되풀이되는 것을 막기 위해 일찍부터 셋째 아들 우구데이를 후계자로 세웠다.

카비르 시크교 예언자, 힌두교 성인, 수피 무슬림

Kabir, 1440년경~1518년경

카비르의 생애를 둘러싼 비밀은 그의 이름에서부터 나타난다. 카비르는 아랍어로 '위대하다'는 뜻이다. 전해지는 이야기에 따르면 그는 힌두교의 사제 계급인 브라만에 속한 여인의 아들이었다고 한다. 카비르의 어머니는 어느 힌두 사원에 순례를 다녀온 후 갑자기 카비르를 잉태했다고 전해진다. 그러나 그녀는 처녀의 몸이었고 임신과 출산을 한다면 엄청난 추문에 휩싸일 것이 뻔했다. 그녀는 아이를 연꽃에 싸서 갠지스강에 띄울 수밖에 없었을 것이다. 이렇게 카비르는 오래전에는 '베나레스'라고 불리던 힌두교의 성지 바라나시에서 태어났다. 어린 카비르를 기른 부부는 미천한 직조공으로 무슬림이었던 니루와 니마였다. 카비르는 양부모의 직업을 물려받아 직조공이 되었다.

실을 뽑고 천을 짜다

바라나시에 있는 카비르의 상점에는 많은 신자와 제자가 그가 낭독하는 시나 힌두교와 이슬람교를 통합해 만든 신비주의에 관한 강의를 들으러 몰려들었다. 바라나시를 다스리는 제후의 비호를 받은 카비르는 자신을 마치 성인처럼 숭배하는 수많은 군중을 몰고 다녔다. 하지만 그는 고행 수도승sadhu처럼 금욕의 길을 걷지는 않았다. 이따금 몇 달씩이나 상점을 닫기도 했지만 이는 다른 신비주의자들을 만나 함께 교리를 논하기 위해서였다.

그러나 카비르가 살던 시대는 정치적으로 혼란한 시기였다. 1451년 델리가 로디 왕조의 통제 아래 들어갔고, 로디 왕조는 머지않아 '투르크족의 나라' 투르크메니스탄에서 온 전사들, 곧 앞으로 중앙아시아를 정복하고 무굴 제국을 세우게 될 전사들의 위협에 놓이게 된다. 그런데 로디 왕조는 카비르를 이단으로 규정했고, 카비르는 처형을 피하기 위해 바라나시를 떠나야 했다. 그는 1518년 마가르에서 생을 마감했다.

카비르에 대한 다양한 해석

대다수 무슬림은 카비르를 이단자로 보며 이단자가 아니더라도 수피파의 신비주의자로 여긴다. 힌두교도는 그를 비슈누 신을 섬기는 제사장으로 여긴다. 이슬람교와 힌두교 양쪽에서 영향을 받은 시크교도는 카비르를 시크교의 창시자 나나크Nanak에 앞서서 온 선지자로 생각한다. 나나크는 카비르와 마찬가지로 신에 대해 깊은 명상을 수행하면 몇 차례 환생을 거쳐 신과의 신비로운 합치에 이를 수 있다고 설파했다.

다양한 종교의 교차점

이슬람 문화에서 성장한 카비르는 인도 북부 출신의 고행승 라마난다의 가르침을 받은 것으로 보인다. 브라만에 속한 라마난다는 신분을 가리지 않고 제자를 받았으며, 여성은 물론 카비르와 같은 무슬림도 환영했다. 산스크리트어가 학자의 언어였기 때문에 라마난다는 속어인 힌디어로 가르쳤다. 카비르는 라마난다가 설법한 내용을 그대로 가르쳤다. 형식 면에서 볼 때 카비르의 신비주의는 노래인 파다스와 시를 의미하는 도카스를 이용해 시적으로 표현되었다. 그가 힌디 문학의 시조로 여겨지는 것도 이 때문이다. 카비르가 사용했던 시구들인 샤브다shabda는 현재 힌디어에서도 많이 통용되고 있다.

기본적으로 카비르는 과도한 제식주의를 반대했으며, 힌두교 『베다』의 낭송이나 이슬람 『쿠란』의 암송, 어느 것도 지지하지 않았다. 중요한 것은 신에 대한 믿음이며, 신이란 깨달음을 얻을 때 나타나는 어떤 절대적 원리인 까닭에 라마든 알라든 그 신의 이름이 무엇인지는 중요하지 않다고 생각했다. 절대성이라는 것은 마치 씨앗처럼 믿는 자들의 영혼 속에 심어지며, 따라서 신은 모든 것에서 쉽게 알아볼 수 있다. 여기에서 아힘사라는 실천이 나오는데, 아힘사는 흔히 '비폭력'이라고 번역되지만 실은 '불해non-nuisance'로 이해되어야 한다. 누구라도 행위로든 말로든 생각으로든 신이 창조한 그 어떤 것도 해쳐서는 안 된다는 의미이다. 따라서 어떤 희생 제의도 인정해서는 안 되며, 식용을 위해서 동물을 죽이는 행위도 하지 않아야 한다고 주장했다.

크리스토퍼 콜럼버스 대서양의 제왕

Christopher Columbus, 1451년~1506년

크리스토퍼 콜럼버스(크리스토포로 콜롬보Cristoforo Colombo)가 항해가가 되리라고는, 그리고 그가 아메리카 대륙을 발견하리라고는 아무도 예상하지 못했을 것이다. 콜럼버스는 제노바 인근의 직조공 가정에서 도메니코 콜롬보와 수잔나 폰타나로사의 아들로 태어났다. 그의 업적은 아들 페르난도가 쓴 『제독 이야기』에 잘 나와 있는데 신빙성이 떨어지는 부분도 없지 않다. 콜럼버스는 직조공의 길을 가는 대신 파비아 대학교에서 기하학과 우주 형상론을 공부했다. 그는 열 살 때 이미 견습 선원이었다고 스스로 밝히기도 했다. 확실하게 말할 수 있는 것은 장사꾼으로 꽤 성공해서 유복하게 살았으며 1479년 필리파 모니즈와 결혼했다는 사실이다. 이 결혼은 그의 삶에서 매우 중요한 사건이 되었다. 장인이 가지고 있던 대서양 연안의 해도들을 접할 수 있었기 때문이다.

1480년대 중반 콜럼버스는 지팡구(일본)와 캐세이(중국)로 가는 새로운 항로를 개척하고 향신료 무역에 뛰어들기 위해 항해에 나섰다. 1485년 포르투갈의 왕 주앙 2세에게 대서양 항해에 대한 재정 지원을 요청했으나 거절당했다. 낙심한 콜럼버스는 1486년, 1490년, 1491년에 에스파냐 카스티야의 이사벨 여왕에게 같은 제안을 했는데 세 번 모두 거절당한 후 1492년에야 마침내 허락을 얻어냈다. 그는 산타페 협약을 통해 앞으로 발견할 땅에서 얻게 될 부의 10퍼센트와 무역에서 얻을 수익의 8퍼센트를 주겠다는 약속을 받았다. 그뿐만 아니라 여왕은 에스파냐 왕국에 부속될 이 미래의 영토를 다스릴 총독의 지위, '대서양의 제독'이라는 호칭, 그리고 귀족 작위까지 약속했다. 1492~1493년, 1493~1496년, 1498~1500년, 1502~1504년, 모두 네 차례에 걸쳐 항해가 이루어졌다. 그러나 성공의 대가는 가혹했다. 콜럼버스는 주변의 시기에 시달렸고, 1504년 이사벨 여왕이 죽자 든든한 지원자도 잃었다. 이사벨 여왕의 부군이던 아라곤의 페르난도 왕은 신대륙에서 가져온 황금은 원했으나 여왕이 했던 약속은 지키지 않았다. 콜럼버스는 많은 부를 쌓았지만 약속받았던 지위는 인정받지 못한 채 1506년 5월 20일 카스티야의 바야돌리드에서 눈을 감았다.

네 번의 항해

첫 번째 항해

1492년 8월 3일 콜럼버스는 '니나호', '핀타호', '산타마리아호', 3척의 배를 이끌고

팔로스 데 라 프론테라를 떠났다. 9월 카나리아 제도에 기항한 후 대서양을 향해 탐험을 시작했다. 그해 10월 초 육지는 보이지 않았고 식량과 식수는 동나기 시작했다. 선원들은 반란을 일으키기 직전이었으며 상황은 절망적이었다. 10월 12일 마침내 육지가 시야에 들어왔고 바하마 제도의 한 섬에 도착했다. 콜럼버스는 이 섬을 산살바도르라고 명명했다. 원주민 타이노족은 우호적이었다. 인도에 도착했다고 확신한 콜럼버스는 이들을 '인디언'이라고 불렀고, 이러한 오해는 지금까지도 존재하는 잘못된 명칭을 낳았다. 인디언이란 인도에 사는 사람들을 뜻하니 말이다.

항해를 계속한 콜럼버스는 쿠바에 도착했다. 그는 이 섬을 후안 왕자의 이름을 따서 '후아나'라고 불렀다. 이어서 산토도밍고에 정박하며 에스파냐의 풍경과 닮은 이곳을 히스파니올라라고 칭했다. 그러나 이러한 탐험의 이면은 처참했다. 산타마리아호가 산토도밍고 근처에서 좌초되자 선원 일부를 운명에 맡긴 채 그곳에 두고 온 것이다. 콜럼버스는 1493년 3월 초 리스본으로 돌아왔다.

두 번째 항해

첫 항해의 성공은 다음 항해를 부채질했다. 콜럼버스는 1493년 9월 25일 17척의 배를 이끌고 에스파냐 남서부의 항구 도시 카디스를 떠났다. 그는 이 항해를 통해 마리갈랑트, 라데지라드, 도미니카, 과들루프, 생마르탱, 자메이카를 발견했다. 그러나 히스파니올라에 갔을 때는 비보가 기다리고 있었다. 노예 처지로 전락한 원주민들이 도망치거나 반란을 일으킨 것이다. 반란자를 무자비하게 진압한 그는 1496년 6월 11일 카디스로 돌아왔다. 이때 같이 승선했던 500명의 아라와크족 중 약 300명만이 살아남았다. 콜럼버스가 이들을 노예로 팔아버리자 이사벨 여왕과 페르난도왕은 새로 생긴 백성을 마음대로 처분했다며 대로했다.

세 번째 항해

1498년 아메리카 대륙을 향해 떠난 6척의 배는 세인트빈센트, 그레나다, 트리니티, 마르가리타, 베네수엘라 해안 등을 발견했다. 그러나 콜럼버스는 히스파니올라에 정착한 식민 지배자들에게 배척당해 권한을 상실했다. 본국에서는 프란시스코 데 보바디야를 총독으로 보냈다. 새 총독은 콜럼버스를 체포하고 쇠사슬로 묶어 압송

했으며, 콜럼버스는 1500년 10월 에스파냐에 도착하자마자 수감되었다. 6주 후 왕의 사면을 받고 풀려났으며 두카트 금화를 배상금으로 받았다.

네 번째 항해

1502년 5월 11일 콜럼버스는 4척의 배를 이끌고 마지막 탐험을 떠났다. 파나마 해안을 따라 항해하던 중 배는 여러 번 태풍을 만나 파손되었고, 1503년 6월 자메이카섬에 정박했다. 1년 후인 1504년에 도착한 구조선을 타고 콜럼버스와 선원들은 에스파냐로 돌아왔다.

클로비스 신과 맺은 서약

Clovis, 466년경~511년

클로비스 1세는 프랑크족의 첫 번째 왕은 아니지만 훗날 프랑스가 되는 왕국의 토대를 닦은 왕으로 국민의 기억 속에 남아 있다. 그는 명실공히 메로빙거 왕조의 실질적인 창시자인데, 메로빙거라는 명칭은 클로비스의 조상 메로베우스에서 유래한 것이다. 클로비스는 오늘날 벨기에의 투르네에서 태어난 것으로 보인다. 이곳을 중심으로 모여 살던 프랑크족의 분파 살리족의 왕 힐데릭 1세와 튀링겐의 왕녀 바시나 사이에서 태어난 클로비스는 481년 왕위를 계승했다. 그는 주로 전쟁 기술을 배웠는데 프랑크족의 왕손이라면 누구나 군사 교육을 받아야 했다. 청소년 때부터 단검의 일종인 '스크래머색스'를 사용하는 훈련을 받았으며, 비록 로마 제국은 조금씩 해체되고 있었지만 라틴어도 배웠다. 제국의 행정 구획은 기존대로 유지되었고, 클로비스의 아버지는 율리우스 카이사르에 의해 셋으로 분할된 갈리아 지방의 일부인 갈리아 벨기카를 통치했다.

프랑스의 형성

클로비스가 통치하던 시기에 미래의 프랑스가 형성된다. 그는 왕좌에 오르자마자 메로빙거 왕조의 전통에 따라 왕족의 일부를 처단함으로써 분열의 싹을 잘라냈다. 그리고 갈리아 벨기카 전체를 다스린 것은 물론이고 496년에는 알라만족, 500년에는 부르군트족, 507년에는 서고트족의 영토를 차례로 점령해 남과 동으로 뻗어나갔다. 486년 수아송 전투에서 승리한 클로비스는 로마 장군 시아그리우스가 지배하던 갈리아 북부 일부를 점령했다. 투르의 그레고리우스가 쓴 프랑크 왕국의 연대기 『프랑크인의 역사』에 따르면 그 유명한 수아송의 항아리 이야기가 생긴 것은 바로 이때였다.

수아송의 항아리

프랑크족의 전통에 따르면 전쟁에서 승리한 후 전리품은 한곳에 모아 전사들이 나눠 가졌다. 그러나 랭스의 주교 레미가 값비싼 제식용 항아리는 교회에 돌려줄 것을 국왕에게 요청했다. 그런데 한 전사가 돌려주기를 거부하고 도끼로 항아리를 내려쳤다. 클로비스는 나중에 그 항아리를 주교에게 보냈지만 전사의 무례함을 잊지 않았다. 487년 3월 군사들을 사열하던 클로비스는 마침 그 전사가 무기 손질을 게을리한다고 비난하면서 문제의 도끼를 바닥에 내던졌다. 전사가 도끼를 주우려고 몸을 굽히자 클로비스는 자신의 도끼로 그의 머리를 내리쳐 죽이고 시신은 본보기가 되도록 그 자리에 버려두었다.

개종

레미 주교가 클로비스를 다시 본 것은 그의 결혼식 때였다. 왕에게는 첩이 여럿 있었지만 결혼식 다음 날 왕으로부터 '아침의 선물morgengabe'을 받을 수 있는 본부인은 아직 없었다. 그 자리는 493년 부르군트의 왕 힐페릭 2세의 딸 클로틸드에게 돌아갔다. 기독교도인 왕비의 소원과는 달리 클로비스의 개종은 쉽게 이루어지지 않았다. 우선 맏아들의 죽음이 원인이었다. 그러나 그레고리우스가 쓴 『프랑크인의 역사』에는 약간 다른 이야기가 나온다. 496년 클로비스는 톨비악 전투에서 승리하면 신을 믿겠노라고 서약했다. 312년 로마 황제 콘스탄티누스도 밀비우스 다리 전투를 앞두고 같은 기도를 한 바 있다. 클로비스는 톨비악 전투에서 승리하고도 3년이 지난 뒤에야 레미 주교로부터 교리 문답 수업을 들었고, 499년 3000명의 전사들과 함께 세례를 받았다. 이때 성령의 상징인 비둘기가 프랑크 왕의 도유식에 사용할 성유병을 물어다 주교에게 주었다고 한다. 이 '기적의 성유 병'은 저절로 성유가 채워져 클로비스 이후로 1825년 샤를 10세까지 모든 왕의 대관식 때 사용되었다고 한다. 이 세례식을 통해 클로비스는 권력의 충실한 후원인인 막강한 주교들의 지지를 얻게 되었다.

권력 행사

시아그리우스와의 전투에서 승리한 클로비스는 갈리아에 살던 파리시족의 옛 수도인 파리를 점령했다. 그 후 왕권을 공고히 한 뒤 파리를 수도로 정하고 시테섬에 왕궁을 건설하도록 명했다. 그는 개종한 왕답게 성당도 여럿 세웠고 사법 제도의 기초도 쌓았다. 당시 프랑크인들은 506년 서고트의 왕 알라리크 2세가 반포한 로마 법령 모음집 '알라리크의 적요'에 제시된 법령을 기본법으로 사용하고 있었다. 클로비스는 로마법을 비롯해 관습법, 국왕의 칙령 등을 혼합한 살리족의 법령집 '살리카 법전Pactus Legis Salicae'을 사용했다. 511년에 그는 오를레앙 공의회를 소집했으며 이때 주교들은 주교단을 재정비했다. 그해 11월 27일 클로비스는 파리에서 생을 마감했고, 유해는 '사도들의 교회'에 안장되었다. 그의 사후 프랑크 왕국은 관례에 따라 아들들에게 분할 상속되었다. 형들이 모두 죽자 막내아들이었던 클로타르가 왕국을 통일했으나 561년 그가 죽은 뒤 왕국은 또다시 아들들에게 분할되었다.

성녀 준비에브와 클로비스

준비에브(422년경~502년경)는 프랑스 낭테르에서 태어났다. 아버지 세베루스는 로마식 이름을 가진 프랑크인이었고 어머니 제론시아는 그리스인이었다. 준비에브는 일곱 살이 되던 해 오세르의 제르맹 주교의 영향으로 신에게 헌신하기로 결심했다. 준비에브는 속세에서 벗어나 경건한 삶을 살았는데, 그녀의 아버지는 외동딸에게 낭테르와 파리에서의 시참사회 직무를 물려주었다. 451년 아틸라가 이끄는 훈족이 파리를 침공하자 그녀의 삶은 완전히 달라졌다. '신의 징벌'이라고 불린 아틸라의 군대가 야기한 공포로 인해 파리 시민들은 대거 피난을 떠났고 도시는 약탈당했다. 전해오는 이야기에 따르면 준비에브가 아틸라를 만나 파리를 파괴하지 말라고 설득했다고 하지만, 실은 막대한 돈을 일종의 보상금으로 건넸다는 것이 좀 더 근거 있는 이야기인 듯하다. 이후 오를레앙까지 진격해 들어간 아틸라는 대패했다. 465년 힐데릭 1세가 파리를 점령했고, 준비에브는 시민들에게 식량을 보급해 다시 한번 파리를 구했다. 힐데릭 1세의 아들인 클로비스가 왕좌에 오르면서 상황은 호전되었는데, 클로비스는 준비에브의 청에 따라 '사도들의 교회'를 축성했다. 이 교회는 후에 생트준비에브 성당으로 불리게 되며 이 성당이 있는 곳 또한 생트준비에브 언덕이라고 불리고 있다. 준비에브는 6세기 초, 502년경에 사망한 것으로 전해진다.

클로틸드 온화하고 신실한 왕비

Clotilde, 475년경~545년

클로틸드는 부르군트의 왕족이다. 당시 부르군트를 다스리던 그녀의 할아버지 군디오흐왕이 죽자 전통에 따라 군도바트, 고데기젤, 힐페릭, 고도마르 등 네 아들이 왕국을 나눠 가졌다. 부친 힐페릭과 모친 모두 삼촌 군도바트에게 살해되자 클로틸드와 언니 크로마의 목숨도 위태로워졌다. 크로마는 수녀가 되어 위험에서 벗어났다. 클로틸드는 다른 삼촌 고데기젤이 있는 제네바의 궁으로 피신해 목숨을 구했다. 여기서 그녀는 프랑크 왕국 사신들의 눈에 띄었고 클로비스왕의 청혼을 받았다.

왕비와 성녀

클로틸드는 493년 클로비스와 수아송에서 결혼식을 올리고 프랑크 왕국의 왕비가 된 후 이교도 남편을 기독교로 개종시키기 위해 부단히 노력했다. 비밀리에 세례를 받은 맏아들 잉고메르가 얼마 뒤 죽자 클로비스는 클로틸드가 믿는 신의 짓이라며 비난했다. 둘째 아들 클로도미르도 비밀리에 세례를 받았는데 병에 걸리자 클로틸드는 무너졌다. 다행히 클로도미르는 살아남았고 힐데베르트, 클로타르, 클로틸드 등 다른 자녀들도 마찬가지였다. 그렇지만 클로비스의 마음을 돌리지는 못했다. 전해지는 이야기에 따르면 알레마니족과의 중요한 전투를 앞둔 클로비스가 만약 승리하면 신을 믿겠노라 서원했다고 한다. 전투에서 이긴 클로비스는 약속을 지켰다. 499년 12월 25일, 그는 누이 아우도프레다 및 자신의 전사들과 함께 레미 주교에게서 세례를 받았다. 프랑크 왕국에서 왕의 종교는 곧 백성의 종교였다.

클로비스는 507년 수도를 파리로 옮기고 511년 눈을 감을 때까지 그곳에 머물렀다. 아들들에게 큰 영향력을 가지고 있던 클로틸드는 파리와 투르를 오가며 지내다가 투르의 생마르탱 수도원에서 여생을 보냈다. 클로틸드는 '사도들의 교회'에 남편 클로비스와 함께 안장되었다. 이 교회는 클로비스와 클로틸드가 파리에 세운 교회로 현재 우리가 아는 생트준비에브 성당이다. 550년에 클로틸드는 성인품에 올랐다.

킬데어의 브리지다 참나무의 성녀

Brigit of Kildare, 5세기 중반~524년경

킬데어의 브리지다 또는 브리젯Bridget은 아일랜드의 수호성인 중 하나이다. 브리지다는 5세기 중반 라우스의 던도크 근교 포가르트에서 태어나 524~528년 무렵에 사망했다고 알려져 있다. 브리지다에 대한 이야기는 그녀를 둘러싼 신화와 민담에 근거한 것이다. 브리지다는 귀족, 혹은 왕이었던 아버지와 노예였던 어머니 사이에서 태어났다. 그녀는 어머니와 함께 드루이드druid(켈트족의 고위 성직자)에게 팔려 갔으나 얼마 뒤 이 드루이드를 개종시켰다. 노예 신분을 벗어난 브리지다에게 새로운 기회가 찾아왔다. 왕족 혈통을 가진 그녀가 얼스터 왕국의 군주에게서 혼인 제안을 받은 것이다. 그렇지만 그녀가 원한 것은 수녀의 삶이었다. 브리지다의 아버지는 혼인을 강권했으나 결국 딸의 헌신적인 신앙심에 뜻을 꺾었다.

참나무 집

아일랜드의 또 다른 왕국 렌스터의 왕이 브리지다에게 킬데어에 있는 커리 평원을 하사했다. 그녀는 우선 참나무 아래 자신이 살 오두막집을 지었다. 거대한 참나무 줄기 안에 만들어진 공간이었는지 이름을 '킬 다라Kil Dara', 즉 '작은 참나무 방'이라고 지었다. 여기서 '킬데어'라는 지명이 나왔다. 브리지다의 신앙심은 많은 사람을 끌어모았고 그녀는 아일랜드 최초의 수녀원을 세웠다. 실제로는 수사와 수녀가 모두 머물며 각각 수도원장과 수녀원장의 지도를 받는, 이른바 남녀 혼성 수도원이었다. 주목할 점은 수녀원장의 지위가 더 높았다는 것이다. 이곳의 영적인 감독은 브리지다의 친구인 성 콘레스 주교가 맡았다. 킬데어 수도원은 아일랜드 전역으로 퍼져나갔다. 그녀의 성덕은 여러 기적으로 드러났다. 그녀는 눈먼 수녀에게 다시 볼 수 있는 기적을 행했다. 그러나 시력을 되찾은 수녀는 오히려 햇빛으로 눈이 부셔 신을 볼 수 없게 되자 다시 눈을 멀게 해달라는 부탁을 했다고 전해진다. 브리지다는 가톨릭교회와 그리스 정교회에서 성인으로 추대되었다.

테오도라 '암컷 곰'에서 황후로

Theodora, 500년경~548년

테오도라는 비잔티움 제국을 무대로 야망을 펼치고자 했던 로마인의 삶을 보여준다. 그녀는 콘스탄티노폴리스에서 태어났다. 아버지 아카키우스는 콘스탄티노폴리스의 전차 경기장 무대에 오르던 곰을 조련하는 사람이었고 어머니는 무희였다. 카이사레이아의 프로코피우스가 쓴 『비사』에 따르면 어린 나이에 아버지를 여읜 테오도라는 언니 아스파시아와 코미토와 함께 무대 위에 올라 춤을 추고 몸을 팔며 생계를 이어갔다. 이런 여인들을 '암컷 곰'이라고 불렀는데, 전차 경기 중간에 거의 나체 상태로 연기도 하고 춤도 추는, 다시 말해 노래나 춤 같은 재능보다는 몸매가 중요한 직업이었다. 부유한 남자들이나 잠시 들렀던 지방 사람들은 마음에 드는 무희를 골라 개인적으로 만날 수도 있었다. 테오도라는 무희로 활동하던 동안 최소한 한 번은 아이를 낳았던 것으로 전해진다.

전차 경기장 무대에서 황후의 자리로

한동안 양털에서 실을 뽑는 일을 하던 테오도라는 타고난 명석함으로 신분 상승을 하려면 교육이 필요하다는 것을 깨달았다. 그녀는 읽고 쓰는 것은 물론 철학 수업도 받았고, 그리스도의 강생에도 불구하고 육신을 가지고 세상에 나온 그리스도에게는 단일한 신성만이 존재한다는 단성론을 믿었다.

그녀의 매력에 빠진 이들 가운데는 황제 유스티누스 1세와 그의 조카로 경비대장이었던 유스티니아누스가 있었다. 유스티니아누스는 테오도라의 미모에 사로잡혀 그녀를 정부로 삼았다. 그러나 그녀의 지적인 면모에 더욱 매료된 그는 525년 결혼을 감행했다. 2년 후 유스티니아누스는 삼촌의 뒤를 이어 황제(유스티니아누스 1세)가 되었고 테오도라는 황후가 되었다.

테오도라의 승리

532년 콘스탄티노폴리스 시민들은 경기장에서 승리를 의미하는 '니카Nika'를 외치

「테오도라 황후와 신하들」, 모자이크, 6세기 중엽, 라벤나.

며 반란을 일으켰다. 위협을 느낀 유스티니아누스는 피신해 왕위에서 물러나고자 했으나 당당한 테오도라는 이를 받아들이지 않았다. 기록에 따르면 황제의 나약함과 비겁함을 나무란 테오도라는 반란자들의 손에 죽더라도 결코 물러서지 않을 것이며 황후로서 죽음을 맞겠다고 주장했다. 이에 정신을 차린 황제는 측근인 벨리사리우스 장군과 나르세스 장군과 함께 반란을 진압하고 도시를 탈환했다. 봉기한 군중은 경기장으로 몰아 모두 학살했다.

왕조를 지킨 승리자는 테오도라였다. 유스티니아누스보다 정치적 감각이 뛰어나고 총명했던 그녀는 제국을 개혁했고 무엇보다 여성의 지위를 개선하려 했다. 이혼 시 여성에게 더 많은 권리를 부여했고 어린 처녀들의 매매를 금지했다. 종교 분야에서는 단성론을 계속 지지했으며 그녀가 세상을 떠난 548년까지 단성론자에 대한 박해 또한 금지했다. 유스티니아누스 황제는 565년에 사망했다. 그러나 테오도라가 없는 그의 재위 기간 동안에는 별다른 업적을 남기지 못했다.

토머스 베켓 두 개의 검 사이에서 죽다

Thomas Becket, 1118년~1170년

젊은 시절 토머스 베켓은 전도유망한 청년이었다. 부모는 노르만인으로 부유한 상인이었고, 그는 머튼 수도원과 런던에서 수학했다. 베켓의 어머니는 헌신적인 사랑으로 아들을 키웠으며 그가 스물한 살이 되던 해 세상을 떠났다. 런던에서 성직자가 된 그를 아버지가 캔터베리 대주교 테오발드에게 데려갔다. 대주교는 볼로냐 대학교에서 교회법을 공부하고 성품까지 온화한 베켓을 신임했다. 대주교의 신임을 얻게 된 그는 대주교관으로 들어가게 되었으며 1154년에는 캔터베리 부주교 서품을 받았다.

신에게서 멀어져 왕의 곁으로

캔터베리 부주교가 되고 얼마 지나지 않아 토머스 베켓은 테오발드 대주교의 추천으로 잉글랜드 국왕 헨리 2세에게서 대법관 칭호를 받았다. 군사를 모집하고, 문제가 되는 제후들을 제압하고, 헨리 2세가 왕위에 오르기 전 벌어졌던 내전으로 훼손된 런던탑을 보수하는 등 그의 놀라운 행정 능력은 곧바로 빛을 발했다. 큰 키에 마른 체격, 갈색 머리, 열띤 토론에 빠졌을 때를 제외하면 늘 창백한 낯빛, 성마른 기질을 지녔다고 전해지는 베켓은 왕에게 꼭 필요한 인물로 부상했다. 조정은 물론 사냥터까지 왕의 곁을 떠나지 않았다. 그렇지만 왕의 자유분방한 행각까지 함께한 것은 아니었다. 그는 매우 도덕적인 남자였다고 한다.

더 놀라운 사실은 성직자인 그가 모든 분야에서 왕의 권위를 되찾으려고 한 헨리 2세의 주장을 지지했다는 것이다. 이제 성직자는 교회 조직의 구성원을 직접 임명하고 징수금을 거둘 권한을 상실하게 될 것이었다. 이는 '두 개의 검'이라는 정치 이론을 적용한 것이라고 할 수 있다. 즉 교권의 검은 로마와 교황에게, 속권의 검은 잉글랜드 왕에게 속한다는 것이다.

정해진 그대로

베켓은 '두 개의 검'이라는 원칙을 글자 그대로 시행했다. 예를 들어 주교를 임면할 경우 국왕이 먼저 주교를 선택한 후 교황이 이를 승인했다. 젊은 베켓은 자신이 왕의 측근이라는 사실에 자부심을 느꼈고 자신보다 열다섯 살 어린 왕 옆에서 만형이나 삼촌 같은 역할을 했다.

베켓은 세속의 즐거움을 배척하지 않았고 대법관으로서의 영화를 한껏 누렸다. 행차할 때면 화려한 자수가 들어간 실크 옷을 입고 값비싼 보석을 두른 채 많은 수행원을 거느렸다. 지위를 남용하고 특혜를 누린다는 의심을 받을 만했다. 입증되지는 않았으나 전해지는 이야기에 따르면 베켓은 그가 맡은 관구를 돌보지 않았고 교회 공동체를 착취했으며 배은망덕한 사람이었다고 한다. 심지어 그의 후원자였던 테오발드 대주교가 1161년 임종 직전에 그를 여러 번 찾았으나 한 번도 보러 가지 않았다고 한다.

변신

테오발드 대주교가 사망하자 헨리 2세는 토머스 베켓을 그 자리에 앉히려고 했다. 그러나 베켓은 큰 열의를 보이지 않았다. 헨리 2세가 이 자리를 공석으로 놓고 뜻을 굽히지 않자 결국 1년 후 베켓은 대주교의 자리에 올랐다. 바로 이때부터 상상도 못한 일이 벌어졌다. 향락 속에 살던 베켓이 누구보다 금욕적인 성직자가 된 것이다. 그는 금실과 은실을 섞어 짠 이탈리아제 금란과 같은 고급 직물은 마다하고 말총 등으로 만든 거친 천의 옷을 입었다. 이런 의복을 맨몸에 입고 살갗이 벗겨지는 아픔을 느끼며 고행의 수련을 자처했다.

1158년부터 1163년까지 노르망디에 머물던 헨리 2세는 이러한 변화에 놀랐으나 별다른 언급을 하지 않았다. 하지만 잉글랜드로 돌아온 헨리 2세는 성직자를 왕의 권위 아래 복종시키고자 했다. 교회가 누리는 특권, 특히 사법적 특권이 왕의 심기를 불편하게 한 것이다. 예컨대 성직자는 범죄를 저질렀을 경우 교회 법정에서 재판을 받았는데, 교회 법정은 사형 판결을 내리지 않기에 일반 법정보다 훨씬 관용적이었다. 게다가 성직자가 벌금형을 받을 경우 그 벌금이 국왕의 금고로 들어오지 않는 것도 못마땅한 일이었다. 1163년 내내 베켓 대주교는 헨리 2세의 개혁에 반대했다. 그해 12월 국왕과 대주교는 옛 관습을 따르자는 막연한 약속만을 남긴 채 갈라섰다. 이는 당분간 어떤 결정도 내리기 힘들 때 흔히 취하는 방식이었다.

대립

1164년 1월 헨리 2세는 윌트셔에 있는 클래런던에서 성직자들에게 클래런던 헌장을 건넸다. 16장으로 구성된 이 헌장은 왕권 강화가 그 핵심 내용이었다. 이에 따르면 왕이 주교를 임명하고, 성직자는 더 이상 교황청에 직접 항소할 수 없으며, 왕의 신하를 상대로 한 파문은 금지되었다. 사법권은 오직 왕에게 있으며 성직자도 이에 따르도록 했다. 베켓을 제외한 대부분의 성직자는 잉글랜드와 잉글랜드 군주의 우월권을 받아들였다. 대법관으로서 클래런던 헌장의 승인을 거부한다는 것은 주군인 헨리 2세에 대한 봉건제적 충성 서약을 거부하는 것에 해당했다.

1164년 10월 헨리 2세는 노샘프턴 공의회를 소집해 베켓을 반역죄로 단죄했다. 베켓은 목숨마저 위태로운 상황이 되었다. 그는 변장을 한 채 프랑스로 피신했고, 루이 7세는 잉글랜드 왕에게 타격을 가할 수 있다는 생각에 기꺼이 그를 도왔다. 대립 교황을 옹립한 신성 로마 제국의 프리드리히 1세와의 충돌로 프랑스에 망명 중이었던 교황 알렉산데르 3세는 난처한 상황이 되었다. 베켓은 교황권을 지지했지만 알렉산데르 3세는 잉글랜드 왕을 적으로 돌릴 수는 없는 노릇이었다. 망설임 끝에 1167년 교황은 잉글랜드에 특사를 보냈고 1170년 베켓의 망명은 막을 내렸다.

암살

1169년 베켓과 헨리 2세의 몽미라이에서의 만남은 완전한 실패였다. 베켓은 모든 합의를 거부했고 헨리 2세는 화를 내며 회담장을 떠났다. 1년 후 헨리 2세는 요크 대주교에게 장남을 공동 왕으로 축성하게 했다. 이는 캔터베리 대주교의 고유 권한이었다. 베켓은 요크 대주교 로저를 파문했다. 헨리 2세는 자신도 파문당하거나 최악의 경우 왕권을 박탈당할지 모른다고 생각했다. 이 당시 주일 미사, 결혼 미사, 세

「캔터베리 대주교 성 토머스 베켓의 암살을 그린 장식 문자」, 미세화, 지롤라모 다 크레모나, 15세기.

례 등 교회 의식이 모두 중단되었다. 프랑스의 프레트발에서 헨리 2세와 베켓의 두 번째 회동이 이루어졌고, 헨리 2세의 승인 아래 1170년 12월 2일 베켓은 잉글랜드로 돌아올 수 있었다. 클래런던 헌장에 대해서 두 사람은 그 어떤 논의도 없었고 따라서 아무것도 해결되지 않았다. 베켓은 파문을 해제하지 않았고 교권과 관련된 왕의 결정 사항도 받아들일 생각이 전혀 없었다.

격노한 헨리 2세는 누군가 베켓을 제거하면 좋겠다고 소리치면서 괴로워했다고 전해진다. 국왕의 탄식을 들은 4명의 기사는 왕명을 받았다고 생각했다. 무기를 들고 성당에 들어가는 것 자체가 중죄였으나 1170년 12월 29일 이들은 캔터베리 성당으로 잠입했다. 그리고 베켓이 요크 대주교의 파문을 해제하지 않겠다고 외치자 그를 칼로 찔러 죽였다. 암살에 대한 도덕적 책임을 통감한 헨리 2세는 1172년에는 아브랑슈에서, 1174년에는 베켓의 무덤 앞에서 공개적으로 참회했다. 1173년 교황 알렉산데르 3세는 베켓을 성인으로 시성했다.

피에르 아벨라르 사랑 때문에 거세당한 자

Pierre Abélard, 1079년~1142년

피에르 아벨라르는 중세의 사상을 지배한 스콜라 철학의 아버지이다. 자유로운 성향과 천재성을 겸비한 그는 일생 자신의 탁월하고 비범한 통찰력으로 인해 고초를 겪는다. 지나치게 강하고 사교성이 부족한 성격으로 주위에 적을 많이 만들었기 때문일 것이다. 그는 브르타뉴의 부유한 기사 가문에서 태어났다. 자유로운 심성을 지닌 그의 부친은 자식들의 교육에 공을 들였다. 장남인 아벨라르는 군인이 되어야 했으나 장자의 권리를 포기하는 대신 성직자의 길을 가도 된다는 허락을 받았다. 그 후 파리, 믈룅, 코르베유에 소재한 여러 학교를 두루 다니면서 랑의 안셀무스와 같은 당대 가장 훌륭한 스승들로부터 가르침을 받았다.

아벨라르는 예민한 성격 때문에 신학자 로스켈리누스나 샹포의 기욤과의 관계가 여러 번 안 좋아지기도 했다. 이 두 학자는 '보편'이 존재한다고 주장했으나 아벨라르는 이를 부인했다. '보편'이란 같은 집단에 속하는 개개의 실재에 고유한 속성이다. 예를 들어 '검정'이라는 말은 검은색인 모든 것들의 보편이다. 아벨라르는 '검정'이라는 보편이 검은색 사물의 실재를 담고 있는 것은 아니라고 보았다. 그 사물은 언어로는 다 표현할 수 없는 고유한 실체, '검정'이라는 말 한마디로 환원될 수 없는 어떤 물리적 존재를 갖는다고 믿었기 때문이다.

사랑 때문에 거세되다

아벨라르의 일생에서 가장 비극적인 사건은 그의 자전적 기록 『나의 불행한 이야기』로 인해 후대에 알려졌다. 1113년 당시 아벨라르는 파리의 노트르담 대성당 부설 학교의 교장이었다. 많은 학생이 그의 강의를 듣기 위해 몰려들었다. 그는 시대를 앞서가는 근대성을 발휘하기도 했다. 1110년 생트준비에브 성당 부설 학교의 교장인 에티엔 드 가랑드의 비호 아래 성직자는 물론 평신도도 신학과 수사학을 배울 수 있는 학교를 건립한 것이다. 아벨라르의 명성은 널리 알려져 파리 노트르담 대성당의 참사회원 퓔베르는 고결한 조카 엘로이즈의 교육을 그에게 맡겼다. 엘로이즈와 아벨라르는 격렬한 사랑에 빠졌다. 퓔베르가 이들의 사랑을 알게 되자 아벨라르는 추문을 막기 위해 엘로이즈를 브르타뉴에 있는 자신의 본가로 보냈다. 그곳에서 엘로이즈는 아들 아스트랄라브를 낳았고 아벨라르의 누이가 아이를 키웠다. 퓔베르의 압박을 받은 아벨라르는 엘로이즈를 파리로 불렀다. 그녀는 결혼할 마음이 전혀 없었지만 혼인을 받아들였다. 그러나 둘의 결합은 비밀에 부쳐졌다. 성직자는 결혼을 할 수 없었으므로 그들이 결혼한 사실이 알려지면 아벨라르는 성직자로서의 특혜나 학생을 가르칠 권리를 잃게 될 것이기 때문이다.

그러나 퓔베르는 두 사람의 결혼을 세상에 알렸고 엘로이즈는 아르장퇴유 수도원으로 피신했다. 퓔베르는 엘로이즈가 남편에게 버림받았다고 이야기하고 다녔고 청부업자들을 고용해 아벨라르의 성기를 절단했다. 이 야만적 행위의 반향은 실로 대단했다. 범인들도 거세되는 죗값을 치렀으며 눈이 뽑히는 형벌까지 받았다. 반면 퓔베르는 참사회원직을 2년간 정직당하는 가벼운 처벌만 받았다. 엘로이즈는 피신했던 수도원에서 진짜 수녀가 되었고 아벨라르는 생드니 수도원의 수도사가 되었다.

골칫거리를 자초하는 기술

아벨라르의 고통은, 대개의 경우 자초한 고통이기도 한데, 끝난 것이 아니었다. 그는 자신을 받아준 생드니 수도원의 수도사들을 경악시켰다. 생드니 수도원의 수호성인이 디오니시우스 아레오파기타가 아니라고 주장한 것이다. 아벨라르는 수도사들이 분노하자 티보 드 샹파뉴 백작의 궁으로 피신했다. 그의 저서 『최고선의 신학』은 1121년 수아송 공의회에서 유해하다는 판결을 받았다. 공개적으로 이 책을 스스로 불태우는 조건으로 아벨라르는 징역을 면할 수 있었다. 1125년부터 1133년까지 모르비앙의 생질다드뤼 수도원의 원장으로 있던 그는 그곳에서도 사람들의 공분을 샀고 살해 위협에서 간신히 벗어날 수 있었다. 이미 1121년 수아송 공의회에서 아벨라르를 단죄한 베르나르 드 클레르보는 1140년 상스에서도 그에게 유죄 선고를 내렸다. 결국 도망치는 데 성공해 화형을 면한 아벨라르는 부르고뉴의 클뤼니 수도원으로 몸을 피했고, 1142년 4월 21일 세상을 떠날 때까지 그곳에서 여생을 보냈다.

1164년에 사망한 엘로이즈는 그녀의 뜻에 따라 아벨라르의 밑에 묻혔다. 1817년부터 두 연인의 유해는 세계 모든 연인의 순례지인 파리의 페르라셰즈 묘지에 나란히 묻혔고 무덤에는 묘비가 세워졌다. 아벨라르는 『철학자, 유대인, 기독교인의 대화』를 비롯한 많은 저서와 파라클레 수녀원의 수녀들에게 바치는 송가 등을 남겼다. 파라클레 수녀원은 아벨라르가 1122년 오브에 세운 은둔처로 엘로이즈가 원장을 맡았다. 가장 유명한 아벨라르의 저서는 1122년에 쓴 『그렇다와 아니다』이다. 그는 이 책에서 교회의 교부 철학자들이 설파한 일견 모순적으로 보이는 여러 주장을 논리적으로 풀어보고자 했다. 또한 아벨라르는 논리학과 변증론의 토대 위에 자신의 분석법을 수립했다. 짧지만 인상적인 책 『윤리학 또는 너 자신을 알라』에서는 행위와 의도의 차이를 설명했다. 행위는 그 자체로 좋은 것도 나쁜 것도 아니며 인간을 더 나은 존재나 더 못한 존재로 만들어주지 않는 반면에 악한 의도는 죄악으로 이어진다는 것이다.

피터 발도 가난하지만 성결한 영혼

Peter Valdo, 1140년경~1205년경

피터 발도 또는 피에르 발데스Pierre Valdès는 잘 알려지지 않은 유명 인물이다. 발데스 또는 보데스Vaudès는 '계곡', '골짜기'를 뜻하는 라틴어 '발두스valdus'의 프로방스어 방언이다. 발도Valdo가 가장 널리 쓰이는데, 이는 발데스의 부정확한 이탈리아어식 표기로 보인다. 피터라는 이름도 15세기 전에는 어디에도 나오지 않지만 정확한 이름을 알 수 없어 편의상 피터 발도로 부른다. 피터 발도는 리옹에 사는 부유한 상인이었다. 그는 성직자가 아니었고 라틴어를 알지 못했으나 충실하게 미사에 참석했고 프로방스어로 낭독되는 『성경』의 「잠언」을 즐겨 들었다. 특히 그는 그리스도의 말씀, 즉 천국에 이르기 위해서는 가진 것을 다 버려야 한다는 말씀을 즐겨 들었다. "약대가 바늘귀로 들어가는 것이 부자가 하느님의 나라에 들어가는 것보다 쉬우니라"(「마태복음」 19장 24절)라는 그리스도의 가르침 말이다.

신비주의 체험

1170년 무렵 피터 발도는 갑자기 모든 것을 버리고 집을 떠났다. 신비주의 체험을 한 것인지, 사랑하는 이를 잃은 슬픔 때문인지, 아니면 오전부터 마음에 품었던 계획을 실천한 것인지 그 정확한 이유는 알 수가 없다. 발도는 부인과 딸들, 가난한 이웃들에게 가진 재산을 다 나눠주고 다만 『성경』을 프로방스어로 번역하고 복사본을 만들 만큼의 돈만 지녔다. 그는 라틴어에 비해 속어라고 불리던 프로방스어로 복음을 전파했다. 곧 사람들이 그의 주변으로 모여들었고 후에 발도는 이들과 함께 '리옹의 빈자들' 또는 '발도파'라고 불리는 평신도들의 신앙 공동체를 세웠다. 이들은 평생 순명과 전도 등 수도자적 삶의 원칙을 따랐다. 이들이 가장 역점을 둔 사도의 역할은 말씀 전파였고, 이로 인해 교황청과 결별했다. 1179년 발도는 자신의 공동체를 프란치스코회와 같은 정식 수도회로 교황의 인가를 얻고자 제자들을 데리고 알렉산데르 3세를 만나러 갔다. 교황은 발도와 그 제자들이 따르는 규율은 인정했으나 설교는 금했다. 이들이 성직자가 아니라 평신도이며 라틴어로 설교하지 않는다는 이유에서였다. 알렉산데르 3세의 뒤를 이어 교황이 된 루치오 3세도 발도파의 설교를 금한다는 것을 다시 한번 확인했다. 발도가 교황청의 결정을 따르지 않자 교황은 1184년 베로나 공의회에서 이들을 파문하고 이단이라고 선포했다.

발도파는 리옹을 떠나 뤼베롱과 피에몬테에 작은 공동체를 설립했다. 1215년 제4차 라테란 공의회에서 이단이라는 처결을 받고 숨어 지내던 발도파는 결국 개신교에 합류했다. 발도파는 부사제, 사제, 주교 체계를 갖추고 있었으며 병자나 노인, 고아 등을 위한 무료 시설을 세워 교회를 대신했다. 설교는 '삼촌'라고 불리는 발도파 신자들이 맡았다. 교리 문답은 신앙생활의 근본 원리에 대한 예수의 가르침인 산상수훈(「마태복음」 5~7장)을 중심으로 이루어졌다. 발도파는 사치와 돈과 권력을 탐한다는 이유에서 로마 교회와 단절했으며, 피로 물든 싸움을 부른다는 이유에서 봉건 사회와 단절했다. 이들은 연옥의 개념은 거부했으나 가톨릭 성사, 화체설, 자유 의지, 현생에서 선행의 중요성 등은 받아들였다.

히파티아 아름다움과 비극

Hypatia, 370년경~415년

히파티아는 뛰어난 미모와 지성, 교양을 갖춘 여성 학자였다. 이러한 매력과 재능은 그녀를 죽음으로 몰아넣은 덫이 되기도 했다. 히파티아는 헬레니즘 시대의 대표적인 대학이라고 할 수 있는 알렉산드리아 무세이온mouseion의 학장이었던 테온의 딸로 태어났다. 수학자인 아버지로부터 수학을 배웠고 철학 등 우수한 교육을 받았다. 400년경 신플라톤주의의 대표적인 철학자로서 그녀는 플로티노스와 이암블리코스에 대한 뛰어난 강의를 펼쳤다. 특히 천문학과 수학에 조예가 깊었던 히파티아는 알렉산드리아의 디오판토스가 쓴 『산학』, 페르가몬의 아폴로니우스가 저술한 『원뿔곡선론』, 클라우디오스 프톨레마이오스의 천문학 서적 『알마게스트』 등에 대한 주해서를 집필했다.

히파티아, 너무나 자유로운 영혼

히파티아의 재능과 미모는 많은 학생에게 영향을 끼쳤고 그중에는 장차 프톨레마이스의 주교가 되는 키레네의 시네시우스도 있었다. 히파티아가 살고 있던 알렉산드리아는 이교도인과 기독교인 사이의 대립으로 사회적 동요가 점점 격심해지고 있었다. 391년 알렉산드리아의 대주교 테오필로스는 테오도시우스 황제의 명을 받아 이교도의 건축물을 파괴했다. 세라피스 사원을 비롯한 여러 사원과 유명한 알렉산드리아 도서관까지 약탈당했다. 절망한 히파티아는 온 힘을 다해 몇 권의 책이라도 구하고자 애썼다.

지식이 풍부하고 고대 이교 문명을 따르며 자유분방한 기질을 가진 히파티아는 테오필로스에 이어 알렉산드리아의 대주교가 된 키릴로스를 격노케 했다. 그녀는 자신을 짝사랑해서 따라다니는 학생에게 강의 도중에 자신이 사용한 생리대용 천을 던지며, 여기에 그 어떤 아름다움도 없다고 외쳤다. 또 철학자의 망토를 두르고 거리를 다녔으며 사람들과 철학을 논했다. 히파티아의 집에는 그녀의 말을 들으려고 찾아오는 사람들로 차고 넘쳤다. 키릴로스는 이 모든 것을 시기했다. 키릴로스가 414년 유대인들을 추방하자 히파티아는 불법적인 일이라며 비난했다. 415년 키릴로스는 기독교인들의 폭동을 사주했고 성난 폭도는 히파티아를 붙잡아 사지를 절단해 잔인하게 죽였으며 그녀의 유해를 불태웠다.

여성과 수학

히파티아는 최초의 여성 수학자들 중 하나로 꼽힌다. 사실 여성 수학자들은 많지 않다. 수학은 남성의 영역이라는 것이 일반적인 생각이었기 때문이다. 지금까지 수학의 노벨상으로 여겨지는 필즈상 수상자 중 여성은 이란의 마리암 미르자카니 한 명에 불과하다. '소피 제르맹 정리'를 수립한 프랑스의 수학자 소피 제르맹은 수학자의 길을 가기 위해 남학생인 것처럼 신분을 속이기도 했다. 그녀는 앙투안 오귀스트 르 블랑이라는 이름으로 프랑스의 명문 공과 대학인 에콜 폴리테크닉의 강의록을 구할 수 있었던 것이다. 최초의 근대 여성 과학자로 불리는 뒤 샤틀레 후작 부인의 경우는 가까운 벗이었던 볼테르의 권유로 연구를 계속할 수 있었다. 그런데 1840년대 세계 최초로 컴퓨터 프로그램을 만든 사람이 에이다 러브레이스라는 사실을 사람들은 알고 있을까?

인물

근대는 중세 말에서 계몽 시대의 종말을 알린 프랑스 대혁명 때까지 펼쳐진다. 그 300여 년 동안 르네상스, 새로운 신앙, 고전주의, 그리고 이성, 개방, 혁명이 꽃피는 시기가 이어진다. 근대 국가의 발전은 같은 속도로 이루어지지 않았고 그 결과도 달랐다. 발전을 주도한 국가는 프랑스였다. 13세기 이후 왕은 영주들의 중재자 역할을 했고, 그 역할을 가장 잘 소화한 인물이 루이 9세였다. 필리프 4세의 법학자들은 왕이 '왕국의 황제'라는 아이디어를 확립했다. 그러다가 샤를 5세 때부터는 대관식이 왕에게 후광을 입히는 효과를 냈다. 샤를 7세와 루이 11세는 군대와 세제를 정비했다. 1469년 페르난도 2세와 이사벨 1세가 결혼하면서 통일된 에스파냐는 카를 5세와 특히 포르투갈까지 다스린 펠리페 2세 치하에서 최고 권세를 누렸다. 영국에서는 장미 전쟁으로 많은 귀족이 몰락하자 튜더가가 그 틈을 노려 권력을 잡았다. 에스파냐보다 조금 더 늦게 통일이 이루어져서 잉글랜드와 스코틀랜드가 한 국왕의 통치를 받기 시작했다. 1648년 베스트팔렌 조약이 체결된 뒤 독일은 선출된 황제가 다스리는 봉건제를 유지했다. 황제는 전통적으로 합스부르크 가문에서 선출되었고 의회는 무력했다. 이탈리아에서는 에스파냐의 고객이기도 했던 많은 군주가 영토를 나눠 다스렸다. 귀족들이 다스렸던 공화국들 중에서 제노바 공화국과 베네치아 공화국만 살아남았다. 북해 연안에서는 새로운 공화국이 형성되었다. 펠리페 2세 시절에 독립한 네덜란드 공화국은 홀란트의 부유한 상인 부르주아 계층을 낳았다.

근대

LE MONDE MODERNE

근대

인물

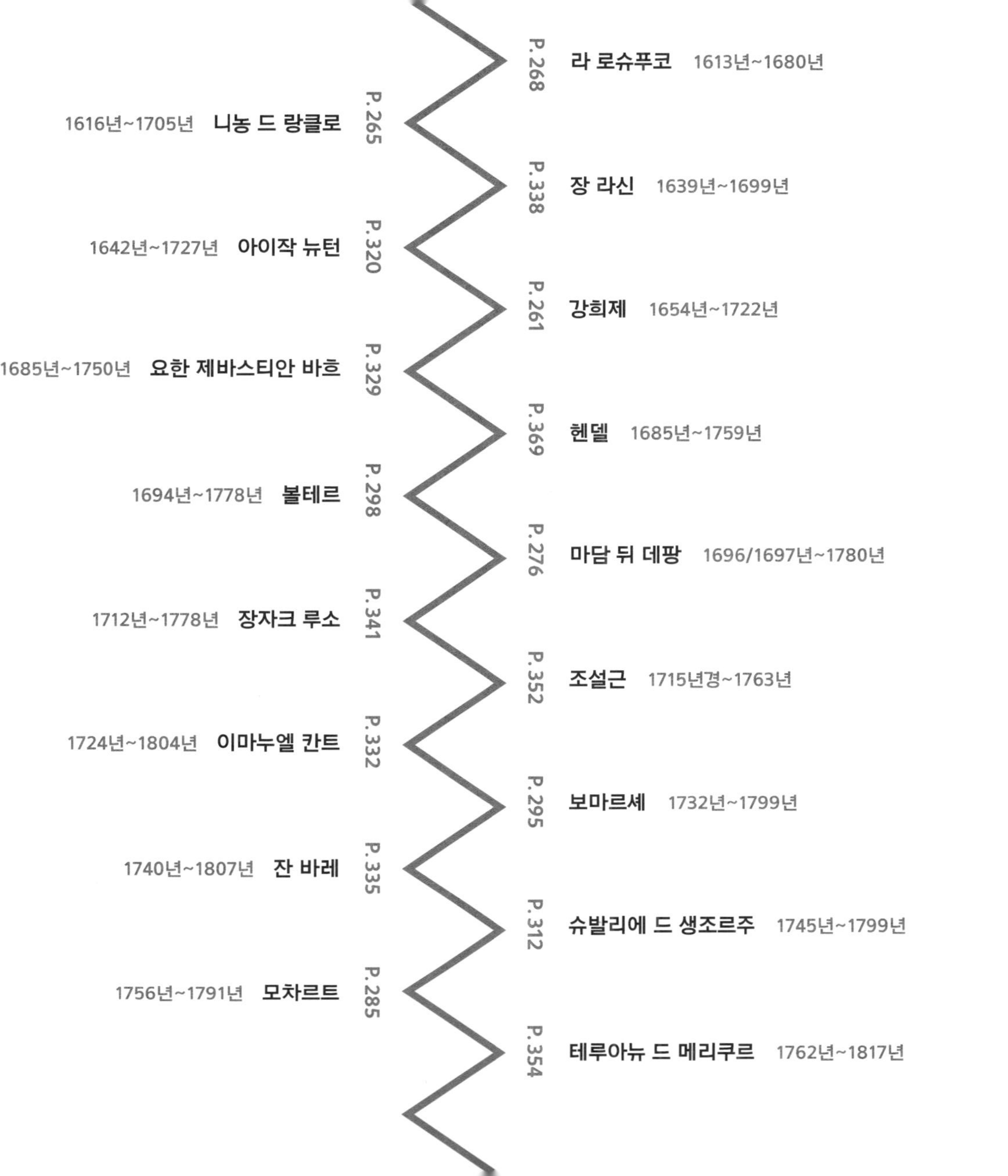
P. 268 라 로슈푸코 1613년~1680년
P. 265 니농 드 랑클로 1616년~1705년
P. 338 장 라신 1639년~1699년
P. 320 아이작 뉴턴 1642년~1727년
P. 261 강희제 1654년~1722년
P. 329 요한 제바스티안 바흐 1685년~1750년
P. 369 헨델 1685년~1759년
P. 298 볼테르 1694년~1778년
P. 276 마담 뒤 데팡 1696/1697년~1780년
P. 341 장자크 루소 1712년~1778년
P. 352 조설근 1715년경~1763년
P. 332 이마누엘 칸트 1724년~1804년
P. 295 보마르셰 1732년~1799년
P. 335 잔 바레 1740년~1807년
P. 312 슈발리에 드 생조르주 1745년~1799년
P. 285 모차르트 1756년~1791년
P. 354 테루아뉴 드 메리쿠르 1762년~1817년

갈릴레오 갈릴레이 "그래도 지구는 돈다"

Galileo Galilei, 1564년~1642년

갈릴레오 갈릴레이는 과학 실험과 과학의 철학으로의 연장을 상징한다. 그는 천체 망원경을 발명했고 지동설—우주의 중심이 태양이라고 한 코페르니쿠스의 주장—을 입증할 수 있는 천체 관측을 했다. 그러나 신이 만든 세계에서 지식이 진보할 때 나타나는 수학적 언어의 객관성이 오류의 위험을 없애준다고 믿는 것은 착각이다.

젊은 시절과 천칭

갈릴레이는 1564년 2월 15일 피사에서 태어났다. 갈릴레이의 집안은 원래 상업에 종사하다가 음악으로 전향했다. 그의 아버지 빈첸초 갈릴레이는 작곡가이자 류트 연주자였고 『근대 음악 대담』을 쓴 이론가이기도 했다. 어머니 줄리아 벤투리 델리 암만나티는 부유한 목재상 집안 출신이었다. 갈릴레이의 가족은 피사에 살다가 1570년 집안의 본거지인 피렌체에 정착했다. 어린 갈릴레이는 피렌체 근교에 있는 발롬브로사 수도원 학교에 다녔다. 청년이 된 뒤에는 피사 대학교에서 공부했다. 갈릴레이는 수학을 좋아했지만 아버지의 바람대로 의대에 진학했다. 1585년 결국 학위를 받지 못하고 대학을 떠난 뒤에 개인에게 수학을 강의하기도 했다. 그는 수학뿐만 아니라 아리스토텔레스 철학에도 조예가 깊었다. 경험주의에 관심이 많았던 갈릴레이는 매우 적은 질량을 측정할 수 있는 천칭을 고안했다. 그리고 그와 관련된 이론을 정립하기 위해 소논문 「작은 천칭」을 집필했다.

아리스토텔레스를 걸고넘어지다니

갈릴레이는 볼로냐 대학교의 수학 교원직에 지원했지만 떨어지고 말았다. 귀족 구이도발도 델 몬테의 후원을 받고 나서야 1년 뒤에 피사 대학교에 자리를 얻었다. 그는 이곳에서 아리스토텔레스가 주장했던 것과는 달리 물체의 낙하 속도가 물체의 질량에 비례하지 않는다는 것을 증명했다. 그런데 갈릴레이가 정말 이를 증명했는지에 대한 의혹이 있다. 의욕 넘친 전기 작가가 꾸며낸 이야기일 수 있다는 것이다. 어쨌든 중요한 것은 갈릴레이가 아리스토텔레스의 물리학에서 아르키메데스의 물리학으로 전향했다는 점이다. 그는 아리스토텔레스의 권위에 도전했다는 이유로 피사 대학교에서 쫓겨났다. 그러자 이번에는 그의 후원자가 파도바 대학교의 수학 교수 자리를 마련해주었다. 갈릴레이도 이 자리는 20년 동안 지켰다. 이곳에서 돈도 더 많이 받았는데, 1591년에 아버지를 여의고 집안의 가장이 된 갈릴레이에게는 매우 중요한 일이었다. 경제적 어려움을 타파하기 위해 그는 어쩌면 학생들에게 방을 빌려주고 개인 과외를 하거나 자신이 만든 온도계와 천칭을 팔았을지도 모른다. 그러나 베네치아 출신이었던 마리나 감바와 결혼을 하기에는 너무 가난했을 것이다. 두 사람은 슬하에 딸 둘과 아들 하나를 두었다.

황금 망원경

1609년은 갈릴레이의 인생에 중요한 변화가 찾아온 해였다. 네덜란드에서 만들어진 확대경을 보고 천체 망원경을 설계했던 것이다. 그는 측면 초점의 품질을 높여서 파도바의 관할 도시였던 베네치아의 의회에 제출했다. 갈릴레이가 발표한 내용이 꽤 설득력이 있어서 그는 대학에서 종신직도 얻고 월급도 2배 더 받았다. 갈릴레이는 배율을 20배나 높인 망원경으로 행성을 관찰하고 달의 표면을 분석했으며—표면이 매끄러울 것이라는 생각과는 달리 울퉁불퉁했다—달이 목성 주위를 공전하는 현상을 연구했다. 그 내용을 『별에서 온 메신저』에 써서 토스카나 대공 코시모 2세 데 메디치에게 바쳤다.

지구가 우주의 중심이 아닐 때

갈릴레이는 이러한 관찰을 토대로 완전히 새로운 세계관을 갖게 되었는데 교회는 그가 선을 넘었다고 보았다. 갈릴레이가 프톨레마이오스 이후 정설로 여겨졌던 천동설에 이의를 제기했기 때문이다. 그는 태양을 은하계의 중심으로 본 코페르니쿠스의 지동설을 지지했다. 로베르트 벨라르미노 추기경은 갈릴레이에게 코페르니쿠스의 저서 『천구의 회전에 관하여』에서 주장하는 바를 따르지 말라고 경고했다. 갈릴레이는 바르베리니 추기경의 보호를 받고 있었기 때문에 위험할 것이 없었다. 게다가 바르베리니 추기경은 1623년에 교황으로 선출되어 우르바노 8세가 될 인물이다. 그해에 갈릴레이는 지적 경쟁자였던 오라치오 그라시를 과학적이면서도 반어적으로 공격한 『시금 저울』을 교황에게 바쳤다. 교황은 갈릴레이에게 코페르니쿠스의 이론을 절대적 진리가 아닌 단순한 가정으로서 받아들인다면 연구를 계속해도 된다고 허락했다. 그러나 1632년 교황은 갈릴레이에게 『두 가지 주요 세계관에 관한 대화』에서 천동설과 지동설이라는 모순적인 명제들을 논하라고 요청했다. 이듬해에 로마의 종교 재판소가 그를 소환했고 재판이 벌어졌다. 갈릴레이는 이단으로 유죄를 선고받아 화형에 처해질지도 모르게 되자 공개적으로 자신의 주장을 철회하는 수치를 맛보았다. 그는 이때 자신이 쓴 글을 모두 부정하고 교회의 관점을 따르겠다고 말했다. 결국 처벌은 무기 징역으로 낮춰졌다. 낙담하고 씁쓸했던 갈릴레이는 재판소를 떠나면서 유명한 말을—아마도—남겼다. "그래도 지구는 돈다."

지성의 대가: 실총

사람들은 갈릴레이를 평생 감옥에 가두려 하지는 않았다. 후원자인 시에나 대주교 아스카니오 피콜로미니 추기경의 궁에서 6개월을 보낸 갈릴레이는 피렌체 인근 아르체트리에 있는 수녀원으로 보내졌다. 그는 그곳에서 수학과 물질의 저항에 대한 연구를 계속했고 그 결과물은 1638년 네덜란드에서 『새로운 두 과학』이라는 책으로 출간되었다. 갈릴레이는 그 후 얼마 지나지 않아 시력을 잃었고 1642년 1월 8일에 세상을 떠났다.

강희제 자금성의 루이 14세

康熙帝, 1654년~1722년

중국 청나라의 황제 강희제는 베이징에서 태어났다. 그는 순치제와 효강장 황후의 셋째 아들이다. 순치제가 천연두에 걸려 갑자기 사망하자 후계자로 삼았던 강희제가 1661년 일곱 살의 나이로 중국의 군주가 되었다. 황제가 되기는 했으나 강희제가 어려서 나라를 제대로 다스릴 수 없었기에 이미 순치제의 짧은 군림 기간 동안 고위직을 차지했던 4명의 보정 대신이 나랏일을 맡았다.

4명의 대신과 13아문

결국 4명의 보정 대신—소닌, 숙사하, 오보이, 어빌운—이 권력을 나눠 가졌다. 그들은 청나라와 명나라의 타협을 꾀해야 했다. 만주족이 세운 청나라는 중국의 한족에게는 오랑캐와 같았다. 따라서 멸망한 토착민 한족이 세웠던 명나라를 지지하는 세력이 많았다. 제국의 행정은 여전히 명나라의 제도와 같았다. 13개의 아문衙門이 오늘날의 부처 역할을 했다. 그러나 부패하고 무능한 환관들이 아문을 지배했기 때문에 명나라가 몰락했던 것이다. 새롭게 임명된 대신들은 만주족 출신 고관들을 위주로 황실을 개편했다.

1인 권력

마자랭이 죽은 뒤 루이 14세의 행보가 그랬듯이 강희제도 거대한 제국의 유일한 지도자임을 증명해야 했다. 그는 열세 살 때부터 완전한 지배권을 갖고 있는 것으로 여겨졌으나 현실은 달랐다. 대신들이 그의 이름으로 나라를 다스렸기 때문이다. 다행히도 그들은 서로를 질투하고 제거하려 했다. 소닌의 죽음이 시발점이었다. 오보이가 숙사하를 없애고 어빌운은 굴복시켰다. 결국 오보이만 남았지만 강희제와 태황태후 효장문 황후는 막강한 권력을 휘두르는 그를 제거하기 위해 오랫동안 계획을 세웠다. 오보이는 황제를 알현하던 장소에서 황좌 뒤에 숨어 있던 근위병들에게 극적으로 체포되었다. 오보이는 월권행위로 사형에 처하게 되었으나 강희제가 그를 사면해 무기 징역으로 감형되었다. 그는 감옥에 갇히고 얼마 지나지 않아 죽었다. 황제는 열다섯 살에 나라의 진정한 주인이 되었다. 영광스러운 군림이 그제야 시작되었다.

영토 확장

강희제는 청나라의 네 번째 황제였다. 아버지 순치제는 스물세 살이라는 젊은 나이에 세상을 떠나 황권을 견고히 할 시간이 없었다. 이 일은 강희제의 몫이었다. 중국 남부의 부유한 지방이었던 쓰촨성, 광둥성, 윈난성은 왕의 지위를 가진 세 군벌이 다스리고 있었다. 그들은 원래 황제의 봉신이지만 실제로는 완전히 독립적인 군주였다. 귀족들이 일으켰던 내란인 프롱드의 난을 해결해야 했던 루이 14세처럼 강희제도 그들을 복종시켜야 했다. 1673년에 군사 원정이 성공하면서 그는 목표를 이룰 수 있었다. 중국을 남북으로 다스리게 된 강희제는 나라를 해상 강국으로 만들고자 했다. 루이 14세는 브레스트를, 그는 타이완을 그 근거지로 삼았다. 그런데 1662년부터 타이완은 봉신인 정씨 가문이 다스리고 있었다. 정씨 가문은 네덜란드인들을 물리쳤고 만주족의 권위를 인정하지 않았다. 내전이 일어나자 강희제는 권력이 약해진 정씨 가문을 공격해서 1683년에 타이완을 빼앗았다. 이제 러시아와 맞닿은 북쪽 국경을 지킬 일만 남았다. 결과가 다양했던 두 나라의 계속적인 충돌은 1689년 네르친스크 조약으로 끝이 났다. 강희제는 압록강까지 국경을 넓혔고 청나라의 요람인 만주까지 회복했다. 또한 1691년에서 1696년까지 내몽골과 외몽골을 차례로 정복해서 청 제국에 흡수했다. 티베트도 1720년에 중국의 속주가 되었다. 강희제는 중국의 국경을 새로 그렸을 뿐만 아니라 영토도 크게 확장하고 인구도 증가시켰다. 청은 부유한 제국이 되었다. 그 부를 제대로 활용하려면 나라를 더 효율적으로 재편해야 했다.

대운하와 번성하는 무역

루이 14세가 미디 운하를 만들었다면 강희제는 1800킬로미터에 달하며 황하와 양

쯔강을 잇는 대운하를 다시 살렸다. 그는 광저우를 비롯해 4개의 항을 개방했다. 세제를 개편해서 백성의 부담을 덜어주기도 했다. 강희제는 자기의 돈을 털어 전쟁을 벌이고 대공사를 하곤 했다.

예수회를 받아들이다

1692년 강희제는 기독교 선교사들이 중국에 복음을 전파하고 사람들을 개종시키는 것을 허락했다. 선교사들은 중국에서 선교 활동을 활발하게 했다. 교단 중에서 예수회는 새 신자들이 여전히 조상에게 제사를 지내도 이를 열린 마음으로 수용했지만 다른 교단들은 그러지 못했다. 이런 교단들의 요청으로 1704년 교황 클레멘스 11세는 중국인 신자들이 제사를 지내지 못하게 금지했다. 강희제는 이를 용납할 수 없는 황권 침해라고 보았다. 1706년 그는 예수회를 제외한 나머지 교단의 선교사들을 모조리 추방했고 교황의 특사도 하나둘씩 돌려보냈다. 예수회 선교사들이 그를 설득해보려고 했지만 아무 소용이 없었다.

공붓벌레

예술 분야에서 '루이 14세의 세기'라는 말을 쓰는데, 문학 분야에서 강희제에게도 같은 말을 할 수 있을 것이다. 그의 지성과 학습 능력은 어렸을 적부터 많은 스승과 교사를 놀라게 했다. 관료를 뽑는 제도였던 과거는 유교의 고전에 대한 지식을 평가했다. 강희제는 가장 훌륭한 문인 50명이 재능만으로 고위직에 선출될 수 있는 두 번째 길을 열었다. 시험에 통과한 사람들은 한림원에 소속되었다. 이곳에서 여러 권의 백과사전이 편찬되었다. 1710년에 『연감유함』이 완성되었고 1만 권으로 구성된 『고금도서집성』의 집필이 시작되었다. 『강희자전』은 1716년에 4만 개 이상의 한자를 모아 214개의 부수로 분류한 사전이다. 시인 주이존은 명나라의 역사를 다룬 『명사』 편찬에 힘을 쏟았다. 새로운 과학적 발견에 개방적이었던 강희제는 예수회 선교사들을 궁으로 초대했다. 페르디난트 페르비스트 신부는 그에게 기하학을 가르쳐주었으며 공식 달력의 체계를 정립했다. 그는 흠천감의 천문대장에 임명되었다. 회화도 빠지지 않았다. 이탈리아의 화가 주세페 카스틸리오네가 중국에 원근법을 들여왔으며 궁정 화가로 임명되었다. 그는 황궁의 말들을 그렸고 강희제의 후계자들 곁에서도 임무를 계속했다. 그는 특히 건륭제의 초상화를 그리기도 했다.

계속되는 문제

모든 것이 강희제의 바람대로 흘러가는 듯했다. 그러나 그의 말년은 황위 계승 문제로 힘들어졌다. 루이 14세는 아들과 손자, 그리고 여러 명의 증손자를 차례로 잃었고, 1715년 9월 1일 숨을 거둘 때 겨우 다섯 살이었던 루이 15세만 있었다. 강희제에게는 아들이 35명이나 있었으니 그만큼 문제도 많았다. 만주족에게는 승계에 관한 법이 없었다. 강희제는 둘째 아들 윤잉을 후계자로 지목함으로써 문제가 해결되었다고 생각했지만 윤잉은 그의 기대에 미치지 못했다. 결점이 많았던 윤잉은 1708년에 폐위되었다가 1709년에 복권되었지만 결국 1712년 황태자의 자리를 잃었다. 교훈을 얻은 강희제는 공식적으로 후계자를 지정하지 않았다. 그러자 왕자들과 그들의 어머니들이 갈등을 일으키고 음모를 꾸미며 제국을 약화시켰다. 1722년 12월 20일 강희제는 이처럼 우울한 분위기에서 숨을 거두었다. 때마침 강희제가 선택한 후계자가 아버지의 유언을 발견했다. 그는 강희제의 넷째 아들이었고 옹정제라는 이름으로 청 제국을 다스렸다.

니농 드 랑클로 사랑의 여왕

Ninon de Lenclos, 1616년~1705년

안 드 랑클로Anne de Lenclos, 일명 니농 드 랑클로는 라 두아르디에르의 하급 귀족 앙리 드 랑클로와 마리바르브 드 라 마르슈의 딸이다. 부모의 운명은 딸의 삶을 호락호락하게 만들어주지 않았다. 아버지는 살인을 저지르고 1632년에 다른 나라로 도주했다. 어머니는 독실한 신자로, 1642년에 세상을 떠났을 때 니농에게 변변한 유산을 물려주지 못했다. 재산이 없었던 니농은 늘 돈 걱정을 해야 했고 결국 결혼을 피하지 못하는 신세가 되었다. 그러나 니농은 독신으로 살기로 결심하고 멘토이자 조언자인 마리옹 들로름을 본받아 당대 최고의 상류층 화류계 여자인 쿠르티잔courtisane이 된다. 의회 의원인 장 쿨롱이 그녀의 긴 고객 목록의 첫 줄에 이름을 올렸다.

쿠르티잔

마리옹 들로름은 니농에게 남자를 유혹하는 기술과 그 기술로 돈을 버는 방법을 가르쳐주었다. 회상록 작가인 탈망 데 레오는 니농이 연인을 세 부류로 나누었다고 기술했다. '돈 쓰는 남자'는 그녀의 애정을 요구하지 않고 생활비를 대주는 남자이다. '순교자'는 그녀에게 구애를 하지만 가망이 없는 부류이다. '변덕쟁이'는 그녀가 사랑하는 행복한 남자이다. 그러나 사랑도 잠시만 유효하다. 한 남자에게 지나치게 오랫동안 매달리지 않는 것이 니농의 법칙이었다. 니농은 루이 드 부르봉 앙갱 공작, 즉 미래의 대 콩데를 비롯해 드 세비녜 후작과 그의 아들 샤를, 루이 드 몽메 빌라르소 후작 등 수많은 남자를 사귀었다. 빌라르소 후작과는 아들 루이 라 부아시에르 기사

인기 만점 살롱

아름답고 똑똑하며 자유분방했던 니농은 엄격한 규율에 사로잡힌 17세기 사회에서 완전히 자유로운 여성을 상징했다. 1667년 니농은 자신의 살롱을 열었다. 이곳에는 몰리에르도 출입했는데 니농은 그가 쓴 『타르튀프』를 수정해주었다. 사실 니농은 과학을 좋아하고 이탈리아어와 에스파냐어를 능숙하게 하는 똑똑한 여자였다. 그녀의 살롱에는 시인 폴 스카롱의 신랄한 유머와 생테브르몽의 세속적 회의주의가 넘쳤다. 실력 있는 음악가이기도 했던 니농은 클라브생을 연주했고 미술도 무척 좋아했다.

를 낳았다. 남자들에게 인기가 폭발하자 매력적인 영국 작가 호레이스 월폴은 그녀의 사후에 '사랑의 여왕'이라는 별명을 지어주었다.

그렇다면 신은 어디에?

니농은 종교 문제에 있어서는 반항적이었던 것으로 보인다. 예수회와 얀센주의자들의 다툼이 잦았던 세기에 살았던 니농은 무신론자였고 이를 공공연히 드러냈다. 그녀의 태도는 신앙심이 돈독했던 안 도트리슈 왕비의 화를 돋우었다. 왕비는 1656년에 니농을 잠시 감금하고 그녀가 수녀원에서 생을 마감했으면 좋겠다고 공공연히 말했다. 니농의 유명한 애인들과 문인 친구들이 그녀를 꺼내기 위해 힘썼다. 1659년 니농은 『앙갚음을 당한 교태 부리는 여인*La Coquette vengée*』을 써서 반격에 나섰다. 그녀는 이 책에서 자신의 종교적 선택에 대해 옹호했다. 스카롱이 그녀의 살롱을 드나들던 시절에 니농은 그의 아내인 프랑수아즈 도비네와 우정을 나누었다. 도비네는 루이 14세의 총애를 입어 마담 드 맹트농이 되었다가 귀천상혼에 의해 왕의 아내가 되었다. 도비네는 평생 니농을 애틋하게 생각했고, 종교적 신념은 달랐지만 그녀를 보호했다.

끝까지 유혹하기

니농은 그 시대 호색가들에게 승리의 트로피였지만 그녀는 자신이 양성애자임을 드러내고 동성애를 즐기기도 했다. 니농은 팔라틴 공주, 마담 드 비본, 마담 드 라 사블리에르, 레이디 몬태규 등 많은 여자와 우정을 나누기도 했다. 그러나 중요한 자리는 언제나 남자들 차지였다. 세월은 니농에게 아무런 영향력이 없었는지 그녀는 일흔일곱 살에 샤토뇌프 사제의 품에 안겼고 여든 살 생일에도 참사회원 니콜라 제두앵에게 똑같은 행복을 약속했다. 그렇게 해서 그 나이에도 남자를 유혹하는 즐거움을 맛볼 수 있다고 생각했다. 사람들의 경외와 갈망의 대상이었던 그녀는 부자가 되어 1671년 쿠르티잔의 생활에서 은퇴했다. 이때부터는 '번덕쟁이' 부류에 속하는 남자들만 그녀의 곁에 머물 수 있었다. 살롱은 공증인 프랑수아 아루에가 맡았는데 니농이 만났던 그의 아들이 바로 볼테르였다. 똑똑한 볼테르에게 매료되었던 니농은 당시로서는 엄청난 양이었던 2000권이나 되는 책을 그에게 남겼고, 볼테르는 서가다운 서가를 가질 수 있게 되었다. 여자들의 질투와 남자들의 욕망의 대상이었던 니농은 1705년 10월 17일 파리에서 숨을 거두었다. 그녀에게 사람을 보내 자주 의견을 물었던 연로한 루이 14세는 더 이상 "니농은 뭐라고 했지?"라는 질문을 던질 수 없었다.

라 로슈푸코 현명해진 반항아

La Rochefoucauld, 1613년~1680년

프랑수아 드 라 로슈푸코François de La Rochefoucauld는 마르시야크 공이라는 호칭을 받고 파리에서 태어났다. 그는 그 칭호를 1650년까지 사용했다. 프랑수아 5세 라 로슈푸코 백작과 가브리엘 뒤 플레시스리앙쿠르의 아들로 대귀족 출신이었던 그는 열다섯 살에 앙드레 드 비본과 결혼해서 아들 넷과 딸 셋을 두었다. 군인이 되려고 했던 라 로슈푸코는 루이 13세가 에스파냐를 상대로 전쟁을 일으키자 1629년에는 이탈리아에서, 1635~1636년에는 피카르디에서, 1639년에는 플랑드르에서 참전했다.

호색가

라 로슈푸코의 삶은 연인들과의 관계에 따라 변했으며 항상 정치적 열정이 함께했다. 1636년 그는 슈브뢰즈 공작 부인과 리슐리외 추기경을 물리칠 음모를 꾸민 죄로 8일 동안 바스티유 감옥에 갇혔다가 베르퇴유로 2년간 유배를 갔다. 사면되어 복귀한 뒤에도 사람들은 의심의 눈초리를 거두지 않았다. 라 로슈푸코는 롱그빌 공작 부인이자 대 콩데의 누이인 안 드 프랑스에게 빠져서 프롱드의 난에 가담했다. 반란 도중인 1651년 대 콩데는 프랑스를 에스파냐에 넘기는 마드리드 조약을 체결해버렸다. 그러자 라 로슈푸코는 반란의 주모자가 아니었느냐는 의심을 샀다. 프롱드의 난이 실패로 돌아가자 라 로슈푸코는 다시 정신을 차렸지만 이때도 여자들이 그의 운명을 좌지우지했다. 친하게 지냈던 마담 드 사블레와 마담 드 라 파예트 덕분에 그는 다시 왕실에 출입할 수 있었다. 1650년 아버지가 세상을 떠나면서 라 로슈푸코 공작이 된 그는 1661년 성령 기사단 훈장을 받았다. 루이 14세가 그의 젊은 날의 치기를 용서한 것이다.

문인

라 로슈푸코는 문학 살롱을 출입하다가 1662년에 『회상록』을 냈다. 그러나 동시대인들에 대한 외설적인 내용이 스캔들을 일으켰다. 라 로슈푸코는 책에 쓴 내용을 부인하고 심지어 자신이 저자가 아니라고 말할 수밖에 없었다. 이 사건으로 그는 철학적 명상에 전념하게 되었고 1665년에 그 결과물인 『잠언과 성찰』을 발표했다. 원래 제목은 '고찰, 또는 도덕적 금언과 격언'이다. 이 책은 1678년까지 다섯 차례 출간되었으며 마지막 판에는 504개의 잠언이 실려 있다. 비관주의가 강하게 깃든 이 잠언들은 인간이 되어야 할 모습과 인간의 실제 모습이 나타내는 격차를 강조한다. 라 로슈푸코는 특히 인간 본성의 결점에 대해 다루었다. "선에 영웅이 있듯이 악에도 영웅이 있다"는 185번째 잠언에 그가 주장하는 바가 잘 드러나 있다.

레오나르도 다빈치 비트루비우스적 인간

Leonardo da Vinci, 1452년~1519년

레오나르도 다빈치는 르네상스가 추구한 완전한 인간의 전형이다. 화가, 조각가, 엔지니어, 도시 설계가, 해부학자 등으로 활동하면서 두각을 드러내지 못한 분야가 없을 정도였다. 프랑스와의 전쟁으로 인해 혼란에 빠진 이탈리아에서 다빈치는 후원자와 활동 영역을 자주 바꿨고 결국 프랑수아 1세가 두 팔 벌려 환영해준 프랑스에서 생을 마감했다. 그의 고약한 성격은 종종 그 자신에게 불리하게 작용했다. 다빈치가 화를 잘 내고 자주 우울해했으며 시작한 일을 마무리하는 데 소질이 없었다는 사실은 잘 알려져 있다. 역설적이게도 현재 그의 작품은 거의 전해지지 않지만 「모나리자」를 비롯해 남아 있는 작품은 모두 유명하다.

천재 소년

레오나르도 다빈치는 1452년 4월 15일 피렌체 공화국의 빈치에서 멀지 않은 안키아노에서 태어났다. 그의 아버지는 부유한 공증인 피에로 프루오시노 디 안토니오 다빈치였고 어머니는 농부였던 카테리나였다. 서자로 태어난 다빈치는 아버지가 네 번이나 결혼하는 동안 배다른 형제자매와 함께 자랐다. 그들과 공립 초등학교를 같이 다녔는데 당시는 초등 교육 정도면 농부의 아들인 그에게 충분하다고 하던 때였다. 그는 성인이 되어 배움의 폭을 넓혔으며 라틴어와 수학도 배웠다. 그림은 아주 어렸을 때부터 그렸는데 아버지는 그를 안드레아 델 베로키오의 공방에 수습생으로 보냈다. 다빈치는 스승 옆에서 회화뿐만 아니라 조각, 도금, 기계, 목공도 배웠다. 1472년 그는 피렌체의 화가 조합인 '성 루가 길드'의 회원이 되었다. 이 시기에 「수태 고지」와 「석죽의 성모」를 그렸다. 이때 이미 다빈치는 남자들에게 끌렸고 그로 인해 1476년 남색 죄로 재판을 받았다. 로렌초 데 메디치가 나선 덕분에 풀려난 다빈치는 그때부터 예술 활동으로 먹고살 수 있게 되었다. 그의 후원자인 메디치는 그를 밀라노에 있는 루도비코 스포르차 공작에게 보냈다.

밀라노에서 보낸 풍족한 시절

다빈치는 밀라노에서 17년 동안 머물면서 다방면에서 재능을 펼쳤다. 화가로서는 「암굴의 성모」와 「최후의 만찬」을 완성했고, '공작의 엔지니어 겸 화가'로서는 루도비코의 아버지를 상징하는 무게 70톤의 대형 말 동상 「그란 카발로」—'일 카발로 디 레오나르도'('레오나르도의 말')로 알려져 있기도 하다—의 석고 모델을 제작했으나 작품으로 완성하지는 못했다. 이후 1999년 니나 아카무는 이 말의 청동상을 제작했다. 도시 설계가이자 장인으로서의 다빈치는 이상적인 도시의 설계도를 그리고 새로운 직조공 직업을 고안했다. 그러나 1499년 이탈리아 원정에 나선 프랑스의 루이 12세가 밀라노를 차지하고 루도비코 스포르차를 쫓아냈다. 다빈치도 도망갈 수밖에 없어서 베네치아로 향했다.

방랑의 시절

밀라노에서 비교적 안정적으로 생활했던 다빈치는 베네치아에서는 기회가 올 때마다 후원자를 바꿔야 했다. 그는 1499년 3월에서 1500년 4월까지 베네치아에서 투르크족의 공격에 대비해 베네치아의 방어 체계를 구축하는 공성전 엔지니어로 활동했다. 적과의 수중전에 대비해 병사들이 물속에서 입을 수 있는 잠수복을 발명한 것도 이때였다. 그는 만토바에 잠시 머물렀는데 이때 이자벨 데스테의 초상화를 그렸다. 이자벨 데스테는 초상화를 더 그려달라고 주문했으나 소용이 없었다. 다빈치가 『신성한 비례』를 쓴 루카 파치올리에게 수학을 배우고 싶어 했기 때문이다. 1502년 다빈치는 체자레 보르자 밑에서 지도를 제작했으며 도시 방어를 강화하는 일을 하며 교황령에서 지냈다. 이듬해에는 피렌체로 돌아와 베키오궁의 '500년의 방'에 「앙기아리 전투」 그림을 그렸다. 낙화 기법으로 그린 그의 작품은 빨리 지워지는 단점이 있었고 작업을 미루는 그의 버릇 때문에 결국 이 작품은 미완성으로 남았다. 그러다가 1563년 조르조 바사리가 이 작품 위에다가 그림을 덧칠해서 그리는 바람에 「앙기아리 전투」는 영영 사라지고 말았다. 바사리는 『르네상스 미술가 평전』을 쓰면서 다빈치의 생애에 많은 부분을 할애했다. 피렌체는 다빈치를 다시 고용했는데 이번에는 요새 전문가로서 그의 능력을 샀다. 1504년 밀라노로 돌아간 다빈치는 마시밀리아노 스포르차 밑으로 들어갔다. 이때 모나 리사 델 조콘도의 초상화 「모나리자」를 완성했다. 이 작품의 모델이 누구인지에 대해서는 의견이 분분하다. 일부 전문가들은 모나리자가 다빈치의 수습생이자 애인이었던 남자 살라이였을 것이라고 주장한다. 다빈치는 살라이를 '작은 악마'라고 불렀는데 그가 성격이 고약하고 도둑질을 자주 했기 때문이었다. 다방면에 호기심을 보였던 다빈치는 1505년 '새의 비행에 관한 코덱스'를 썼다. 1507년에서 1513년까지 그는 밀라노와 피렌체를 오갔다. 밀라노에서는 군대와 함께 롬바르디아로 돌아온 루이 12세의 명으로 행사를 기획하기도 했다. 1513년에서 1514년까지 로마에 머물렀을 때는 성 베드로 대성당 공사에 자신이 아니라 라파엘로가 참여하게 된 것을 보고 씁쓸함을 느꼈다. 줄리아노 데 메디치가 영향력을 행사했지만 성과가 없었던 것이다. 미켈란젤로는 시스티나 성당의 천장화를 그렸으며 줄리아노 다 산갈로와 함께 성 베드로 대성당의 돔을 설계했다.

마지막 안식처 프랑스

다빈치는 1516년 프랑수아 1세에게 프랑스에 와서 살라는 제안을 받았고 이를 재빨리 받아들였다. 프랑스 국왕은 그에게 앙부아즈에 있는 클로뤼세성을 주었고 그를 제1의 궁정 화가, 엔지니어, 건축가로 임명했다. 그 덕분에 다빈치는 넉넉한 연금을 받을 수 있었으며 살라이와 자신의 마지막 수습생이자 연인이었던 프란체스코 멜지와 함께 살 수 있었다. 그가 수첩에 남긴 수많은 그림과 메모(그는 오른쪽에서 왼쪽으로 글을 썼기 때문에 메모를 읽으려면 거울이 필요하다)가 보여주듯이 다빈치는 개인적인 연구를 계속했다. 그런가 하면 앙부아즈성에서 왕이 주관하는 연회를 기획하기도 했다. 다빈치는 클로뤼세성에서 평화롭게 말년을 보내다가 1519년 5월 2일에 세상을 떠났다. 그가 슬픔에 잠긴 국왕의 품에서 마지막 숨을 거두었다는 아름다운 전설도 내려오지만 근거가 없는 것으로 보인다.

르네 데카르트 철학하는 수학자

René Descartes, 1596년~1650년

수학자이자 철학자인 르네 데카르트는 프랑스 투렌 지방의 라 에에서 태어났다. 라 에는 오늘날 그의 이름을 따서 데카르트로 바뀌었다. 데카르트의 가족은 시골의 보잘것없는 귀족이었다. 아버지 조아셍은 렌에 있는 브르타뉴 의회의 의원이었다. 데카르트가 한 살 때 그의 어머니가 세상을 떠나자 아버지는 데카르트를 푸아투 지방의 샤텔로에 사는 외할머니에게 맡겼다. 데카르트는 개신교의 영향이 강한 환경에서 교육을 받았다.

초기 교육

어린 데카르트는 1606년 라 플레슈의 예수회 학교에 들어가 8년 동안 공부했다. 허약했던 데카르트는 그를 위해 마련된 시, 음악, 춤, 검술 수업을 들었다. 그는 푸아티에 대학교에서 법학을 공부했고 1616년에 학위를 받았다. 1618년에는 네덜란드로 가서 수학과 병술에 입문했다. 데카르트는 이곳에서 물리학자인 아이작 베크만을 만났다. 1650년에야 발표된 『음악개론』도 베크만에게 바쳤다. 데카르트는 몇 년 동안 북유럽과 남유럽을 돌아다니면서 학업과 그의 표현대로라면 '세상이라는 책'에 대한 공부를 완성했다. 이때 『방법서설』의 토대가 되는 연역법을 다듬었다. 1628년에 완성되었지만 사후에 발표된 『정신지도 규칙』에서 데카르트는 다음과 같은 행동 규칙을 정했다. 즉 분명하지 않은 것은 참으로 받아들이지 않는다. 문제를 가장 단

데카르트는 장미십자회의 일원이었을까

데카르트가 장미십자회의 일원이었던 적은 없는 것 같다. 그러나 의학 분야, 특히 인간의 수명을 100세로 연장하기 위한 연구에 쏟는 그들의 노력에는 관심을 보인 듯하다. 데카르트도 네덜란드에서 의학을 공부하고 의사로 활동할 때 수명 연장에 대한 연구를 했지만 연구 승인은 받지 못했다. 그는 네덜란드의 물리학자 코르넬리스 판 호헬란더는 존경하면서도 신비주의로 나아가는 장미십자회와 주술에 대한 믿음은 거부했다. 데카르트는 1619년 나사우의 모리스 군대에 들어갔을 때 방법론에 대한 아이디어가 떠올랐고 연구를 계속하기 위해 군대를 떠났다.

순한 단위로 쪼갠다. 단순한 것에서 복잡한 것으로 나아가면서 문제를 해결한다. 추론을 확인한다.

어설픈 멋쟁이 사상가

1622년에 데카르트는 어머니가 남긴 재산을 상속받은 덕분에 생계를 유지하기 위한 일을 하지 않아도 되었다. 파리로 돌아온 그는 왕실 음악회, 무도회, 연극 공연장, 검술장을 다니며 겉멋 든 부자의 삶을 살았다. 문인의 세계에도 발을 들여놓아 귀에 드 발자크와 테오필 드 비오와도 친분을 쌓았다. 테오필 드 비오는 종교에 반대하는 농담을 남발해서 어쩐지 이단 냄새가 풍겼지만 말이다. 데카르트는 마랭 메르센과도 교류했다. 메르센은 많은 서신을 주고받았던 유럽 지식인들의 관계망의 중심에 있던 인물이다. 데카르트는 미래의 베륄 추기경이자 예수오라토리오회를 설립한 사람에게서 아우구스티누스의 사상에 기초한 교육서를 집필해달라는 부탁을 받았다. 청탁의 의도는 분명했다. 경쟁 관계에 있는 예수회 학교에 맞서려는 것이었다. 그러나 데카르트가 네덜란드로 떠나 그곳에서 16년을 머물면서 계획은 수포로 돌아갔다.

자유에 대한 욕구

데카르트는 반종교 개혁이 사상의 세계에 가하는 압력을 피하기 위해 프랑스를 떠났다. 네덜란드는 개신교 국가였지만 데카르트에게 사상의 자유를 보장했다. 그는 레이던 대학교를 비롯해서 여러 대학교를 방문했고 덴마크에도 다녀왔으며 『제1철학에 관한 성찰』(1641년에 라틴어로 출간)의 기초를 다졌다. '보에티우스에게 보내는 편지'는 뜨거운 종교적 논쟁을 불러일으켰다. 데카르트는 개신교 신학자인 기스베르투스 보에티우스에게 종교에 상관없이 믿는 자는 누구나 천국에 갈 권리가 있다고 썼다. 논쟁이 일자 데카르트는 신중할 수밖에 없었다. 1633년 로마에서 갈릴레이가 유죄 판결을 받았다는 소식을 접하자 이미 완성한 『세계론』을 발표하지 않았다. 그는 이 책에서 코페르니쿠스의 지동설을 지지했다. 이 책은 그의 사후에 출간되었다.

데카르트 개인의 삶에도 큰 변화가 찾아왔다. 고독한 남자 데카르트가 헬레나 얀스 판 데 스트롬을 만난 것이다. 1635년에 헬레나는 딸 프랑신을 낳았는데 프랑신은 1640년에 병에 걸려 죽고 말았다. 남자는 울면 안 된다는 전통과 달리 데카르트는 딸의 죽음에 눈물을 감추지 않았고 눈물을 참아서는 안 된다고 말했다. 그 와중에도 그의 지적 활동은 계속되었고 1637년에 발표된 『방법서설』에 이어 1641년에는 『제1철학에 관한 성찰』을 발표했다. 『제1철학에 관한 성찰』은 라틴어로 썼지만 『방법서설』은 여성을 포함해서 누구나 읽을 수 있도록 프랑스어로 썼다. 『방법서설』에는 유명한 그의 말 "나는 생각한다. 고로 나는 존재한다"가 나온다. 『제1철학에 관한 성찰』에 다시 등장한 이 말에서 데카르트는 인과 관계를 생략했고 옛 문장은 "나는 생각한다. 나는 존재한다"가 되었다.

데카르트의 말년

데카르트는 1644년에서 1648년까지 사업이 잘 진행되는지, 그리고 라틴어로 쓴 자신의 저서가 프랑스어로 잘 번역되는지 확인하려고 프랑스를 가끔 다녀갔다. 그러다가 1648년 프롱드의 난이 발생하자 혼란한 파리를 피해 네덜란드로 복귀했다. 당시 스물두 살에 불과했던 스웨덴의 크리스티나 여왕이 그를 왕궁으로 불러들였다. 데카르트는 1649년 스웨덴에 도착했지만 혹독한 날씨와 낮이 짧은 겨울, 새벽 5시에 철학 강의를 해달라는 여왕의 요구에 불만을 터뜨렸다. 그가 감기에 걸린 이유도 새벽 수업 때문이었다. 감기는 곧 폐렴으로 악화되었고 그로 인해 데카르트는 1650년 2월 11일 스톡홀름에서 세상을 떠났다. 루이 14세는 그의 유해를 옮겨오라는 명령을 내렸다. 데카르트는 1667년 파리의 생트준비에브 성당에 묻혔다가 1819년 생제르맹데프레 성당으로 이장되었다. 그의 역경은 여기에서 끝나지 않았다. 누군가가 그의 두개골을 훔쳤고 그 주인이 여러 번 바뀌었다. 라틴어 시구가 쓰인 두개골은 1821년부터 파리 국립 자연사 박물관에 보관 중인데, 이 두개골이 데카르트의 것이라고 인정받았지만 진짜 그의 두개골이라고 주장되는 것이 5개나 더 있다.

마담 뒤 데팡 정신이 문학과 만날 때

Madame Du Deffand, 1696/1697년~1780년

마리안 드 비시샹롱Marie-Anne de Vichy-Chamrond은 18세기를 상징하는 인물이다. 그녀는 명민하고 교양이 넘치며 예술과 문학을 사랑했지만, 우울하고 권태와 외로움을 두려워했다. 마리안은 프랑스 부르고뉴 지방의 샤토 드 샹롱에서 태어났다. 그녀의 집안은 슈아죌이나 드 륀 등 프랑스의 위대한 가문들과 관련된 귀족 집안이었다. 아버지인 가스파르 드 비시 샹롱 백작은 부르고뉴 의회 의장의 딸인 안 브륄라르와 결혼해서 신분이 크게 상승했다.

격동의 젊은 시절

마리안은 교육을 위해 파리 샤론가에 있는 마들렌 드 트래넬 수녀원에 보내졌다. 그녀가 강한 성격을 가졌다는 것은 동료들에게 미치는 영향만 보아도 알 수 있었다. 마리안은 신의 기적을 믿어서는 안 된다고 말하고 다녔다. 당황한 수녀들은 그 시대 가장 위대한 신학자였던 장바티스트 마시용에게 조언을 구했다. 미래의 클레르몽 주교이자 인간의 마음이 품고 있는 비밀의 전문가였던 마시용은 마리안을 이단으로 판정하지 말고 신앙에 대해서는 대중이 배우는 가장 단순한 교리 문답 수준에 머물게 해야 한다고 조언했다. 마리안은 1718년 8월 2일에 장바티스트 드 라 랑드 뒤 데팡 후작과 결혼했다. 그녀는 남편이 "지나치게 자상해서 싫다"고 했다. 수녀원을 나오자마자 가족이 나서서 성사시킨 중매결혼에 그녀는 크게 제약을 받지 않았다. 마담 뒤 데팡은 머리가 비상했고, 퐁트넬이나 볼테르에 열광했지만 감정에 휘둘리는 법이 없었다. 결혼한 뒤에도 그녀는 수많은 남자와 연애를 했고 필리프 2세 도를레앙 공작과도 짧은 만남을 가졌으며 애인들과 공공연히 모습을 드러낼 정도로 과감한 여성이었다. 아내의 도발에 부부는 결국 1722년에 이혼했다.

사교계의 중심에서

정신은 독립적이었지만 이혼 후 돈이 없었던 마리안 뒤 데팡은 파리 생도미니크가에 있는 생조제프 수녀원에서 살게 되었다. 이 수도원은 몽테스팡 부인이 왕의 총애를 잃고 지냈던 곳이었다. 뒤 데팡은 1749년부터 매주 월요일에 집에서 살롱을 열고 수학자 달랑베르, 작가 볼테르, 퐁트넬, 마리보, 철학자 엘베시우스, 예술가 팔코네, 수플로, 방 로 등을 맞이했다. 그녀는 파리 의회의 의장이자 역사와 시를 사랑했던 샤를 장프랑수아 에노 다르모르장과 오랜 관계를 유지했다. 또한 살롱의 단골들과 지속적으로 서신을 교환하기도 해서 아침마다 편지를 썼다. 1754년에 시력을 잃은 그녀는 쥘리 드 레피나스를 고용해 편지를 쓰고 책을 읽게 했다. 그러나 몇 년이 지나지 않아 그들의 관계는 어긋났다. 쥘리가 살롱을 드나드는 남자들에게 매력적으로 보인다는 것을 알고 뒤 데팡이 질투하기 시작한 것이다. 두 사람은 결국 1764년에 결별했고, 쥘리는 같은 생도미니크가에 자신의 살롱을 열었다. 그리고 그곳에 달랑베르, 튀르고, 마르몽텔 등을 데려오는 데 성공했다. 사람들이 떠나자 이미 마담 드 조프랭의 살롱과 유명 인사 유치 경쟁을 벌이고 있던 뒤 데팡은 큰 타격을 입었다.

첫사랑과 마지막 사랑

총 43년간 이어졌던 볼테르와의 서신 교환은 뒤 데팡의 정신에 생명력을 불어넣었지만 그녀의 가슴은 자신보다 스무 살이나 적은 남자를 보고 뛰기 시작했다. 그 남자는 바로 오포드 백작의 셋째 아들 호레이스 월폴이었다. 매우 세련된 귀족이었던 그는 1765년에 파리에 왔다. 당시 예순여덟 살이었던 뒤 데팡은 예술을 사랑하고 글쓰기에 전념하는 댄디한 이 신사에게 사로잡혔다. 하지만 그녀는 자신이 사랑하는 남자가 자신을 사랑할 수 있다고는 믿지 않는 여자였다. 호레이스 월폴은 처음에는 무례하지 않게 뒤 데팡의 추파를 거절했다. 때로는 비웃기까지 했다. 그러나 그는 점점 그녀에게 빠져들었다. 그는 동성애자였으니 뒤 데팡이라는 여자를 보고 반한 것이 아니라 그녀의 지성에 반한 것이다. 그들은 호레이스 월폴이 프랑스를 떠날 때까지 서로를 존중하는 우정을 나누었다. 뒤 데팡의 마지막 남자는 그녀의 비서 위아르였다. 1780년 9월 23일, 마지막 순간이 다가오고 있을 때 뒤 데팡이 침대 머리맡에서 눈물을 흘리던 그에게 던진 질문은 가슴 아프다. "그러니까 나 사랑하는 거 맞지?"

마르틴 루터 교회에 반기를 든 신앙

Martin Luther, 1483년~1546년

마르틴 루터는 종교 개혁의 아버지로 불린다. 그의 종교 개혁에서 루터교, 칼뱅교, 성공회, 제세례파가 비롯되었다. 개신교 운동은 르네상스 시대의 유럽을 분열시켰고 지금까지도 이교로서 로마 가톨릭교회와 대립한다. 마르틴 루터는 오늘날의 독일 작센안할트주에 있는 작은 도시 아이슬레벤에서 태어났다. 그의 아버지 한스 루터는 구리 광산에서 일했고, 어머니 마가레테 린데만은 집에서 많은 자식을 돌보았다.

교육에서 깨달음까지

마르틴 루터는 1488년 가족이 아이슬레벤에서 몇 킬로미터 떨어진 만스펠트에 정착하면서 이곳의 공립 초등학교에 다녔다. 이 학교에서 라틴어와 주요 가톨릭 기도문을 배웠다. 1497년에는 마그데부르크 인근에 있는 수도원에서 학업을 계속했다. 이후 그는 에르푸르트 대학교에 입학해서 1505년에 문학사 학위를 받았다. 학위를 취득한 뒤 법대에 진학했는데 몇 주만 다니다가 갑자기 에르푸르트에 있는 아우구스티누스 수도회에 들어갔다. 그의 갑작스러운 행보에는 이유가 있었다. 거센 폭풍우가 몰아치던 어느 날 루터는 죽음이 두려운 나머지 그날 살아남는다면 수도사가 되겠다고 다짐한 것이다. 루터의 결정에 대로한 아버지는 그의 마음을 돌리려고 했지만 허사였다.

수도사가 된 마르틴

1505년 9월 15일 루터는 수련 수도사가 되었다. 그의 새로운 삶은 난방도 되지 않고 탁자 하나와 의자 하나가 전부인 방에서 시작되었다. 수도원 생활은 그가 에르푸르트 대학교와 비텐베르크 대학교에서 신학을 공부하지 않았다면 지루한 일상이 될 뻔했다. 루터는 1508년 비텐베르크 대학교의 아우구스티누스 공동체에 가입했다. 이듬해에는 중세 신학 사상에 관한 가장 중요한 문헌인 페트루스 롬바르두스의 『명제집』을 주해할 수 있을 정도로 인정을 받았다. 1507년에 사제 서품을 받고 1512년에 신학 박사가 된 루터는 인기 많은 설교자이자 성경학 교수였다. 순결을 지키겠다는 서약을 했지만 루터는 1525년 수녀였던 카타리나 폰 보라와 결혼했다. 부부는 6명의 자녀를 두었다.

그의 능력을 믿은 아우구스티누스 교단이 교황 앞에서 자신들의 이익을 대변하라는 명을 내리자 루터는 1510년에서 1511년까지 로마에 머물렀다. 해석학자들은 이 여행의 결과에 대해 의견이 분분하다. 어떤 이들은 루터가 교황청의 사치와 부패에 충격을 받았다고 하고, 또 어떤 이들은 그가 바울로에 대한 연구에 전념하느라 그런 일에는 무관심했다고 한다.

루터를 공격하라: 힘을 합친 교황과 황제

1519년 6월 루터는 라이프치히 논쟁에서 돌아올 수 없는 강을 건넜다. 그는 요한 에크와 신학적 논쟁을 벌였는데, 그때 공의회의 무류성을 믿지 않는다고 주장했다. 이 일이 있고 난 이후 교황청과 루터는 여러 번 화해를 시도했지만 결국 실패했다. 교황 레오 10세는 교서 「주여, 일어나소서Exsurge Domine」에서 루터에게 주장을 철회할 것을 명했다. 이 교서는 루터의 41개 제안을 '이단적이고 충격적'이라고 비난하고, 60일을 줄 테니 주장을 번복하고 로마로 가서 교황의 용서를 구할 수 있는 참회의 길을 걸으라고 강조했다. 루터는 교황의 명령을 듣지 않았을 뿐만 아니라 「적그리스도의 저주스러운 교서 반박」을 배포했다. 1520년 12월 10일 루터는 학생들에게 둘러싸인 채 교황의 교서 사본을 공개적으로 불태워버렸다. 이제 그의 축출은 불 보듯 뻔했다. 레오 10세는 1521년 1월 3일에 루터의 제명을 선포했다. 루터는 가톨릭교회와 신도들의 공동체에서 추방되었으며 성사도 무효화되었다. 그는 영원히 지옥 불에 떨어지게 될 것이었다. 신성 로마 제국의 젊은 황제이자 에스파냐의 국왕인 카를 5세가 1521년 4월에 그를 보름스 회의에 소환했다. 루터가 열심히 자신의 입장을 옹호하는 모습을 본 카를 5세는 좋은 인상을 받았다. 그러나 독실한 가톨릭 신도였던 그는 보름스 회의에서 나온 의견에 따라 루터를 제국에서 추방했다. 루터는 모든 권리를 잃었다. 신체적으로 몸을 보호할 권리마저 잃었기 때문에 그를 해하거나 죽여도 사람들은 재판을 받거나 벌을 받지 않게 되었다.

교회 분리

로마 가톨릭교와 개신교가 분열한 것은 루터가 말하는 구원의 개념 때문이다. 인간은 죄를 지었지만 진실한 믿음을 느낀다면 신의 은총으로 구원을 얻을 수 있다고 루터는 주장했다. 인간이 앞으로 할 행동은 중요하지 않다. 따라서 면죄부를 파는 행위는 경제적으로 보면 사기이고, 도덕적으로 보면 스캔들이라는 것이다. 가톨릭교회가 돈을 받고 판 면죄부는 예수나 성인의 선행 덕분에 지은 죄를 사함 받았다는 증명서이다. 교황과 고위 성직자들은 현금을 받고 죄를 지워주기 위해 일종의 선행 창고에서 선행을 꺼내다 파는 셈이었다. 루터는 레오 10세가 성 베드로 대성당 신축 공사에 돈을 기부하는 모든 사람에게 면죄부를 주자 이를 지탄했다. 이러한 행위를 처단하고 고위 성직자들의 악행을 고발하기 위해 그는 1517년 10월 31일 비텐베르크의 성 교회Schlosskirche 문에 '95개조 반박문'을 붙였다.

은둔 생활

추방 명령을 받기는 했으나 루터의 목숨이 정말 위태로웠던 것은 아니다. 교황의 교서는 만장일치로 결정된 처벌을 담고 있는데도 불구하고 그를 공개적으로 지지하는 제후들이 있었기 때문이다. 그중 하나였던 프리드리히 3세 폰 작센 선제후는 그를 일부러 납치해 아무도 모르게 바르트부르크성에 살게 함으로써 신변을 보호해주었다. 1521년에서 1522년까지 그곳에 있는 동안 루터는 '게오르크 기사'로 통했다. 그는 이때 『성서』를 독일어로 번역하기 시작했다. 이 일이 얼마나 악마를 화나게 했는지, 악마가 매일같이 그를 찾아와 번역을 방해했다고 한다. 어느 날 루터는 한창 번역에 집중하고 있는데 방해를 받아 화가 머리끝까지 난 나머지 잉크를 악마에게 던졌다. 그 흔적이 아직까지 바르트부르크성에 남아 있다. 1522년 3월에 루터는 비텐베르크로 돌아가서 성공적으로 자신의 교리를 정착시켰지만 그는 더 이상 종교 개혁의 유일한 주인공이 아니었다. 스위스인 울리히 츠빙글리, 알자스 사람 마르틴 부서, 독일의 급진파인 토마스 뮌처도 개신교에 대한 서로 다른 관점을 전파하면서 영향력을 얻고 있었다.

보수적인 개혁가

루터가 종교 개혁을 시작한 것은 맞지만 사회를 변화시키는 데 있어서는 이상하게도 보수적이었다. 1524년과 1525년에 독일에서 농부들의 봉기가 일어났을 때 그는 오히려 선제후들을 지지하고 무자비한 진압을 요구했다. 그의 바람대로 수만 명이 즉결 처형당했다. 1529년에는 「투르크족에 대항하여 일어나라」라는 글을 써서 기독교인들이 예수의 적인 투르크족을 학살하는 데 일조했다. 종교적인 이유로 루터는 유대인을 혐오했는데, 그 당시 많은 사람이 그랬듯이 그도 유대인이 예수를 죽인 민족이라고 생각했다. 그의 생각은 시간이 지날수록 급진적이 되어 결국 1543년에 『유대인과 그들의 거짓말』이라는 책까지 냈다. 그는 이 책에서 유대인이 개종하도록 수단과 방법을 가리지 말고 압박해야 하며 모든 형태의 유대 문화를 없애야 한다고 주장했다.

루터는 정작 참여하지 못했지만 개신교는 정치적으로도 승리했다. 카를 5세가 금지했음에도 불구하고 독일 선제후들은 개신교로 개종했다. 개신교의 원칙은 1530년 아우크스부르크 회의 당시 필리프 멜란히톤이 발표한 『아우크스부르크 신앙 고백』에 공개적으로 언급되었다. 이듬해에 슈말칼덴 동맹으로 개신교 선제후들이 뭉쳤다. 비텐베르크에서 지내던 루터는 종교 개혁을 이끈 다른 지도자들과 사상가들에게 점점 더 많은 비난을 받았다. 그로 인해 낙담하고 우울한 상태가 반복적으로 찾아왔다. 결국 루터는 1546년 2월 18일 고향인 아이슬레벤에서 이동하던 중에 숨을 거두었다.

마키아벨리 자기 시대의 군주

Machiavelli, 1469년~1527년

니콜로 마키아벨리Niccolò Machiavelli에게는 안된 일이지만 우리에게는 다행히도 그는 자신이 원하는 삶을 살지 못했다. 그의 꿈은 피렌체의 군주를 섬겨서 모범적인 공화국을 만들고, 결국 이탈리아를 통일시킬 하나의 모델을 만드는 것이었다. 1498년에서 1512년까지 마키아벨리는 자신의 바람대로 피렌체 제2서기국의 서기장으로 일했다. 그러나 그 이후로는 간간이 별 볼 일 없는 자리를 맡았고 피렌체에서 20킬로미터 떨어진 산트안드레아 인 페르쿠시나의 자기 땅에서 군주에게 반쯤 잊힌 상태로 살았다. 이 시기에 시간을 보내기 위해 썼던 글이 그의 걸작으로 평가받는 『군주론』과 『로마사 논고』이다.

어둠에서 광명으로

마키아벨리는 1469년 5월 3일 피렌체에서 태어났다. 그의 집안은 귀족 가문이었고 13세기까지 요직을 차지한 인물이 많았다. 아버지 베르나르도 마키아벨리는 법학박사였는데 엄청난 빚에 시달렸고 유명한 법률가라기보다는 땅에서 나오는 소득으로 농부처럼 빈곤하게 살았다. 미납금이 많아서 공식적인 직위에는 오르지 못했다. 힘든 가정 형편에도 마키아벨리는 고전을 공부했기 때문에 라틴어를 익혔고 그리스어도 기본적으로 할 줄 알았다. 그는 격동의 시기에 성장했다. 도미니코회 수도사 사보나롤라가 1494년에 메디치 가문을 축출했고 1498년까지 피렌체를 다스렸다. 1498년 마키아벨리는 지원했던 자리에 합격하지 못했으며, 사보나롤라는 교수형에 처해졌고 이후 시체는 불태워졌다. 1502년 피에로 소데리니가 도시에서 가장 높은 직위인 종신 곤팔로니에레Gonfaloniere(명목상의 도시 통치자)에 올랐는데, 그는 마키아벨리를 전적으로 신임했다. 마키아벨리는 소데리니의 비서가 되었고, 이어서 피렌체의 외교 정책을 담당하는 제2서기국의 수장이 되었다. 외교 경험도 없는 젊은이가 어떻게 스물아홉 살의 나이에 그렇게 높은 자리를 차지했는지는 아직도 미스터리이다. 마키아벨리는 메디치 가문이 권력을 되찾은 1512년까지 서기장으로 일했다.

탁월한 외교관

마키아벨리는 프랑스 왕실을 비롯해 체자레 보르자, 교황 율리오 2세, 막시밀리안 1세 등 그 당시 이탈리아의 운명을 결정짓는 모든 사람에게 파견되었다. 1502년 12월 세니갈리아에서 그는 보르자가 반란을 일으켰던 장군들에게 피비린내 나는 복수를 하는 모습을 지켜보았다. 장군들은 보르자가 용서해줄 것으로 믿었으나 보르자는 화해를 빌미로 마련된 연회에서 그들을 모두 목 졸라 죽였다. 1503년 마키아벨리는 피렌체가 저항 세력에 맞서 취해야 할 태도에 대해 고민했다. 그리고 자신이 분석한 바를 『발디키아나의 반란민 처리 방식에 관한 논고』에 담았다. 이 책에서 마키아벨리는 두 가지 해결책이 있다고 말했다. 상을 주거나 제거하는 것이다. 1503년 그는 보르자의 몰락을 지켜보기도 했다. 율리오 2세가 교황에 선출되자마자 보르자를 감옥에 처넣었던 것이다. 권력자의 행동을 옆에서 지켜볼 수 있게 되자 그 경험을 가장 적절히 활용할 수 있는 방법에 대한 고민이 깊어졌다.

아주 긴 추락

그러나 마키아벨리의 사상에서 인간의 운명에 영향을 미치는 매우 중요한 요소인 행운은 정작 그를 외면했다. 1512년 프라토 전투에서 피렌체 공화국은 율리오 2세가 신성 동맹을 빌미로 징집한 에스파냐 군대 앞에 무력해졌다. 곤팔로니에레 소데리니는 권력을 잃었다. 그는 마키아벨리가 외국인 용병을 쓰지 않기 위해 제안했던 피렌체 민병대를 창설하지 않았던 것에 대해 후회했을지도 모른다. 피렌체의 새로운 주인이 된 메디치 가문은 마키아벨리에게 자신들을 몰아내려는 음모를 꾸몄다는 혐의를 씌워 그를 체포해서 고문하고 산트안드레아 인 페르쿠시나의 가족 영지로 유배 보냈다. 마키아벨리의 경력은 멈췄다. 물론 마키아벨리는 로렌초 2세 데 메디치에게 『군주론』을 헌정하면서 그의 총애를 얻으려 애썼으나 그 노력은 실패로 돌아갔다. 로렌초 2세 데 메디치가 책을 들여다보지도 않았던 것이다.

기회와 새로운 저서

1519년에 로렌초 2세가 사망하자 줄리오 데 메디치 추기경이 피렌체를 통치했다. 마키아벨리는 공적 생활을 다시 시작할 기회라고 생각하고 로렌초 스트로치 추기경 밑에서 일하기 시작했다. 그는 추기경을 위해 루카에서 파산 사건을 해결했고, 이 사건을 계기로 『카스트루초 카스트라카니의 생애』를 썼다. 카스트라카니는 뛰어난 계략과 막강한 군대로 루카를 굴복시킨 지휘관이다. 마키아벨리는 사건을 해결한 대가로 피렌체 공화국의 공식 역사가가 되었다. 줄리오 데 메디치 추기경은 그에게 『피렌체의 역사』를 쓰게 했다. 1523년에 추기경은 교황 클레멘스 7세가 되었고, 마키아벨리에게 피렌체의 정치 체계를 개혁할 방법을 궁리해보라고 명했다. 마키아벨리는 교황이 좋아하지 않을 것을 알면서도 인민 공화국으로 회향해야 한다고 말했다. 그런데 황제와 대립각을 세우던 교황에게 상황이 불리하게 돌아갔다. 결국 메디치 가문은 1526년 다시 피렌체에서 쫓겨났고, 이듬해 로마는 황제의 군대에게 침탈을 당했다. 새로운 피렌체 공화국은 교황의 총애를 얻었던—비록 인색했어도—마키아벨리를 의심하기 시작했다. 제2서기국의 서기장 자리를 되찾고 싶다는 마키아벨리의 꿈은 무너졌다. 병든 그는 피렌체로 돌아와도 좋다는 승인을 받았고 1527년 6월 21일 피렌체에서 세상을 떠났다.

나쁜 평판

'마키아벨리 같다Machiavellian'는 말은 19세기에 권력을 잡고 유지하기 위해 수단과 방법을 가리지 않는 사람을 가리킬 때 사용되기 시작했다. 그러나 마키아벨리의 『군주론』을 논할 때면 '마키아벨리주의'라고 해야 한다. 마키아벨리는 외부적 운명인 행운과, 벌어지는 사건에 능동적으로 개입하려는 의지와 용기인 덕성을 대립시켰다. 즉 운명이 정치적 행동을 무효화하기 전에 『군주론』의 모델이었던 체자레 보르자가 그랬던 것처럼 정치적 행동을 제어해야 한다는 것이다. 따라서 권력은 무언가를 잡는 기회인 행운, 그리고 덕성과 그 기회를 누릴 능력을 갖춘 뛰어난 인간의 만남을 성사시킨다. 이때 인간은 수단과 방법을 가리지 않는다. 도덕이 부재한 수단을 써도 상관없다. 그러나 비도덕적인 수단은 안 된다. 결국 『군주론』은 고발하는 글로 읽을 수 있다. 마키아벨리의 궁극적 목적은 군중이 다스리는 인민 공화국을 만드는 것이었음을 상기하자. 여기에서 말하는 군주는 16세기 분열된 이탈리아를 상징하는 역사적 인물이다.

모차르트 비범한 신동

Mozart, 1756년~1791년

볼프강 아마데우스 모차르트Wolfgang Amadeus Mozart는 신동의 전형으로 아주 어렸을 때부터 비범한 음악적 재능을 보였다. 모차르트는 서른다섯 살에 생을 마감하며 짧은 삶을 살았기에 그만큼 그의 많고 다양한 작품은 더욱 빛을 발한다. 모차르트의 작품 목록에는 626곡이 기록되어 있다. 장르를 가리지 않고 모든 영역에서 빛났고 대중의 입맛에 맞출 줄 알았던 모차르트는 역사상 가장 위대한 작곡가가 되었다. 그에게 따라붙는 최상급의 형용사들은 잠시 접어두고 음악에 온전히 바쳐졌던 그의 생애를 따라가 보자.

신동

모차르트는 1756년 1월 27일 잘츠부르크에서 태어났다. 그는 태어난 바로 다음 날 세례를 받았다. 세례명은 요하네스 크리소스토무스 볼프강구스 테오필루스 모차르트였다. 그의 아버지 레오폴트 모차르트는 잘츠부르크 대주교후의 궁정 관현악단 부악장이었다. 모차르트는 자유직업을 가지고 지위를 구축한 집안 출신이었던 것이다. 어머니 안나마리아 페트를은 지방의 프티 부르주아지 출신이었다. 레오폴트와 안나마리아는 아이를 7명 낳았으나 모차르트와 누나 마리아안나(평소에 '나네를'이라고 불렸다)만 살아남았다. 음악가로 바이올린 연주법을 만든 레오폴트는 아들의 재능을 금세 알아보았다. 모차르트는 절대 음감이 있어서 음을 들으면 바로 알 수 있었고, 기억력도 비상해서 곡을 한 번만 듣고도 악보 전체를 그릴 수 있었다. 모차르트는 고난 주간을 맞아 로마에 갔을 때 자신의 재능을 살렸다. 열네 살이었던 그는 시스티나 성당의 성가대가 그레고리오 알레그리의 「미제레레」를 합창하는 것을 들었다. 이 곡은 15분짜리이고 시스티나 성당에서 독점권을 가지고 있어서 악보가 복사되거나 배포된 적이 없었다. 그런데 모차르트가 곡을 딱 한 번만 듣고 악보를 완벽하게 그려냈던 것이다.

첫 순회공연

모차르트는 세 살 때 클라브생을 처음 배웠고 네 살 때 짧은 곡을 연주했으며 다섯 살 때 작곡을 시작했다. 그는 바이올린과 오르간도 연주할 줄 알았는데 유독 트럼펫만 보면 무척 무서워했다. 레오폴트는 두 가지 원칙을 따랐다. 모차르트와 같은 신동 아들을 보내주신 신의 특별한 은혜에 감사하는 것과 어린 신동을 이용해서 최대한 많은 돈을 버는 것이었다. 그는 부악장을 그만두고 온 가족을 데리고 1763년부터 순회공연에 나섰다. 모차르트와 그의 누나는 뮌헨, 아우크스부르크, 슈투트가르트, 만하임, 마인츠, 프랑크푸르트, 브뤼셀, 파리 등지에서 연주했다. 런던에서 모차르트는 바흐의 아들인 요한 크리스티안 바흐를 만났다. 모차르트는 첫 교향곡을 작곡했을 때 그의 영향을 받았다. 런던에서 1년 반을 보내고 다시 라 아그, 암스테르담, 파리, 리옹, 스위스를 돌았다. 그리고 1766년 11월에 마침내 잘츠부르크로 돌아왔다. 남매의 공연은 수많은 귀족 관객을 불러 모으면서 성공을 거두었고 왕실도 그들의 공연에 매료되었다. 그러나 모차르트 가족의 상황은 나아지지 않았다. 코담배갑이나 칠보 초상화가 아무리 진주나 준보석으로 치장되어 있어도 이미 계획된 지출을 감당할 수준밖에는 되지 않았다.

천재 소년

아들이 카펠마이스터가 될 줄 알았는데 그렇게 되지 못하자 실망한 레오폴트는 1767년 9월 가족을 데리고 빈에 정착했다. 모차르트는 열한 살 때 「아폴로와 히아킨투스」를 작곡했지만 레오폴트는 「바스티앙과 바스티엔」을 데뷔곡으로 내놓았다. 이 작품은 1768년에 비공식적으로 연주되었다. 레오폴트는 모차르트가 열두 살 때 작곡한 「어리석은 아가씨」가 빈에서 선풍적인 인기를 얻기를 바랐다. 그러나 질투와 반목으로 계획이 어그러졌고, 결국 모차르트가 처음으로 작곡한 오페라로 여겨지는 「어리석은 아가씨」는 잘츠부르크의 대주교궁에서 무대에 올려졌다. 10월에 모차르트는 명예 콘서트마스터가 되었다. 얼마 뒤 레오폴트와 모차르트는 이탈리아로 떠났다. 모차르트는 베로나, 밀라노, 볼로냐, 피렌체, 로마, 나폴리 등지에서 기회가 생길 때마다 마다하지 않고 연주했다. 로마에 다시 간 그는 교황 클레멘스 14세

열한 살의 모차르트, 프란츠 타다우스 헬블링, 1767년.

를 알현하고 황금 박차 훈장을 받았다. 1770년 12월, 오페라 「미트리다테」가 밀라노 대공의 궁정 극장에서 초연되었고 성공을 거두었다. 레오폴트와 모차르트는 잘츠부르크에 잠시 들렀다가 다시 이탈리아로 돌아갔다. 밀라노에서 「알바의 아스카니오」는 더 큰 성공을 거두었고, 이탈리아에 세 번째 갔을 때에는 「루치오 실라」가 큰 인기를 끌었다. 이탈리아에서 모차르트의 명성은 최고조에 달했다. 이탈리아에 세 번째 머물 때 최고의 목소리를 가진 카스트라토 베난치오 라우치니가 노래할 모테트「환호하라, 기뻐하라」를 작곡할 기회가 찾아왔다.

대주교후의 하인

1771년 12월 모차르트 부자를 고용했던 대주교후 슈라텐바흐가 세상을 떠나면서 힘든 시기가 찾아왔다. 슈라텐바흐의 후임인 콜로레도는 음악에 대한 관심이 적었다. 그는 모차르트를 자신을 섬겨야 하는 하인 정도로 생각했다. 1773년에서 1775년까지 모차르트는 여러 곡의 현악 4중주곡과 교향곡을 썼고, 피아노 콘체르토 1곡과 오페라「가짜 여정원사」를 작곡했다. 콜로레도와의 관계는 점점 더 나빠졌다. 콜로레도는 음악을 '가벼운 익살' 정도로 여겼던 교부들과 생각이 비슷했다. 그는 창의성을 막는 규칙들을 만들었는데, 예를 들면 미사 집전 시에는 곡이 45분을 넘지 않아야 한다고 주장했다. 모차르트는 짧은 곡을 좋아하는 대주교후의 궁에서 점점 더 답답함을 느꼈다. 하인들과 함께 밥을 먹는 것도 참기 힘들었다. 그래도 그는「양치기 임금님」과 몇 곡의 콘체르토, 그리고 종교 음악을 작곡했다. 1777년 모차르트는 자신의 재능을 더 잘 펼칠 수 있는 자리를 찾아보려고 사표를 던졌다.

실패, 다시 출발점에서

모차르트는 빈에서 자신에게 감탄해 마지않았던 요제프 하이든의 격려를 받고 일자리가 있을 만한 도시들로 가보기로 했다. 하지만 여행은 그야말로 고난의 길이었다. 뮌헨의 선제후는 그에게 아무 일자리도 제안하지 않았고 만하임의 선제후도 마찬가지였다. 그러나 특출난 음악가가 많은 만하임은 모차르트를 환영했다. 그는 그곳에서 소프라노 성악가인 알로이지아 베버를 만나 사랑에 빠졌다. 독일에서는 아무도 모차르트를 원하지 않았기 때문에 그는 파리에서 기회를 노려보려고 했다. 이번에는 어머니와 동행했다. 그곳에서 친구인 프리드리히 멜히오어 폰 그림 남작이 인맥을 동원해 그에게 걸맞은 자리를 알아봐 주려고 했지만 실패하고 말았다. 1778년 7월 초, 그의 어머니가 갑자기 세상을 떠났다. 슬픔과 분노에 빠진 모차르트는 독일로 돌아갔는데 알로이지아가 다른 남자와 결혼해버렸다는 소식을 들었다. 모차르트는 다시 원점으로 돌아왔다. 1779년 1월에 그는 아버지의 중재로 잘츠부르크 대주교후 밑으로 다시 들어갔다. 1781년에는 뮌헨 오페라 극장에서 「이도메네오」를 무대에 올려 호평을 받았다.

마침내 독립

모차르트는 1781년 빈에서 살 때 콜로레도에게 하인 취급을 받았다. 대주교후와 음악가의 갈등은 정점을 찍었다. 콜로레도는 모차르트가 다른 사람들을 위해서는 작품을 무대에 올리지 못하게 했다. 6월 9일에 두 사람은 크게 싸웠고 결국 콜로레도가 원망 가득한 욕설을 퍼부으며 모차르트를 내보내는 것으로 마무리되었다. 자유롭지만 돈 한 푼 없는 신세가 된 모차르트는 베버 부인이 운영하는 하숙집으로 들어갔다. 그는 요제프 2세의 의뢰를 받아 이탈리아어가 아닌 모국어인 독일어로 된 최초의 오페라 「후궁으로부터의 도주」를 작곡했다. 1782년 8월 4일 모차르트는 아버지의 반대를 무릅쓰고 베버 집안의 다른 딸인 콘스탄체와 결혼식을 올렸다. 대주교후의 굴레에서 벗어난 지 얼마 되지 않아 아버지의 보호에서도 벗어난 것이다.

행복한 시절

모차르트는 드디어 경제적인 풍요로움과 빈 시민 및 궁의 인정을 동시에 누릴 수 있었다. 그는 활발하게 작품 활동을 벌였다. 「대미사」를 비롯해 요한 제바스티안 바흐의 『평균율 클라비어곡집』을 편곡한 곡을 썼으며, 1784년 프리메이슨에 입단한 뒤로는 프리메이슨 형제들을 위한 곡을 작곡했다. 모차르트는 1786년 오페라 「피가로의 결혼」을 작곡할 때 극작가 로렌초 다 폰테와 처음으로 함께 일했다. 이 작품은 빈에서는 신선하다는 정도의 평가를 받았지만 프라하에서는 박수갈채를 받았다. 이듬해 두 사람은 「돈 조반니」를 함께 만들었고 좋은 반응을 얻었다. 이 작품 역시 프라하에서는 대성공을 거두었으나 빈에서의 반응은 미적지근했다. 1787년 5월 28일 레오폴트 모차르트가 숨을 거두었다. 이는 모차르트의 전성기가 저물어가고 있음을 알리는 불길한 징조였다.

짧은 생애

그로부터 얼마 지나지 않아 요제프 2세는 모차르트를 제국 추밀원의 음악가로 임명했다. 대귀족들을 알게 된 모차르트와 콘스탄체는 매우 사치스러운 생활을 해서 수입이 많아도 늘 빚에 허덕였다. 1790년 다 폰테와 마지막으로 작업한 「코지 판 투테」는 1월에 공연되었으나 요제프 2세가 서거하면서 중단되었다. 모차르트가 「마술 피리」를 쓴 것은 빈 교외에서 서민 극장을 운영했던 에마누엘 시카네더를 위해서였다. 대중은 모차르트보다 이탈리아 작곡가들을 선호했던 궁정과 달리 「마술 피리」에 더 열렬한 환호를 보냈다. 이 무렵 프란츠 폰 발제그 백작이 자신의 신분을 숨기고 모차르트에게 죽은 아내를 위한 레퀴엠을 써달라고 주문했다. 아마도 백작 본인이 작곡했다고 주장하려 했을 것이다. 그러나 모차르트가 「레퀴엠」을 완성하지 못하고 세상을 떠나자 콘스탄체가 모차르트의 제자 프란츠 크사버 쥐스마이어에게 부탁해 곡을 완성했다. 심각한 우울증을 앓았던 모차르트는 보헤미아의 국왕이 된 레오폴트 2세의 대관식에서 연주될 오페라 「티토 황제의 자비」를 3주 만에 완성해야 했다. 마감일은 지켰지만 작품은 형편없다는 평가를 받았다. 다시 실패를 맛본 모차르트는 슬픔에 잠겼다. 그는 1791년 12월 5일에 이른 나이로 사망했다. 제대로 치료받지 못한 신부전, 비만, 부종이 원인이었다. 사망 당시 그의 나이는 겨우 서른다섯 살이었다. 모차르트의 시신은 공동 묘지에 다른 시신들과 함께 묻혔다. 18세기 말에는 대귀족과 대부르주아지를 제외한 사람들은 모두 함께 매장되는 것이 관습이었다. 19세기 초에 묘지 인부가 그의 두개골을 찾아서 잘츠부르크의 모차르테움에 기증했다는 설이 있다. 모차르테움에 가보면 두개골이 정말 있기는 하나 그것이 누구의 두개골인지는 아무도 모른다.

몽테뉴 몽테뉴니까

Montaigne, 1533년~1592년

사람들에게 "자기 자신을 더 잘 알도록" 가르쳐주기 위해 자기 자신에 대해 말한 『수상록』의 저자 미셸 에켐 드 몽테뉴Michel Eyquem de Montaigne는 어지러운 시대를 살았다. 그는 르네상스 이후 신세계의 발견, 인간을 우주의 중심이자 자기 자신을 믿는 존재로 보는 인문주의의 부상, 종교 전쟁으로 인한 프랑스의 내부 분열 등 중요한 역사적 소용돌이 속에 있었다. 그랬기 때문에 몽테뉴는 인간의 조건에 대해 끊임없이 의문을 품었다.

행복했던 어린 시절

1519년에 귀족이 된 피에르 에켐 드 몽테뉴와 앙투아네트 드 루프 드 빌뇌브의 아들인 몽테뉴는 자신의 이름과 같은 몽테뉴성에서 태어났다. 그의 가족은 상업으로 재산을 모았다. 고조부가 법복 귀족의 자격을 산 덕분에 몽테뉴도 몇 단계 신분 상승을 할 수 있었다. 처음에는 보르도 시장이었던 아버지가 몽테뉴의 교육을 맡았으며, 집안에서 모두가 그에게 라틴어로 말을 걸었다. 몽테뉴가 프랑스어를 배웠던 것은 여섯 살이 되어서였다. 이 시절에 그는 자유로움과 호기심을 중시하는 교육을 받았다. 그런데 일곱 살에서 열세 살까지 다녔던 보르도의 귀엔 학교는 상황이 완전히 달랐다. 얼마나 학교생활이 지겹던지 그는 나중에 "채찍을 손에 쥔" 선생들에 대한 공포가 바탕이 된 억지 학습을 비판했다. 다행히 라틴어를 잘했기 때문에 고전 작가들의 작품을 읽는 즐거움을 발견할 수 있었다. 이 시절 이후 성인이 되기까지 몽테뉴의 행적에 대해서는 전해지지 않는다. 아마 툴루즈나 파리에서 법학 수업을 들은 듯하다.

공직

1556년 몽테뉴는 페리귀외에 있는 금융 분쟁 법원의 고문으로 임명되었고, 법원이 해산되자 보르도 의회에서 일했다. 그때 에티엔 드 라 보에시를 만났다. 그는 라 보에시와 "그였기 때문에, 나였기 때문에"라는 유명한 문장으로 대변되는 특별한 우정을 나누었다. 라 보에시는 1563년 이질에 걸려 갑자기 세상을 떠났다. 충격에 빠진 몽테뉴는 그가 남긴 빈자리를 다시는 채우지 못했다. 『수상록』을 쓴 것은 어쩌면 견딜 수 없는 라 보에시의 부재에 대한 답이었을지도 모른다. 보르도 의회의 고문이었던 몽테뉴는 그 덕분에 발루아 왕가에 몇 번 드나들었다. 프랑수아 2세와 샤를 9세를 만났지만 그는 권력 있는 후원자를 찾지도 않았고 궁에서 일하고 싶어 하지도 않았다.

1565년에 그는 프랑수아즈 드 라 샤세뉴에게 정략결혼을 제안했다. 부부는 6명의 딸을 낳았는데 그중 5명이 일찍 세상을 떠났다. 1568년에는 몽테뉴의 아버지가 막대한 재산을 남기고 사망했다. 2년 뒤 몽테뉴는 법관의 직무를 벗어던지고 자유롭게 『수상록』 집필에 매진했다.

작가, 여행가, 시장

의무를 모두 벗어던진 몽테뉴가 가장 먼저 한 일은 라 보에시가 쓴 글과 두 사람이 주고받은 서간문을 출간하는 것이었다. 1571년에는 몽테뉴성에 들어앉았다. 둥근 탑에 도서관을 마련해서 책을 읽고 글을 쓰고 명상을 했다. 수천 권의 책에 둘러싸여 독서를 하면서 책 속에 담긴 그리스어와 라틴어 인용 문구에 자극을 받은 몽테뉴는 1571년부터 『수상록』의 첫 두 권을 썼고 1580년에 보르도에서 출간했다. 새로운 지평선을 발견하고 싶은 마음에, 그리고 무엇보다 종교 전쟁의 광기에 사로잡힌 프랑스를 떠나고 싶은 마음에 그는 1년 반 동안 유럽을 여행했다. 호기심 많은 그는 독일, 오스트리아, 스위스, 이탈리아를 다니면서 있었던 일과 느꼈던 감정 등을 일기에 적었다. 이 일기는 몽테뉴가 사망하고 한참이 지난 1774년에야 출간되었다. 몽테뉴는 보르도 시장에 선출되었다는 사실을 알게 된 1581년에 이탈리아에 있었다. 그는 이 자리가 전혀 달갑지 않았지만 아버지를 생각하는 마음과 앙리 4세의 오해의 여지가 없는 축하 인사가 그의 마음을 바꿔놓았다. 몽테뉴는 1581년에서 1585년까지 시장직을 두 번 역임했다. 과반수의 가톨릭 신도와 막강한 기독교 동맹이 매일같이 충돌하는 도시에서 미약하나마 공동체의 평화를 지키기 위해 힘썼다.

1585년 보르도에 흑사병이 창궐했고 몇 달 만에 시민의 3분의 1이 목숨을 잃었다. 그 당시 보르도에 없었던 몽테뉴는 전염될까 봐 두려워 시장 임기가 끝날 때까지 자기 성에 머물렀다고 고백했다.

원하지 않았던 정치 생활

1586년에 종교 전쟁으로 귀엔 지역이 쑥대밭이 되었고 흑사병이 돌아 다시 희생자들이 나왔다. 몽테뉴와 그의 가족은 조상이 물려준 집을 떠나 아는 사람들의 집이나 임시 숙소 등을 떠돌며 푸대접을 받았다. 이듬해에 집으로 돌아와 보니 전쟁으로 인해 엉망이 되어 있었다. 그러나 몽테뉴는 『수상록』 제3권을 쓰는 데 전념했다. 1588년에는 파리로 가서 인쇄 상황을 지켜보았는데, 이때 앞으로 앙리 4세가 될 나바로의 국왕이 그를 앙리 3세에게 보내며 외교 업무를 맡기기도 했던 것으로 보인다. 그러나 바리케이드 사건이 벌어진 날 파리를 손에 넣은 것은 앙리 드 기즈였다. 앙리 3세는 생클루로 피신해야 했다. 몽테뉴는 한동안 앙리 3세를 따라다니다가 『수상록』을 출간하기 위해 파리로 돌아왔다. 신성 동맹은 그를 의심하다가 체포해서 바스티유 감옥에 가두었다. 다행히 카테리나 데 메디치가 기즈 공작에게 부탁해서 그는 풀려났다.

몽테뉴는 파리에서의 체류를 행복하게 해준 사람도 만났는데 바로 마리 드 구르네이다. 마리 드 구르네는 몽테뉴를 열정적으로 숭배했고, 몽테뉴는 그런 그녀를 양녀로 삼았다. 몽테뉴가 죽은 뒤에는 그녀가 몽테뉴 저서의 출간을 관리했으며 자비로 『수상록』의 신판을 열 번 이상 냈다.

현자의 최후

1588년 블루아에 소집된 삼부회 회의에서 계획했던 대로 그해 겨울 앙리 3세는 앙리 드 기즈의 암살을 단행했다. 얼마 뒤 카테리나 데 메디치가 세상을 떠났다. 앙리 3세도 1589년 8월 생클루에서 광신자인 자크 클레망에게 죽임을 당했다. 그는 죽어가면서 나바르 왕국의 앙리를 후계자로 지목했다. 1588년에서 1589년까지 비극적인 사건이 이어지는 동안 몽테뉴가 어디에 있었는지는 알려지지 않았다. 어쨌든 그는 새로운 왕 앙리 4세에게 충성했고, 보르도도 새 국왕을 섬기도록 신경을 썼다. 그는 성에 칩거해서 말년을 『수상록』을 다시 읽어보고 내용을 보강하며 보냈다. 오래 전부터 몸이 안 좋았던 몽테뉴는 1592년 9월 13일 자신의 방에서 미사를 들으며 생을 마감했다.

보마르셰 모험을 즐겼던 작가

Beaumarchais, 1732년~1799년

여러 부인 중 하나가 소유한 영지에서 따온 이름인 보마르셰로 더 잘 알려진 피에르오귀스탱 카롱Pierre-Augustin Caron은 파리의 시계상 집안에서 태어났다. 그는 아버지 밑에서 수습생으로 일했고 시계 제조에 어느 정도 재능도 보였다. 그와 동시에 제대로 된 정통 교육도 받았다. 보마르셰는 일찍이 연극에 매료되었는데, 지금은 소실된 첫 번째 희곡을 아홉 살 때 썼다고 한다.

파란 많은 삶

1756년 11월 27일 보마르셰는 마들렌카트린 오베르탱과 생니콜라데샹 성당에서 결혼식을 올렸다. 그보다 열 살이 많았던 아내는 이듬해 서른다섯 살의 나이에 죽었다. 귀족의 이름을 얻으려고 부인의 집안을 이용했던 보마르셰는 그녀의 죽음을 앞당겼다고 비난받았다. 1768년 그는 마담 드 소탕빌과 재혼했는데, 그녀 역시 2년 뒤에 서른아홉 살의 나이로 요절했고 보마르셰는 많은 재산을 물려받았다. 그러자 이번에는 사람들이 유산을 빼돌렸다고 욕했다. 그러나 그 무엇도 보마르셰를 막을 수는 없었다. 그는 1786년 마리테레즈 빌레말라와 세 번째 결혼을 했고 딸 아멜리외제니를 낳았다.

사업가로서의 보마르셰

보마르셰는 막대한 재력가 조제프 파리 뒤베르네를 만나면서 사업에 뛰어들었다. 그리고 뛰어난 능력을 발휘해 큰 재산을 모았지만 뒤베르네가 죽고 난 뒤에 재산을 모두 잃고 말았다. 1770년에서 1773년까지 소송에 걸렸기 때문이었다. 미국에서 독립 전쟁이 벌어지자 보마르셰는 무기 판매에 뛰어들었는데 그 사업으로 사별한 두 부인이 남겼던 재산 일부를 탕진하게 되었다. 그 이후에는 종이 판매업을 시작해서 볼테르의 작품을 출판하기도 했다. 왕정의 종말과 공화정의 도래가 그에게는 좋

「피가로의 결혼」 분장 계획, 세르게이 수데이킨, 1915년.

은 기회가 될 듯했다. 그는 공화정의 군대와 거래하기 위해 다시 무기상이 되었지만 파산 일보 직전까지 갔다.

왕의 첩자

왕의 공증인이자 비서관이라는 직책을 사서 귀족이 된 보마르셰는 루이 15세의 왕궁을 자주 드나들었다. 1759년에는 하프의 페달을 개선해서 공주들의 하프 선생이 되었다. 루이프랑수아 드 부르봉 콩티 친왕이 그를 후원했다. 보마르셰는 여러 차례 런던에 파견되어 왕정의 이미지를 해치는 책자의 출간을 막았다. 1774년에는 왕의 정부인 마담 뒤 바리를 겨냥한 책의 출간을, 1775년에는 루이 16세의 무능을 다룬 책의 출간을 막았다. 보마르셰는 돌아오면서 프랑스의 또 다른 첩자인 슈발리에 데옹이 가지고 있던, 왕정에 해가 될 수 있는 문서들을 가져왔다.

보마르셰의 말년

1790년 보마르셰는 혁명파를 지지하고 파리 코뮌에 참여했다. 그러나 앙시앵 레짐 Ancien Régime과의 과거사로 인해 1792년에 잠시 옥살이를 했다. 감옥에서 풀려난 뒤에는 프랑스를 떠나 있다가 1796년에 귀국했다. 그는 1799년 5월 18일 파리에서 예순일곱 살의 나이로 세상을 떠났다. 보마르셰는 사후에 명성을 누리는데, 그가 쓴 두 명작 『세비야의 이발사』와 『피가로의 결혼』의 중심인물인 피가로 덕분이었다. 피가로는 다재다능하지만 반항적인 기질이 있는 시종이다. 이 두 작품은 오페라 각본으로 각색되었다. 『세비야의 이발사』는 조아키노 로시니의 음악으로, 『피가로의 결혼』은 모차르트의 음악으로 무대에 올려졌다. 보마르셰는 또한 『비망록』과 일련의 신랄한 풍자물을 남겼다. 이후 작가들은 보마르셰에게 영원한 빚을 졌는데, 그가 1777년에 극작가·작곡가 협회SACD를 창립하고 프랑스 대혁명 때에는 저작권을 법적으로 인정받는 일을 했기 때문이다.

볼테르 병약하나 날카로운 지성의 소유자

Voltaire, 1694년~1778년

프랑수아마리 아루에François-Marie Arouet, 일명 볼테르는 철학자, 관용의 왕, 사업가, 궁신에 이르기까지 다양한 면모를 지닌 사람이었다. 그의 생애를 소개한다는 것은 맨손으로 미꾸라지를 잡겠다는 것과 같다. 잡았다고 생각하지만 이내 손에서 빠져나가기 때문이다. 볼테르는 항상 우리의 기대를 넘어선다. 자신의 출생을 재창조하고 말년에도 여든세 살의 무대, 모든 규칙을 벗어나는 연극으로 우리를 초대한다. 그는 자기 자신을 잘 포장하는 사람이었다.

젊은 볼테르? 그것도 가능하지

프랑수아마리 아루에는 1694년 11월 21일에 공증인이었던 프랑수아 아루에와 마르그리트 도마르 사이에서 태어났다. 볼테르는 유복한 부르주아 집안에서 태어났지만 그러한 점이 마음에 들지 않았다. 그래서 총명함과 노래로 어머니를 유혹한 로크브륀이라는 장교의 아들이라고 우겼다. 그는 일곱 살에 어머니를 여의었는데 아버지와는 사이가 좋지 않아서 자신의 대부인 샤토뇌프 사제에게서 아버지상을 찾았다. 자유분방했던 샤토뇌프는 어린 볼테르를 유명한 쿠르티잔인 니농 드 랑클로에게 데려가기도 했다. 볼테르의 기민함에 반한 니농은 책을 구입할 돈을 유산으로 남겨주기도 했다. 볼테르는 파리에 있는 유명한 예수회 학교인 루이 르 그랑에서 중등교육을 받았고, 이곳에서 귀족의 자제들을 만났다. 르네 루이 다르장송과 그의 동생 마르크 피에르 다르장송, 그리고 루이프랑수아 아르망 드 비녜로 뒤 플레시스, 즉 미래의 리슐리외 공작이 그들이다. 귀족들과 어울리다 보니 볼테르는 자신도 아루에 가문과는 상관이 없는 귀족 집안 출신이라고 스스로 확신하기 시작했다.

문학과 법

열일곱 살이 된 볼테르는 아버지에게 문학에 전념하겠다는 뜻을 밝혔지만 아버지의 반대로 법을 공부하기 시작했다. 그리고 대부의 형제이자 홀란트 주재 대사로 임명된 샤토뇌프 후작의 개인 비서로 일했다. 그러나 어떤 협잡꾼의 딸과 사귄 일이 스캔들을 일으켜 프랑스로 돌아오게 되었다. 파리에서는 탕플 지역의 자유분방한 귀족 사회에 출입했다. 볼테르는 학창 시절부터 똑똑하고 예리하며 매우 재치 있는 언어 감각으로 유명했다. 그의 펜 끝도 그의 혀끝만큼 날카로웠다. 그래서 필리프 2세 도를레앙 공작을 비웃는 글을 썼다가 그의 서열이나 직위에 아랑곳하지 않은 필리프 2세에 의해 1716년에 튈로 유배를 가게 되었다. 볼테르는 파리와 가까운 쉴리쉬르루아르로 가도 좋다는 허락을 받았지만 1717년에 똑같은 짓을 저질러서 결국 1년 동안 바스티유 감옥에 투옥되었다.

마침내 볼테르가 오다

프랑수아마리 아루에는 감옥에서 나오면서 볼테르로 이름을 바꾸었다. 이 이름으로 『오이디푸스』를 발표해서 첫 성공을 거두었다. 1723년에 펴낸 『라 앙리아드』도 마찬가지였다. 앙리 4세를 찬양하는 긴 서사시인 『라 앙리아드』의 성공으로 볼테르는 부와 명성을 동시에 얻었고 살롱마다 그를 데려가려고 안달이었다. 여자들도 마찬가지였다. 그러나 부당함을 참지 못하고 쓴 신랄한 글 때문에 하루아침에 추락하기도 했다. 코메디 프랑세즈에서 열린 한 파티에서 기오귀스트 드 로앙샤보는 볼테르를 얕봄으로써 큰 주목을 받을 수 있으리라 생각했다. 그는 볼테르의 이름을 잘 모르는 척하면서 아루에인지 볼테르인지 물었다. 상대방과의 신분 차이를 생각한다면 볼테르가 조심해야 했지만 결국 신랄한 답변을 하고 말았다. "볼테르요. 내 이름은 당신의 명성이 끝나는 곳에서 시작하지." 얼마 뒤 드 로앙샤보는 복수를 했다. 그의 하인들이 함정에 걸려든 볼테르를 폭행한 것이다. 억울했던 볼테르는 파리와 살롱에서 드 로앙샤보를 비난하고 소송까지 걸고자 했다. 그러나 모두가 볼테르를 피했을 뿐만 아니라 그는 다시 바스티유 감옥에 갇히고 말았다. 드 로앙샤보 가문에서 왕이 발부하는 체포 영장을 얻었기 때문이었다. 그는 프랑스를 떠나는 조건으로 석방되었다.

볼테르 경과 성공의 시대

1726년 가을에 볼테르는 런던으로 갔다. 그는 영어를 빠르게 익혔고 현대 민주주의의 근간이 된 글들을 발견했다. 왕의 권력을 약화시키는 '마그나 카르타Magna Carta', 법관의 결정을 우위에 두어 자의적인 감금을 할 수 없도록 한 인신 보호율, 근대 의회 군주제의 기원이 된 권리 장전 등이다. 이런 글들을 읽고 난 뒤에 작가였던 볼테르는 뉴턴의 업적을 선전하는 물리학자가 되었고 무엇보다 철학자가 되었다. 시간이 흐르고 1728년 말이 되자 볼테르는 프랑스로 돌아와도 된다는 승인을 받았다. 그의 귀국은 신중하게 이루어졌다. 몇 달간 디에프에 머물다가 파리로 돌아갔기 때문이다. 궁에서는 볼테르를 달가워하지 않았다. 백성들에게 '친애왕'으로 불렸던 루이 15세는 그때까지만 해도 볼테르를 좋아하지 않았다. 몇 년 뒤에 퐁파두르 후작부인이 볼테르를 열렬히 후원하자 마지못해 그가 베르사유 궁전에 잠시 머무는 것만 참아줄 정도였다. 그러나 이 시기는 작품 활동에 있어서 볼테르에게 예외적인 시기였다. 그는 영국에서 알게 된 셰익스피어에게서 영감을 받아 비극 『브루투스』와 『자이르』를 썼다. 볼테르는 역사 문학에도 도전했다. 『샤를 12세의 역사』에서 허무맹랑한 정복 계획에 반대했고, 『우라니아에게 보내는 편지』에서는 기독교의 도그마를 비판했다. 또한 『취향의 성전』에서는 가장 저급한 작가들을 우상화하는 대중에 의해 코밑에서 천천히 움직이는 향로 냄새에 속아 자기만족의 악마에 씐 동료 작가들까지 비판했다.

또다시 스캔들, 그리고 마침내 사랑

모든 일은 1734년 영국에서 『영국에 관한 편지』가, 프랑스에서 『철학서한』이 발표되면서 틀어졌다. 프랑스가 영국 덕분에 풍습과 제도를 만들 수 있었다는 볼테르의 비난은 앙시앵 레짐에 대한 도발이었다. 바스티유 감옥은 볼테르가 장기간 머물 것을 대비해 방까지 준비했지만 곧 실망했다. 그가 에밀리 뒤 샤틀레의 집인 샤토 드 시레로 잠적했기 때문이다. 볼테르는 에밀리 뒤 샤틀레와 15년간 만나왔다. 세련되고 품위 있으며 우아한 샤틀레 후작 부인—볼테르는 에밀리라고 이름을 불렀고 정작 그녀의 남편은 부인이라고 불렀다—은 수학과 물리학을 좋아하는 과학자였다. 그녀는 볼테르의 교육을 완성하고 그를 철학자로 탈바꿈시켰다. 1736년 볼테르는 장차 프로이센의 왕이 될 프리드리히 2세와 편지를 주고받았다. 프리드리히 2세는 볼테르에게 자신의 궁으로 들어오라고 제안했지만 볼테르는 베르사유 쪽에 아직 기회가 남아 있다고 믿었다. 그는 왕의 문서 담당관으로 임명되었으며 여러 차례의 시도 끝에 1746년 아카데미 프랑세즈의 회원으로 선출되었다. 1년 뒤에는 철학 우화

「볼테르의 서른 가지 얼굴 표정」, 도미니크 비방 드농, 18세기.

인 『멤논』이 발표되었는데, 이 책은 1748년판인 『자디그』로 더 잘 알려져 있다.

철학하는 왕과 철학의 왕

샤틀레 후작 부인이 출산 후유증으로 사망하면서 볼테르는 애틋한 친구—육체적 열정은 그녀가 죽기 훨씬 전에 식었다—이자 지혜로운 멘토를 잃었을 뿐만 아니라 지낼 곳도 잃었다. 샤틀레 후작이 점잖은 남편으로서 멀찍이 떨어져 싸우는 것은 감내했어도 죽은 아내의 애인을 재워줄 생각은 전혀 없었다. 볼테르는 결국 프리드리히 2세의 제안을 받아들여 포츠담으로 떠났고 그곳에서 1750년에서 1753년까지 머물렀다. 이 시기에 그는 『루이 14세의 시대』를 완성했고 『미크로메가』를 썼다. 그러나 자신을 받아준 프리드리히 2세가 시인으로서는 재능이 없다는 등 그를 비웃는 버릇은 고치지 못했다. 볼테르가 영국에서 만들었던 현명한 군주의 이미지는 산산조각이 났다. 그는 결국 그곳을 떠났다. 그런데 파리에서는 아무도 반겨주지 않았기에 볼테르는 콜마르로 갔다가 다시 제네바로 가서 세 편의 글을 발표했다. 『오를레앙의 처녀』는 가톨릭교도들의 반감을 샀고, 『국가의 풍습과 정신에 관한 에세이』는 개신교도들의 미움을 샀다. 1756년에 쓴 「리스본의 재앙에 대한 시」는 라이프니츠 숭배자들의 증오를 샀다.

페르네의 현자

1759년에 볼테르는 다시 거처를 옮겨야 했다. 이때는 제네바시에서 그에게 스위스 가까이 있는 페이 드 젝스의 페르네 영지를 매입하게 했다. 볼테르는 조카이자 그의 정부가 된 마리루이즈 미뇨, 일명 마담 드니와 페르네에 정착했다. 여장부였던 마담 드니는 집안 살림과 연극 공연을 동시에 챙겼고, 사람들을 집으로 초대하는가 하면 삼촌의 불안한 건강 상태도 살폈다. 이 기간에도 볼테르는 글쓰기를 계속해 『캉디드』, 『탕크레드』, 『관용론』, 『자노와 콜랭』, 『철학사전』을 출간했다. 이렇게 다작을 하면서도 그는 설탕, 향신료, 이국적인 물건, 커피, 초콜릿 등을 사고파는 사업도 병행했다. 그는 영국인들처럼 무역에 빠삭할 필요가 있다고 주장했다. 또한 시 「사교계인」을 써서 『꿀벌의 우화』를 저술한 풍자적이고 정치적인 버나드 맨더빌이 도덕과 번영은 양립 불가능하다고 했던 식으로 사치의 사회적 장점을 찬양했다.

대논쟁과 종말

종교적 무관용에 맞서 싸우기 시작했을 때 볼테르는 이미 연로했다. 그는 1765년에 툴루즈의 개신교도인 칼라스를 복권했다. 칼라스는 가톨릭으로 개종하려는 아들을 죽였다는 누명을 쓰고 부당하게 처형당한 사람이다. 볼테르는 1769년에 시르뱅이라는 또 다른 개신교도도 풀어주었다. 시르뱅도 똑같은 이유로 딸을 죽였다는 누명을 썼다. 볼테르는 겨우 스무 살의 나이에 아브빌에서 고문을 당하고 머리를 잘렸으며 시체까지 불태워진 라 바르 기사의 복권에도 개입했다. 라 바르 기사는 성체 행렬 장소에 있었다는 이유만으로 기소되었다. 그 밖에도 볼테르는 프랑스 군인이자 외교관인 랄리 백작, 일명 '랄리톨랑달'이 겪은 부당한 일을 고발했다. 랄리 백작은 인도에서 영국군에게 항복했다는 이유로 그레브 광장에서 처형당했다.

격찬과 증오를 한 몸에 받았던 볼테르는 가장 유명한 철학자이자 작가가 되었다. 그는 1778년에 파리로 돌아와도 된다는 허가를 받았고, 코메디 프랑세즈에서 자신의 작품 『이렌』이 성황리에 상연되는 모습을 볼 수 있었다. 그는 파리로 돌아온 지 얼마 되지 않은 1778년 5월 30일에 숨을 거두었고 시신은 바로 다음 날 방부 처리가 되었다. 문제는 이때부터 시작되었다. 신을 믿지 않은 사람의 유해를 받아주려는 교구가 없었던 것이다. 결국 고인이 된 볼테르는 밧줄에 꽁꽁 묶여 마차에 얌전히 앉은 채 셀리에르 수도원까지 이동하는 신세가 되고 말았다. 조카 뱅상 미뇨가 그곳의 수도원장으로 있었기 때문이다. 1791년 7월 뱅상 미뇨는 수도원을 팔아버렸으며 볼테르의 유해는 팡테옹으로 옮겨졌다.

셰익스피어 위대한 의지

Shakespeare, 1564년~1616년

역사상 가장 위대한 극작가인 윌리엄 셰익스피어William Shakespeare의 일생에 대해서는 잘 알려지지 않았다. 셰익스피어에 대해 남아 있는 정보는 행정 문서가 다이다. 인간의 조건에 대해 누구보다 잘 아는 그에 관해서 아무것도 알 수 없다니 얼마나 아이러니한가! 그의 감정, 그의 연인, 그의 분노에 대해 우리는 아무것도 알 수 없으며, 다만 그가 이 모든 것을 자신이 만든 인물들과 나누었으리라고 추측할 뿐이다. 셰익스피어는 호메로스와 마찬가지로 아무도 풀 수 없는 수수께끼와 같다. 그를 가공의 인물, 그가 쓴 가면 같은 인물, 심지어 다른 작가의 작품을 훔친 표절 작가라고 보는 사람들도 있을 정도이다. 확실한 것은 셰익스피어는 분명히 존재했고, 인간의 영혼과 내면 깊이 숨겨진 비밀을 심도 있게 파악해서 그 무엇에도 비견할 수 없는 연극을 만들어냈다는 점이다.

윌리엄이 아직 윌이었을 때

윌리엄 셰익스피어는 1564년, 아마도 4월 23일에 태어났을 것으로 추정된다. 워릭셔주의 스트랫퍼드어폰에이번에 있는 성삼위 성당에서 받은 세례 증서에는 출생일이 1564년 4월 26일로 되어 있다. 16세기에는 신생아 세례가 태어나자마자 약식으로 빨리 이루어졌다. 그 당시에 유아 사망이 매우 빈번했고 세례를 받지 않은 아이가 죽으면 천국과 지옥 사이에 있다는 고성소에 간다고 믿었기 때문이다. 아버지 존 셰익스피어는 부유한 상인이었고, 1557년 자신보다 신분이 높은 귀족인 메리 아덴과 결혼했다. 메리가 결혼하면서 자기 몫의 땅을 가져왔기 때문에 존도 일하기 편해졌다. 그는 1565년 집달관의 보좌관으로 일하다가 3년 뒤에 집달관이 되었다. 그러나 사업이 잘되지 않아서 어린 윌은 학업을 중단할 수밖에 없었다. 윌은 마을에 있는 초등학교를 다닌 것으로 보이고, 잠시 중등 교육 기관에 다녔지만 대학은 가지 않았다. 그는 1582년 11월 28일에 열여덟 살의 나이로 앤 해서웨이와 결혼했다. 부부는 첫 딸 수잔나를 낳았고, 그 뒤에 쌍둥이 햄닛과 주디스를 낳았다. 그러나 유일한 아들이었던 햄닛은 열한 살에 세상을 떠났다.

스트랫퍼드가의 유령

1585년에서 1592년까지 셰익스피어가 어떻게 살았는지는 전해지지 않는다. 그래서인지 이 기간 동안 그의 행적에 대해서는 온갖 가설이 난무한다. 셰익스피어가 교사, 군인, 하인, 백정, 변호사, 런던 극장의 마차 관리인이었다는 주장이 나오는 것은 그가 작품을 통해서 보여준 여러 방면의 능력 때문이라는데, 근거가 빈약한 추론이 아닐 수 없다.

셰익스피어의 자취는 1592년 런던에서 발견할 수 있다. 그가 신랄한 유머로 인기가 많았던 시인 로버트 그린의 유작 「백만 개의 회개로 산 아주 적은 재치」에 인용된 것이다. 이 작품을 출간한 극작가 헨리 체틀은 로버트 그린이 썼다고 하는 유서의 진짜 작가일지도 모른다. 유작 말미에 나오는 유서에서는 무신론자인 크리스토퍼 말로를 거세게 비난하는가 하면, 셰익스피어도 거만하고 표절을 서슴지 않는 무식한 사람이라고 공격했다. 그러나 그 당시 셰익스피어의 작품은 1588년에서 1591년까지 쓴 희곡 『헨리 6세』뿐이어서 그를 표절자라고 부르기는 어렵다. 셰익스피어는 『비너스와 아도니스』, 제3대 사우샘프턴 백작인 헨리 리오데즐리에게 바쳤던 「루크레티아의 능욕」 등의 시를 쓰기도 했다. 1596년에는 아버지 존이 '자격 없이 얻지 못하리Non sanz droict'라는 가문을 쓸 권리를 얻었다.

글로브 극장

1594년부터 셰익스피어는 제임스 버비지가 단장으로 있는 극단의 영구 단원이 되었다. 이 극단은 1585년 궁내부 장관에 임명된 제1대 헌스던 남작 헨리 케어리의 후원을 받았다. 이후에는 그의 아들인 제2대 헌스던 남작 조지 케어리에게로 바통이 넘어갔다. 조지 케어리도 1597년부터 세상을 떠난 1603년까지 궁내부 장관을 지냈다. 1603년에는 제임스 1세가 '왕의 극단'으로 유명해진 '로드 체임벌린스 멘'의 새 주인이 되었다. 극단은 1599년까지 시어터 극장에서, 그 이후에는 글로브 극장에서 공연했다. 셰익스피어는 자신이 쓴 작품이나 다른 작가의 작품에서 배우로 서기도 했고, 극단의 주요 극작가로도 활동했다. 셰익스피어는 은퇴를 결정할 때까지 『베로나의 두 신사』, 『말괄량이 길들이기』, 『리처드 3세』, 『실수 연발』, 『사랑의 헛수고』, 『한여름 밤의 꿈』, 『로미오와 줄리엣』, 『리처드 2세』, 『존왕』, 『베니스의 상인』, 『헨리 4세』, 『헨리 5세』, 『줄리어스 시저』, 『헛소동』, 『뜻대로 하세요』, 『윈저의 즐거운 아낙네들』, 『햄릿』, 『십이야』, 『끝이 좋으면 다 좋아』, 『트로일러스와 크레시다』, 『자에는 자로』, 『오셀로』, 『리어왕』, 『맥베스』, 『안토니와 클레오파트라』, 『코리올레이너스』, 『겨울 이야기』, 『템페스트』 등 엄청난 작품들을 관객과 후대에 남겼다. 셰익스피어의 생애가 모두 이 수천 개의 행에 담겨 있다. 개인으로서의 그에 대해서는 우리에게 전해진 바가 거의 없다. 런던에 땅을 샀고 스트랫퍼드에 집을 마련했다는 것 정도가 전부이다. 셰익스피어와 그의 아내는 대부분 떨어져 살았다. 셰익스피어는 런던에 머물렀고 앤은 고향에서 지냈다. 셰익스피어가 성별에 상관없이 젊은이라면 누구나 좋아했기 때문에 아내와 떨어져 사는 게 좋았을 것이라고 주장하는 전문가들도 있다. 그러나 셰익스피어는 스트랫퍼드에서 1616년 4월 23일에 숨을 거두었다. 그의 유해는 성삼위 성당의 내진에 안장되었다. 셰익스피어가 1605년에 스트랫퍼드에서 걷히는 십일조의 약 20퍼센트에 해당하는 돈을 낸 대가였다. 그의 유족은 글쓰기에 몰두한 고인의 반신상을 제작해서 무덤 옆에 놓았다. 매년 4월 23일에는 셰익스피어의 탄생과 사망을 기념하기 위해 오리털로 만든 펜을 시인의 동상 오른손에 쥐여준다.

쉴레이만 1세 장려한 술탄

Süleyman I, 1494/1495년~1566년

쉴레이만 1세는 오스만 제국의 술탄 중에서 가장 유명하다. 그의 훌륭한 통치로 오스만 왕조는 전성기를 누렸다. 서양에서는 쉴레이만 1세, 동양에서는 '입법자'로 알려진 그는 영토를 확장하고 민생을 규정하는 법을 통일시키고 모든 형식의 예술을 후원했다. 뛰어난 전사이자 능숙한 외교관, 지혜로운 행정가였던 그의 개인사는 국가의 운명과 연결되어 불행했다. 쉴레이만 1세의 통치 말년은 하렘의 음모, 아들들의 경쟁으로 퇴색되었다.

통치자가 될 운명

쉴레이만 1세는 1494년 11월과 1495년 4월 사이의 어느 날 흑해 연안의 트라브존에서 태어났다. 아버지인 셀림 1세는 트라브존의 행정관이었다. 1512년 셀림 1세는 아버지 바예지드 2세가 왕위에서 물러나도록 하기 위해 예니체리를 동원했다. 예니체리는 납치한 기독교인 노예 아이들을 전사로 키워서 만든 엘리트 보병대이다. 반대 세력이 등장하지 못하게 그는 형제들과 조카들까지 모두 죽였다. 열여섯 살에 쉴레이만 1세는 셀림 1세의 유일한 후계자가 되었다. 그는 크림반도의 카파(케페) 및 소아시아 마니사의 산자크 베이(지사)로 임명되었다. 쉴레이만 1세는 9~10년간 이스탄불 톱카프 궁전의 학교에서 공부한 학식 있는 청년이었다. 이 학교에서 파르갈리 이브라힘 파샤를 만나 우정을 쌓았는데, 파샤는 어렸을 때 데브쉬르메(징집) 시행으로 납치된 기독교인으로 이후 고위 관료인 비지어가 되었다. 이슬람으로 개종한 가정에서 성장한 그는 행정관으로 활동했다. 쉴레이만 1세는 역사, 신학, 문학, 전술을 공부했다. 제국의 공식어인 오스만 터키어 외에도 지방어인 차가타이어, 아랍어, 페르시아어 등 여러 언어를 능숙하게 구사했다. 그때까지 페르시아어는 시에 쓰이는 언어였는데 쉴레이만 1세는 그 전통을 이어나갔을 뿐만 아니라 '연인'이라는 뜻의 '무히비Muhibbi'를 필명으로 터키어로도 훌륭한 시를 썼다. 1520년 9월, 스물여섯 살이었던 그는 셀림 1세의 서거 소식을 듣고 서둘러 이스탄불로 가서 오스만 제국의 열 번째 술탄이 되었다. 외아들이었던 그는 술탄의 자리를 노리는 사람들을 제거하느라 몇 년을 낭비할 필요 없이 곧바로 훌륭한 통치를 시작할 수 있었다.

전쟁의 왕자

쉴레이만 1세는 유럽 강국들의 관계를 훤히 꿰고 있었다. 합스부르크가 출신으로 에스파냐, 오스트리아, 부르고뉴, 독일을 통치하던 신성 로마 제국의 황제 카를 5세를 비롯해 프랑스의 프랑수아 1세, 잉글랜드의 헨리 8세의 야망이 유럽을 분열시킨다는 것을 모르지 않았다. 당시 오스만 제국의 지정학적 상황이 서쪽으로 영역을 확장하는 데 유리해서 1521년 8월에 벨그라드를, 1522년에는 로도스섬을 함락했다. 구호 기사단은 로도스섬을 떠나도 좋다는 승인을 받아 몰타로 빠져나갔다. 1526년 8월 모하치 전투에서 루드비크 2세가 패배하고 죽임을 당했다. 오스트리아 대공이자 카를 5세의 동생으로 헝가리의 왕위 계승자인 페르디난트 1세에게는 가공할 경쟁자가 있었다. 바로 쉴레이만 1세가 뒤를 밀어주고 있던 트란실바니아의 군 지휘관 자포여 야노시였다. 야노시는 권력을 잡기 위해 쉴레이만 1세의 봉신이 되었고, 1540년 세상을 떠날 때까지 헝가리 대부분의 지역을 다스릴 수 있었다. 쉴레이만 1세는 페르디난트 1세가 통치하는 도시인 빈과 부더를 각각 1529년과 1532년에 포위했지만 별다른 성과를 얻지 못했다. 그래도 꽤 큰 위협이 되어 페르디난트 1세는 쉴레이만 1세가 보호하는 야노시를 상대로 헝가리 원정을 나설 계획을 접었다. 합스부르크 왕조와 오스만 왕조의 전쟁은 1541년과 1543년에 다시 불붙었고, 쉴레이만 1세가 루마니아의 일부를 빼앗는 것으로 마무리되었다. 1562년에는 현상 유지를 인정하는 조약이 체결되었다. 페르디난트 1세는 헝가리의 북부와 서부를 통치하고, 쉴레이만 1세는 다뉴브강 중류 지역을 다스렸다. 트란실바니아는 야노시의 아들 야노시 2세가 차지했다. 서쪽에서 영토를 확장한 쉴레이만 1세는 동쪽으로 눈을 돌려 1534년에서 1555년까지 페르시아의 사파비 왕조를 상대로 세 차례 원정을 단행했다. 1555년에 조약을 체결해서 쉴레이만 1세가 바그다드와 메소포타미아를 차지했지만 페르시아의 세력은 줄어들지 않았다. 해상에서는 오스만 제국이 1571년 10월 7일 레판토 해전에서 패배할 때까지 지중해를 지배했다. 이를 가능하게 했던 뛰어난 인물이 있었는데, 그는 서양인들에게 해적으로, 오스만 제국 사람들에게 제독(카푸단)으로 알려진 바르바로스였다. 그의 본명은 하이르 앗딘이다.

모범적인 행정관

쉴레이만 1세는 9명의 전임 술탄이 마련한 법을 명료하고 간단한 법으로 통일했다. 오스만 법전인 『카누닐오스마니』는 19세기까지 적용되었다. 쉴레이만 1세는 지방관들에 대한 통제를 강화했고 부패가 드러나면 엄하게 처벌했다. 또한 유대인과 기독교인이 세금을 내면 보호를 받을 수 있도록 하는 딤미 제도는 그대로 두면서 좀 더 효율적인 보호가 이루어지도록 했다. 그는 초등, 중등, 고등 교육 기관뿐만 아니라 수백 개에 달하는 예술인 조합인 '영재들의 협회'에도 재정적인 지원을 하면서 문화를 발전시켰다. 쉴레이만 1세가 고용한 건축가인 미마르 시난은 술탄을 위해 1543년에서 1548년까지 셰흐자데 모스크를, 1550년에서 1557년까지 쉴레이마니예 모스크를 지었다. 두 모스크는 모두 이스탄불에 있다.

괴로운 군주

쉴레이만 1세는 하렘을 두었는데, 그곳의 여자들이 그의 아들을 낳으면서 우월한 지위를 누렸다. 미래의 술탄을 낳은 여자는 하렘의 안주인이 되고 궁의 실세가 될 수 있었다. 문제는 계승에 관한 규칙이 명료하지 않아 갈등의 씨앗이 되었다는 점이다. 술탄은 후계자를 지목해야 했고, 그 후계자는 술탄에 맞설 수 있었다. 또한 후계자의 형제들도 경쟁에 뛰어들 수 있었다. 결국 계승 문제는 종종 피바다로 끝났다. 이를 막기 위해 아들이 술탄이 되면 형제들과 조카들을 사형시켰다. 쉴레이만 1세의 아버지 셀림 1세가 한 일이 바로 그것이다. 쉴레이만 1세가 사랑 때문에 전례 없이 규칙을 깨는 바람에 계승 문제는 더 복잡해졌다. 그가 소실 록셀라나와 결혼한 것이다. 그녀는 1534년에 휘렘 술탄이 된 것으로 보인다. 록셀라나는 오스만 제국을 통틀어 술탄과 결혼한 유일한 소실이었다. 그녀는 셀림, 바예지드, 지한기르라는 3명의 아들을 두었다. 쉴레이만 1세는 결혼 전에 또 다른 애첩인 마히데브란과 낳은 무스타파라는 아들이 이미 있었다. 장자로 태어난 무스타파는 후계자가 되었는데, 그가 술탄이 되면 배다른 형제 셋은 모두 죽임을 당할 것이었다.

온갖 음모

록셀라나는 무스타파를 지지하는 사람들을 대상으로 일련의 음모를 꾸몄다. 자신의 아들들을 살리려면 무스타파가 술탄이 되는 것을 막아야 했다. 쉴레이만 1세의 어릴 적 친구이기도 했지만 무스타파의 든든한 지지자였던 피르갈리 이브라힘 파샤는 1536년 톱카프 궁전에서 목이 졸린 채 발견되었다. 쉴레이만 1세는 파샤를 죽이라고 명령했지만 그가 죽은 뒤 화려한 무덤을 만들어주었다. 1553년 군대를 이끌고 페르시아로 향하던 쉴레이만 1세는 무스타파가 때를 기다리지 않고 먼저 술탄이 되려고 음모를 꾸민다는 사실을 알게 되었다. 그는 무스타파를 천막으로 불러 목 졸라 죽였다. 록셀라나의 막내아들 지한기르는 무스타파를 우상처럼 숭배했기 때문에 몇 달 뒤 절망에 빠져 죽었다. 결국 셀림과 바예지드가 경쟁하게 되었다. 쉴레이만 1세는 관습에 따라 아들들에게 서로 아주 멀리 떨어진 지방을 각각 다스리게 했다. 두 아들은 당연히 그 기회를 이용해 군대를 일으켰다. 그러나 더 능숙했던 셀림이 쉴레이만 1세와 그의 군대의 지지를 얻어 1559년 코니아에서 동생을 무찔렀다. 패배한 바예지드는 가족과 함께 페르시아의 왕궁으로 도망쳤지만 쉴레이만 1세에게 후한 대가를 받은 페르시아의 왕은 1561년 바예지드와 그의 네 아들을 교살했다. 바예지드의 불행한 운명에 영감을 받은 라신은 비극 『바자제』를 썼다.

죽었지만 죽지 않은 왕

셀림은 1561년부터 유일하게 살아남은 후계자가 되었다. 쉴레이만 1세는 1566년 헝가리로 원정을 떠났는데 그때 나이가 일흔한 살이었다. 병들고 쇠약해진 그는 1566년 9월 7일 시게트바르를 포위하던 중에 세상을 떠났다. 그의 죽음을 확인한 고관들은 군대가 충격에 빠지고 이스탄불이 들끓는 사태를 피하려고 술탄이 죽었다는 사실을 비밀에 부쳤다. 그러기 위해 의사와 하인들을 죽였고 공식 문서에 조인해야 하는 대법관에게 입단속을 시켰으며 비서는 술탄의 서명을 위조했다. 6주 뒤 오스만 제국은 시게트바르를 점령했다. 그 기간 동안 쉴레이만 1세가 여전히 살아 있는 것처럼 꾸몄는데, 시체가 보관된 그의 천막에 들어가 명령을 받아오는 척할 수 있는 사람은 몇 되지 않았다. 사람들의 눈을 피해 방부 처리를 한 시신은 톱카프 궁전까지 가마로 운반했다. 가는 도중 비지어들과 고문들이 시신 가까이 다가가 명령을 받는 척까지 했다. 쉴레이만 1세의 서거 소식은 베오그라드에 도착한 뒤에야 공식적으로 발표되었다. 시신을 기다리던 셀림은 셀림 2세라는 이름으로 술탄이 되었고 이는 곧바로 공포되었다. 망자의 심장을 비롯해 내장은 운반할 수 없어서 현장에 묻었다. 2015년 12월에 페치 대학교가 크로아티아와 헝가리 국경 지역에서 발굴 작업을 했을 때 쉴레이만 1세의 심장을 묻은 것으로 추정되는 묘를 발견했다.

슈발리에 드 생조르주 검은 모차르트 Chevalier de Saint-George, 1745년~1799년

슈발리에 드 생조르주라는 이름으로 더 잘 알려진 조제프 볼로뉴 드 생조르주Joseph Bologne de Saint-George는 18세기 프랑스에서는 특이한 인물이었다. 노예로 태어나 프랑스에서 가장 노련한 검객이 된 그는 프랑스 대혁명에 참여했고, 검은 모차르트라는 별명이 붙을 정도로 그 시대에 주목받았던 작곡가 중 하나였다. 조제프의 어머니는 노예인 안(또는 나농)이었다. 그는 1745년 12월 25일에 자신의 어머니처럼 과들루프에서 태어났다. 아버지는 대농장주인 조르주 드 볼로뉴 드 생조르주이다. 조제프의 법적 지위는 루이 14세 이후 프랑스령 서인도 제도에서 시행 중이던 흑인법에 의해 정해졌다. 즉 노예 어머니에게서 태어난 그도 역시 노예인 것이다. 그의 아버지는 대단한 검객이었는데, 1747년에 있었던 결투에서는 상대방에게 치명상을 입히기도 했다. 처벌받을 것이 확실하자—1599년 이후 결투가 금지되었고, 1626년에 공표된 칙령에 따라 이를 어길 시 사형에 처해졌다—그는 아내와 아들을 데리고 보르도로 갔다. 이후 슈발리에 드 생조르주의 놀라운 운명이 펼쳐지기 시작했다.

훌륭한 청년

프랑스에 온 조제프는 펜싱을 가르치는 니콜라 텍시에 드 라 보에시에르의 집에 맡겨졌다. 편견이라고는 없으며 문학과 예술을 사랑한 세련된 남자였던 니콜라 밑에서 조제프는 플뢰레와 음악에 대한 재능을 키웠다. 그는 아침에는 공부를 하고 저녁에는 펜싱 연습을 했다. 1761년 노예 신분에서 해방된 조제프는 근위 기병대에 들어갔다. 아직 십 대였지만 플뢰레 기술은 당대 최고였다. 그의 명성은 국경을 넘어 런던에 있던 루이 15세의 스파이 샤를 데옹 드 보몽, 일명 슈발리에 데옹의 귀에까지 들렸다. 그의 전체 이름에는 준비에브라는 여자 이름이 들어가 있는데, 슈발리에 데옹은 실제로 여자로 변장하고 다녔고 진짜 성별이 무엇인지 알 수 있었던 것도 그가 죽고 나서였다. 의사들이 그가 남성임을 증명하는 증거를 확인했던 것이다. 드레스를 입고 다녔지만 슈발리에 데옹은 훌륭한 검객이었다. 그는 검으로 싸우고 도전에서 반드시 이겨서 생계를 이어갔다. 하노버의 조지 어거스트, 그 당시 웨일스 공이자 미래의 조지 4세의 급한 부탁으로 1787년 4월 9일 칼튼 하우스에서 조제프와 슈발리에 데옹의 만남이 이루어졌다. 이번에도 천하무적 슈발리에 데옹은 드레스를 입고 공격에 나섰고 승리를 거머쥐었다. 조제프도 훌륭한 기술을 선보이며 투혼을 발휘했다.

총사에서 기사가 된 생조르주는 1775년에 근위 기병대가 해산되면서 졸지에 실업자가 되었다. 그는 오를레앙 공의 아들 샤르트르 공, 즉 미래의 평등왕 루이필리프 2세 밑으로 들어갔다. 프랑스 대혁명이 일어나자 그는 국민위병에 들어갔다가 생조르주 용병대로 더 잘 알려진 미국인 용병대를 만들었다. 유색 인종의 병사들로 구성된 이 용병대는 혁명전에 참전했고 나중에 나폴레옹의 군대로 흡수되었다. 알렉상드르 뒤마의 아버지 토마 알렉상드르 다비 드 라 파유트리, 일명 뒤마 장군이 이 용병대의 장교였다. 1793년 뒤무리에즈 장군이 과거 총사 전적이 드러나 용병대를 탈퇴하면서 생조르주도 왕당파로 몰려 체포되었다. 그는 모든 직위를 내려놓고 투옥되었다. 그가 살아남은 것은 오로지 로베스피에르의 낙마와 1794년 공포 정치의 종말 덕분이었다. 출소 이후 생조르주는 파리에서 가난하게 생을 마감했다. 방광에 궤양이 생겨 1799년 6월 10일, 사람들의 무관심 속에 세상을 떠났다.

천재적인 음악가

오를레앙가의 집사로 일하기도 했던 슈발리에 드 생조르주는 오를레앙가의 음악회와 루이 16세 궁전의 음악회를 마련해서 음악적 재능을 펼쳤다. 그는 바이올린을 잘 켰고 소나타, 교향곡, 오페라 코미크 등 다양한 장르의 음악도 작곡했다. 불행하게도 생조르주는 많은 질투와 그의 피부색에 대한 편견의 희생자가 되었다. 「에르네스틴」, 「사냥」을 비롯해 슈발리에 데옹에게서 영감을 받은 「소녀 소년」 등 그의 오페라 코미크 작품들은 실패할 수밖에 없었다. 반면 「주 바이올린을 위한 2개의 콘체르토」, 「2대의 바이올린을 위한 2개의 협주 교향곡」 등 콘체르토와 협주 교향곡은 성공을 거두었다. 그러나 그가 마리앙투아네트 왕비에게 음악을 가르칠 정도로 뛰어났음에도 왕립 음악원의 음악 감독은 되지 못했다. 흑인의 지휘 아래 노래하기를 거부한 여자 성악가들 때문이었다.

아르테미시아 젠틸레스키 색과 음영의 마스터

Artemisia Gentileschi,
1593년~1652년

예술사에서 여성은 종종 뒷전으로 밀려나곤 했다. 마치 화가는 남자밖에 없다는 듯이 말이다. 그러나 아르테미시아 젠틸레스키는 그녀보다 선배이거나 동년배인 소포니스바 안귀솔라, 페데 갈리치아와 함께 이런 선입견을 한 방에 날려버린다. 이 중에서 젠틸레스키는 더 특별하다. 그녀는 단지 카라바조 화풍을 이어받은 화가이거나 명암법의 대가만이 아니다. 강하면서도 섬세한 선과 뛰어난 채색 기법이 장점이었던 그녀는 17세기 가장 위대한 화가로 손꼽힐 만하다.

형제보다 뛰어난 누이

아르테미시아 젠틸레스키는 1593년 7월 8일 로마에서 태어났다. 물감 냄새가 코를 찌르는 화가 집안 출신이었다. 아버지 오라치오 젠틸레스키는 카라바조 화풍을 신봉했지만 명암의 대비를 테네브리즘—캄캄한 밤에 촛불 하나를 켜놓은 것처럼 배경을 아주 어둡게 해서 인물을 강조하는 기법—까지 밀어붙인 카라바조를 무작정 따르기만 한 것이 아니라 화풍을 조금 더 우아하고 세련되게 살렸다. 개방적이었던 아버지는 아들들보다 더 뛰어난 딸의 재능을 금세 알아보았다. 그는 자신의 화실에서 딸에게 그림을 그리게 했고 어둡게 칠해야 할 부분을 수정해주고 밝은색을 쓰는 재능을 키워주었다. 아버지와 딸은 그녀의 첫 작품 「수잔나와 두 장로」를 같이 완성했다. 그때 아르테미시아의 나이는 고작 열일곱 살이었다.

강간, 고문, 도피

오라치오는 아르테미시아가 자기만의 기법을 개발할 수 있으며, 또 그녀가 그러기를 바란다는 것을 느꼈다. 그래서 풍경화가인 아고스티노 타시에게 딸을 가르쳐달라고 맡겼다. 그러나 그것은 비극의 시작이었다. 타시가 아르테미시아를 강간한 것이다. 그는 아르테미시아와 결혼해서 잘못을 바로잡겠다고 하더니 다시 말을 바꾸었다. 오라치오는 소송을 걸었다. 타시는 유죄 판결을 받고 1년의 징역형에 처해졌으며 이후 교황령에서 추방되었다. 재판은 아르테미시아에게 끔찍한 시련이었다. 강간의 과정을 증언하면서 참기 힘든 일을 다시 경험했기 때문이다. 그녀의 증언이 의심되면 고문이 가해졌다. 아르테미시아는 타시의 유죄를 외쳤지만 처음에는 아무도 들어주지 않았다. 그녀는 판결이 나고 얼마 뒤 피렌체 출신의 화가 피에트로 스티아테시와 중매로 결혼하고 로마를 떠났다. 부부는 피에트로의 가족이 사는 피렌체에 정착했다.

피렌체 시절

아르테미시아의 피렌체 시절은 행운으로 시작되었다. 피렌체 미술 아카데미 최초의 여성 회원이 되었던 것이다. 그때부터 그림 주문이 밀려들어 왔다. 그녀는 초상화와 정물화를 그리는 것은 그만두고 역사적인 주제를 다룬 작품을 그리기 시작했다. 미켈란젤로를 기리는 카사 부오나로티의 천장화를 그리기도 했다. 이 시기에 「홀로페르네스의 목을 자르는 유디트」와 「막달레나의 개종」이라는 두 걸작이 탄생했다. 시가 가까이 살았지만 생활은 어려웠다. 젊은 화가가 지출보다 수입이 많기는 쉽지 않았기에 부부는 결국 1621년 빚쟁이들을 피해 피렌체를 떠나 로마로 갔다. 그러나 얼마 지나지 않아 두 사람은 헤어졌다. 아르테미시아는 그림을 사겠다는 주문이 뜸해지자 베네치아와 로마를 자주 오가며 기회를 엿보았다. 이때 「기수의 초상화」, 「에스더와 아하수에로」, 「유디트와 하녀」를 그렸다. 1630년에는 나폴리에 아예 정착했다. 그녀는 이곳에서 성 야누아리오의 생애를 다룬 연작 「회개하는 막달레나」, 「세례자 요한의 탄생」을 완성했다.

나폴리에서 지다

아르테미시아는 1638년 잉글랜드 왕 찰스 1세의 궁에 있는 아버지를 만나러 갔다. 부녀는 함께 그리니치에 있는 왕비의 저택의 그랜드 홀 장식을 맡았다. 아르테미시아는 신선하고 화려한 초상화를 그릴 수 있는 재능 덕분에 금세 궁정 귀족의 지위를 얻었다. 그림 주문량도 곧 아버지를 뛰어넘었다. 오라치오는 1639년에 세상을 떠났지만 아르테미시아는 그 뒤에도 런던에 머물렀다. 그러다가 왕당파와 올리버 크롬웰의 지지자들이 벌인 잉글랜드 내전이 터지자 1641년 또는 1642년에 잉글랜드를 떠났다. 그녀는 이후 유럽을 여행했는데 정확한 날짜나 기간은 알려지지 않았다. 1649년 나폴리로 돌아온 아르테미시아는 그로부터 몇 년 뒤에 세상을 떠났다. 아르테미시아는 카라바조 화풍을 지녔던 대표적인 화가로 꼽힌다.

아빌라의 테레사 신비로운 마음과 성례

Teresa de Ávila, 1515년~1582년

테레사 데 세페다 이 아우마다Teresa de Cepeda y Ahumada는 가톨릭교회에서는 예수의 테레사로 불린다. 1970년에 교황 바오로 6세가 그녀를 여성으로서는 최초의 교회 학자로 인정했다. 그러나 그녀는 무엇보다도 16세기 에스파냐와 기독교의 대표적인 성인이다. 아빌라의 테레사는 13세기에 창설된 카르멜회를 개혁하기 위해 1562년 '맨발의 카르멜회'(맨발로 샌들을 신었기 때문이다)를 설립했다. 선지자 엘리야를 따르는 수도사와 수녀는 명상과 침묵의 기도에 힘써야 하며, 동시에 신의 메시지를 전하는 능동적인 사도의 역할을 다해야 한다. 아빌라의 테레사가 개혁을 시작한 것도 여러 수도원에서 이러한 의무를 저버리는 사례가 많았기 때문이다. 그녀는 카르멜산에 정착한 최초의 은자들이 추구했던 순수성과 의무를 되살리고자 했다.

수녀원에 드나들다

테레사는 아빌라의 산 후안 바우티스타 성당에서 세례를 받았다. 그녀의 아버지 세페다의 알론소는 톨레도의 부유한 유대계 상인 집안사람이었다. 가문이 가톨릭으로 개종했지만 남몰래 유대교를 믿는 것이 아니냐는 의심을 사서 종교 재판 당시 갈등을 겪었다. 알론소의 두 번째 부인은 베아트리스 다빌라인데, 그녀는 알론소가 사별한 첫 번째 부인의 먼 사촌이다. 테레사를 낳은 사람이 바로 베아트리스 다빌라였다. 알론소는 두 부인과의 사이에서 자식 13명을 낳았다. 테레사는 많은 형제자매와 신앙심 깊은 부모 밑에서 1492년 그라나다 토후국 정복에서 나온 기사 문학의 이야기들을 들으며 자랐다. 워낙 상상력이 풍부한 데다가 성인들에 관한 이야기를 몰입하며 들었던 테레사는 결국 일곱 살에 집을 몰래 빠져나왔다. 그녀는 이슬람 왕국에서 순교자가 되기를 희망했다. 삼촌에게 붙잡혀 집에 돌아온 테레사의 의지는 사명으로 바뀌었다. 그녀는 수녀가 되기로 결심했다. 그러나 1529년에 어머니가 세상을 떠나면서 사춘기 소녀는 신앙에서 멀어져 방탕한 생활에 빠지기 시작했다. 테레사의 옷차림과 머리 모양, 향수가 그녀의 사촌 중 하나를 매료시켰다. 이 사실을 알게 된 아버지는 아빌라에 있는 아우구스티노 수녀회에 테레사를 보내 열여섯에서 열여덟 살이 될 때까지 그곳에서 지내게 했다. 그러나 환경이 엄격하게 바뀌어도 테레사는 바뀌지 않았다. 오히려 수녀원에 사람들을 초대하는가 하면 종교에 대해 악의 없는 농담을 하고 종교에 입문하려 하지 않았다. 그러던 중 병에 걸린 그녀는 집으로 돌아갔고, 다시 건강을 회복하기 위해 언니 집으로 갔다. 죽을지도 모르는 상황 때문이었는지, 아니면 예수의 고통을 처음으로 접한 신비로운 경험 때문이었는지 테레사는 마음을 바꿔 다시 수녀가 되기로 결심했다. 아버지는 딸의 뜻에 단호하게 반대했다. 결국 그녀는 오빠의 도움으로 도망쳐 나와 카르멜회에 들어갔다. 테레사는 1537년 11월 3일에 수녀가 되겠다는 맹세를 했다. 수녀는 세속을 떠난 것이 아니기 때문에 자유롭게 출입이 가능했고 방문객을 받을 수도 있었다. 건강 문제로 인해 수녀원과 아버지의 집을 번갈아 오가며 살았던 테레사는 세속의 삶과 신을 섬기는 삶을 동시에 살았다.

계시, 종교적 희열, 개혁

1554년과 1555년에 테레사는 여러 차례 계시를 경험하면서 신앙에 심오하게 접근하기 시작했다. 이러한 영적 체험으로 그녀는 예수가 수난을 당할 때 겪었던 고통을 느꼈으며 지옥과 구제할 수 없는 길 잃은 영혼들을 보았다. 또한 신비한 황홀경에 빠져 기도를 할 때마다 예수가 받은 상처를 똑같이 체험했다. 심지어 불이 붙은 창이 가슴을 찌르는 신비로운 체험도 했다.

그녀는 이 일을 계기로 아빌라에 여성을 위한 수도원을 짓고 침묵, 가난, 고독, 기도(하루에 2시간), 성무일도(하루에 일곱 번)라는 카르멜회의 엄격한 규칙을 부활시키기로 했다. 수녀들은 수녀원의 담장 안에서만 살아야 했고 방문객은 이 담장을 넘지 못했다. 다만 다른 수녀들이 동석할 때에는 방문객을 받을 수 있었다. 1562년 개혁의 첫 대상은 아빌라의 성 요셉 수도원이었다. 1567년 카르멜회의 총장 조반니 바티스타 데 로시(루베오 데 라벤나로도 알려져 있다)는 테레사에게 그녀가 원하는 만큼 개혁 수도원을 열어도 좋다고 승인했다. 테레사는 15년 동안 16개의 수도원을 메디나 델 캄포, 바야돌리드, 톨레도, 세고비야, 세비야, 카라바카, 그라나다, 부르고스 등지에 열었다. 같은 해인 1567년에 테레사는 메디나 델 캄포에서 젊은 카르멜회 사제인 후안 데 예페스를 만났다. 그가 바로 시인이자 신비주의자인 십자가의 요한이다. 테레사가 하는 일에 열광한 그는 자신도 남성 카르멜회 개혁에 적극적으로 가담하겠다고 마음먹었다. 그는 1568년 두루엘로에서 첫 개혁 수도원을 열었다.

개혁에 대한 반발

카르멜회 개혁은 강력한 반대에 부딪혔다. 개혁되지 않은 수도원들이 '맨발의 카르멜회' 수도원이 늘어나는 데 대해 반발한 것이다. 1575년 세비야에서 열린 에스파냐 카르멜회 총회는 테레사에게 카스티야의 수녀원에 들어가 나오지 말라는 명령을 내렸다. 십자가의 요한은 1577년 톨레도의 수도원에 유폐되었다. 갈등은 1580년 교황 그레고리오 13세가 개혁 수녀원과 그렇지 않은 수녀원을 분리하면서 잦아들었다. 이로써 테레사도 개혁 수녀원을 계속해서 설립할 수 있게 되었다. 그녀의 노력은 몸이 쇠약해질 대로 쇠약해져 1582년 10월 4일 알바 데 토르메스에서 세상을 떠날 때까지 지속되었다. 테레사는 1614년에 교황 바오로 5세에 의해 시복되었고, 1622년에는 그레고리오 15세에 의해 시성되었다.

테레사는 자신의 개혁을 설명하기 위해 많은 저서를 남겼다. 개혁 수녀원의 규칙을 설명한 『교서』, 개혁 수녀원의 창설을 소개한 『설립』, 그리고 자서전인 『삶의 책』이 그것이다. 테레사는 자신의 신비주의, 즉 기도를 통해 영혼이 신에게 나아가는 길에 대해 이해하는 데 중요한 3권의 책인 『완덕의 길』, 『영혼의 성』, 『신의 사랑에 관한 명상』을 저술하기도 했다. 피에르 세루에가 썼듯이 "테레사에게 있어서 신에게 속한 것에 기울이는 애정 어린 관심인 묵상 기도는 삶의 중심이었으며, 신에 대한 사랑을 표현하고 그 사랑 속에서 성장하며 자기 자신보다 더 많은 것을 주는 대상인 이웃에 대한 사랑을 표현하고 키우는 가장 좋은 방법이었다"(『앙시클로페디아 위니베르살리스*Encyclopædia Universalis*』, 2011).

근대

인물

아이작 뉴턴 사과 한 알로 맺은 결실

Isaac Newton, 1642년~1727년

17세기 유럽에서 일어난 과학 혁명에 아이작 뉴턴이 기여한 바가 크다. 농부의 아들이 만유인력의 법칙, 미적분의 발견, 가시광선의 증명 등으로 과학 혁명을 일으켰다. 이에 비해 뉴턴이 당시 왕정의 골칫거리였던 화폐 문제를 해결한 일은 잘 알려져 있지 않다. 뉴턴 덕분에 날이 갈수록 대담해지는 위조자들에도 불구하고 왕국이 파산하지 않을 수 있었다.

위대한 학자의 불행한 어린 시절

아이작 뉴턴은 당시 영국에서 통용되던 율리우스력에 따르면 1642년 12월 25일에, 그레고리력에 따르면 1643년 1월 4일에 링컨셔주 울즈소프의 작은 마을에서 태어났다. 그가 이름을 물려받은 아버지 아이작은 뉴턴이 태어나기 석 달 전에 세상을 떠났다. 어머니 해나 에이스커는 갓난아기가 허약해서 죽을까 봐 걱정이었다. 그녀는 바나바스 스미스와 재혼하면서 아이는 외가에 맡기고 옆 마을에 정착했다. 어머니와 떨어져 살면서 양아버지를 미워했던 어린 시절은 뉴턴이 평생 겪었던 정서 불안의 원인이었을 것이다. 뉴턴은 초등학교에서 고등학교까지 옆 마을의 학교를 다녔는데 어머니는 그에게 학교를 그만두고 두 번째 남편이 죽은 후 남겨준 땅을 관리하라고 했다. 그것은 좋은 생각이 아니었다. 뉴턴은 땅이나 가축을 돌보기보다는 나무 그늘, 나뭇가지 위의 쉴 곳, 책을 더 좋아했다. 그는 라틴어를 배웠고 기초적인 산술을 익혔으며 매우 뛰어난 솜씨로 자명종 시계의 축소 모형을 만들었다. 1661년 6월에는 케임브리지 대학교 트리니티 칼리지에 입학했다. 뉴턴은 한 해 전부터 약혼녀 스토리 양에게 푹 빠져 있었다. 두 집안은 뉴턴이 학업을 끝내면—빨라야 5년 뒤였다—둘을 결혼시키자고 약속했다. 그러나 혼인은 성사되지 않았다. 이후로 뉴턴은 한 번도 정식 결혼을 생각하지 않았다.

우등생

뉴턴은 케임브리지 대학교에서 7년 동안 공부하면서 케플러, 갈릴레이, 데카르트의 연구와는 거리가 먼 아리스토텔레스 물리학을 배웠다. 트리니티 칼리지에서는 케플러, 갈릴레이, 데카르트가 금기어였기 때문이다. 그는 주로 산술학, 기하학, 연금술, 신학을 공부했고, 학과 공부가 끝날 무렵 르네 데카르트의 저서를 발견하고 17세기 과학 혁명으로 빨려 들어갔다. 물론 뉴턴은 "플라톤은 나의 친구이고, 아리스토텔레스도 나의 친구이다"라고 말했지만 이때부터 그의 "가장 친한 친구는 진리"였다. 그는 문학사 학위를 취득하던 해에 케임브리지에 흑사병이 돌자 집으로 돌아갔다. 1665년에서 1667년까지 2년간은 많은 발견을 한 시기로 미분 가능 함수, 미적분, 백색광의 가시광선으로의 분산 등 앞으로 하게 될 연구의 밑거름이 되었다.

학자의 경력

1669년에 뉴턴은 케임브리지 대학교의 수학 교수가 되었고 1672년에는 런던 왕립 학회의 회원으로 선출되었다. 또한 '뉴턴식 망원경'이라고 불리는 오목 거울 망원경을 개발했다. 그는 광학 분야의 연구 결과를 『광학』에 발표했고, 1687년에는 자신의 저서 『자연 철학의 수학적 원리』에서 뉴턴 운동 법칙과 만유인력의 법칙을 설명했다. 천재 뉴턴은 이렇듯 연구 활동은 활발하게 이어갔으나 사회에 적응하는 데는

화폐의 거장

1696년 재무 장관 찰스 몬태규가 뉴턴을 불러들였다. 정부가 화폐 주조 방식을 바꿨는데 그렇게 만들어진 화폐가 위조하기 아주 쉽다는 문제가 생겼기 때문이다. 나라는 파산 위기에 몰렸고, 파산이라도 하게 된다면 왕권도 심각하게 손상될 것이다. 처음에는 조사관이었다가 나중에는 주요 고발인이 된 뉴턴은 수백 명의 피의자를 심문해서 위조화폐를 만들기 위해 어떻게 조폐국의 설비를 사용했는지 증명했다. 17세기의 셜록 홈스였던 뉴턴은 주요 위조범의 체포와 처형을 가능하게 했다. 그는 공로를 인정받아 조폐국 국장이 되었다. 1703년에는 왕립 학회의 회장이 되었다. 그는 새로운 직위와 관련된 수많은 회의와 조폐국 국장이 해야 할 일을 하며 시간을 보냈다. 1705년에 귀족 작위를 받은 뉴턴은 1727년 3월 31일, 여든네 살의 나이로 사망했다. 영국은 웨스트민스터 사원의 중앙 홀에 뉴턴의 유해를 안장해 그를 기렸다.

큰 어려움을 느꼈다. 그는 동료들과 떨어져서 몇 시간씩 혼자 연구에 몰입하는 것이 더 좋았다. 연구 결과를 발표하는 것은 그에게 또 다른 문제로 다가왔다. 뉴턴은 결과를 발표해야 한다는 의무 조항을 극도로 싫어했다. 그는 자신의 뛰어난 지성으로 얻은 결과물을 다른 학자들이 훔쳐 갈까 봐 불안에 떨었다. 그 자신도 동료들의 연구 결과를 서슴없이 가져다 썼기 때문이다. 무척 우울한 데다가 동료들의 미움을 받고 있다고 생각한 뉴턴은 대학에 적응하기가 점점 더 힘들어졌다.

아크바르 대제 보편적 종교의 주창자

Akbar, 1542년~1605년

잘랄루딘 무함마드 아크바르, 즉 아크바르 대제는 북인도 전체를 지배했던 무굴 제국의 떠오르는 태양이었다. 투르크족, 몽골족, 이란족의 후예인 그의 조상 중에는 티무르와 칭기즈 칸이 있다. 그에게는 정복자의 피가 흐르고 있었다. 아크바르는 무굴 제국의 제2대 황제 후마윤의 아들이다. 후마윤은 델리를 다스렸지만 파슈툰인 장군 세르 샤 수리에게 이 지역을 빼앗겼다. 그는 아프가니스탄으로 몸을 피했다가 다시 이란으로 가서 그곳 왕에게 군대를 빌렸다. 그 군대를 이끌고 빼앗긴 제국을 다시 찾기 위해 공격에 나섰고 결국 1555년에 제국을 되찾았다. 후마윤은 아들 아크바르를 펀자브의 총독으로 임명했는데 그때 아크바르는 고작 열세 살이었다. 후마윤은 얼마 뒤에 세상을 떠났다.

흔들린 황위

1556년에 많은 일이 단 몇 달 사이에 일어났다. 아크바르는 아버지가 세상을 떠나자 황위에 올랐다. 그러나 불충한 힌두교도 장관 헤무에 의해 금세 축출되고 말았다. 아크바르는 제2차 파니파트 전투에서 승리한 뒤 다시 정권을 잡았다. 그는 겨우 열네 살의 나이에 황제가 되었고, 그의 후견인이었던 바이람 칸 장군이 섭정을 했다. 파니파트 전투에서 대승을 거두었던 바이람 칸은 아크바르에게 헤무를 참수하라고 조언했고, 아크바르도 그 말을 따랐다. 그러나 얼마 가지 않아 장군은 권위적이고 껄끄러운 태도를 드러냈다. 결국 그는 황제의 총애를 잃고 1560년 메카로 순례를 떠나야 하는 벌을 받았다. 그때 아크바르의 나이는 열여덟 살이었다. 성인이 되었으니 혼자 나라를 다스릴 수 있었다. 능력 있는 행정가였으나 형편없는 전사였던 아버지 후마윤과 달리 아크바르는 타고난 군인이었다. 그는 금세 우리가 익히 아는 '대제'라는 호칭을 얻었다. 아랍어로 '아크바르'라는 말 자체가 '위대하다'라는 뜻이다.

전쟁과 평화

아크바르는 인도 중부 지역으로 통하는 길인 데칸고원 지대를 확보하기 위해 지정학적 중요성이 큰 말와주를 점령하면서 정복을 시작했다. 1573년에 구자라트주, 1576년에 벵골주, 1590년에 신드주, 1592년에 오리사주, 1594년에 발루치스탄주를 차례로 차지했다. 그리고 1585년에 동생이 세상을 떠나자 카슈미르까지 손에 넣었다. 아크바르는 1576년에 이미 북인도 전체를 다스리기 시작했다. 무굴 제국의 약진에 거세게 저항했던 라지푸트족과의 전투는 특히 치열했다. 이때 그는 이중적인 성격을 드러냈다. 1562년 아크바르는 자이푸르의 귀족 비하리 말의 딸과 혼인하고 그와 평화 조약을 맺었다. 그러나 1568년 치토르가르 요새를 공격했을 때에는 항복을 거부한 주민을 모두 학살했다. 대량 학살도 서슴지 않았던 그는 신중한 승자이기도 했다. 정복한 주의 정부를 황궁의 감독을 받는 조건으로 패배한 군주들에게 돌려주었던 것이다. 그리고 행정 개편도 실시했다. 무굴 제국은 15개의 주로 나뉘었고, 군사 정부인 '나와브 나짐'과 세금 징수원인 '디완'이 이 주들을 다스렸다. 아크바르는 또한 힌두교도들의 저항을 막기 위해 비무슬림이 내는 인두세인 '지즈야'를 1563년에 폐지했다.

종교의 통합

똑똑한 군주였던 아크바르는 사실 글을 읽을 줄 몰랐다. 아마도 난독증이 있었던 듯하다. 그러나 기억력만큼은 월등했다. 거대한 제국을 거느리며 아크바르는 종교적 평화 정책을 펼쳤다. 무슬림이었던 그는 이맘들을 궁으로 불러 이슬람의 교리 중 정확하게 의견이 일치하지 않는 부분에 대해서 토론을 벌였다. 아크바르가 얼마나 지혜로웠던지 그의 중재가 대부분 받아들여졌다. 종교의 신비로운 측면에 매우 민감했던 아크바르는 공개적인 알현인 '두르바르durbar'가 아니라 사적으로 만나는 '디완diwan'에서 여러 종교의 대표들을 만났다. 그 자리에는 고아 지역에서 온 포르투갈 출신의 예수회 사제들도 있었고, 아크바르에게 암리차르를 넘겨받아 그곳을 종교의 중심지로 삼은 시크교도들도 있었다. 또한 자이나교, 이슬람교, 불을 숭배하는 파시교, 조로아스터교의 신도들도 있었다. 아크바르는 그들과 교류하면서 새로운 종교

「코끼리를 탄 술탄 아크바르와 샤 알람의 조신들」, 미세화, 니콜로 마누치, 17세기.

인 '딘이일라히'를 창시했다. '신성한 믿음'이라는 뜻의 이 종교는 세상에 존재하는 모든 종교의 공통점을 집대성했다. 보편적인 종교를 만들고자 했던 시도는 아크바르가 세상을 떴을 때 함께 사라졌다. 그러나 아크바르는 1569년 아그라와 멀지 않은 곳에 힌두교와 이슬람교의 양식이 혼합된 건축 양식으로 새 수도 '파테푸르시크리'를 건설하면서 돌에 딘이일라히에 대해 새겨 넣었다. 1586년 수도는 다른 곳으로 이전되었다. 그 지역이 너무 건조하다는 이유였다. 아크바르의 통치 말기는 아들이자 후계자였던 셀림이 황위를 서둘러 이어받으려는 욕심을 보이면서 그림자가 드리웠다. 훗날 지한기르 황제가 되는 셀림은 반항과 공모를 이어갔지만 아버지와 항상 극적인 화해를 했다. 그는 아버지의 용서를 얻기 위해 770마리의 코끼리를 바치기도 했다. 아크바르는 1605년 10월 27일 아그라에서 이질에 걸려 세상을 떠났다.

에라스무스 인문주의자들의 왕자

Erasmus, 1469년경~1536년

르네상스와 인문주의의 남자라고 불리는 에라스무스는 자신의 사상, 삶, 저서 등을 통해 중세의 종말을 고했다. 그는 근대 세계를 설립한 이들 중 하나로 꼽힌다. 어렸을 때에는 워낙 허약하고 왜소해서 에라스무스 자신도 스스로 '소체'라고 부를 정도였다. 사제인 아버지와 의사의 딸인 어머니에게서 서자로 태어난 그는 데시데리우스 에라스무스 로테로다무스Desiderius Erasmus Roterodamus를 필명으로 정했다. 데시데리우스는 '원했던 아이'라는 뜻이고, 에라스무스는 신성한 중재인이자 '사랑받는 자'라는 의미의 그리스어 'erasmos'에서 왔다. 로테로다무스는 '로테르담 사람'이라는 뜻이다. 이름에서 알 수 있는 그의 의지는 그의 삶 전체를 통해 드러난다. 에라스무스의 독립적인 사상뿐만 아니라 교황의 추기경이 될 것이냐 루터의 사람이 될 것이냐를 두고 선택 자체를 거부한 결정에서도 그 의지가 드러난다. 종교 개혁과 반종교 개혁의 지적 소용돌이 속에서, 그리고 종교 전쟁이 가시화되는 상황 속에서도 에라스무스는 인간에 대한 믿음을 가져야 한다는 메시지를 전했다. 인간에 대한 믿음을 제외한 나머지는 모두 역설적인 제목을 가진 책 『우신예찬』에서 말하는 어리석음이다.

자라기 힘든 새싹

에라스무스는 토머스 모어와 어깨를 나란히 하는 16세기의 위대한 학자가 되기 전에 힘든 시절을 보냈다. 그것은 화가 한스 홀바인의 모델이 되기 전, 그리고 인문주의자들의 모범이 되기 전이었다. 그는 1469년경 10월 27일에 태어났다. 아버지는 하우다의 사제가 된 헤이르트이고 어머니는 몽스에서 의사의 딸로 태어난 마하레트이다. 에라스무스가 스무 살이 채 되기도 전에 부모는 흑사병에 걸려 사망했다. 그는 형 페테르와 마찬가지로 서자였지만 하우다의 페테르 빙컬 학교와 위트레흐트 수도회 학교, 데벤터르의 레바위뉘스 학교에서 매우 훌륭한 교육을 받았다. 그는 훌륭한 스승들도 만났는데 그중 하나가 저명한 독일 인문학자 알렉산더 헤기우스 폰 헤크였다. 에라스무스는 성서와 고전 철학, 깊은 내적 영성, 능동적인 삶의 선택을 중시하는 '데보티오 모데르나Devotio Moderna'의 정신을 체득했다. 부모가 사망하자

두 형제는 1484년에서 1486년까지 스헤르토헨보스 학교에서 2년을 보냈다. 수치심은 인격을 무너뜨림으로써 배울 수 있다고 믿었던 이 학교에서 형제는 체벌을 견뎌야 했다.

수도사의 삶

흑사병이 창궐하자 형제는 하우다로 돌아올 수밖에 없었다. 부모가 세상을 떠난 뒤부터 그들의 교육을 담당했던 세 후견인은 얼마 되지 않는 형제의 재산을 최대한 빨리 차지하고 싶었던 듯하다. 그들은 형제에게 성직자가 되라고 부추겼다. 페터르는 델프트 부근의 시옹에 위치한 수도원의 의전 사제가 되었고, 에라스무스는 1488년 하우다 인근에 위치한 스테인 수도원의 의전 사제가 되었다. 에라스무스는 1492년 사제 서품을 받을 때까지 이 수도원에 머물렀다. 이 기간 동안 로렌초 발라의 『아름다운 라틴어』와 『신약 성서 주석』을 읽으면서 그의 사상에 푹 빠졌다. 최초의 라틴어 문법서였던 『아름다운 라틴어』를 읽으면서 에라스무스는 가장 순수한 라틴어를 열렬히 옹호하는 자를 발견했다. 그는 발라를 통해 다른 관점들도 접하게 되었다. 『신약』의 주해서에서 고전 철학을 적용하는 인문주의를 만난 것이다. 에라스무스는 『야만성에 반대하는 글』을 집필하기 시작했다. 이 책에서 야만인은 라틴어를 망치는 현학자와 고대 그리스·로마 문화를 거부하는 교조주의자를 가리킨다.

자유로운 인간의 삶

세계에서 가장 박식한 사람으로 알려진 에라스무스는 1493년 스테인 수도원을 떠나 캉브레 주교 앙리 드 베르그 밑에서 일하기 시작했다. 그는 인문학을 계속 공부했고 1495년부터 파리 대학교에서 신학 수업을 들었다. 생계는 가정 교사로 일하면서 해결했다. 1499년 그의 학생이었던 윌리엄 블라운트 마운트조이 경이 그를 잉글랜드로 초대했다. 에라스무스는 그곳에서 토머스 모어를 비롯해 잉글랜드 최고의 인문주의자들을 만났다. 파리로 돌아온 뒤에는 고대 그리스·로마의 격언을 모은 『격언집』, 예수를 닮아야 한다고 설파한 『기독교 전사 필휴』를 발표했다. 일벌레였던 그는 건강 문제에도 불구하고 카를 5세를 위해 『기독교 군주의 교육』을 집필했다. 자유로운 정신의 소유자였던 에라스무스는 성서의 라틴어 번역본인 『불가타』가 제대로 번역되었는지 의심을 품기 시작했다. 그래서 그리스어 신약 성서인 『노붐 인스트루멘툼』을 펴냈다. 그는 이탈리아에서 몇 년을 살다가 프랑스로 갔으며 1506년 볼로뉴에서 신학 박사가 되었다. 1509년부터 1514년까지 잉글랜드에 머물면서 토머스 모어를 다시 만났고 케임브리지 대학교에서 강의도 했다. 그러던 중에 종교 개혁이 일어났다. 에라스무스는 마르틴 루터의 이론에 어느 정도 끌렸지만 전적으로 동의한 적은 한 번도 없었다. 하나의 교회, 그리고 『자유의지론』에서 옹호했던 인간의 자유 의지에 관해서는 한 치도 양보하지 않았기 때문이다.

『우신예찬』

1522년 바젤로 복귀한 에라스무스는 그에게 복음의 정신을 배반했다는 비난을 퍼붓는 개신교도들과 점점 갈등을 겪게 되었다. 그러나 그는 1511년 파리에서 『우신예찬』을 발표한 뒤 계속 승승장구했다. 『우신예찬』은 우신이 종교인들을 아첨하는 궁신에 비유한 풍자적인 글이다. 교회에 만연한 미신을 신랄하게 고발하고 예수의 삶이 얼마나 순수했는지 상기시키면서 예수를 그대로 모방해야 한다는 주장이 담겨 있다. 개신교를 믿는 바젤에서 쫓겨난 에라스무스는 1529년 프라이부르크임브라이스가우 대학교에 정착했다. 프랑수아 1세의 초청을 거부한 데 이어 아우크스부르크 의회의 초청도 마다했다. 1536년 『전도서』 출간 상황을 살펴보러 바젤로 돌아간 그는 추기경 자리를 제안한 교황 바오로 3세의 요청도 거절했다. 에라스무스는 바젤에서 1536년 7월 12일에 사망했다.

요한 제바스티안 바흐 음악의 아버지

Johann Sebastian Bach, 1685년~1750년

요한 제바스티안 바흐는 독일 아이제나흐에서 태어났다. 대가족이었던 그의 가족 구성원은 대부분 음악가로, 고향에서 활동했다. 바흐는 시 소속 음악가이자 궁정의 트럼펫 연주자였던 아버지 요한 암브로지우스 바흐에게서 음악을 배웠다. 아버지는 그가 열 살 때 세상을 떠났다. 그 전해에 바흐는 이미 어머니 엘리자베트 레메르히르트를 여의었다. 형인 요한 크리스토프가 그의 후견인이 되어 아이제나흐 인근에 있는 오르드루프의 자기 집으로 데려갔다. 바흐는 이곳에서 라틴어와 신학을 계속 공부했고 형에게 쳄발로를 배웠다. 5년이 지난 뒤 오르드루프를 떠나 뤼네부르크에서 학업을 마쳤다. 가난했던 그는 사춘기가 되어 아름다운 소프라노의 목소리를 잃을 때까지 성가대원으로 일하며 근근이 살았다.

직설적인 천재 음악가

바흐는 마음에 들지 않는 것이 있으면 그곳이 교회일지라도 꼭 말해야 직성이 풀릴 정도로 강인한 성격의 청년이었다. 그는 바이마르 궁정에서 몇 달 정도 바이올린 연주자로 있다가 1704년 아른슈타트에서 오르간 연주자가 되었다. 강한 성격에 음악에 대한 열정까지 겹쳐 그의 삶은 순탄하지 않았다. 바흐는 유명한 오르간 연주자 북스테후데의 연주를 듣고자 4주간의 휴가를 얻어 교회 연주회인 '저녁의 음악회'가 열리는 뤼베크로 떠났다가 넉 달 만에 나타났다. 윗사람들은 그런 그를 탐탁지 않게 생각했고 불화가 잦아지면서 바흐는 1707년 결국 뮐하우젠으로 떠났다. 그리고 그곳에서 먼 사촌뻘인 마리아 바르바라와 결혼했다. 바흐는 뮐하우젠에서 새 상관인 프로네 목사를 언짢게 만들었다. 경건주의자였던 프로네 목사는 음악이 영혼을 타락시킨다고 믿었다. 바흐의 악풍이 더 풍부해지고 장식적이 될수록 목사는 점점 더 언짢아졌다. 결국 바흐는 1708년 다시 바이마르로 떠났다. 그곳에서 9년 동안 머물면서 오르간 연주자, 실내악 음악가, 더 나아가 궁정 악장으로 활동했다. 바흐는 바이마르에서 장엄한 오르간 연주곡을 많이 썼는데, 대표적인 곡으로는 「토카타와 푸가 라단조」가 있다. 그는 작센바이마르 공 빌헬름 에른스트의 제1바이올린 연주자

였는데, 빌헬름 에른스트의 조카이자 후계자인 에른스트 아우구스트 공작을 더 좋아했다. 에른스트 아우구스트 공작은 삼촌의 정책을 끊임없이 비난했다. 그래서 빌헬름 에른스트는 자신의 음악가들이 조카에게 가서 연주하지 못하도록 금했지만 바흐는 에른스트 아우구스트 공작을 제자로 삼았고, 생일 기념 음악회에 가서 연주해주고 생일을 축하한다는 축사를 쓰기도 했다. 빌헬름 에른스트의 복수는 빨랐다. 그는 교회 악장 드레제가 세상을 떠나자 그 자리를 간절히 원했던 바흐를 제쳐두고 실력이 형편없었던 드레제의 아들을 악장 자리에 앉혔다. 결국 두 사람 사이는 금이 갔으며 바흐는 새 일자리를 찾아야 했다. 문제는 에른스트 아우구스트 공작 덕분에 해결되었다. 그는 1716년 안할트쾨텐의 레오폴트 대공의 누이와 결혼했는데, 레오폴트 대공이 마침 궁정 음악의 열렬한 애호가였던 것이다. 대공에게도 베를린을 떠나 그의 궁에서 머무는 훌륭한 음악가들이 많이 있었다. 사실 프로이센의 국왕 프리드리히 빌헬름 1세는 왕국의 재정을 모두 군대에 쏟아부었고 음악을 무시했다. 레오폴트 대공에게도 악장이 필요했다. 바흐에게는 바이마르를 떠날 절호의 기회였다. 그러나 이 시대의 음악가들은 군주에게 예속된 몸이었다. 바흐가 떠나려 하자 이를 못마땅하게 생각한 빌헬름 에른스트는 1717년 11월 그를 감옥에 집어넣어 버렸다. 그리고 한 달 뒤에 실총을 되돌릴 수 없다는 뜻을 분명히 하며 바흐를 내쫓았다.

행복한 시절을 보낸 쾨텐

바흐는 마침내 레오폴트 대공의 악장이 되었다. 대공은 바이올린, 오르간, 비올족 등 본인도 여러 악기를 연주할 줄 아는, 음악을 사랑하는 군주였다. 그러다 보니 이때가 바흐에게는 행복한 시절이었다. 그는 주요 작품 여러 곡을 이곳에서 썼다. 「무반주 바이올린을 위한 소나타와 파르티타」를 1720년에 완성했고, 「브란덴부르크 협주곡」을 1721년에, 『평균율 클라비어곡집』 제1권을 1722년에 완성했다. 그러나 1720년 7월, 바흐가 레오폴트 대공과 함께 보헤미아의 카를로비바리에서 온천을 즐기고 있을 때 그의 아내가 세상을 떠났다. 바흐는 1721년 관현악단의 트럼펫 연주자의 딸이었던 안나 막달레나 빌케와 재혼했다. 뛰어난 음악가였던 그녀는 궁정의 성악가였다. 이때부터 바흐는 쾨텐을 떠나 새로운 삶을 살고자 계획했다. 그가

『평균율 클라비어곡집』 제1권, 1722년.

그런 결정을 한 데에는 또 다른 이유가 있었다. 레오폴트 대공이 재혼한 여인 때문이었다. 바흐가 '뮤즈가 없는' 여인이라고 말한 그녀는 예술을 사랑하지 않았기에 음악에 할애된 예산을 가차 없이 삭감해버렸다. 바흐는 1723년 4월 사직을 신청했고 그다음 달에 승인을 받아 라이프치히로 가서 그곳에서 합창장이 되었다.

말년을 보낸 라이프치히

합창장은 악장보다 명성이나 수입에서 떨어졌지만 바흐는 가족의 생계를 책임질 수 있었다. 그는 이곳에서 『평균율 클라비어곡집』 제2권, 유명한 「마태오 수난곡」을 포함해서 적어도 4곡의 수난곡, 3곡의 오라토리오, 1곡의 「성모 마리아 송가」, 그리고 「나단조 미사」를 완성했다. 바흐는 1740년 이후로는 기악곡에 집중했다. 그는 건강이 악화되어 힘든 말년을 보냈다. 1745년에 시력을 잃었고, 백내장 수술을 두 번이나 했지만 실패했다. 바흐는 많은 업적을 남기고 1750년 7월 28일에 사망했다. 그에게는 자식이 20명 있었는데 첫 부인에게서 7명, 둘째 부인에게서 13명을 낳았다. 그중 많은 자식이 어린 나이에 죽었지만 빌헬름 프리데만, 카를 필리프 에마누엘, 요한 크리스토프 프리드리히, 요한 크리스티안 등 몇몇 아들은 유명한 작곡가로 성장했다.

이마누엘 칸트 선험적 관념론자

Immanuel Kant, 1724년~1804년

이마누엘 칸트는 동프로이센의 쾨니히스베르크(지금의 러시아 칼리닌그라드)에서 태어났다. 그는 고향에서 100킬로미터밖에 떨어지지 않은 아른스도르프에 딱 한 번 다녀온 일을 제외하면 쾨니히스베르크를 떠난 적이 없다. 그러니까 칸트는 쾨니히스베르크와 그 근교에만 머물며 빠르게 변화하는 세계를 철학적으로 이해한 것이다. 그는 매우 가난한 집안에서 태어났다. 어머니는 서민 출신이었고 아버지는 스코틀랜드 이민자의 후손으로 짐작되는 마구 장인이었다. 어머니는 학교를 다녀본 적이 없지만 상식이 풍부했고 강한 성격의 소유자였다.

미래의 과학자?

이마누엘 칸트는 루터교 경건주의를 믿는 집안에서 어머니로부터 첫 도덕 교육을 받았다. 그녀는 종교가 개인의 영역이며 도덕 법칙을 지키고 검소한 삶을 사는 것이라고 믿었다. 칸트는 여덟 살 때 신학자 알베르트 슐츠가 운영하는 경건파 학교에 들어가서 7년 동안 공부했다. 이곳에서 탄탄한 고전 교육을 받은 그는 일찍이 라틴어 작가들, 특히 루크레티우스를 무척 좋아했다.

칸트는 1740년 쾨니히스베르크 대학교 신학과에 입학했으나 정밀과학과 수학, 물리학도 좋아했으며 특히 아이작 뉴턴의 글을 많이 읽었다. 젊고 열정적이었던 수학 교수가 그를 역시 수학자였던 크리스티안 볼프의 철학 세계로 입문시켰다. 칸트는 학업을 마치고 교수가 되고 싶었지만 1746년 아버지가 세상을 떠났고 조교로 지원했으나 떨어지자 다른 살길을 찾아야 했다. 그런 상황에서도 그는 같은 해에 첫 논문인 「활력의 진정한 측정에 관한 사상」을 발표했다.

가정 교사에서 대학 강사로

칸트는 그때부터 9년 동안 세 가정에서 가정 교사로 일했다. 그 덕분에 그는 인맥을 넓힐 수 있었고 아른스도르프로 생애 처음이자 마지막 여행을 가볼 수 있었다.

1755년에는 한 친구의 도움으로 쾨니히스베르크 대학교의 프리바트도첸트 Privatdozent 자리를 얻었다. 이 강사직 덕분에 대학교 내에 교실을 빌려서 돈을 내는 학생들에게 강의를 할 수 있었다. 불안정한 직업이었지만 돈벌이가 되었으며 무엇보다 대학 도서관에도 출입할 수 있었고 지적 교류도 가능했다. 그의 수업은 큰 인기를 끌었다. 칸트는 과학과 고전 문학에서 재미있는 사건들을 끌어와 머리에 쏙쏙 들어오게 가르치는 선생이었다. 그가 좋아했던 주제는 불꽃놀이에서 물리 지리학, 물리학, 수학, 도덕 철학 등에 이르기까지 매우 다양했다. 그의 명성이 높아지자 베를린 대학교에서 시를 가르칠 문학 교수직을 제안했다. 그러나 칸트는 자신을 두 번이나 거절했던 쾨니히스베르크 대학교에 남겠다며 제안을 고사했다.

연구에 몰두한 전임 교수

칸트는 15년 동안 프리바트도첸트로 있다가 1770년 마침내 논리학과 형이상학을 가르치는 전임 교수로 임명되었다. 그의 첫 강의 내용을 담은 『감성계와 지성계의 형식과 원리들』은 라이프니츠의 철학 원리에 의문을 제기하는 것이었다. 그 당시 라이프니츠의 사상은 독일 문화계의 지배적인 담론이었다. 이 저서는 1780년대에 발전시킨 칸트의 비판 철학을 예고하고 있다. 그는 이 시기에 『순수 이성 비판』, 『실천 이성 비판』, 『판단력 비판』을 발표했다. 『윤리 형이상학』과 『영원한 평화를 위하여』, 『순수 이성의 한계 내에서의 종교』까지 출간한 이 시기는 그의 철학이 완성된 때였다.

『순수 이성의 한계 내에서의 종교』는 칸트와 프로이센의 절대 왕정이 결별하는 계기가 되기도 했다. 왕실은 칸트의 사상이 위험하다며 학생들에게 가르치거나 종교와 연관되는 책을 출간하는 것을 금지했다. 그러나 칸트를 탓하는 이유가 얼마나 역설적인가! 그는 훨씬 더 합리주의적이면서 자신의 철학적 명제에 부합하도록 기독교 교리의 근거를 왜곡할 수 있었다.

명성

칸트는 1786년 그를 프로이센 과학 아카데미의 회원으로 임명한 국가의 결정을 따를 수밖에 없었다. 칸트의 명성은 점점 높아졌고 그의 비판 방법론은 많은 대학에서 교과목이 되었다. 학생들은 거장의 말을 직접 듣기 위해 쾨니히스베르크로 몰려들었다. 그러나 칸트는 검소하고 규칙적인 생활을 포기하지 않았다. 허약한 체질이었던 그는 거의 군대식 생활 리듬을 따랐다. 칸트가 얼마나 규칙적이었던지 쾨니히스베르크 시민들이 교회 종소리가 아니라 산책 나온 그를 보고 시계를 맞췄다고 할 정도였다. '철학자의 산책'이 된 그의 유명한 거리 거닐기는 딱 한 번 멈춘 적이 있다. 장자크 루소의 『에밀』을 집중하며 읽느라 며칠 동안 집에서 나가지 못했기 때문이다.

1790년 이후 칸트는 친구들을 만나고 규칙적으로 점심 모임에도 참석하곤 했지만 건강이 악화되어 점점 더 일하기 힘들어졌다. 그는 워낙 똑똑한 사람이었기 때문에 지적 능력이 줄어드는 변화를 느꼈던 생의 마지막 몇 달을 특히 힘들게 보냈다. 칸트는 1804년 2월 12일에 세상을 떠났다. 그가 마지막으로 남긴 말은 "좋다"였다.

잔 바레 남장하고 세계 일주

Jeanne Baret, 1740년~1807년

잔 바레는 대중에게 잘 알려지지 않았지만 세계 최초로 세계 일주를 한 여성이다. 그녀는 저명한 식물학자이기도 했고 보기 드물게 용감한 모험가이기도 했다. 바레는 1740년 7월 27일 부르고뉴 지방의 한 농장에서 태어났다. 아버지가 작고하자 그녀는 생활비를 벌기 위해 일자리를 찾다가 툴롱쉬르아르에서 의사인 필리베르 코메르송의 아들 아르샹보의 가정 교사가 되었다. 홀아비였던 코메르송은 앵 지역의 식물원을 짓기도 한 유명한 자연주의자였다. 그는 바레에게 반했고, 그녀에게 식물학을 가르치고 식물 표본을 만드는 법도 알려주었다. 그러나 두 사람은 결혼하지 않았다. 바레가 아이를 가졌던 1764년 그들은 파리에 정착하기를 원했다. 코메르송은 그곳에서 궁정의 식물학자가 되었다. 그러나 파리로 이사한 지 얼마 되지 않아 아이가 세상을 떠났다. 코메르송은 1767년 루이앙투안 드 부갱빌의 남반구 원정에 초대받았다.

잔 바레는 어떻게 남자가 되었는가

선원들의 규칙은 단호했다. 여자는 절대 배에 오르지 못했고 원정대에 참가할 수 없었다. 그러나 코메르송은 바레와 결코 헤어지고 싶지 않았다. 그녀를 사랑하기도 했지만 능력을 갖춘 사람을 옆에 두고 유용한 도움을 받겠다는 생각도 한몫했다. 그래서 황당한 결정을 했다. 바레가 남자처럼 변장을 하고 코메르송의 시종이 된 것이다. 남장한 그녀는 1767년 2월 6일 결국 로슈포르에 정박해 있던 보급선 에투알에 올랐다. 보급품을 수송하는 에투알은 범선인 라 부되즈와 같이 출항했다. 남장은 위험한 계획이었다. 만약 들키기라도 하면 코메르송은 일자리를 잃고 바레는 매춘부들과 함께 파리의 라 포르스나 생라자르 감옥에 갇히게 될 것이었다.

배를 탄 시종의 미스터리한 삶

매일 선원들을 속이는 일은 쉽지 않았다. 바레는 작고 답답한 공간에서 함께 생활하는 남자들에 둘러싸여 지냈다. 물론 그녀는 머리를 짧게 잘랐고 가슴을 천으로 둘러

조였기 때문에 남자로 행세할 수 있었다. 하지만 공동 화장실에서 용변을 보기란 여간 복잡한 일이 아니었다. 게다가 부갱빌의 원정은 18개월에서 2년까지 걸릴 예정이었다. 어쨌든 속임수는 1767년 2월에서 1768년 4월까지 1년 이상 들키지 않았다. 선원들 사이에서는 갑자기 사라지곤 하는 이상한 시종에 관한 소문이 돌기 시작했다. 그러자 바레는 자신이 거세되었다고 또 다른 거짓말을 했다. 그러나 4월 초에 타히티섬에 잠시 머물렀을 때 비밀이 들통나고 말았다. 선원들이 가끔 시종의 아랫도리를 확인한다며 다소 꽉 껴안는 정도에서 장난을 멈췄다면 타히티 주민들은 그보다 더 심하고 빠르게 덤벼들었다. 바레를 보자마자 "여자다! 여자다!"라고 외치며 그녀를 납치하려고 했던 것이다. 그날부터 바레는 에투알에서 하선하지 못했다. 한 달 뒤에 부갱빌이 상황을 해결하려고 라 부되즈에서 건너왔다. 바레는 눈물을 쏟으며 자신이 여자이고 코메르송을 처음부터 속였다고 말했다. 바레와 코메르송은 몇 달간 더 함께 여행을 하다가 1768년 11월에 일드프랑스(지금의 모리셔스섬)의 포트루이스에서 하선했다.

다사다난한 시절

'자연주의자 어의御醫'라는 지위에도 불구하고 코메르송은 일드프랑스에 유배되었다. 루이 16세가 기획한 부갱빌의 탐험 여행에 오점을 남길 스캔들을 피하고자 함이었다. 가끔 임무가 주어질 때도 있었다. 예를 들면 모리셔스와 마다가스카르에서 동식물을 채집하는 일을 하기도 했다. 그러나 코메르송은 곧 가난을 면치 못했다. 그는 1773년 3월 13일, 마흔여섯 살이라는 이른 나이에 세상을 떠났다. 홀로 남은 바레는 먹고살 일이 막막해지자 포트루이스에 당구장 겸 카바레를 개업하고 일요일에도 영업을 했다. 이는 관습에 맞지 않을 뿐만 아니라 성스러운 미사를 보러 가야 할 남자들에게 술에 취하라고 부추기는 꼴이었다. 결국 카바레는 문을 닫아야 했고 바레는 벌금형에 처해졌다. 다시 무일푼이 된 그녀는 결혼을 해서 안정을 되찾았다. 1774년 해군인 장 뒤베르나와 결혼한 것이다. 부부는 프랑스로 돌아가 도르도뉴의 생올레 마을에 정착했고, 바레는 그곳에서 줄곧 살다가 1807년 8월 5일에 숨을 거두었다.

과학에의 공헌

필리베르 코메르송은 출간하지 못한 메모와 연구 결과를 후대에 남겼다. 선원들은 기항지마다 바레와 함께했는데, 무거운 짐을 지고 산과 바다를 누비니 그녀를 남자라고 믿고 '짐 나르는 동물'이라고 불렀다. 바레는 코메르송이 식물을 대조하고 식별하며 표본을 만드는 일을 도왔다. 그녀는 프랑스로 귀국할 때 5000점 이상의 식물 표본을 가지고 들어왔는데, 그중 3000여 점은 알려지지 않은 식물이었다. 이 귀중한 표본들은 처음에 왕립 정원에 보관되었다가 나중에 자연사 박물관으로 옮겨졌다. 왕정이 무너지기 직전에 바레는 코메르송과 이룩한 업적을 인정받아 연금 200리브르를 받았다. 코메르송은 브라질에서 발견한 꽃을 원정대 대장이었던 부갱빌의 이름을 따서 '부겐빌레아'라고 불렀고, 바레를 위해서는 꽃이 피는 소관목에 '바레티아 보나피디아'라는 이름을 붙였다. 안타깝게도 표본을 공식적으로 등록하기까지 시간이 많이 지체되어 소관목에는 그 사이에 다른 이름이 지어졌다. 그런데 2012년에 미국 유타 대학교의 생물학자이자 연구자인 에릭 J. 테페가 라디오에서 잔 바레의 대장정에 관한 이야기를 듣고 그녀를 기념하기로 했다. 이에 따라 페루에서 발견된 새로운 꽃에 '솔라눔 바레티아이'라는 이름이 붙여졌다.

장 라신 은둔자

Jean Racine, 1639년~1699년

장 라신은 명실상부한 비극의 거장이다. 그가 이러한 평가를 받을 수 있었던 것은 작품의 주제가 독창적이어서는 아니다. 그는 대부분 고대 그리스·로마의 역사나 종교사에서 있었던 사건을 다시 가져왔을 뿐이다. 다만 라신은 삼일치 법칙을 완벽하게 지켰으며, 무엇보다도 문장이 아름답고 힘이 넘치기 때문에 높이 평가되는 것이다. 『페드르』에 나오는 유명한 12음절의 시구 "그건 혼신으로 먹이를 낚아채려는 비너스였어"의 완벽함은 우리 머릿속에 오래도록 자리할 것이다. 라신은 루이 14세의 역사를 편찬하는 일을 담당했으니 훌륭한 회상록 작가였을 것이다. 그러나 사료가 불에 타 모두 소실되어 현재 전해지지 않는다.

어릴 적부터 '은둔자'였던 라신

라신은 1639년 12월 22일 피카르디 지역 라 페르테밀롱의 부르주아 집안에서 태어났다. 그는 1641년에 어머니를, 1643년에 아버지를 잃고 일찍 고아가 되었다. 그래서 조부모 장 라신과 마리 데물랭의 집에서 살게 되었다. 라신이 아홉 살이 되었을 때 미망인이 된 마리 데물랭이 손자를 포르루아얄데샹 수도원에 보냈다. 그곳에서 얀센주의자인 '은자'들이 그에게 그리스어, 라틴어, 이탈리아어, 에스파냐어를 가르쳤다. 라신은 수도원에서 4년을 보냈고, 보베 학교에서 공부를 하다가 1655년 수도원으로 다시 돌아와 수사학 공부를 마쳤다. 얀센주의자를 배척했던 루이 14세는 1656년 포르루아얄의 '작은 학교들'을 폐쇄하라는 명령을 내렸다. 그러나 라신은 수도원에 계속 머물 수 있었다. 똑똑한 라신에게는 이 시기에 호사를 누린 것이나 다름없었다. 학생이 라신밖에 없어서 모든 선생이 그에게만 집중했기 때문이다. 라신은 열여덟 살 때 파리에 있는 아르쿠르 학교에서 법학을 공부했다. 그러나 문학의 뮤즈가 그를 자꾸 자극하자 라신은 글을 써서 세력가들의 관심을 끌어보려 했다. 그는 마자랭 추기경에게 프랑스와 에스파냐가 다시 찾은 평화를 축하하는 4행시를 보냈고, 1660년에는 루이 14세와 에스파냐 펠리페 4세의 딸인 마리아 테레사 데 에스파냐 왕녀가 혼인함으로써 정점에 이른 평화를 찬양하는 시 「센강의 요정」을 보냈다.

힘든 데뷔

라신은 외할아버지와 파리의 집에서 함께 살았던 사촌에게서 재정적 도움을 받았다. 그러나 장기적으로 생계를 유지할 수 있는 일을 찾아야 했던 그는 랑그도크 지방의 위제스 교구에서 성직록을 받아보려고 했다. 현지에서 심한 권태를 느끼며 2년을 기다렸지만 결과는 실패였다. 라신은 파리로 돌아갔고, 1663년 왕이 홍역을 앓자 「왕의 회복에 관한 서정시」를 지었다. 시의적절했던 이 작품 덕분에 왕이 내리는 연금을 받을 수 있었다. 이듬해에 그는 첫 희곡인 『라 테바이드』를 완성했다. 몰리에르 극단이 팔레루아얄에서 이 작품을 무대에 올렸으나 그리 대단한 성공을 거두지는 못했다. 1665년 12월에 같은 배우들과 『알렉산더 대왕』을 무대에 올렸는데 이번에는 대성공이었다. 그러나 충분히 만족하지 못한 라신은 며칠 뒤에 같은 작품을 몰리에르 극단의 경쟁 상대인 오텔 드 부르고뉴 극단과 '초연'했다. 호색가였던 라신은 몰리에르 극단의 주연 여배우인 뒤 파르크를 자신의 애인이자 오텔 드 부르고뉴 극단의 새 여배우로 만들었다. 이로 인해 결국 몰리에르 극단과는 관계가 완전히 틀어졌다. 라신은 얀센주의자들과도 결별했다. 그들은 연극이 비도덕적이고 대중에게 독과 같다고 비난했고, 결국 라신과 옛 스승인 피에르 니콜은 편지로 말다툼을 벌였다.

성공한 극작가

라신은 대중과 비평가, 왕을 비롯한 궁정 사람들 모두를 만족시켜야 하는 힘든 곡예에 성공했다. 한동안 그는 성공을 이어갔고 급기야 위대한 피에르 코르네유의 경쟁자로 우뚝 섰다. 『앙드로마크』, 『소송광』, 『브리타니쿠스』, 『베레니케』, 『바자제』, 『미트리다테스』, 『이피게네이아』가 마치 불꽃의 향연처럼 연이어 성공했고, 『페드르』로 정점을 찍었다. 라신은 이러한 전성기에 카트린 드 로마네와 결혼해서 아들

둘과 딸 다섯을 두었다. 부부는 정략결혼을 했지만 서로를 깊이 사랑하는 관계가 되었다. 니콜라 부알로와 함께 루이 14세의 역사 편찬가가 된 라신은 연극을 접어두고 새로운 역할에 충실했다. 또한 왕을 따라 전쟁터에서 마를리성까지 다녔다. 1672년 아카데미 프랑세즈의 회원으로 선출된 라신은 재무 담당관에 임명되어 귀족이 되었다. 그는 『왕의 정복에 관한 역사적 찬사』를 펴냈고 명목상의 직함이지만 만인의 질투를 산 '왕궁의 시종' 직함을 1690년에, '왕의 비서' 직함을 1696년에 받음으로써 궁정에서 절정기를 누렸다.

종교로의 귀의

17세기 말은 루이 14세의 아내 맹트농 후작 부인의 영향으로 인한 신앙으로의 귀의로 점철된 시기였다. 라신은 애인이었던 뒤 파르크를 독살했다는 의혹을 해소해야 했다. 결국 누명을 벗은 그는 포르루아얄의 옛 스승과 가까워졌고 이 시기에 『영적 성가』를 썼다. 그를 다시 연극으로 복귀시킨 것은 맹트농 부인이었다. 그녀는 자신의 생시르 집에 살고 있는 귀족 고아 소녀들이 연기를 할 수 있도록 작품 두 편을 써 달라고 라신에게 부탁했다. 그 결과물이 1689년에 발표된 『에스더』와 1691년에 발표된 『아탈리』이다. 라신은 생애 마지막 2년을 자신의 작품을 재출간하기 위한 준비를 하면서 보냈다. 그리고 아무도 모르게 『포르루아얄 간략사』를 썼다. 이 책은 라신 사후에 출간되었다. 간암에 걸린 라신은 1699년 4월 21일 파리 마레생제르맹가에서 숨을 거두었다. 그는 왕의 배려로 포르루아얄에 묻혔는데 1710년 루이 14세의 명으로 포르루아얄이 철거되면서 라신의 유해는 생테티엔뒤몽으로 이장되었다.

장자크 루소 사회적 인간

Jean-Jacques Rousseau, 1712년~1778년

스위스에서 태어난 장자크 루소는 18세기의 가장 유명한 프랑스 사상가이다. 그의 글에서 프랑스 대혁명의 이상과 19세기 낭만주의자들이 발전시킨 자아의 확립 등 감정을 표현하고자 하는 인간의 욕구가 움텄다. 루소는 글의 형식이 아니라 말하는 방식의 참신함에 있어서 어디로도 분류할 수 없는 독특한 작가이다. 물론 아우구스티누스도 자기 성찰을 했지만 그는 신의 도시를 꿈꾸고 그곳에 인간을 둔 반면 루소는 『고백록』에서 인간을 이해하기 위해 인간에 대해 물었다. 감정이 종종 격해져서 '울보'라는 별명을 얻었던 루소는 당대 사람들의 삶에서 두 가지 근본적인 측면에 큰 변화를 가져왔다. 즉, 어린이는 더 이상 작은 어른으로 간주되지 않고 개별적인 지위를 얻었다(『에밀』). 그리고 사람들은 혼란스러운 신학 논쟁에서 벗어나 희망을 품음으로써 믿음을 잃지 않게 되었다(「사부아 보좌 신부의 신앙 고백」). 루소가 사랑도 논하지 않았느냐고? 지적인 접근을 했을지는 몰라도 사랑은 루소에게 진정한 미지의 땅이었다.

힘든 시작

장자크 루소는 1712년 6월 28일 제네바의 시계공 집안에서 태어났다. 아버지 이자크 루소는 아들이 성장하는 모습을 보지 못했다. 1722년 말다툼 끝에 검을 휘둘러 도망 다니는 처지가 되었기 때문이다. 그 당시에는 이러한 행위가 금지되었기 때문에 이를 어기면 사회적 지위를 모두 잃었다. 루소는 평생 아버지를 잠깐씩 만났다. 어머니 쉬잔 베르나르는 그가 태어나고 며칠 뒤에 세상을 떠났다. 외삼촌 가브리엘 베르나르가 루소를 키우다가 한 개신교 목사에게 맡기는데 그는 사랑보다 의무를 중시하는 사람이었다. 이후 루소는 조각사 밑에 수습공으로 들어갔다. 그런데 하루가 멀다고 폭행을 당하자 결국 열여섯 살이 되던 해인 1728년에 도망쳐 나와 제네바를 떠났다.

비서 애인

루소는 사부아에서 드디어 행운의 여신을 만났다. 그 행운의 여신은 바로 개신교 집안에서 자랐으나 1726년 가톨릭으로 개종한 스위스 출신의 바랑 부인이었다. 그녀는 샹베리에 있는 집인 샤르메트에서 살면서 사르데냐 국왕과 가톨릭교회로부터 자금을 받아 자신의 명성을 듣고 찾아온 젊은이들을 개종시켰다. 루소도 그런 젊은이들 중 하나였는데, 바랑 부인과 침대를 함께 쓰고 그녀를 '엄마'라는 애칭으로 부르다가 1728년 4월에 결국 가톨릭으로 개종했다. 개종한 다른 젊은이들처럼 그도 여주인의 비서 노릇을 해야 했다. '엄마'가 워낙 쉽게 애정을 주는 성향이 있어 두 사람의 관계는 때때로 질투심 때문에 위기가 오기도 했다. 루소는 하나에서 열까지 바랑 부인에게 빚졌다. 1728년 3월 21일 안시에서 만난 문맹 청년을 음악에 조예가 깊은 교양 있는 청년으로 만든 사람이 바로 그녀였고, 루소에게 사랑의 감정을 가르쳐준 사람도 그녀였다. 한마디로 말해서 그녀는 장자크를 루소가 되게 한 사람이었다. 루소는 자신의 인생에서 바랑 부인이 얼마나 중요한 존재인지 확실하게 인지하고 있었다. 안시에는 황금 기둥이 루소의 흉상을 받치고 있는 분수대가 있는데, 이는 루소의 운명을 바꾼 만남의 장소를 기리기 위한 것이다.

실재에 반한 글쓰기

스물여덟 살이 되자 루소는 인생에 본격적으로 뛰어들어야 했다. 그때부터 죽을 때까지 평생 그를 따라다닌 문제가 생겼다. 바로 실전 경험이었다. 장차 이상적인 교육의 이론가가 될 루소는 리옹의 사법관이었던 드 마블리의 아들들을 가르치는 가정 교사 역할에는 실패했다. 베네치아 주재 프랑스 대사의 개인 비서가 되었을 때에는 루소의 거만함에 질린 상사가 1년 만에 그를 해고하기도 했다. 1742년 파리에 잠시 머물렀던 시기에는 과학원에 자신이 개발한 기보법을 소개하기도 했으나 누군가가 이미 같은 아이디어를 낸 바람에 거절당했다. 그는 직접 비용을 대서 자신의 기보법을 정리한 『근대 음악론』을 발표했지만 아무 반향도 얻지 못했다. 루소는 감정적으로도 괴로웠다. 뒤팽 부인을 미친 듯이 사랑했지만 거절당했던 것이다. 뒤팽 부인은 한때 루소에게 아들의 교육을 맡겼으나 그의 교수법은 나아지지 않았다. 일상

생활은 실망의 연속이었지만 그의 정신은 고양되어 1762년에 발표된 『사회계약론』의 기초를 이때 썼다.

파리 산책자의 몽상

1744년 파리로 돌아온 루소는 원대한 목표를 달성하기로 결심했다. 그는 유명해지고 싶었다. 그러나 이번에도 삶은 세탁부의 모습으로 찾아와 그를 기만했다. 세탁부였던 마리테레즈 르 바쇠르는 루소가 죽을 때까지 함께 살았다. 그녀는 머리가 나쁘고 수다스럽고 성격도 거칠었다. 그녀의 집안 식구들도 마찬가지였다. 루소는 새로운 '엄마'와의 사이에서 5명의 아이를 낳았지만 모두 고아원에 버렸다. 부는 비서, 가정 교사 등 루소의 보잘것없는 직업으로 근근이 먹고살았다. 루소는 몇 편의 시와 영웅을 다룬 무도극도 썼지만 바라던 성공은 얻지 못했다. 그러나 이 무렵에 콩디야크, 달랑베르, 특히 드니 디드로 같은 훌륭한 지식인들을 만나 우정을 나누었다. 루소는 '계몽 철학자'라고 불리는 사람들을 만나 조금은 행복해졌다.

유명세, 편집증, 고독

루소는 1749년 드니 디드로 덕분에 첫 성공을 맛볼 기회를 갖게 되었다. 디드로가 그에게 디종 아카데미가 주최하는 논문 공모에 응모해보라고 강권한 것이다. 주제는 학문과 예술의 진보가 미풍양속에 미치는 해악이었다. 루소는 1750년에 진보란 곧 부패라는 주장을 펼친 「학문예술론」으로 대상을 받았다. 그의 입장은 이미 철학자들과의 결별을 예고했다. 처음으로 루소는 유명세를 얻었고 잡다한 일을 그만두고 글쓰기에 몰입할 수 있었다. 그러나 유명세는 독이 될 수 있다. 「학문예술론」은 문인들 사이에서 저자에 대한 고정된 이미지를 구축했고, 루소는 사람들의 구미에 맞춰 그 이미지에 맞게 살려고 하면서도 동시에 거기에서 벗어나 자기 자신이 되고자 했다. 루소는 장자크의 목을 점점 그러나 확실히 조였다. 때로는 과격한 논쟁이 일어 그가 이미 앓고 있던 편집증에 불을 지폈다. 유명 작가가 아닌 자기 자신이 되고 싶었던 루소는 『백과전서』를 함께 집필하는 동료들을 피해서 고독 속에 칩거했다. 1752년 그가 만든 오페라 「마을의 점쟁이」가 왕궁에서 큰 인기를 끌었지만 달라진 것은 없었다. 루소는 루이 15세가 하사하겠다고 한 연금도 거절했다. 1754년 그는 「인간 불평등 기원론」으로 디종 아카데미에서 주최한 논문 공모에 응모해서 다시 한번 큰 관심을 끌었다. 루소는 이 글에서 선하게 태어난 인간이 부당한 사회로 인해 타락한다고 주장했다. 그는 덕과 자연에 대한 사랑이 인간의 본질이라고 생각했다. 철학자들과의 반목은 더욱 심해졌다. 특히 루소가 2년 전에 발표한 『프랑스 음악에 관한 편지』에서 이탈리아 작곡가들이 장필리프 라모 같은 프랑스 작곡가들보다 훨씬 낫다고 주장하면서 많은 철학자와 등졌고 디드로와의 사이도 틀어졌다.

걸작과 소외

루소에게 1761년과 1762년은 창작의 힘이 절정에 이른 시기였다. 『신엘로이즈』, 『에밀』, 『사회계약론』이 줄줄이 발표되었기 때문이다. 그러나 『에밀』과 『사회계약론』은 프랑스와 네덜란드, 심지어 제네바에서도 금서가 되어서 체포될 것이 두려웠던 루소는 파리를 떠나야 했다. 교회도 가만히 있지 않았다. 특히 『에밀』을 이단으로 지목했다. 스위스에서 방황하던 루소는 제네바와 베른에서도 자신의 글 때문에 금세 소외되었다. 병에 걸려 쇠약해진 그는 볼테르와 달랑베르의 공격에 정신적으로도 지쳤다. 그들은 루소가 연극을 비판했던 『달랑베르에게 보내는 편지』를 발표하자 그를 용서하지 않았다. 1765년 겨울, 파리에서 치외 법권이 적용되는 사원에 잠시 머물렀던 루소는 데이비드 흄의 권유로 영국에 건너갔다. 그러나 몇 달이 채 지나지 않아 루소와 흄은 둘도 없는 적이 되었다. 흄이 자신을 상대로 한 음모의 주동자라고 루소가 생각할 정도였다. 1766년 1월에 영국에 갔던 루소는 1767년 5월에 흄과 절교하고 프랑스로 돌아갔다.

숨바꼭질과 놀이의 끝

프랑스에 돌아가는 것이 위험하다는 사실을 루소도 모르지 않았다. 물론 파리 의회도 그가 금서 때문에 추방당한 자라는 것을 알고 있었다. 그러나 루소에게도 영향력 있는 후원자들이 있었다. 그 덕분에 루소는 1767년에서 1768년까지 1년 동안 콩티 공의 저택에 머물렀고, 그 이후에는 리옹과 도피네로 옮겼다. 1770년에는 사람들에게 충분히 잊혔다고 생각하고 파리로 돌아갔다. 루소는 계속 글을 썼지만 『고백록』,

『루소, 장자크를 심판하다: 대화』, 『고독한 산책자의 몽상』은 그의 사후에 출간되었다. 이 세 작품은 자신이 받은 비난에 대해 반박할 목적으로 쓴 것이다. 자신을 정당화하는 비슷한 내용의 긴 글을 형식만 달리한 것이다. 1778년 지라르댕 후작 덕분에 에르메노빌에 머물게 된 루소는 몇 달 후인 1778년 7월 2일에 급작스러운 죽음을 맞았다. 지라르댕 후작은 그를 포플러나무섬에 묻어주었다. 루소의 유해는 1794년 10월 11일에 팡테옹으로 이장되었다.

장 칼뱅 누가 뭐래도 개혁가

Jean Calvin, 1509년~1564년

장 코뱅Jean Cauvin은 장 칼뱅이라는 이름으로 더 잘 알려져 있다. 칼뱅의 운명은 그에게 닥친 일련의 사건과 교회를 개혁하고자 하는 그의 의지가 기막히게 결합한 결과였다. 칼뱅은 가장 위대한 개신교 개혁가가 되려는 생각은 전혀 없었다. 그러나 그래야만 하는 상황이 닥쳤을 때 그 역할을 충실히 수행했다. 칼뱅의 업적은 두 가지이다. 먼저 루터교가 발전한 이후 제2의 종교 개혁의 틀을 마련해 교리상으로 업적을 세웠다. 그리고 제네바에서 새로운 형태의 신의 도시를 실험함으로써 이룬 정치적 업적을 들 수 있다. 칼뱅은 어떤 구조적 조직을 만드는 데 탁월한 재능을 가진 인물이었다.

여러 단계의 교육

장 칼뱅은 1509년 7월 10일 프랑스 피카르디 지역의 누아용에서 부유한 집안의 자제로 출생했다. 열한 살이 되던 해에 이미 누아용 성당에 기여한 대가로 성직록을 받기 시작했다. 이 돈으로 학비를 충당했다. 이후 칼뱅은 에스페빌이라는 마을의 주임 사제가 되었는데, 그가 가끔 가명으로 쓰던 샤를 데스페빌이 이 마을 이름에서 나왔다. 그는 앙제스트의 몽모르 가문 자제들과 깊은 우정을 쌓아 그들과 함께 파리의 몽테귀 대학교에서 문학과 철학을 공부했다. 칼뱅은 지칠 때까지 열심히 공부하는 학생이었다. 그래서 교부들과 고대 그리스·로마의 위대한 작가들이 쓴 글에 대한 지식을 넓힐 수 있었다. 이 당시에 이냐시오 데 로욜라도 몽테귀 대학교를 다니고 있었기 때문에 종교 개혁의 선구자와 반종교 개혁의 우두머리가 나란히 앉아서 공부했으리라는 상상을 해봄 직하지만 사실인지 확인할 길은 없다.

아버지의 뜻에 따라 법률가가 되어야 했던 칼뱅은 오를레앙 대학교와 부르주 대학교에서 학업을 계속했다. 그리고 이때 그리스어 교수였던 멜히오어 폴마어를 비롯한 루터파를 만났다. 혈기 왕성한 청년이었던 칼뱅은 종교 개혁에 매료되었지만 그의 부친이 교회의 재무 담당관이었기 때문에 공공연히 개종을 할 수는 없었다. 1531년에 아버지가 세상을 떠나자 칼뱅은 1533년에 개신교로 개종했다. 그는 법학을 포기하고 문학을 선택했으며 세네카의 『관용에 대하여』의 주해서를 발표했다.

결정적인 해 1533년

1533년은 칼뱅에게 매우 중요한 해였다. 종교적으로 깨달음을 얻기도 했지만 나라를 떠들썩하게 했던 스캔들에 휘말렸기 때문이다. 만성절에 그의 친구이자 파리 대학교의 학장인 니콜라 콥이 교회의 쇄신을 부르짖는 감동적인 연설을 했다. 이는 개신교의 복음주의를 제대로 홍보하는 일이었다. 의회는 콥을 체포하라는 명령을 내렸고, 결국 콥은 바젤로 피신했으며 칼뱅은 앙굴렘으로 내려갔다. 벽보 사건이 일어나지 않았다면 이 일도 그냥 지나갔을 것이다. 1534년 10월에 개신교도들이 가톨릭의 미사를 힐난하는 벽보를 앙부아즈에 있던 프랑수아 1세의 침실 문에 붙이는 사건이 일어났다. 프랑수아 1세는 벽보의 내용뿐만 아니라 벽보를 붙인 행위를 불경죄로 보고 격노했다. 왕의 누나인 마르그리트 당굴렘은 개신교도들에게 호의적이었지만 프랑수아 1세는 개신교도 박해를 승인했다. 화형대에 다시 불이 지펴졌다. 칼뱅은 콥이 있는 바젤로 갔고, 1536년 3월에 『기독교 강요』의 초판본을 출간했다.

제네바 체류

『기독교 강요』는 원래 라틴어로 작성되었고 총 6장으로 구성되었다. 1541년 칼뱅은 많은 이들이 읽을 수 있도록 이를 프랑스어로 번역했다. 1539년에 출간된 라틴어 신판은 17장으로 이루어져 있었다. 1559년에 총 4권 80장으로 구성된 책 전체가 출간되었다. 칼뱅은 스트라스부르로 가는 도중에 제네바에서 하룻밤을 묵었다. 제네바의 종교 개혁가 기욤 파렐은 칼뱅에게 제네바에 머물면서 종교 개혁의 원칙을 적용시키자고 설득했다. 제네바는 개신교로 완전히 개종하지 못한 상태였는데, 가톨릭인 주교후의 영향력이 아직 강했고 베른의 군대에 의해 개신교가 사실상 강요되었기 때문이다. 특히 제명에 관한 관할권 다툼으로 인해 당시 시 의회가 개신교 목사들과 마찰을 빚었다. 1538년 5월에 파렐과 칼뱅은 제네바에서 추방당했다.

스트라스부르에서의 영예

칼뱅은 스트라스부르로 가서 3년 동안 설교와 강의를 했다. 그는 이들레트 드 뷔르를 만나 결혼하고 아들을 낳았지만 아이는 어린 나이에 죽고 말았다. 1540년에는 법과 복음을 양립시키는 『로마서 주석』이, 1541년에는 『성만찬 소고』가 출간되었다. 이 시기가 칼뱅에게는 태풍의 눈 같은 조용한 때였다. 그는 카를 5세가 가톨릭과 개신교의 갈등을 종식하려고 마련한 만남의 자리에도 참석했지만 회의는 성과 없이 끝나고 말았다.

다시 돌아온 제네바

칼뱅은 1541년 9월에 제네바로 다시 와달라는 부름을 받았다. 처음에는 몇 달 정도 머무를 예정이었지만 세상을 떠날 때까지 그곳에서 지내게 되었다. 그는 『교회법』을 발표해서 제네바에 개신교가 뿌리내릴 수 있는 기틀을 마련했고, 『교리 문답』과 『기도의 형식』으로 의례를 개혁했다. 또한 업무의 분담도 조직화해서 목사와 교사가 성경을 가르치고 집사는 복지 업무를 관장하도록 했다. 장로는 교회의 행정을 맡았다. 그러나 제네바 시 의회인 200인 의회는 칼뱅에게 호의적이지 않아서 늘 충돌이 일었다. 1555년에는 의원의 과반수가 그를 지지함으로써 칼뱅은 의회의 권력을 잡을 수 있었다. 그리고 이때부터 확고부동한 권위를 지킬 수 있게 되었다. 그는 1559년에 제네바 아카데미를 설립했다. 테오도르 드 베즈가 운영을 맡은 아카데미는 유럽 최고의 목사 양성소가 되었다. 그러나 과중한 업무에 시달린 칼뱅은 건강이 악화되었고 1564년 5월 27일 쉰다섯 살의 나이로 사망했다. 그는 테오도르 드 베즈에게 자신의 과업을 이어가라는 유언을 남겼다.

조르다노 브루노 죽도록 생각한 자

Giordano Bruno, 1548년~1600년

조르다노 브루노는 날카로운 지성과 선동가의 감각을 지녔으며 자신의 지적 우월성에 대해 확실하게 인식하고 있던 복합적인 성격의 소유자였다. 그는 자신을 보호할 줄 모르는 사람이기도 했다. 후기 르네상스 시대 사람이었던 브루노는 종교 전쟁이 벌어졌던 비극적인 시대와 교회의 권위에 도전했던 과학 발전의 시대에 살았다. 그는 신학적 분석, 자유 의지, 지구 중심설 반대 등 위험한 길을 주저하지 않고 선택했다.

반항아의 젊은 시절

조르다노 브루노의 세례명은 필리포 브루노였지만 사람들은 그가 1548년에 태어난 나폴리 인근의 고향 놀라의 이름을 따서 그를 일 놀라노Il Nolano라고 불렀다. 브루노는 가난한 집안에서 태어났지만—그의 아버지는 하급 병사였다—시립 학교를 다녔고 1562년에는 나폴리로 가서 인문학을 배웠다. 오래전부터 거듭된 신학적 논쟁과 경직된 교육에 염증을 느낀 그는 무슬림 학자 아베로에스가 아리스토텔레스의 사상을 해석한 아베로에스주의의 개방성에 매료되었다. 브루노는 1565년 나폴리에 있는 도미니코 수도회 소속의 산 도메니코 마조레 수도원에 들어가면서 스승이었던 조르다노를 기리기 위해 그의 이름을 취했다. 1573년에 사제가 되었지만 기도에만 빠져 있는 독실한 신자는 아니었다. 그는 자유로운 정신을 버리지 않았고 교회가 금서로 정한 에라스무스의 글을 읽었다. 또한 신비학, 수학, 우주론에 관심을 가졌다. 사실 브루노는 성모 마리아를 섬기는 것과 삼위일체에 이의를 제기하는 바람에 사제가 되지 못할 뻔했다. 1575년 무사히 학업을 마친 뒤 토마스 아퀴나스와 페트루스 롬바르두스를 주제로 한 논문을 발표했다. 브루노의 동료들은 그를 비상한 기억력의 소유자로 기억했는데 실제로 그는 기억술에 관한 글을 읽으면서 기억력을 갈고닦았다. 브루노의 상급자들은 그가 마법에 관심을 가지는 것을 우려했지만 그들이 경악했던 것은 아리우스파라는 이단의 교리에 대해서 공개적으로 토론을 벌였을 때였다. 브루노가 도미니코 수도회를 선택한 것은 결과적으로 그리 잘한 결정은 아니었다. 이 수도회에서 가장 독실한 종교 재판관들이 선출되었고, 그가 거주하던 관구에서는 그를 이단으로 판결하기 위해 도미니코 수도회의 종교 재판관을 요청했기 때문이다. 브루노는 판결을 가까스로 피하고 1576년 2월에 로마로 도주했다.

독립적인 정신을 잃지 않은 추방자

브루노가 로마에서 지냈던 기간은 1576년 2월에서 4월까지였는데 그마저도 편안하게 보내지 못했다. 살인을 저질렀다는 누명을 쓰면서 늘 따라다녔던 제명에 대한 위협이 더 심해졌기 때문이다. 이후 그는 2년 동안 나폴리, 제네바, 베네치아를 떠돌았고 문법과 천문학을 가르치면서 근근이 살았다. 1578년 제네바에 정착한 뒤 칼뱅주의자가 되었으나 자신이 지적으로 우월하다는 인식을 감추지 못했다. 브루노는 공동체에서 매우 잘나가던 교수 중 하나에 대해 비판하는 글을 발표했고 결국 체포되어 수도회에서 제명당했다. 죽음을 피하기 위해 자신의 입장을 번복했으며 그 덕분에 다시 복권되었고 제네바를 떠날 수 있었다. 브루노는 가톨릭 신앙이 뿌리 깊은 툴루즈에 정착해서 인문학을 가르쳤다. 기억력을 훈련하고 자극할 수 있다는 사실에 늘 매료되었던 그는 기억술을 다룬 『클라비스 마그나*Clavis Magna*』를 썼다. 이 책은 프랑스 왕 앙리 3세의 관심을 끌었고, 브루노는 1581년 프랑스 왕궁에 초청을 받았다. 앙리 3세는 종교 전쟁이 한창일 때 신앙 문제에 있어서 어디로 튈지 모르는 그가 탐탁지 않았지만 그의 비상한 기억력에는 크게 놀랐다.

안식의 시간과 연구

콜레주 드 프랑스의 전신인 왕립 콜레주의 특별 교수로 임명된 브루노는 1582년 기억력과 자신의 연구에 관한 시론 몇 편과 시대를 맛깔스럽게 풍자한 『촛대』를 발표했다. 그는 궁에서 왕의 보호를 받았고 관용적인 가톨릭 정치인들의 비호도 받았다. 1584년 당시 그들은 왕좌의 계승자가 신교도라도 괜찮다고 생각했다. 그렇게 탄생한 왕이 바로 나바라 왕국의 헨리케 3세, 즉 미래의 앙리 4세이다. 1583년 브루노는 프랑스 대사 미셸 드 카스텔노를 영국 여왕 엘리자베스 1세의 왕궁까지 수행했다.

체류 기간 동안 그는 옥스퍼드에서 강연을 했는데 코페르니쿠스 혁명을 옹호하고 영국 성공회를 비판하면서 계속 미움을 샀다. 상대적으로 평온했던 이 시기에 그는 많은 글을 썼다. 1584년 한 해에만 『재의 향연』, 『원인, 원리 및 일자에 관하여』, 『무한자와 우주와 세계』를 발표했다. 『재의 향연』에서는 지구가 아니라 태양이 우주의 중심에 있다는 코페르니쿠스의 지동설을 재확인하면서도 다른 태양계들이 존재하는 무한한 우주가 있다고 주장했다. 『원인, 원리 및 일자에 관하여』에서는 형태와 물질이 하나를 이룬다는 이론을 펼쳤다. 『무한자와 우주와 세계』는 아리스토텔레스의 우주론을 비판함과 동시에 종교와 철학의 양립이 불가능하지 않다고 주장하는 아베로에스주의를 취했다.

건방진 학자의 죽음

브루노는 그 이후에 출간한 저서들로 인해 점차 지지 세력을 잃었다. 1585년에 나온 『승리하는 짐승의 추방』에서는 신교와 구교를 모두 공격했고, 『페가수스의 강신술』에서는 공개적으로 아리스토텔레스의 이론을 비웃었다. 이에 더해 『영웅적 분노』에서는 신이 중심이 아닌 세계를 그리기까지 했다. 1586년 앙리 3세의 보호를 더 이상 받지 못하게 된 브루노는 파리를 떠나 독일로 가서 한때 루터교 신자가 되었다. 그러나 그는 비판을 멈추지 않았고 결국 1589년 루터교 교회에서 제명되는 신세가 되었다. 브루노는 『160편의 글』에서 수학과 철학 개념뿐만 아니라 개방적이고 관용적인 종교관을 소개했다. 1590년에는 프랑크푸르트의 카르멜회 수도원에서 잠시 지내면서 강의를 했지만 그를 무신론자로 본 수도원장에게 결국 쫓겨나고 말았다. 1591년 브루노는 베네치아의 귀족 조반니 모체니고 밑에서 일하려고 이탈리아로 돌아가는 경솔한 짓을 저지르고 말았다. 얼마 지나지 않아 두 사람의 반목이 극에 달했다. 브루노는 철학을 계속 연구하고 싶었지만 모체니고는 기억술 선생님을 원했기 때문이다. 모체니고는 그를 베네치아 종교 재판소에 넘겨버린다. 재판은 오랫동안 계속되었는데 브루노는 다행히 풀려났다. 그런데 교황이 그를 로마로 보냈고 1593년에 다시 재판이 열렸다. 결국 브루노는 1600년 2월 17일 캄포 데 피오리에서 화형에 처해졌다. 그러나 철학과 종교의 관용을 부르짖던 그의 이상은 살아남았다.

조설근 삶은 꿈이 아니니

曹雪芹, 1715년경~1763년

걸작을 쓰고도 후대에 잊힐 수 있다. 그런 사람이 바로 『홍루몽』의 저자 조설근이다. 남부러울 것 없이 시작되었던 그의 삶은 황제가 조정한 가문의 몰락으로 끝났다. 그의 작품은 살아남았지만 역사는 저자에게 그리 호락호락하지 않았다. 『홍루몽』의 저자가 누구인지 아는 사람은 많지 않기 때문이다.

행복한 시절

조설근은 1715년경 팔기에 속하는 만주족 출신의 부유한 대귀족 가문에서 태어났다. 팔기를 이끌던 가문들은 1644년 이후 명나라를 지배하고 광활한 청 제국을 다스려야 했다. 실제로 300년 가까이 중국의 황제를 배출한 혈통 있는 가문들인 것이다. 명나라를 이루었던 한족에게 만주족은 이방의 점유자였다. 조설근의 집안은 섬유 공장을 운영했다. 그러나 1728년 황제가 직접 명을 내려 빚 청산이라는 명목으로 조설근 집안의 재산을 몰수했다. 가족은 난징으로 떠났고 조설근은 베이징 근교의 빈민가에 남았다. 그러나 그는 고전 교육을 받았기 때문에 조상들이 출세의 기회로 삼았던 과거 시험을 볼 수 있었다.

가난과 창작

조설근은 베이징에서 화가의 재능을 발휘해 생계를 유지했다. 그는 풍경의 고전적인 미를 화폭에 담았고 「대나무와 바위」, 「단풍나무가 있는 골짜기 풍경」 등을 그려 호평을 받았다. 때로는 그림에 시를 써넣기도 했다. 시화는 황궁에서 매우 좋아하는 장르였지만 그는 황궁의 공식 화가가 되는 것을 거부했다. 조설근은 아무에게도 말하지 않고 문학 작품을 쓰는 데 평생을 바쳤다. 총 120회로 구성되어 있으며 3000쪽이 넘는 분량의 『홍루몽』은 가씨 가문의 몰락과 가보옥과 임대옥의 이루기 힘든 사

『홍루몽』의 한 장면을 그린 그림, 조설근, 청나라, 18세기 중반.

랑 이야기를 담고 있다. 조설근이 80회를 썼고 나머지는 그의 사후에 고악이라는 자가 써서 출간했다고 한다.

테루아뉴 드 메리쿠르 격동의 대혁명

Théroigne de Méricourt, 1762년~1817년

안조제프 테르바뉴Anne-Josèphe Terwagne는 본인이 직접 지은 가명 테루아뉴 드 메리쿠르로 더 잘 알려졌다. 그녀는 올랭프 드 구주와 함께 프랑스 대혁명을 이끈 위대한 여성 운동가로 꼽힌다. 메리쿠르는 벨기에 마르쿠르에서 경작인이었던 아버지 피에르 테르바뉴와 어머니 엘리자베트 라에 사이에서 태어났다. 농가의 삶은 고단했다. 특히 그녀가 다섯 살 때 어머니가 세상을 떠나 계모에게 학대받으며 컸기에 더욱 그러했다. 메리쿠르는 열세 살 때 가출해서 소를 치는 일을 하다가 남의 집에 하녀로 들어갔다.

붉은 아마존

메리쿠르는 파리, 런던, 나폴리 등 유럽을 정처 없이 떠돌면서 살았다. 생계는 하녀로 일하면서 해결했다. 파리로 돌아온 뒤에는 대혁명이 끓어오르는 소리를 듣고 1789년 7월 14일 바스티유 습격에 가담했다. 그해 10월 5일 왕가를 파리로 데려오기 위해 여성들이 파리 시가를 행진할 때 메리쿠르는 베르사유에 있었다. 매우 활발히 정치적 활동을 했던 그녀는 '법의 친구들 모임'을 만들었다. 이 모임은 코르들리에 결사단에 통합되었다. 메리쿠르는 더욱 활발하게 활동하기 위해 빚을 졌고 혁명파 언론으로부터 부당한 비난도 받았다. 여성이 감히 남성의 영역에 발을 들여놓으면 안 된다는 것이었다. 메리쿠르는 어느 정도 거리를 두는 것이 좋겠다고 생각해서 리에주로 떠났다. 그녀는 "진홍색 옷과 어치 깃털 장식"을 한 혁명주의자로 유명해서 '붉은 아마존'이라는 별명을 얻었다. 이 별명은 벨기에까지 메리쿠르를 따라가 결국 그녀는 체포되었다. 리에주는 마리앙투아네트의 오빠인 레오폴트 2세가 다스렸던 오스트리아령 네덜란드에 있었다. 메리쿠르는 이곳에서 마리앙투아네트의 암살 음모를 꾸몄다는 의심을 받았고, 결국 1791년 2월에 체포되어 티롤주에 있는 쿠프슈타인 요새에서 9개월을 보낸 뒤 풀려났다. 1791년 말에 파리로 돌아온 그녀를 사람들은 우러러보기 시작했다. 자코뱅 결사단에서 열렬한 환영을 받은 그녀는 지롱드파를 지지했다.

폴 에르비외의 작품에서 메리쿠르 역을 한 사라 베르나르, 1902년.

비극적인 최후

1792년 프랑스가 유럽의 군주들을 상대로 전쟁을 벌이자 메리쿠르는 '아마조네스 군대'를 꾸려 전쟁에 나가려고 했다. 1792년 8월 10일, 그녀는 왕가가 살고 있는 튈르리궁 습격에 가담했다. 이날 의원이었던 프랑수아루이 쉴로가 군중에게 죽임을 당했다. 메리쿠르는 풍자 신문 『사도행전』에 자신을 비웃는 글을 쓴 쉴로에게 복수하기 위해 군중을 선동했다는 누명을 썼다. 당통과 로베스 피에르가 이끄는 산악파는 대혁명을 막거나 아예 끝내려고 한다면서 지롱드파를 제거하려 했다. 그러나 상황은 지롱드파에 유리하게 흘러갔다. 그런가 하면 당시 여자는 아내와 어머니의 역할만 해야 한다고 생각하는 혁명주의자들이 많았다. 메리쿠르는 그런 남자들을 참을 수 없었다. 공포 정치가 시행 중이던 1793년 단두대에 올랐던 올랭프 드 구주나 롤랑 부인도 그녀와 생각이 같았다. 그들처럼 메리쿠르도 비극적인 운명을 맞이했다. 그녀는 1793년 5월 13일 지롱드파가 산악파의 맹렬한 공격을 받고 있을 때 의회로 갔다. 메리쿠르를 알아본 자코뱅 결사단의 여성 단원 몇 명이 지롱드파를 지지한다고 비난하면서 그녀를 한쪽으로 몰아 옷을 벗긴 다음에 사람들이 보는 앞에서 볼기를 때렸다. 메리쿠르는 장폴 마라의 도움으로 그 여자들에게서 벗어날 수 있었지만 그때 느낀 수치심과 충격은 이미 돌이킬 수 없었다. 메리쿠르는 정신을 놓았다. 메리쿠르의 형제가 살페트리에르 병원에 그녀를 입원시켰다. 쉴로의 학살이 망상이 된 메리쿠르는 옷 입는 것을 거부하고 차가운 물을 몸에 뿌리며 상상의 혈흔을 하루 종일 지워댔다. 그녀의 고통은 23년이나 지속되었다. 대혁명은 이미 오래전에 끝났다. 메리쿠르는 1817년 6월에 숨을 거두었다.

토머스 모어 유토피아를 꿈꾸었던 자

Thomas More, 1478년~1535년

토머스 모어는 16세기의 가장 유명한 인문주의자이다. 1516년 『유토피아』를 발표한 그는 자신의 신념을 옹호하기 위해서라면 목숨까지 내놓을 수 있었던 정치인이기도 했다. 모어는 잉글랜드가 매우 혼란했던 시기에 살았다. 헨리 8세가 첫 번째 부인 카탈리나 다라곤과 이혼하려 했지만 가톨릭교회가 이를 거부했고, 결국 이 사건으로 성공회가 탄생했던 때였다.

천재 청년

토머스 모어는 1478년 2월 7일 런던에서 존 모어와 아그네스 모어의 장남으로 태어났다. 법관이었던 아버지는 기사 작위를 받고 고등 법원의 왕좌부 판사로 임명되었다. 모어는 세인트 안토니우스 학교를 다닌 뒤 캔터베리 대주교이자 잉글랜드 대법관인 존 모턴의 가인이 되었다. 1492년에서 1494년까지 옥스퍼드 대학교에서 학업을 계속했고 그 이후 런던으로 돌아와 링컨 법학원에 다녔다. 1501년에는 변호사가 되었으며, 1510년까지 법을 가르쳤다. 그해에 런던의 법관으로 선출되었다. 모어는 법학뿐만 아니라 성서, 교부, 고대 그리스·로마 작가들에 대해서도 깊이 있게 연구했다. 수도원 생활에 큰 매력을 느낀 그는 카르투시오회에 들어가서 공부를 계속했다. 모어는 신을 삶의 중심에 두고 평생을 살았다.

결혼과 정치

1505년 모어는 에식스주의 시골 귀족의 딸인 제인 콜트와 결혼했다. 그리고 딸 셋과 아들 하나를 낳았지만 아내 제인은 1511년에 세상을 떠났다. 그는 불과 몇 주 만에 딸 하나가 있는 런던 잡화상의 미망인 앨리스 미들턴과 재혼했다. 모어의 자식들은 아들이든 딸이든 최고의 교육을 받았다. 1504년 헨리 7세가 스코틀랜드를 상대로 한 전쟁 비용을 마련하기 위해 새로운 세금을 걷으려고 했을 당시 모어는 의회

의원이었다. 그는 왕의 결정에 반대했고 결국 프랑스로 망명을 떠났다. 헨리 8세가 즉위하자 잉글랜드로 돌아와 신임 대법관인 추기경 토머스 울지 밑에서 일했다. 그러나 모어는 이내 왕을 위해 일하게 되었다. 헨리 8세는 그를 네덜란드 대사로 보냈다. 모어는 그곳에서 『유토피아』를 썼고, 1516년 뢰번에서 책을 출간했다. 『유토피아』는 출간 직후 중요한 책으로 떠오르면서 유럽에서 인문주의의 상징이 되었다. 모어는 이 책에서 그리스어로 아우토포스outopos, 즉 '어디에도 없는 곳', 오직 이성이 지배하는 공동체의 개념을 발전시켰다.

왕의 남자

모어는 런던에서 외국인 상인들을 공격한 수습생들의 폭동을 중단시키고 프랑스와 잉글랜드의 강화 조약 체결을 성공시키는 등 협상가로서의 재능을 증명해 왕실 고문과 소원 심사관으로 임명되었다. 1518년에 그는 런던 법관을 사임했고 1521년에 왕실의 재정 담당관이 되었다. 1523년에는 잉글랜드 하원 의장이 되었다. 같은 해에 '루터에게 보내는 편지'에서 루터의 주장을 반박했다. 1527년 프랑스 주재 잉글랜드 대사관에서 일하다가 귀국한 모어는 국왕 부부의 갑작스러운 이혼 소식을 들었다. 헨리 8세는 카탈리나 다라곤과의 사이에서 딸 하나밖에 낳지 못했다. 무조건 남자 후계자를 원했던 그는 이혼을 원했다. 헨리 8세는 카탈리나가 왕이 되지 못하고 젊었을 때 죽은 자신의 형과 결혼했었으니 자신이 형수와 결혼한 셈이라며 근친상간을 이유로 혼인 무효를 주장했다.

추락

1529년 잉글랜드의 대법관이 된 모어는 진퇴양난에 처했다. 교황은 혼인 무효화를 거부했기 때문에 대법관인 그가 어떻게 해서든지 이를 가능하게 해야 했기 때문이다. 헨리 8세는 로마 교회와 결별하고 아내와 이혼했으며 잉글랜드 교회의 최고 수장을 자칭했다. 잉글랜드의 모든 성인 남성은 국왕의 새로운 직위를 인정하는 문서에 서명해야 했다. 모어는 서명하면서 "그리스도의 법이 승인한다면"이라는 말을 덧붙였다. 헨리 8세는 이러한 유보 조항을 반역이나 다름없다고 보았다. 1531년 가톨릭 신자로서의 양심과 새로 태어난 성공회 사이에서 갈등하던 모어는 건강을 이유로 사임했다. 그러나 헨리 8세는 사표를 수리하지 않았다. 폐병에 걸린 모어는 이듬해에 다시 사표를 제출했다. 이번에는 왕도 그의 뜻을 받아들였다. 공교롭게도 같은 날 잉글랜드 교회는 국왕이 동의하지 않으면 아무런 결정도 하지 않겠다고 약속했다.

투옥

모어는 잉글랜드 교회의 유지를 위해 투쟁하면서 1533년에 이와 관련된 주제를 다룬 저서 『변론』과 『정복』을 발표했다. 그는 점점 더 많은 위험을 감수했다. 예를 들어 헨리 8세의 두 번째 부인의 책봉식에 참석하지 않았다. 모어는 앤 불린을 왕비로 인정하면서도 여전히 카탈리나 다라곤에게 충직했다. 결국 그는 부패죄로 고소당했다. 그의 검소한 생활 방식을 안다면 그야말로 황당한 혐의였기 때문에 결국 소송은 이루어지지 않았다. 그 이후 모어는 왕의 이혼을 인정하지 않는 음모자들과 결탁했다는 의심을 샀다. 그러나 그는 손쉽게 자신의 결백을 증명할 수 있었다. 1534년 4월에는 위원회가 열려 그를 불러들여서 왕위 계승법을 따르겠다는 맹세를 하라고 강요했다. 왕위 계승법은 카탈리나 다라곤의 딸인 메리가 왕위를 계승하지 못하게 하고 그 대신 앤 불린이 낳을 자녀들이 계승하도록 하는 내용을 담고 있었다. 서문은 교황의 패권을 인정하지 않겠다는 내용이다. 모어는 맹세를 거부했다. 반역죄로 몰린 그는 런던탑에 갇혔고 그곳에서 『시련과 위안』을 썼다.

재판

재판은 모어가 왕위 계승법을 거부해 대역죄를 지었다는 죄명으로 1534년 7월에 시작되었다. 법무 차관 리처드 리치는 모어가 잉글랜드의 왕은 교회의 수장이 아니라고 말하는 것을 들었다는 위증을 했다. 모어는 온 힘을 다해 변호했지만 소용없었다. 판사들은 만장일치로 그의 유죄를 인정했고 교수형을 언도했다. 또한 그의 시신을 말이 끌고 런던을 돌아다니게 하고 마지막으로 능지처참하라고 선고했다. 헨리 8세는 이를 참수형으로 바꾸었다. 모어는 1535년 7월 6일에 처형되었다. 아픈 몸으로 공개 처형대에 도착한 그는 현장에 있던 장교에게 유명한 말을 남겼다. "저기 올라가도록 도와주게. 내려가는 건 나 혼자 할 테니." 가톨릭교회는 1886년에 그의 시복을 위한 재판을 열었고, 비오 11세는 1935년 5월에 그를 성인으로 추대했다. 성 토머스 모어의 축일은 6월 22일이다.

프랑수아 라블레 a.k.a. 알코프리바 나지에

François Rabelais, 1494년경~1553년

때로는 분뇨담이 섞이기도 하는 신랄한 유머를 가리킬 때 쓰는 프랑스어 형용사 '라블레지앵rabelaisien'은 프랑수아 라블레에게서 유래되었다. 그러나 착각하지는 말자. 라블레가 『가르강튀아』에서 '뒤를 닦는 종이'에 대해 잊을 수 없는 글 몇 쪽을 남겼지만 그것이 프로이트가 말하는 항문기의 때늦은 발현 때문만은 아니다. 웃음 터지는 문장의 나열은 쓸데없는 주제에 관심을 가진 사람들을 비웃고 경험적 실천인 왜곡된 관행을 고발하기 위한 것이다. 문인이자 의사, 사제였던 라블레는 모든 것의 척도이자 르네상스 시대 인문주의의 중심이었던 보편적 인간의 다양한 면모를 상징한다. 대중적인 면과 지적인 면을 모두 겸비한 그의 언변은 유머 넘치는 걸작 『가르강튀아』와 『팡타그뤼엘』에 잘 드러나 있다.

프랑수아 라블레는 누구인가

프랑수아 라블레의 생애는 분명히 알려진 부분보다 알려지지 않은 부분이 더 많다. 그는 1494년경 투렌의 부유한 지주 집안에서 태어났다. 아버지 앙투안 라블레는 추앙받는 법의학자였다. 라블레가 초기에 어떤 교육을 받았는지는 알려지지 않았다. 그는 라틴어와 그리스어를 배웠고 프란치스코회의 수도사가 될 예정이었다. 아마도 라 보메트에서 견습 수도사로 지냈고 이후 푸아투의 퓌생마르탱 수도원으로 옮겨 스물다섯 살이 되기 직전에 하급 성직위를 받은 것으로 보인다. 그러나 라블레는 프란치스코회가 자신의 공부를 강하게 통제하는 상황을 견디지 못했다. 수도회는 그에게 그리스어 저서를 읽지 말라고 했다. 그리스어 책들을 읽고 나면 히에로니무스가 라틴어로 번역한 성경인 『불가타』가 아니라 그리스어로 작성된 『70인역』을 읽을지 모른다는 이유에서였다. 수도회의 막무가내식 태도는 개신교의 부상과 누구나 읽을 수 있도록 번역된 성경의 출현과 대비되면서 라블레의 개방적인 정신과 호기심에 전적으로 반하는 것이었다. 라블레는 조프루아 데스티사크 주교의 개입으로 생피에르드마유제의 베네딕토회로 갈 수 있었다. 학식 있는 사람에게 더 호의적이었던 베네딕토회는 그에게 의학 공부를 할 수 있는 길을 열어주었다. 그러나 라블레

프랑수아 라블레의 「팡타그뤼엘의 재미있는 꿈」에 등장하는 팡타그뤼엘 또는 앙리 2세.

에게는 그것도 부족했다. 결국 라블레는 1530년 서원을 깨고 수도원을 떠나 그 당시에 서양에서 가장 훌륭한 의과 대학이 있었던 몽펠리에에서 공부를 계속했다.

의사-작가의 위험한 존재

의과 대학을 졸업한 라블레는 히포크라테스의 『아포리즘』과 갈레노스의 『아르스 파르바』('아이를 기르는 법')를 가르쳤다. 고대 그리스의 문헌을 가르치는 선생들은 이븐시나와 같은 아랍 의사들이 남긴 엄청난 의학 지식과 함께 몽펠리에 의대의 강점이었다. 혈기 왕성한 젊은이였던 라블레는 젊은 미망인을 만나 아이 둘을 낳았는데 나중에야 그들을 자식으로 인정했다. 라블레는 나르본에 잠시 머물렀다가 1532년 오텔디외 드 리옹 병원에 들어갔다. 그곳에서 이탈리아인 동료 의사 조반니 마나르디의 글을 편집해 출간했다. 그때 라블레는 작자 미상의 유명한 소설 『거인 가르강튀아의 위대하고 엄청난 연대기』를 알게 되었다. 그는 이 글에서 우화와 신화가 갖는 대중적 힘과 구전되는 이야기의 특징인 달변을 차용해 이를 토대로 소설을 쓰기 시작했다. 라블레는 글의 장점을 살리고 이야기를 더욱 풍부하게 만들어서 변형시켰다. 그가 가진 고전에 대한 지식, 인문주의적 교양, 이탈리아 문학의 영향, 소설이라는 신생 장르, 이 모든 것이 독창적이고 새로운 목소리를 가진 글이 나올 수 있도록 했다. 라블레는 교양 있는 궁정 사람들을 이 글의 독자로 상정했다. 특히 조프루아 데스티사크 주교와 프랑수아 1세의 누이인 마르그리트 당굴렘(라틴어로 마르가리타는 '진주'라는 뜻이다. 이 이름이 잘 어울리는 그녀는 예술과 문학을 후원했다)이 읽기를 원했다.

몽매주의와 스콜라주의에 반하여

라블레는 1532년 『팡타그뤼엘』을 발표한 이후에 실제로 보호가 필요했다. 사용된 언어가 날것이어서 충격을 준 것은 아니었다. 프레시오지테préciosité 문학의 시대는 아직 멀었으니까. 그보다는 라블레가 몽매주의를 다방면으로 신랄하게 비웃었기 때문이다. 그는 스콜라주의와 체벌을 용인해서 공포에 질린 학생을 장차 편협한 선생으로 성장하게 만드는 교육을 신랄하게 비판하기도 했다. 소르본 대학교는 라블레의 이 작품을 외설적이라고 비난했다. 그러자 마르그리트 당굴렘의 측근들은 너도나도 『팡타그뤼엘』을 구해서 보기 시작했다. 이듬해에 라블레의 빈정거리는 듯한 비판은 온갖 예언에 빠진 동시대인들을 저격했고, 그 덕분에 미셸 드 노트르담이라는 사람이 명성과 부를 얻었다. 이 사람이 바로 노스트라다무스였다. 라블레는 폭소를 유발하는 『팡타그뤼엘 점서』에서 당시 한창 유행하던 예언들을 패러디했다.

여행가 가르강튀아

분노한 소르본 대학교 측은 라블레를 화형대로 보낼 수도 있었다. 라블레는 천사들이라도 복음서를 강제로 쑤셔 넣으려면 힘들 것이라는 말을 해서 이단으로 몰렸다. 이제 몸을 숨겨야 할 때가 온 것이다. 이번에도 그는 세력가 장 뒤 벨레의 보호를 받았다. 장 뒤 벨레는 파리의 주교이고 장차 추기경이 될 인물이었는데, 라블레를 주치의로 고용해서 로마로 데려가 주었다. 그로부터 몇 년 뒤에 장 뒤 벨레의 조카인 시인 조아생 뒤 벨레가 로마에서 『애석』과 『로마의 고대 문물』을 썼지만 헐벗고 머리까지 빠져 상처받은 모습으로 나타났다면, 라블레는 로마에서 보낸 몇 달 동안 두 번째 걸작 『가르강튀아』를 잘 다듬었다. 팡타그뤼엘의 아버지 가르강튀아의 업적을 다룬 이 책은 사실 문장紋章과 신비한 상징에 대한 숭배, 무한한 힘에 대한 갈망, 호기심과 일깨움을 중시하는 개방적 교육의 이상과 정면으로 대치되는 스콜라주의를 전방위적으로 풍자했다. 라블레는 종교인들도 잊지 않았다. 그는 베네딕토회의 장 데 장토뮈르 형제를 게으르고 불결하고 무식하며 사기꾼에 거짓말쟁이, 술꾼으로 그렸다. 물론 삶에 대한 열정이 넘친다고 하면서 체면은 살려주었지만 말이다.

텔렘 수도원

『가르강튀아』에서 라블레가 상상한 텔렘 수도원은 종교적 의무와 "원하는 것을 하라"는 수도원의 유일한 계명이 뒤바뀐 재미있는 상황을 보여준다. 이 유토피아는 독신, 가난, 금욕, 복종 대신 모든 형태의 쾌락주의를 설파한다. 1535년 라블레는 추기경이 된 장 뒤 벨레를 따라서 로마로 가는데, 교황의 사무국으로부터 그가 배교죄를 지었다는—서원을 파기했으므로—증서를 받고 베네딕토회에 다시 들어갈 수 있는 승인을 받았다. 라블레는 장 뒤 벨레가 수도원장으로 있는 생모르데포세 수도원에서 형제들을 다시 만났다. 장 뒤 벨레는 라블레가 의사로 활동할 수 있도록 해주었다. 그 덕분에 라블레는 수도회의 규칙을 따르지 않아도 되는 재속 성직자가 될 수 있었다.

술병의 신이 말한 것은? "마셔라!"

1542년 라블레는 추기경의 형인 기욤 뒤 벨레를 따라 이탈리아로 갔다. 그러나 기욤 뒤 벨레가 1543년 1월에 사망했고, 얼마 지나지 않아 조프루아 데스티사크까지 죽고 말았다. 라블레는 그를 보호해줄 수 있는 권세가 둘을 잃은 것이다. 그래서 그는 1546년 『팡타그뤼엘』 제3서를 마르그리트 당굴렘에게 헌정했다. 이 책도 출간되자마자 소르본 대학교에서 이단이라고 비난했다. 라블레는 메스로 도망갔다가 장 뒤 벨레가 있는 이탈리아로 건너갔다. 추기경은 그에게 뫼동과 생크리스토프뒤장베의 주임 사제직을 주었다. 라블레는 성직록만 챙기다가 물러나고 말았다. 리옹에서 미완성본으로 출간되었던 『팡타그뤼엘』 제4서의 완성본은 1552년에 발표되었다.

왕의 총애에도 불구하고 라블레는 소르본 대학교와 파리 의회의 비난을 면치 못했다. 그러나 막강한 후원자들이 그를 구해주었다. 라블레는 1553년 4월 파리에서 사망했다. 라블레가 쓰지 않았다는 의혹이 제기된 『팡타그뤼엘』 제5서는 1564년에야 출간되었다. 제4서에서 주인공이 찾아 헤매던 술병의 신은 지혜를 구하는 최종 목표가 무엇인지 말해준다. “마셔라!”

피에르 코르네유 우주와 자신의 주인

Pierre Corneille, 1606년~1684년

피에르 코르네유는 프랑스 루앙의 부유한 법률가 집안에서 태어났다. 루앙의 예수회 학교에서 공부를 마친 그는 법률가 교육을 받으면서 연극에 입문했다. 위대한 작가가 될 청년 코르네유는 법학 학위를 받고 1628년에서 1650년까지 노르망디 치수영림 재판소의 변호사로 일했다.

배우의 피

피에르 코르네유는 1629년에 꽤 잘 쓴 희극 『멜리트』로 문인의 세계에 발을 들였다. 『멜리트』는 그의 연애담을 쓴 것일까? 아무튼 이 작품은 루앙 곳곳에서 상연되다가 이듬해에 파리에서 큰 인기를 끌었다. 이때부터 코르네유는 성공을 거듭했다. 그와 함께한 몽도리는 1634년 마레에 극장을 마련해서 극단을 키웠다. 코르네유는 1631년 희비극 『클리탕드르』를 발표한 이후 『미망인』, 『궁정의 회랑』, 『하녀』, 『메데이아』, 『루아얄 광장』, 『연극의 환상』 등 해마다 한두 작품을 발표했는데 주로 희극을 썼다. 파리 대중의 호응이 크자 왕실, 특히 리슐리외 추기경이 관심을 갖기 시작했다. 문학도를 자칭했던 리슐리외는 여러 작가를 모아 자신이 제안한 주제로 글을 쓰게 하고 싶었다. 그래서 '5인 작가회'를 만들었고 코르네유도 입회를 거절할 수 없었다. 결국 1635년 프랑수아 르 메텔 드 부아로베르, 기욤 콜테, 클로드 드 레투알, 장 로트루와 함께 '5인 작가회'에 가입했다. 리슐리외가 주문한 희곡들은 루이 13세 앞에서 상연되었다. 그러나 추기경의 뜻을 받들려는 동료 작가들과 달리 코르네유는 작품의 유일한 주인이 되지 못하는 상황을 잘 받아들이지 못했다. 1635년에 나온 그들의 공동 작품 『튈르리의 희극』에서 코르네유는 자기가 맡은 부분을 날림으로 썼고, 이 일로 리슐리외는 그를 두고두고 미워했다.

불멸의 『르 시드』

『르 시드』는 1637년 1월에 초연되었다. 이 작품은 원래 희비극으로 소개되었다가 다시 비극으로 수정되었다. 작품이 성공을 거두자 코르네유는 스캔들에 휘말리게 되었는데, 그의 경쟁자였던 조르주 드 스퀴데리와 장 메레가 음모를 꾸민 것이었다. 이를테면 코르네유가 삼일치 법칙—시간, 장소, 행위—을 지키지 않았고 개연성 없이 극을 전개하며 비도덕적인 내용을 썼다는 신랄한 비판을 담은 책자가 돌아다녔다. 그러자 리슐리외는 드디어 코르네유에게 복수할 기회가 왔음을 깨닫고 아카데미 프랑세즈에 『르 시드』에 대한 의견을 물었다. 비평을 맡은 인물은 장 샤플랭이었다. 아름다운 대사에 감탄하면서도 고전적인 비극과는 다른 자유로운 구성은 마음에 들지 않았던 그는 명백한 비난을 하지 않으면서도 작품의 가치를 낮춰 보았다. 리슐리외에게는 그것만으로도 충분했다. 그는 곧바로 연극 상연을 중단시켰다. 『르 시드』를 둘러싼 다툼은 1639년에야 잠잠해졌다. 코르네유는 이 작품을 쓸 때 에스파냐의 극작가 기옌 데 카스트로 이 베비스의 『르 시드의 유년기』에서 영감을 받았으나 주장하는 바는 사뭇 달랐다. 기존의 도덕률에 한정되지 않은 코르네유는 명예와 사랑을 동시에 지켜야 하는 딜레마에 빠진 남자를 무대에 올렸다. 코르네유는 진실은 운명적일 수밖에 없는 선택의 순간에 나타난다는 장 라신의 주인공들이 탄생할 수 있는 길을 열었다.

장 라신 다음으로 위대한 비극 작가

1641년 코르네유는 법관의 딸인 마리 드 랑페리에르와 결혼했다. 이후 그의 동생 토마가 마리의 여동생 마르그리트와 혼인했다. 두 가정은 아이들을 많이 낳고 자주 만나며 사이좋게 지냈다. 코르네유가 가장 많은 작품을 쓴 시기가 이때이다. 1640년에 『호라티우스』, 1641년에 『시나』, 1643년에 『폴리에욱투스』를 발표했는데, 이 세 작품은 『르 시드』와 함께 코르네유의 4부극으로 불린다. 코르네유는 1647년 1월 22일에 아카데미 프랑세즈의 회원으로 선출되었다. 그래서 가족과 함께 파리에 정착했지만 이때 프롱드의 난이 발발했다. 의원들과 일부 귀족이 추기경이자 재상인 마자랭과 당시 섭정을 하던 루이 14세의 어머니 안 도트리슈에 반발한 것이다. 전성기를 누리던 코르네유는 『아라공의 동 상슈』, 『안드로메다』, 『니고데모』, 『페르타리트』를 발표했다. 그리고 토마스 아 켐피스가 쓴 『그리스도를 본받아』를 번역하기 시작해 1656년에 마쳤다. 1660년에는 자신의 몇몇 작품의 개정판을 냈는데, 이때 아베 도비냐크가 몇 해 전 『연극론』에서 제기했던 자신에 대한 비판에 답하는 형식의 서문을 덧붙였다.

각각 1659년과 1674년에 나온 『오이디푸스』와 『쉬레나』 사이에 코르네유는 다시 희비극으로 돌아가 1년에 한 번씩 작품을 발표했다. 그중 하나가 몰리에르, 키노와 협업해 음악과 발레를 결합한 작품 『프시케』이다. 코르네유의 말년은 1667년 『앙드로마크』를 발표한 라신의 대성공의 그늘에 가려졌다. 1670년 코르네유의 『티투스와 베레니케』가 팔레루아얄 극장에서, 라신의 『베레니케』가 오텔 드 부르고뉴 극장에서 동시에 상연되었다. 코르네유는 흥행에 실패했고 라신은 성공하면서 코르네유의 몰락과 라신의 성장이 뚜렷해졌다. 같은 해에 라신은 『브리타니쿠스』의 서문에서 코르네유의 연극을 비판했다. 결정타는 오텔 드 부르고뉴 극장이 『쉬레나』의 포스터를 떼어내고 라신의 『이피게네이아』 포스터를 붙인 사건이었다. 코르네유는 루이 14세에게 감사를 표하는 감동적인 시구를 지은 직후 희곡을 완전히 포기했다. 그는 1684년 10월 1일 파리의 아르장퇴유에 있는 자택에서 사망했으며 생로슈 성당에 묻혔다.

헨델 바로크 음악의 스승

Händel, 1685년~1759년

독일 작곡가들 중 가장 영국적인 게오르크 프리드리히 헨델Georg Friedrich Händel은 브란덴부르크주의 할레에서 태어났다. 그의 아버지 게오르크 헨델은 이발사 겸 외과 의사였다. 그는 사혈에 능해서 브란덴부르크주 선제후들의 공식 의사가 될 수 있었다. 루터교를 믿었던 헨델의 가족은 부르주아가 되었다.

바이올린을 연주해줘

엄격하고 청교도적이었던 게오르크 헨델은 아들의 취향과 재능이 달갑지 않았다. 반면 헨델의 어머니는 호의적이었다. 어린 헨델은 악기라면 무조건 가까이할 수 없었다. 아버지의 뜻대로 법률가가 될 아이였기 때문이다. 결국 그는 헛간에서 남몰래 클라비코드를 배워야 했다. 클라비코드는 클라브생과 비슷한 악기로, 포르테피아노의 시조격인 악기이다. 그의 연주가 그때 이미 매우 섬세했으리라고 짐작해도 무방할 것이다. 헨델이 열한 살이 되었을 때 아버지가 세상을 떠났다. 헨델은 작곡가 프리드리히 빌헬름 자코브의 음악 수업을 받게 되었지만 순전히 취미로 배우려고 했다. 음악을 사랑했으나 아버지의 뜻을 따르려고 했던 효자 헨델은 할레 대학교 법학과에 들어갔다. 그러나 오래 다니지는 않았다. 할레의 칼뱅파 성당에서 오르간을 연주하던 헨델은 클라브생, 오보에, 바이올린도 연주할 줄 알았다. 그는 바이올린 덕분에 함부르크에 가서 오페라 극장의 바이올린 연주자로 일하게 되었다. 1705년에는 첫 작품인 오페라 「알미라」를 무대에 올렸다. 이 작품은 성공을 거두었지만 같은 해 발표한 두 번째 작품 「네로」는 실패했다. 헨델은 함부르크에서는 더 이상 기회가 없다고 생각하고 오페라의 고향인 이탈리아에서 공부를 더 하기로 결정했다.

베네치아에서 거둔 성공

헨델은 1706년에서 1710년까지 이탈리아를 누볐다. 아르칸젤로 코렐리, 알렉산드로 스카를라티와 그의 아들 도메니코 스카를라티 등 18세기 초의 유명한 음악가들을 열심히 찾아다녔던 것이다. 헨델이 도메니코 스카를라티와 오토보니 궁전에서 클라브생과 오르간 연주 경쟁을 벌인 이야기는 유명하다. 클라브생 연주의 경우는 무승부였지만 도메니코 스카를라티는 헨델의 힘찬 오르간 연주를 인정했다. 헨델은 이탈리아에서 「딕시트 도미누스」 같은 종교 음악, 칸타타, 오라토리오 「시간과 진실의 승리」, 비극적인 오라토리오 「부활」, 세레나데 「아치, 갈라테아와 폴리페모」를 작곡했다. 헨델의 재능에 감탄한 친구들은 그를 설득해서 로마에 정착하게 하고 가톨릭으로 개종하게 했다. 헨델은 오페라가 그리웠지만 당시 교황이 교황령 내에서 오페라 상연을 금지한 상태였다. 그래서 1709년 말 그의 오페라 「아그리피나」는 베네치아에서 공연되었다. 결과는 대성공이었다. 이후 이탈리아에서의 앞날이 창창할 것만 같았지만 운명의 여신은 다른 여정을 마련해두었다.

런던에서의 절망

헨델은 1710년에 독일로 돌아갔다. 그는 하노버 선제후의 카펠마이스터가 되었다. 그러나 그것은 잠시 스쳐 간 직업이었다. 헨델은 1년간 휴가를 내고 영국으로 건너가 앤 여왕을 만났고 그때부터 왕궁을 드나들었다. 그의 오페라 「리날도」가 상연된 것은 1711년 런던에서였다. 공연은 대성공을 거두었다. 하노버에 돌아온 헨델은 머릿속에 한 가지 생각밖에 없었다. 그레이트브리튼 왕국—1707년부터 잉글랜드, 스코틀랜드, 아일랜드가 합방한 결과—에서 성공을 다지는 것이었다. 1712년 헨델은 두 번째 휴가를 내서 바라던 대로 영국으로 건너갔다. 1년 뒤에 독일로 돌아오기로 되어 있었지만 그는 예술가를 후원해왔던 벌링턴 백작의 집에 계속 머물렀다. 이번에는 성공이 자꾸 달아나기만 했다. 그의 오페라 「충직한 양치기」, 「테세오」, 「실라」 모두 참패를 맛보았거나 절반의 성공을 거두었더라도 금세 대중의 기억에서 사라졌다.

마침내 대성공

헨델이 구원을 받은 것은 역사적 사건 덕분이었다. 1713년에 에스파냐 왕위 계승 전쟁에 종지부를 찍은 위트레흐트 조약이 체결되었는데, 헨델은 이때 「위트레흐트

테 데움」과 「유빌라테」를 작곡해서 왕궁의 작곡가가 될 수 있었다. 하노버 선제후의 고용인이었기 때문에 공식 직함은 없었다. 왕위 계승은 그에게 유리하게 작용했다. 1714년에 앤 여왕이 서거하자 선제후가 조지 1세라는 이름으로 왕위에 올랐던 것이다. 뒤끝 없는 성격이었던 조지 1세는 그를 총애했다. 헨델이 「수상 음악」을 작곡한 것도 조지 1세를 위해서였다. 1717년 7월 17일 조지왕은 화이트홀에서 첼시까지 배를 타고 템스강을 둘러보았다. 화려하게 장식한 왕실의 배에 50명의 음악가가 동승해서 멋진 뱃놀이가 되었다. 왕은 「수상 음악」의 매력에 푹 빠져서 세 번이나 연주를 시켰다. 드디어 헨델에게 영광이 찾아온 것이다. 헨델은 새 후원자도 찾았는데 부유하고 교양이 높은 음악 애호가 카나본 백작이었다.

경쟁의 장 왕립 음악원

1720년에 왕립 음악원이 설립되면서 헨델이 음악 감독으로 임명되었다. 이는 바로크 음악의 거장 조반니 바티스타 보논치니와 경쟁하기 시작한 계기가 되었다. 두 사람은 서로 자신의 오페라가 공연될 수 있도록 하려고 싸웠다. 보논치니는 「아스타르토」, 「크리스포」, 「그리셀다」를 내세웠지만 헨델이 「오토네」와 특히 「줄리오 체사레 인 에지토」, 「타메를라노」, 「로델린다」와 같은 걸작으로 우위를 점했다. 작곡가들만 경쟁했던 것은 아니다. 이탈리아에서 비싼 몸값을 주고 데려온 카스트라토들은 서로 원수지간처럼 지냈고, 여자 성악가들도 서로 욕을 해대고 때로는 치고받으며 싸우기도 했다. 헨델의 「스키피오네」, 「알렉산드로」, 「톨로메오」가 호평을 받았으나 왕립 음악원은 결국 1728년에 문을 닫았다. 음악원은 1730년에서 1733년까지 다시 문을 열었고, 세 번째로 1733년부터 1736년까지 운영되었다. 이때는 헨델이 「에치오」로 실패를 맛보기도 하고 「오를란도」로 절반의 성공을 거두기도 한 시기였다.

마지막 작품

헨델은 「에스더」로 영국식 모델을 만든 오라토리오와 오르간을 위한 콘체르토로 방향을 틀었다. 그는 16곡을 작곡했고 「메시아」를 내놓았다. 그러나 건강이 악화되면서 몸에 마비가 왔고 눈까지 멀게 되었다. 그래도 1749년에 마지막 작품 「왕궁의 불꽃놀이」를 썼는데 이는 오늘날까지도 많은 사랑을 받는 헨델의 작품 중 하나이다. 천재적인 독일 작곡가 헨델은 1759년 4월 14일에 숨을 거두었으며 웨스트민스터 사원에 묻혔다.

인물

프랑스 혁명이 일어난 1789년부터 오늘날에 이르는 200여 년의 시기를 현대라고 한다. 프랑스어로는 'contemporain'을 '현대'라고 하는데, '동시대'라는 뜻도 있다. 따라서 현대는 이미 규정된 시기가 아니라 일정 시기부터 현재까지를 가리키는 유연한 시대 구분이라고 할 수 있다. 사실 '현대', 혹은 '동시대'라는 단어를 어떤 작품이나 사상 체계에 붙이면 이들을 긍정적으로 생각한다는 암묵적 의미를 갖는다. 현대의 시작은 나라마다 조금씩 다르다. 프랑스에서 현대의 시작은 구체제가 무너지고 난 이후부터이다. 그 후로 1830년, 1848년, 1871년에 일어난 일련의 혁명은 지금까지 이어지고 있는 대부분의 정치적·사회적 주장의 모태가 되었다. 현대적 사회라고 하면 생산의 현대화와 소비 사회라는 현상 속에서 지식층이 형성되기 시작한 1930년대를 그 출발점으로 볼 수 있다. 물론 이 새로운 현상들은 제2차 세계 대전의 발발로 잠시 주춤했다. 20세기의 특징은 무엇보다 문화 예술의 교류가 활발해졌다는 것이다. 이는 통신 기술의 발달로 가능하게 되었지만 사람들의 의식이 달라졌기 때문이기도 하다. 다른 세상에 대한 호기심은 커져만 갔고 익숙한 문화와는 거리가 먼 문화 예술이 주목을 받았다. 수많은 갤러리와 미술상, 예술 전문 잡지가 탄생했고 이러한 인프라는 예술품의 유통을 더욱 활발하게 만들었다. 1851년 런던에서 처음으로 개최된 뒤 계속 이어진 만국 박람회는 미지의 것에 대한 관심을 더욱 불러일으켰다. 모든 분야에서 새로운 아이디어가 샘솟고 창의적인 작품이 쏟아져 나왔으며, 이들 대부분은 인간의 조건을 향상시키기 위한 것이었다.

현대 L'ÉPOQUE CONTEMPORAINE

현대

인물

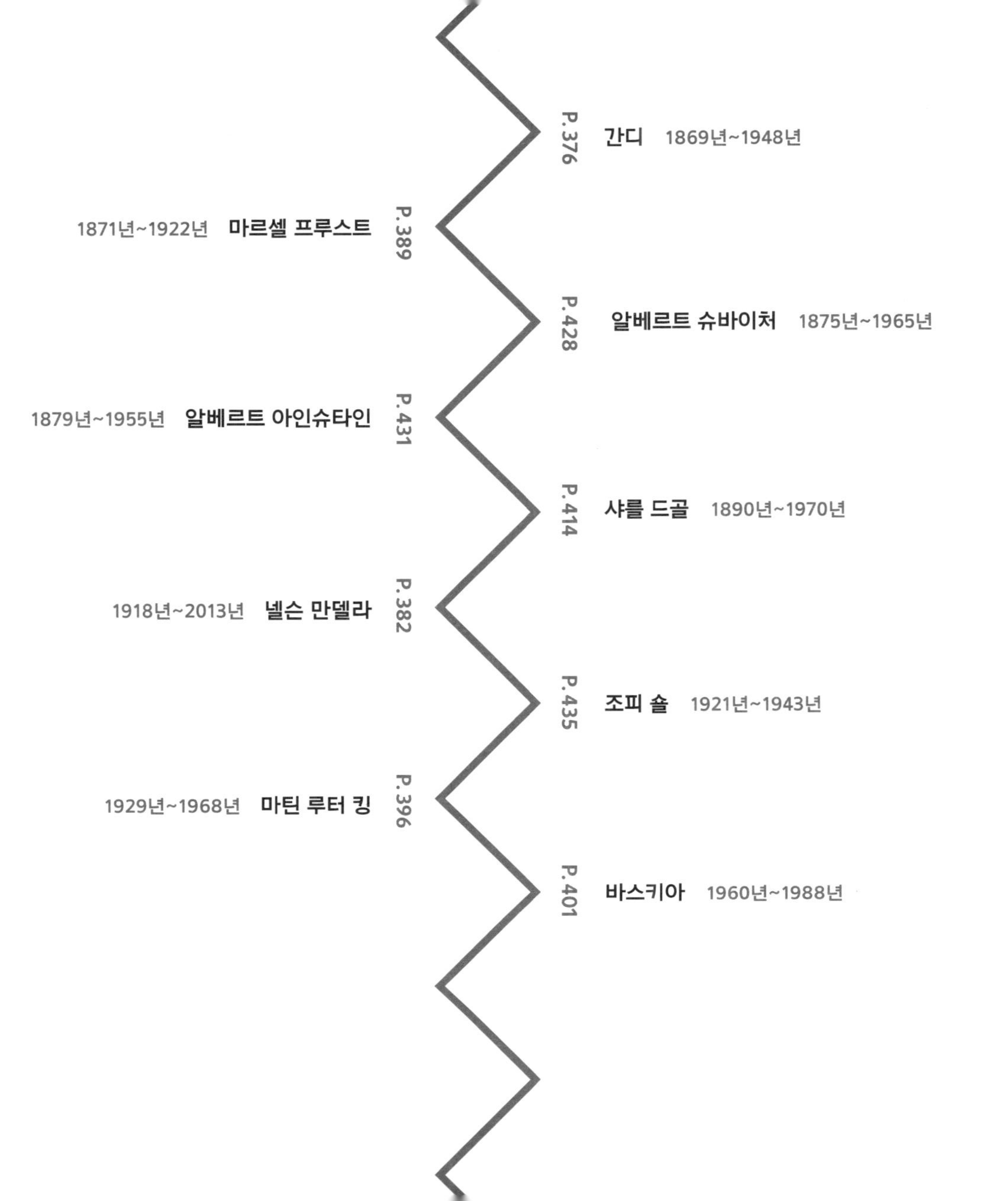

P. 376
간디 1869년~1948년
P. 389
마르셀 프루스트 1871년~1922년
P. 428
알베르트 슈바이처 1875년~1965년
P. 431
알베르트 아인슈타인 1879년~1955년
P. 414
샤를 드골 1890년~1970년
P. 382
넬슨 만델라 1918년~2013년
P. 435
조피 숄 1921년~1943년
P. 396
마틴 루터 킹 1929년~1968년
P. 401
바스키아 1960년~1988년

간디 '위대한 영혼'

Gandhi, 1869년~1948년

모한다스 카람찬드 간디Mohandas Karamchand Gandhi는 인도의 운명과 떼어놓고 생각할 수 없는 인물이다. 그가 암살당하기 몇 달 전에 쟁취한 인도 독립은 물론 인도의 원래 이름인 바라타Bharata에 내포된 정신과도 밀접한 관계를 가지고 있는 인물이기 때문이다. 그는 바라타 정신에 따라 덕을 행하는 데 있어서 타인을 돕는 것을 원칙으로 삼았다. 이런 시각에서 볼 때 '인도의 아버지'가 정치 참여에서 기본 원칙으로 삼았던 사티아그라하satyagraha는 아힘사, 즉 불해의 가장 보편적 개념에 기인한다. 간디가 추구한 '진리의 길'은 일생 그가 행한 모든 행동의 본질인 비폭력을 바탕으로 한 시민 저항이다. 그러나 비폭력으로 불해를 설명하기에는 부족하다. 불해란 폭력을 행하지 않는 것은 물론 해를 끼치지 않는 것도 의미하기 때문이다. 따라서 살아 있는 것은 그 무엇에게도 행동으로나 말 혹은 생각으로라도 해를 끼쳐서는 안 된다. 자와할랄 네루를 비롯해 인도의 독립을 이끈 위대한 인물은 많다. 그렇지만 간디의 영향력은 인류 전체에 미쳤다는 점에서 독보적이라고 할 수 있다. 내성적이고 연약하며 말까지 더듬던 청년이 어떻게 인류와 인류의 가장 숭고한 희망을 위해 싸우는 투사가 되었을까. 그 위대한 여정을 따라가 보자.

존재감 없는 청년

간디는 1869년 10월 2일 작은 토후국 라지코트의 수상이었던 카람찬드 간디와 그의 네 번째 부인 푸틀리바이의 아들로 태어났다. 푸틀리바이는 독실한 비슈누교 신자로 가정을 돌보는 일에 열심이었다. 간디는 사 남매 중 막내였다. 일찍이 그는 아힘사를 신실한 마음으로 수행했으며 다른 종교에 대해 관용적인 태도와 열린 마음을 가지고 있었다. 채식주의자인 그는 금욕적인 생활을 추구했다. 간디는 매우 뛰어난 학생은 아니었다. 사실 교사가 보기에 그는 재능이 없는 학생이었다. 다만 간디의 도덕성과 관용, 타인을 존중하는 마음만은 학교에서도 인정을 받았다. 열세 살에 카스투르바이 마칸지와 결혼한 후에도 달라진 것은 없었다. 그는 1년 동안 학업을 중단했다가 1887년 구자라트의 사말다스 대학교에 들어갔다. 간디의 모국어는 구자라트어였고 그가 구사하는 영어는 대학에서 요구하는 수준과 맞지 않았다. 그는 강의를 제대로 이해할 수 없었다.

자발적 유배

19세기 말 독실한 힌두교도에게 고향 땅 인도를 떠난다는 것은 상상할 수 없는 일이었다. 이는 종교적 오점으로 귀향이 불가능할 수도 있는 일이었다. 간디는 의학에 관심이 많았으나 그의 신앙은 시체를 만지거나 해부하는 것을 금했다. 법조인이 되는 길만이 남았고 이를 위해서는 영국 유학이 필요했다. 그러나 어머니를 비롯해 모드 바니아 계급의 지역 유지들은 간디가 유학을 가는 것에 반대했다. 모드 바니아는 상인 계층인 바이샤에 속하는 계급이다. 그는 어머니에게 술, 고기, 여자를 멀리하겠다고 맹세하고 유학을 허락받았으나 그 대신 모드 바니아 카스트에서 추방되었다. 간디는 1888년 9월 유니버시티 칼리지 런던에 입학했다. 영어 공부도 필요했고 변호사가 되려면 라틴어 공부도 필수였다. 그러나 라틴어 공부보다 더 어려운 것은 채식을 유지하는 것이었다. 초대받아 간 집에서는 아무것도 먹지 못했다. 그러던 중 요행히 채식주의자를 위한 식당을 하나 발견했고, 심지어 그곳에서 유명 작가 조지 버나드 쇼와 신지학자 애니 베전트를 만나기도 했다. 간디는 이 두 사람과의 만남을 통해 『성경』과 『바가바드 기타』를 알게 되었다. 『바가바드 기타』는 '거룩한 자의 노래'라는 의미로, 이 책은 자기 스스로를 통제하는 법을 가르친다. 간디는 영국에 머무는 동안 지적·도덕적으로 성장했다. 그는 물질주의와 거짓을 거부했고 모두가 참여하고 아무도 소외되지 않는 사회를 꿈꾸었다.

런던-더반 급행열차

1891년 인도로 돌아온 간디는 현실과 맞닥뜨렸다. 나라는 혼돈에 빠졌으며 개인적으로도 여러 어려움에 봉착했다. 어머니는 돌아가셨고, 너무도 내성적인 성격에 변론 한마디 못한 채 법정을 나오기도 했다. 도망치는 것 외에 방법이 없어 보였던 그는 남아프리카 나탈주 더반에 소재한 인도 회사에 일자리를 얻어 인도를 떠났다. 그리고 이곳에서 인종 차별을 직접 경험한 후 각성, 즉 내적 변화가 이루어지기 시작했다. 백인이 아닌 간디는 법률가로 인정받지 못했고 기차 특실에서도 쫓겨났으며 버스에서는 자리를 양보해야 했다. 이런 현실을 목도한 그는 평생 이어질 투쟁을 시작했다. 모든 사람의 존엄을 지키기 위한 것이었다. 변호사로서는 성공한 적이 없었던 그에게 인도의 여론은 물론 국제 사회도 지지를 보냈다. 간디는 인도 교민 단체 회원들의 요청에 따라 남아프리카에 머물며 변호사 자격으로 인도 이민자들을 차별하는 나탈의 악법을 철폐할 것을 주장했다. 이 법 때문에 인도에서 온 이민자들은 특별 관리 대상이 되고 선거권도 갖지 못했다. 1894년 간디는 '나탈 인도 국민 회의'를 창설하고 처음으로 사티아그라하의 실천을 도모했다. 그는 나탈에 거주하는 인도인들을 파업과 평화적 저항, 비폭력 시위로 이끌었다. 가혹한 억압과 구타, 투옥이 이어졌지만 비폭력주의를 버리지 않았다. 그런데 1905년 새로운 세금을 부과하는 법으로 인해 촉발된 줄루족의 반란에서 간디가 취한 입장은 모호했다. 그는 새로운 과세법에 대한 언급은 없이 남아프리카의 군사 교육을 받게 되는 구급 부대를 구성하는 데 기여한 것이다. 영국 정부와 인도 이민 사회의 관계를 개선하기 위한 편법으로 해석될 수 있는 선택이었다. 남아프리카에서 20여 년을 보낸 후 인도로 돌아온 간디는 애써 도망쳤던 고국의 상황을 다시 발견하게 된다.

"반라의 불온한 고행자"

인도의 가장 기본적인 구성단위이자 본질이 지방의 마을이라고 생각한 간디는 1915년 전국을 돌아다니며 여러 마을을 방문했다. 착취와 빈곤, 문맹을 마주한 그는 대대적인 사회 운동을 시작했다. 그해 5월 고향 구자라트의 아마다바드에 '아슈람ashram', 즉 은자들의 거처를 세웠다. 아슈람의 제자들은 빈곤과 독신을 견지하며 인도 국민을 위해 일했다. 비인간적인 조건에서 강제 노역을 하는 인부를 위한 운동, 노예를 부리는 지주와 영국 행정 공무원, 그리고 이들이 부과하는 세금에 반대하는 투쟁 등 수많은 사회 운동이 이어졌다. 간디는 불가촉천민을 신의 아이들이라는 의미의 '하리잔Harijan'이라고 부르며 이들과 농노들을 보호하는 데도 앞장섰다. 투쟁 방법은 늘 '사티아그라하'였다. 물론 정부의 대응 방식도 항상 같은 위협과 투옥이었다.

독립을 향해

때로는 감당할 수 없는 일들이 일어나기도 하는 법이다. 1919년 4월 간디의 지휘하에 펀자브 지역의 암리차르에서 모인 시위대가 영국 시민을 죽이자 영국군이 수백 명의 시위 군중을 학살하는 사건이 발생했다. 1921년 봄베이에서는 다른 유럽 국가의 국민들 중에 희생자가 나왔다. 간디는 영국의 진주라고 불리던 인도의 스와라지 Swaraj, 즉 인도의 자치만이 이 비극을 종식할 수 있다고 믿었다. 우선 그는 동포들에게 옷감 같은 작은 물건에서부터 행정 제도까지 영국에서 온 것은 그 어떤 것도 사용하지 말자고 호소했다. 그러자 사람들은 옷을 직접 만들어 입었다. 간디는 국가 전복을 기도한 죄로 1922년부터 1924년까지 투옥되었다. 거의 10년 가까이 정치 무대에서 사라졌던 그는 인도 국민 회의가 독립을 선언하던 해인 1930년에 사람들 앞으로 돌아왔다. 그러나 이 선언은 말뿐인 독립이었다. 영국은 인정하지 않았기 때문이다. 또한 1930년에 '소금 행진'이라는 사건도 일어났다. 간디는 수백 명의 사람들을 이끌고 인도 전역에 걸쳐 400킬로미터를 행진했고, 행렬에 참여한 이들의 수는 수천 명으로 늘어났다. 해변에 도착한 간디는 소금을 모아 담았다. 이 행진은 영국인이 유통을 독점하고 있는 소금에 대한 세금의 폐지를 주장하기 위한 것이었다. 수천 명의 사람들이 체포되었고 그중에는 물론 간디도 있었다. 그러나 소금 행진을 기점으로 상황은 달라졌다. 간디는 정부의 공식 초청을 받아 런던에서 시민 불복종 운동을 끝내기 위한 협상을 하게 된 것이다. 영국 정부의 반응은 미온적이었고 윈스턴 처칠은 간디를 "반라의 불온한 고행자"라며 조롱했다. 그러나 영국의 하층민들은 간디를 열렬히 맞이했다. 심지어 랭커셔의 직공들은 인도인들이 왜 영국 직물을 보이콧했는지 설명하는 간디에게 지지를 보냈다. 결국 합의서가 나오고 서명까지 이루어졌으나 이 또한 사문서화되었다.

'인도를 떠나라' 운동에서 비를라 하우스까지

제2차 세계 대전이 일어나자 간디는 제1차 세계 대전 때와 마찬가지로 인도의 개입을 주장했다. 그러나 인도 국민 회의가 반대하자 간디도 이를 받아들였다. 1942년 그가 인도의 즉각적 독립을 요구한 '인도를 떠나라Quit India'는 선언문을 발표하자

LE PETIT JOURNAL

HEBDOMADAIRE - 41e Année
61, rue Lafayette, Paris

ILLUSTRÉ

23 Mars 1930 - N° 2048
PRIX: 50 CENTIMES.

LA CAMPAGNE DE DÉSOBÉISSANCE CIVILE AUX INDES

Voir à la page suivante l'explication de nos gravures.

'인도의 시민 불복종 운동', 『르 쁘띠 주르날』, 1930년 3월 23일자.

시민 불복종 운동은 더욱 고조되었다. 파업과 시위, 폭력 사태와 약탈이 이어졌고 공공건물들은 테러로 파괴되었다. 경찰과 군대의 탄압은 가혹했고 수천 명의 인도인들이 체포되거나 살해되었다. 간디와 그의 아내는 가택 연금을 당한 후 투옥되었는데, 간디의 부인은 폐렴으로 옥사했다. 간디도 병에 걸렸고 1944년에 석방되었다. '인도를 떠나라' 운동은 결국 목적을 달성했다. 1945년에 집권한 영국의 노동당은 선거 공약이었던 인도의 독립을 승인했다. 그러나 제대로 준비를 하지 못한 탓에 인도는 1947년 3월부터 8월 15일까지 인도의 마지막 총독 마운트배튼 경의 신탁통치를 받으면서 점진적으로 독립을 이루었다. 따라서 독립이 공식적으로 선포된 날은 8월 15일이다. 간디의 노력에도 불구하고 인도는 힌두교도들이 다수인 인도와 이슬람교도들이 지배적인 파키스탄으로 분할되었다. 인도와 파키스탄 사이의 분쟁은 그해 10월부터 시작되었다.

단식의 폭력성

인도가 분할되자 이민 행렬이 이어졌다. 수백만 명의 힌두교도들은 파키스탄을 떠났고 인도를 떠나는 수백만 명의 이슬람교도들과 길에서 마주쳤다. 마을에서 시작된 양측의 살육은 대도시로 번졌다. 절망에 빠진 간디는 다시 한번 가장 절대적인 형태의 비폭력 무기를 꺼내들었다. 이는 자신에게 가하는 폭력이었고 그가 죽기 전까지 여러 번 선택한 단식이라는 비폭력 저항이었다. 1948년 1월 13일 간디는 단식에 돌입했고 닷새 뒤 폭력 사태가 끝났다고 확신하고 단식을 끝냈다. 사태가 진전된 듯했으나 종교적 반목의 불씨는 여전히 남아 있었다. 1948년 1월 30일 기도회장으로 걸어가던 간디는 뉴델리의 비를라 하우스 인근에서 극단적 힌두 민족주의자 나투람 고드세에게 암살당했다. 간디의 화장과 장례는 수백만 명의 인도인들이 지켜보는 가운데 장엄하게 엄수되었으며 유해는 인도의 여러 강에 뿌려졌다.

넬슨 만델라 어둠에서 빛으로

Nelson Mandela, 1918년~2013년

넬슨 만델라는 20세기의 최장기수(1962~1990)라는 슬픈 기록의 보유자이다. 그렇지만 더욱 중요한 사실은 그의 노력이 있었기에 남아프리카 공화국의 아파르트헤이트 정책 폐지를 위한 협상 기간(1991~1993) 동안 대규모 살상을 피할 수 있었다는 점이다. 남아프리카 공화국 프레데리크 빌렘 데 클레르크 대통령과 함께 이 역사적 과업을 이루어 낸 만델라는 1993년 노벨 평화상을 수상했다. 남아프리카 공화국 최초의 흑인 대통령(1994~1999)으로 선출된 그는 무엇보다 민족의 화해를 최우선 과제로 삼았고 다문화에 기초한 민주 국가의 건국 지도자가 되었다. 새로 출범한 남아프리카 공화국은 노벨 평화상 수상자 데즈먼드 투투 대주교의 표현대로 '무지개 나라'가 된 것이다.

족장의 후계자

넬슨 롤리랄라 만델라Nelson Rolihlahla Mandela는 1918년 7월 18일 남아프리카 연방 이스턴케이프주 음베조에서 태어났다. 마디바 씨족 출신인 만델라의 집안은 템부 부족 족장의 집안이었다. 마디바는 만델라의 애칭이기도 하다. 하지만 그는 아버지로부터 족장 자리를 물려받지 않았다. 그 대신 포트 하레 대학교와 비트바테르스란트 대학교에서 법학을 공부했다. 1943년 에블린 은토코 메이즈와 결혼한 그는 소수 백인 권력자들에 맞서 흑인들의 권리를 주장하기 위해 1912년에 창설된 정당 아프리카 민족 회의ANC에 들어갔다. 당시의 정치적 상황은 암울했다. 1910년 남아프리카 연방(1961년 남아프리카 공화국이 된다)의 독립이 선포되자 수십 년 이어진 영국 식민지 정책의 기반이었던 인종 차별주의는 흑인들의 삶을 옥죄는 도구가 되었다. 백인들은 누릴 수 있는 권리를 유색 인종에게는 금지하는 '인종 장벽'이 세워졌다. 대표적인 차별로 '바스캅baaskap'을 들 수 있다. 백인 지배주의를 의미하는 이 제도에 따라 흑인은 백인을 '주인님'이라고 불러야 했다. 만델라는 수감 기간 동안 백인 교도관을 '주인님'이라고 부르지 않았다. 1948년 아프리카너로만 구성된 국민당이 집권했으며 상황은 나아지지 않았다. 아프리카너란 남아프리카로 이주한 유럽인, 특히 독일계와 네덜란드계 백인으로 네덜란드 고어에서 파생한 아프리칸스어를 사용한다. 새 정부는 다양한 민족들의 '분리 발전'이라는 미명 아래 아파르트헤이트 정책을 수립했다. 1991년까지 실행된 이 정책은 인종에 따른 분리와 차별을 제도화했다. 넬슨 만델라의 투쟁은 시작되었고 이후 반세기 동안 이어졌다.

간디에서 만델라로

1951년 만델라는 올리버 탐보와 요하네스버그에 최초의 흑인 변호사 사무실을 열었다. 탐보는 포트 하레 법정에서 만나 친구가 되었으며 아프리카 민족 회의를 통해 함께 투쟁한 동지였다. 이들은 국내 이동용 여권처럼 흑인을 이등 시민으로 만드는 모든 정책에 반대했고 '1인 1표제'를 원칙으로 한 보통 선거를 주장했다. 아프리카 민족 회의의 부의장으로 선출된 만델라는 간디의 비폭력 저항 운동을 본받아 시민 불복종 운동을 조직했다. 백인 권력자들의 눈엣가시가 된 그는 끊임없는 체포와 재판, 집행 유예와 가택 연금에 처해졌다. 1956년 12월 반역죄로 기소된 그는 100여 명의 다른 피의자들과 함께 1961년까지 재판을 받았으나 마침내 무죄로 석방되었다. 만델라는 1960년 3월 21일 발생한 샤프빌 학살 사건으로 비폭력 원칙을 포기한다. 경찰의 총격에 시민 69명이 사망했으며 180명이 부상을 입었기 때문이다. 이듬해 그는 아프리카 민족 회의 산하에 '움콘트 웨 시즈웨Umkhonto we Sizwe(또는 MK)', 즉 '민족의 창'이라는 이름의 군사 조직을 창설했다. 1961년에서 1964년까지 200여 회의 파업이 이루어졌으나 다행히 희생자는 없었다. 이미 아파르트헤이트 폐지 이후를 구상하고 있던 만델라가 흑인과 백인 간에 화해가 불가능한 최악의 상황은 피해야 한다고 널리 호소한 결과였다. 1962년 그는 독립을 쟁취한 알제리로 가서 무장 투쟁을 준비했다. 그러나 그해 8월 귀국하자마자 또다시 체포되었다.

재판과 투옥

1962년 만델라는 5년 징역형을 선고받았으나 1년 후 리보니아 법정에 다시 섰다. 10여 명의 MK 회원들과 함께 반역과 파업을 계획하고 공산당과 내통했으며 국외 세력과 합세해 정부를 전복시키려고 했다는 혐의였다. 국가 전복 기도는 사형까지 가능한 죄목이었다. 이는 정부가 바라던 것이었다. 그러나 남아프리카 흑인들의 주장에 관심을 갖게 된 국제 사회는 만델라라는 인물을 알게 되었고 남아프리카 공화국 정부에 압력을 가하기 시작했다. 만델라는 1964년 4월에 열린 재판에서 인권 평등이라는 대의를 위해 죽음도 불사하겠노라 선언했고, 그의 변론은 인종 차별에 대한 저항의 상징이 되었다. 그해 6월 12일 종신형을 선고받은 그는 18년 동안 로벤섬의 좁은 감옥에 갇힌 채 채석장에서 자갈을 깨는 노역을 했다. 그와 다른 수감자들은 비인간적인 처우를 받았다. 굳건한 의지로 무장한 만델라는 그 무엇에도 '굴하지 않는 자'를 노래한 영국 시인 윌리엄 어니스트 헨리의 「인빅터스Invictus」 같은 수많은 시 작품과 저항 문화 등을 수감자들과 나누면서 이들이 살아남을 수 있도록, 그리고 인권 유린을 고발할 수 있도록 이끌었다.

성가신 죄수

세계적으로 유명해진 만델라는 그가 그저 죄수들 중 하나이기를 원했던 남아프리카 공화국 정부의 골칫거리가 되었다. 정부는 석방해주는 대신 투쟁을 중단할 것을 제안했지만 만델라는 관심조차 보이지 않았다. 1982년 그는 케이프타운 교외의 폴스무어 교도소로 이감되었다. 1985년 피터르 빌럼 보타 대통령도 석방해줄 테니 무장 투쟁을 그만두라고 제안했다. 만델라는 모두 거부했다. 1985년에서 1989년까지도 정부의 비공식적인 제안은 계속되었다. 사실 1976년 소웨토 사태 이후로 국제 사회의 압력이 거세진 상태였다. 1988년에 석방된 만델라는 가택에 연금되었다. 1989년부터 프레데리크 데 클레르크 대통령은 아파르트헤이트를 종식하는 개혁을 단행했는데, 개혁이 성공하려면 만델라의 영향력이 필요했다.

남아프리카의 별

1989년 가을에 데 클레르크 대통령과 만델라는 나라의 미래를 위한 협의를 시작했다. 1990년 2월, 30여 년 전부터 불법 단체로 낙인찍혔던 아프리카 민족 회의는 합법성을 인정받았고 만델라도 완전한 자유의 몸이 되었다. 1991년 의회는 마지막까지 남아 있던 아파르트헤이트 관련 법 조항들을 모두 폐지했고, 그해 7월 아프리카 민족 회의는 만델라를 의장으로 선출하고 무장 투쟁 종식을 선언했다. 1992년에 흑백 간 대립과 살상이 일어나기는 했으나 임시 헌법에 따라 새로운 제도들이 완성되었다. 만델라는 1993년 데 클레르크 대통령과 노벨 평화상을 공동 수상했고, 1994년 4월 27일 처음으로 실시된 보통 선거에서 남아프리카 공화국 최초의 흑인 대통령으로 선출되었다. 1995년 '진실 화해 위원회'가 설립되어 투투 대주교가 위원장을 맡았다. 민족 간 화해는 쉽지 않았다. 그것은 아프리카 민족 회의와 아프리카너 두 진영 모두에서 마찬가지였다. 그렇지만 이러한 갈등이 살육으로 이어지지는 않았다. 1999년 재선에 나서지 않고 단임 대통령으로 퇴임한 만델라는 자선 활동에 여생을 바치다가 2013년 12월 5일 요하네스버그에서 생을 마쳤다. 평생을 인종 차별과 압제, 빈곤에 맞서 싸웠던 만델라의 행적을 기리기 위해 2009년부터 그의 생일인 7월 18일을 '넬슨 만델라의 날'로 정하고 그가 염원했던 '평화의 문화'를 되새기고 있다.

루이 파스퇴르 치료에 대한 열정

Louis Pasteur, 1822년~1895년

루이 파스퇴르는 과학이 인류에게 빛나는 미래를 선사해줄 것이라고 믿던 시대는 물론 그 위대한 과학을 상징하는 인물이다. 그가 수행했던 화학 및 미생물학 연구 덕분에 프랑스에서는 양잠과 와인 산업이 지속될 수 있었다. 그러나 파스퇴르의 가장 위대한 업적은 인간이 광견병을 극복할 수 있게 해준 의학 분야에서 찾을 수 있다.

그림에 재능을 보이다

루이 파스퇴르는 1822년 12월 27일 프랑스의 돌Dole에서 무두장이 장조제프 파스퇴르와 잔에티엔 로키 사이에서 태어났다. 아버지는 나폴레옹 군대 출신으로 레지옹 도뇌르 훈장을 받은 열렬한 애국자였다. 어린 파스퇴르는 반에서 성적이 중간 정도 가는 학생이었고 특히 그림을 잘 그렸다. 그가 그린 가족의 초상화는 파스퇴르 연구소에 소장되어 있다. 1840년 브장송 대학교 문과 대학 입학 자격을 얻고 2년 후 이과 대학 입학 자격을 취득한 파스퇴르는 1843년 파리 고등 사범 학교에 입학해 장바티스트 뒤마의 화학 강의를 들으면서 그의 조교가 되었다. 1847년 이학 박사 학위를 받고 잠시 디종 고등학교에서 물리학을 가르치다가 스트라스부르 대학교의 화학과 교수로 임용되었다. 그는 이곳에서 만난 학장의 딸 마리 로랑과 1849년 5월 29일에 결혼했다. 둘 사이에는 5명의 자녀가 태어났으나 그중 셋은 성인이 되기 전에 사망했다.

초기의 발견들

1853년 아버지에 이어서 레지옹 도뇌르 훈장을 받은 파스퇴르는 이듬해부터 릴 대학교에서 화학을 가르쳤고 이과대 학장이 되었다. 수년 전부터 발효에 관심을 가져온 그는 맥주의 발효 과정에서 효모가 어떤 역할을 하는지 연구했고, 1857년 『젖산 발효에 대한 연구』를 출간했다. 같은 해 파리 고등 사범 학교의 이학부 학장으로 임명되었다. 1861년에서 1862년에는 자연 발생설 연구에 몰두했다. 당시 사람들은 음식물에 곰팡이가 피거나 옷이 좀먹는 현상, 심지어 더러운 옷 더미 속에서 쥐가 생기는 현상을 모두 무기물에서 유기물이 자연적으로 발생한 것이라고 믿었다. 그러나 파스퇴르는 이러한 자연 발생설을 비판했다. 산소가 있는 환경이든 없는 환경이든 모두 미생물이 자란 결과로 본 것이다.

농업 발전에 기여하다

1863년 나폴레옹 3세의 의뢰로 포도주 보관 문제를 연구한 그는 세균 감염을 막는 '파스퇴르 공법'을 개발했다. 저온 살균이라는 이 기술은 포도주를 섭씨 57도에서 끓이는 것이다. 양조 산업에서는 더 이상 저온 살균법을 사용하지 않지만 유제품 산업에서는 아직도 널리 사용된다. 파스퇴르는 양잠 기술을 통해서도 프랑스 농업에 크게 공헌했다. 1865년 전염병이 돌면서 양잠업이 고사할 지경에 이르렀다. 이때 파스퇴르는 감염된 누에알에서 건강한 알을 분리하는 데 성공했고 양잠업은 지속될 수 있었다. 사실 누에 연구는 감염 연구의 서곡이었다. 1868년 반신불수가 된 파스퇴르는 기력이 많이 약해졌다. 그러나 연구 속도까지 줄어든 것은 아니었다. 파스퇴르는 그다지 편한 사람은 아니었던 듯하다. 실제로 동료나 제자 중에는 그의 권위주의적 성향에 불만을 드러낸 경우도 적지 않았다.

개, 닭, 양, 토끼…

1879년 가금 콜레라를 연구하던 파스퇴르는 바이러스가 공기에 닿으면 병원성이 약화되는 것을 발견했고 이를 백신을 개발하는 데 이용했다. 또한 연구팀과 함께 양을 위한 탄저 백신을 연구하기 시작해 1881년 개발에 성공했다. 1879년에 프랑스 수의학 학술원의 회원이 된 그는 1882년에는 프랑스 학술원(아카데미 프랑세즈)의 회원으로 선출되었다. 연구자로서의 삶에서 가장 중요한 업적이자 그의 명성을 전 세계는 물론 후세에까지 알린 연구는 광견병 백신 연구이다. 1881년부터 그는 광견병 바이러스가 침이 아닌 다른 곳, 특히 광견병에 걸린 개의 뇌 속에도 존재한다는 것을 여러 논문을 통해 설명했다. 거듭된 실험 끝에 감염된 토끼의 척수를 이용해 광견병의 약독화 바이러스를 개발하는 데 성공했다.

국제적 명성

광견병 연구에서 가장 중요한 성과는 1885년에 이루어졌다. 그해 7월 6일 조제프 마이스터라는 목동이 개에 물린 지 이틀 만에 파스퇴르를 찾아왔다. 잠시 주저하던 파스퇴르는 광견병 증상을 보이지 않던 그 목동에게 백신을 접종했다. 목동은 그 후 접종 효능 검사를 위해 투여한 강독성 백신을 맞고도 살아남았다. 비록 백신을 접종하고도 사망한 환자들이 있었으나 파스퇴르는 세계적 명성을 얻었다. 1888년 11월 14일 사디 카르노 대통령이 참석한 가운데 파스퇴르 연구소(파리 광견병 퇴치 연구소) 개소식이 성대하게 진행되었다. 1892년 소르본 대학교는 전 세계 유수한 과학자들을 초청해 파스퇴르의 일흔 살 생일 축하연을 열었다. 그러나 이후 건강이 악화되면서 마비가 심해진 그는 1895년 9월 28일 눈을 감았다. 그의 장례식은 국장으로 치러졌고 파리 노트르담 대성당의 지하 묘소에 안치되었다. 방부 처리된 그의 유해는 1년 후 파스퇴르 연구소 지하 묘소로 이장되었다.

마르셀 프루스트 되찾은 시간

Marcel Proust, 1871년~1922년

마르셀 프루스트는 총 7권으로 구성된 작품 『잃어버린 시간을 찾아서』로 현대적 의미의 소설을 창조했다. 고전적 소설을 구성하던 요소들은 시간의 재구성이라는 기본적이고 진정한 하나의 요소로 대체되었다. 여기서 시간의 재구성이란 날짜에 따라 정확한 과거를 되살리는 것이 아니라 스쳐 지나는 순간의 감각을 통해 저절로 떠오르는 기억을 되찾는 것을 말한다. 『잃어버린 시간을 찾아서』는 한 시대를 사실적으로 묘사한 작품이 아니다. 물론 당시의 시대적 분위기와 특성, 인물, 유행 등은 나오지만 중요한 것은 끊임없이 우리에게서 멀어져가는 것들, 한마디로 인생의 덧없음을 그리고 있다는 점이다. 우리가 무언가를 손에 넣었다고 생각하는 순간 사라져버리는 무상함 말이다. 『잃어버린 시간을 찾아서』는 너무 길다는 근거 없고 무례한 비판을 받기도 한다. 유연하면서도 완벽한 리듬으로 쓰인 이 작품을 읽다 보면 물리적 시간의 흐름을 벗어난 이야기도, 끝이 없어 보이는 문장도 전혀 문제가 되지 않는다. 마치 공기 중으로 소용돌이쳐 올라가 사라져버리는 연무처럼 그의 긴 문장은 가볍고 부드럽게 읽힌다. 인생의 시간은 마음대로 할 수 없으니 우리가 결코 붙잡을 수 없을 인물을 통해 그 시간을 재창조해보자.

병약한 소년

마르셀 프루스트는 1871년 7월 10일 오퇴유라는 오래된 지역에 새로 조성된 파리 16구에서 부유하고 교양 있는 부모에게서 태어났다. 아버지 아드리앵 프루스트는 가톨릭을 믿는 지방 유지 출신의 의사였고 어머니 잔 베유는 부유한 유대인 가문의 딸이었다. 그렇지만 천주교나 유대교, 어느 것도 어린 프루스트의 교육에 영향을 미치지 않았다. 매우 몸이 약했던 그는 오퇴유와 카부르, 그리고 소설 속에서 콩브레로 나오는 일리에를 오가며 지냈다. 사산아가 될 뻔했으나 아버지의 의술 덕에 가까스로 살아난 프루스트는 일생 호흡 부전에 시달렸다. 아홉 살이 되던 해 어느 봄날 불로뉴 숲으로 산책을 갔다가 천식 발작을 일으킨 적도 있었다. 이때도 의사인 아버지 덕분에 위험을 면할 수 있었다. 병약한 몸 때문에 콩도르세 고등학교에 다닐 때도 결석이 잦았으나 공부를 타고난 그는 거뜬히 우수한 성적을 받았다. 사춘기의 프루스트는 마리 드 베나르다키를 연모했고 음악가 조르주 비제의 아들인 자크 비제를 만났으며 작가 알퐁스 도데의 아들 뤼시앵 도데와도 친구가 되었다. 이들의 우정은 매우 돈독했다. 고등학교 때 들은 알퐁스 다르뤼의 철학 수업은 프루스트에게 큰 감명을 주었다. 레옹 브룅슈비크도 프루스트와 고등학교 동기이다.

대학 재학 시절과 그 이후

오를레앙에서 군 복무를 마친 프루스트는 1893년 파리 정치 대학에서 법학 학사 학위를 받았으며 2년 후 소르본 대학교에서 문학 학사 학위를 받았다. 알베르 소렐의 역사학 강의와 사촌 동서인 앙리 베르그송의 철학 강의는 그에게 지대한 영향을 주었다. 그는 살롱을 즐겨 찾았고 얼마 지나지 않아 고상한 척하는 딜레탕트dilettante라는 평판을 얻었다. 프루스트는 이에 개의치 않고 산문시집 『쾌락과 나날』을 출간했는데 신랄한 혹평에 시달렸다. 마들렌 르메르의 살롱에서 만난 음악가 레날도 안과는 연인이 되었다. 프루스트는 마담 스트로스, 마담 카야베, 마담 오베르농, 그레퓔 백작 부인, 바그람 공주 등 상류층 인사들의 살롱에서 매우 인기가 많은 청년이었다. 그는 직장이었던 마자린 도서관보다 살롱에 더 자주 나타났다. 사실 도서관에 무임 사서로 취직했으나 몇 달 만에 그만두었다. 1895년부터 1899년까지 자전적 소설인 『장 상퇴유』를 집필했다. 미완성인 채로 있다가 1952년에 출간된 이 작품은 『잃어버린 시간을 찾아서』의 모태가 된 소설이다.

은둔의 시작

반유대주의의 상징이 된 드레퓌스 사건에 격분한 프루스트는 1895년 '악마의 섬'으로 부당하게 유배당한 유대인 장교를 옹호했다. 이는 주변의 평판을 잃게 만들 수 있는 일이었고, 실제로 귀족들의 살롱에서는 배척을 당하기도 했다. 프루스트는 『장 상퇴유』 집필을 중단할 무렵 존 러스킨의 작품을 만났다. 영국의 저명한 예술 비평가이자 훌륭한 화가이며, 새로운 사회와 예술의 도래를 내다보았던 러스킨은 당시 근엄한 빅토리아 시대의 영국 사회에서는 충격적인 존재였다. 러스킨은 생전에 자신의 작품을 번역하지 못하도록 했기 때문에 프루스트는 1900년부터 러스킨의 작품을 번역하기 시작했다. 프루스트는 자신이 존경하고 귀감으로 삼은 러스킨의 행보를 따라 아미앵, 베네치아, 파도바를 여행했다. 그리고 『아미앵의 성서』는 1904년에, 『참깨와 백합』은 1906년에 번역했다. 1903년 부친의 사망과 2년 후 연이은 모친의 사망으로 프루스트는 재정적 여유를 갖게 되었다. 더 이상 일할 필요가 없어진 그는 작품을 집필하는 데 전념할 수 있었다.

방 안에 틀어박혀

1905년에서 1908년까지 프루스트는 『잃어버린 시간을 찾아서』의 초벌 원고를 썼지만 곧 파기했다. 1908년부터 『르 피가로』에 발자크, 플로베르, 르낭, 생시몽 등의 문체를 모방한 글을 게재했고, 1919년 이 기고문을 모아 『모작과 잡록』을 출간했다. 이 시기에 문학 에세이도 썼는데 바로 1954년에 출간된 『생트뵈브에 반대하여』이다. 이 책에서 러스크 조각을 차에 적셔 먹으며 어린 시절의 기억을 떠올리는 부분은 『잃어버린 시간을 찾아서』의 그 유명한 장면을 연상시킨다. 프루스트는 본격적으로 『잃어버린 시간을 찾아서』를 집필하기 시작했고, 러스크는 이 작품에서 마들렌 과자로 바뀌었다. 부모님이 돌아가신 뒤 오스만가 102번지의 집에 머물기 시작한 그는 사방을 코르크로 덮은 방에 틀어박혀 집필에 몰두했다. 『잃어버린 시간을 찾아서』 제1권 『스완네 집 쪽으로』(1913)는 당시 갈리마르 출판사 편집 위원이던 앙드레 지드에게 퇴짜를 맞는 바람에 자비로 출판했다. 책이 나오자 실수를 인정한 갈리마르 출판사는 제2권 『꽃피는 아가씨들 그늘에서』(1919)의 출판을 맡았고, 1919년 이 책이 공쿠르상을 받으면서 프루스트는 하루아침에 유명 작가가 되었다. 이후 제3권 『게르망트 쪽』(1920~1921)과 제4권 『소돔과 고모라』(1921~1922)가 세상에 나왔다. 건강 악화와 기력 쇠약에 시달리던 프루스트는 1922년 11월 18일 폐렴으로 사망했다. 『갇힌 여자』(1923)와 『사라진 알베르틴』(1925), 『되찾은 시간』(1927) 등 제5권부터 제7권까지는 그의 사후에 출간되었다.

마리 퀴리 사랑과 연구에 대한 열정

Marie Curie, 1867년~1934년

마리 퀴리는 방사능 연구 분야에서 뛰어난 업적을 남긴 과학자이다. 1903년 남편 피에르 퀴리와 앙투안 앙리 베크렐과 공동으로 노벨 물리학상을 수상하고, 1911년 노벨 화학상을 받는 등 노벨상을 두 번이나 받았다. 남편 피에르에 대한 사랑은 물론 꽤 떠들썩한 추문이었던 동료 학자 폴 랑주뱅과의 관계 등 그녀는 사랑에서도 과학에 쏟았던 열정 못지않은 열정을 보여주었다. 마리 퀴리를 생각하면 흔히 검은 옷에 뻗친 머리를 대강 묶어 올린 채 대상을 뚫어지게 보고 있는 여인을 떠올린다. 하지만 그녀는 열렬히 사랑하고 사랑받은 여인이었으며, 대부분의 위대한 여성들처럼 일과 사랑을 잘 조화시킨 인물이었다.

파리를 정복하다

마리 퀴리의 본명은 마리아 살로메아 스크워도프스카Maria Salomea Skłodowska로 그녀는 1867년 11월 7일, 빈 회의에서 급조된 허수아비 국가 폴란드 왕국에서 태어났다. 이 왕국은 러시아의 신탁 통치를 받다가 1868년 러시아에 합병되었다. 마리아의 어머니는 그녀가 열한 살 때 사망했고 아버지는 귀족 출신으로 수학과 물리학 교수였다. 어렸을 때부터 놀라운 암기력과 학습력을 보여준 마리아는 열여섯 살에 매우 우수한 성적으로 최우등상을 받고 러시아계 고등학교를 졸업했다. 애국심이 깊었던 그녀는 러시아에 저항해 형성된 일명 '날아다니는 대학'이라는 비인가 이동 대학에 등록했다. 그러나 아버지의 무분별한 투자로 가세가 기울었고 마리아는 지방에서 교사로 일하며 급여를 모아 파리 의대에 재학 중인 언니 브로니스와바에게 학비를 보냈다. 1891년에는 파리로 가서 언니 부부가 지내는 북역 근처의 집에서 살았다. 프랑스식으로 이름을 마리로 바꾼 그녀는 소르본 대학교에 등록하고 폴 아펠의 수학 강의와 가브리엘 리프만과 에드몽 부티의 물리학 강의를 수강했다. 1년 뒤 학교 근처 라탱 지구에 집을 구해 독립한 마리는 빵으로 연명하며 지냈다. 그리고 물리학자 장 페렝과 친분을 쌓았다.

연구와 사랑

마리의 실력은 파리에서도 빛을 발했다. 1893년 수석으로 물리학 학사 학위를, 이듬해는 차석으로 수학 학사 학위를 받았다. 곧이어 리프만 교수의 연구실에 들어갔으며 연구자들의 모임에서 전도유망한 과학자 피에르 퀴리를 만났다. 파리 시립 물리·화학·공학 고등 전문 대학의 연구 책임자로 박사 학위를 준비 중이던 그는 1895년 박사 학위를 받았다. 마리는 피에르와 물리학에 대한 열정을 나누었을 뿐만 아니라 그에게 호감을 갖게 되었다. 하지만 그녀는 고국을 잊을 수 없었다. 그녀가 폴란드에서 다녔던 대학은 제대로 된 교수진을 영입하는 것이 필요했다. 그렇지 않을 경우 폴란드 학생들은 비공식적이지만 확실하게 러시아화가 자행되고 있는 대학에서 교육을 받을 수밖에 없었다. 결국 마리는 폴란드로 갔다. 그러나 프랑스로 돌아와달라는 피에르의 간청에 몇 달 만에 다시 고국을 떠났고, 1895년 7월 두 사람은 결혼했다.

빛나는 업적

피에르 퀴리는 압전기를 연구했다. 압전기란 전기장의 영향으로 물체의 변형이 생기고 양극에 음양의 전위차가 일어나는 피에조 전기를 말한다. 1896년 수학 분야 여교수 자격시험에 수석으로 합격한 마리는 박사 학위 논문의 주제를 찾고 있었다. 1895년 빌헬름 뢴트겐이 발견한 엑스선이 당시 학계의 큰 논쟁거리였다. 그녀는 우라늄이 만들어내는 광선을 연구하기로 했다. 엑스선 연구는 세간의 이목을 끌었지만 앙투안 앙리 베크렐이 연구한 '베크렐 광선'은 사람들의 관심을 불러일으키지 못했다. 그런데 베크렐 광선은 마리가 '방사능'이라고 부르게 될 물질이었다. 1897년 퀴리 부부 사이에 장녀 이렌이, 7년 후에는 차녀 이브가 태어났지만 부부의 연구에 대한 열정은 식을 줄 몰랐다. 1898년 베크렐 광선 연구에 합류한 피에르와 함께 마리는 우라늄보다 더 강한 방사능을 가진 물질을 발견하고 폴로늄이라고 명명했다. 조국 폴란드를 기리는 이름을 붙인 것이다. 몇 달 뒤에는 보헤미아 지방에서 생산되는 '불운의 광물' 피치블렌드에서 라듐을 추출해냈다. 1그램의 라듐을 만들려면 수천 킬로그램의 피치블렌드가 필요했다. 마리는 1900년부터 세브르의 고등 사범 학교에서 여학생들을 가르치는 일도 병행했다. 1903년에는 방사능 물질에 관한 논문을 발표해 박사 학위를 취득했다.

학계의 인정과 노벨상

마리 퀴리는 1898년 과학 아카데미에서 수여하는 제네상을 받았고 1903년에는 남편과 함께 '자연 과학 진흥을 위한 런던 왕립 학회'에서 수여하는 데이비 메달을 받았다. 또한 같은 해 퀴리 부부는 방사능 연구로 베크렐과 공동으로 노벨 물리학상을 받았다. 퀴리 부부의 사랑은 연구실에서뿐만 아니라 수상식 무대 뒤에서도 빛을 발했다. 사실 프랑스 위원회는 앙투안 앙리 베크렐과 피에르 퀴리, 즉 남성 과학자 두 사람만 추천한 상태였다. 이에 분노한 피에르는 부인도 수상자 명단에 넣을 것을 요구했고, 마리 퀴리는 최초의 여성 노벨상 수상자가 되었다.

비극적 죽음

1904년 피에르는 소르본 대학교의 물리학 교수로 임명되고 마리는 남편이 수장으로 있는 연구실의 책임자가 되었다. 그러나 1906년 비극적인 사건이 발생했다. 피에르는 늘 연구만 생각하느라 일상생활에서는 서툴고 실수가 많기로 유명했다. 1906년 4월 19일 오후, 교수 회의가 끝나고 센강 변의 그랑오귀스탱가에 위치한 출판사로 가는 길에 참극이 발생했다. 원고를 읽고 있었을까, 아니면 다른 생각에 잠겼던 걸까? 그가 도핀가 모퉁이에서 마차가 오는 것도 모르고 찻길로 내려선 것이다. 마부는 그를 피하려 했으나 소용없었고, 결국 그는 말발굽에 밟히고 말았다. 피에르는 사고가 나고 얼마 되지 않아 사망했다. 남편의 죽음으로 큰 충격에 빠진 마리는 죽은 남편을 위해 함께 시작했던 연구를 계속해나갔다.

영욕의 나날들

1906년 5월 마리 퀴리는 남편의 뒤를 이어 소르본 대학교 물리학 교수가 되면서 이 대학 최초의 여성 교수가 되었다. 순수한 라듐을 추출하는 데 성공한 그녀는 1911년 노벨 화학상을 받았다. 그러나 마리가 수상자로 선정되고 시상식을 앞두고 있던 시기에 이 수상에 대한, 정확히 말하면 수상자에 대한 구설수가 이어졌다. 언론에서 그녀가 남편의 제자였고 그녀보다 어린 폴 랑주뱅과 연인 관계라고 밝혔기 때문이었다. 폴 랑주뱅이 마리 퀴리 때문에 부인과 네 자녀를 버렸다는 등의 이야기는 사람들의 공분을 샀다. 불명예스럽게도 마리는 외국인 차별과 여성 혐오 발언의 주인공이 되기도 했다. 이 사건은 다른 나라로 퍼져나갔고 노벨 위원회는 마리에게 수상을 포기할 것을 은밀히 종용했다. 그러나 이를 거부한 그녀는 여러 난관을 극복하고 1911년 12월에 결국 노벨상을 받았다. 폴 랑주뱅은 마리 퀴리와의 관계를 끝냈지만 이 둘의 운명은 예상치 못한 우연으로 이어졌다. 마리의 손녀 엘렌 졸리오퀴리는 대학에서 젊고 매력적인 남성을 만나 사랑에 빠졌고 그와 결혼해 행복한 가정을 꾸렸다. 그런데 그 남자가 바로 폴 랑주뱅의 손자 미셸 랑주뱅이었던 것이다.

전쟁, 다시 찾아온 영광, 그리고 죽음

마리 퀴리는 1914년 소르본 대학교에 세워진 라듐 연구소의 물리학 및 화학 실험실 책임자로 임명되었다. 제1차 세계 대전이 발발하자 마리는 적십자의 의뢰를 받고 딸 이렌과 함께 엑스선 촬영이 가능한 차량을 개발했다. '작은 퀴리'라고 불린 이 장비는 수백 명의 목숨을 구했다. 그녀는 방사능 물질을 화학적으로 분석하고 이 물질을 어떻게 의학 분야에 적용할지 연구했다. 두 딸과 함께 미국 순회강연을 다니던 1921년 마리의 명성은 절정에 달했다. 당시 워런 하딩 미국 대통령은 그녀에게 라듐 1그램을 선물했다. 매우 값비싼 이 선물은 미국 여성들의 모금으로 구입한 것이었다. 1922년 마리는 프랑스 의학 학술원의 회원이 되었다. 그녀의 강연은 벨기에, 체코슬로바키아, 에스파냐, 브라질 등지로 이어졌다. 1932년 바르샤바에 라듐 연구소가 설립되었고 그녀의 언니 브로니스와바가 소장을 맡았다. 마리는 과학 연구를 장려하기 위해 국제 연맹 산하에 세워진 국제 지적 협력 위원회의 회원이 되었다. 그러나 불행히도 그녀는 평생을 바쳤던 연구의 희생자가 되었다. 방사능 물질 때문에 백혈병에 걸린 마리는 1934년 7월 4일 오뜨사부아에 있는 요양원에서 사망했다. 세상을 떠난 후에도 '최초의 여성'이라는 그녀의 공적은 이어졌다. 1995년 마리 퀴리는 여성 최초로 프랑스 팡테옹에 안장된 것이다.

마틴 루터 킹 나에게는 꿈이 있습니다

Martin Luther King, 1929년~1968년

마틴 루터 킹 목사는 일생을 미국 남부의 흑인 차별 반대 투쟁에 헌신한 인물이다. 남북 전쟁(1861~1865)으로 노예제는 폐지되었으나 플로리다, 미시시피, 앨라배마 등 남부에서는 1870년대 중반에 짐 크로 법Jim Crow Laws을 통과시켰다. 짐 크로는 흑인으로 분장하고 노래한 백인 가수 토머스 다트머스 라이스의 '점프 짐 크로'라는 곡에 나오는 이름이다. 헌법에 명시된 인종 간 평등 원칙을 바꿀 수 없자 짐 크로 법을 채택해 흑인을 이등 시민, 혹은 아무 권리도 없는 사람으로 만들어버린 것이다. 마틴 루터 킹은 간디의 비폭력 저항 운동을 본받아 1968년 암살당하기 전까지 인종 분리 철폐와 실질적인 인권 평등을 위해 투쟁했다.

윤택했지만 차별받았던 어린 시절

마틴 루터 킹 주니어는 1929년 1월 15일 애틀랜타의 침례교 목사의 아들로 태어났으며, 아버지의 뒤를 이어 목사가 되었다. 어머니 앨버타 윌리엄스 킹은 남편이 재직하고 있는 에벤에셀 침례교회에서 파이프 오르간을 연주했다. 고등 교육을 받은 부모를 둔 그는 흑인들의 부촌에서 안락한 어린 시절을 보냈다. 그러나 어린 시절 두 가지 충격적인 일을 겪게 된다. 하나는 여섯 살이 되어 학교에 들어가니 인종 분리법에 따라 어릴 적 같이 놀던 백인 친구들과 함께 공부할 수 없다는 것이었고, 다른 하나는 열두 살 때 그가 무척이나 따랐던 할머니가 돌아가시자 자살을 기도한 것이었다.

뛰어난 학생에서 반체제 인사로

마틴 루터 킹은 1944년 흑인만 가는 애틀랜타 소재의 모어하우스 대학교에 입학했다. 입학을 앞둔 여름, 그는 매우 중요한 경험을 하게 된다. 방학을 이용해 코네티컷의 담배 농장에 일하러 갔는데, 흑인과 백인이 분리되지 않고 같은 교회를 다니며

마틴 루터 킹,
1963년경.

식사도 함께 하는 놀라운 세상을 발견한 것이었다. 그는 마치 계시를 받은 것 같았다. 지금까지 꿈도 꾸지 못했던 것이 사실은 가능한 일이었던 것이다. 학업 성적이 우수했던 마틴 루터 킹은 1948년에 사회학 학사 학위를 받았고, 1951년에는 신학 학사 학위를, 1955년에는 「폴 틸리히와 헨리 넬슨 위먼의 사상에 나타난 신의 개념 비교 연구」로 박사 학위를 받았다. 그는 대학에서 공부하는 동안 두 인물로부터 지대한 영향을 받았다. 비폭력 저항 운동을 이끈 간디, 그리고 소외된 자들을 돕고 인종 차별과 분리 반대 운동을 펼친 벤저민 메이스 모어하우스 대학교 총장이다. 그는 보스턴에서 논문을 준비하던 시기에 부인 코레타 스콧을 만났다. 코레타 스콧은 뉴잉글랜드 음악원 학생이었다. 두 사람은 1953년에 결혼해 네 자녀를 두었다.

로자 파크스 사건

마틴 루터 킹이 앨라배마주 몽고메리의 덱스터가에 있는 침례교회의 목사로 재직한 지 1년이 되었을 무렵 흑인 변호사 그룹으로부터 대규모 저항 운동을 이끌 대표를 맡아달라는 부탁을 받았다. 저항 운동이 일어나게 된 발단은 1955년 12월 1일 발생한 사건 때문이었다. 시영 버스에 탄 로자 파크스라는 흑인 여성이 백인 남성에게 자리를 양보하지 않았다는 이유로 체포된 사건이었다. 죄목은 앨라배마주의 인종 분리법 위반이었다. 로자 파크스를 변호하기 위해 킹 목사를 대표로 한 '몽고메리 개선 협회'가 구성되고 대중교통 수단에 대한 보이콧이 선포되었다. 투쟁은 1년 이상 지속되었다. 흑인들은 인종 차별이 이루어지는 버스를 타느니 매일 몇 킬로미터를 걸어 다녔다. 집에 폭탄이 날아들고 가족이 위협을 받았으나 킹 목사는 포기하지 않았다. 결국 1956년 12월 21일 대중교통과 공공장소에서 인종 분리를 금지하는 대법원 판결이 나왔다.

조직적 투쟁

몽고메리에서의 승리로 킹 목사는 시민권 운동의 선봉에 섰다. 인종 분리의 폐해에 관심을 보이지 않는 사람들을 움직이려면 미국 전역은 물론 국제 사회에도 인권 운동을 알려야 했다. 1957년 그는 '남부 기독교 지도자 회의SCLC'의 창설에 앞장섰으며 암살당할 때까지 의장을 맡았다. 킹 목사는 이 조직을 통해 미국 전역을 다니며 투쟁에 대해 알렸다. 1959년 2월 인도의 네루 수상을 만난 그의 영향력은 더욱 커져갔다.

이해받지 못한 1960년대의 활동

마틴 루터 킹의 활동이 정점에 달한 바로 그때 흑인 사회 일부가 그에 대한 지지를 철회했다. 킹 목사에게 1960년대는 영욕의 시기였다. 당시 서른한 살이었던 그는 긴 투쟁과 암살 시도, 투옥 등으로 무척 지쳐 있었다. 목사라는 직분에도 불구하고 주류 사회에서 소외된 채 살아가는 흑인 청년들의 삶과 반발심, 비폭력 운동에 대한 거부 등을 이해하지 못했다. 킹 목사는 자신의 든든한 지원군이기도 했던 케네디 대통령과 마찬가지로 미디어를 이용할 줄 알았다. 그는 여전히 사람들의 마음을 사로잡았지만, 잠시 '네이션 오브 이슬람'에서 함께했던 맬컴 엑스가 흑인 사회의 미래로 떠올랐다. 킹 목사는 1963년 버밍햄에서도 보이콧 운동을 벌였으나 결과는 절반의 성공이었다. 시위 도중 청소년들이 경찰견과 물대포에 무방비로 노출된 영상이 텔레비전을 통해 전파되면서 인종 분리주의자들은 수세에 놓이게 되었다. 시장은 사임했고 경찰 서장은 해임되었다. 킹 목사는 잠시 투옥되었다. 이러한 투쟁 방식에 여론은 둘로 갈라졌다. 인종 차별을 고발하자고 아이들까지 경찰의 폭력에 노출시켜야 하느냐는 문제가 제기된 것이다. 어쨌든 논란이 되었던 이 시위의 결과 버밍햄의 공공장소에서는 인종 차별이 철폐되었다.

권리를 위한 행진

마틴 루터 킹은 흑인 인권 운동가들과 함께 워싱턴을 향해 역사적인 행진을 단행했다. 1963년 8월 28일 링컨 기념관 광장에 20만 명의 관중이 모인 가운데 킹 목사는 그 유명한 연설을 했다. "나에게는 꿈이 있습니다"로 시작되는 이 감동적인 연설에서 그는 흑인 아이들과 백인 아이들이 평등과 박애의 세상에서 함께 사는 꿈을 펼쳤다. 케네디 대통령 암살 사건 후 채 1년이 지나지 않은 시점에 존슨 부통령은 헌법이 정한 대통령 권한 대행 임기를 끝내면서 민권법에 서명했다. 이제 워싱턴의 연방 정부는 모든 주 정부에 인종 분리 철폐와 인종 차별 금지를 강제할 수 있는 권한을 갖게 되었다. 그해 12월에 킹 목사는 노벨 평화상을 수상했다.

빈곤 퇴치 운동의 실패와 종말

그 후 이어진 킹 목사의 운동은 대부분 실패로 끝났다. 먼저 1965년 앨라배마주 셀마에서 거행한 행진이 도중에 중단되는 사건이 있었다. 피터스 다리에서 경찰 및 군대와 맞닥뜨린 시위대 중 절반 이상이 후퇴해버린 것이다. 그러자 사람들은 투표법 통과의 대가로 시위를 중단하기로 미리 약속한 것이 아니냐는 의심을 갖기 시작했다. 실제로 그해 투표법이 채택되면서 인종 간 권리의 평등이 이루어진 터였다. 킹 목사에 반대하는 사람들은 시위대가 피터스 다리에서 행진을 멈추고 후퇴함으로써 인종 차별주의를 견지하는 앨라배마 정부와 손을 잡았다고 비난했다. 그러나 시위가 온건해지면서 워싱턴 정부가 지방 정부에 인종 간 평등을 보장하는 민권법의 채택을 더욱 쉽게 요구할 수 있었던 것도 사실이다. 1965년 시카고의 흑백 거주지 분리 정책을 폐지하기 위한 투쟁은 성공으로 끝났다. 그러나 이 또한 완전한 성공은 아니었다. 흑인 가정이 이사를 오면 백인들은 살던 곳을 떠났기 때문이다. 로스앤젤레스의 경우 흑인 가정과 경찰과의 충돌에서 촉발된 와츠 시위는 "모두 불태워버리자!"라는 구호 속에 폭동으로 이어졌다. 10여 명이 사망하고 수백 동의 건물이 파괴되었으며 수천 명이 체포되었다. 그 후 베트남전 반대 운동을 벌인 킹 목사는 대도시 외곽의 소외된 흑인 청년들에 이어 일부 흑인 중산층의 지지도 얻었다. 1968년 초 킹 목사는 빈곤 퇴치라는 야심 찬 계획을 추진했다. 이를 위해 케네디 대통령의 대선 공약이었던 '뉴 프런티어' 정책을 이용했다. 그러나 너무 다양한 계층을 대상으로 하다 보니 모두의 공감을 얻을 수 있는 공동의 대의를 찾기가 쉽지 않았다. 1963년에 단행했던 인권 평등을 위한 행진을 모델로 삼아 기획한 워싱턴 빈곤 퇴치 대행진은 결국 취소되었다. 1968년 4월 3일 킹 목사는 멤피스의 메이슨 템플 교회에서 흑인들은 약속의 땅에 들어갈 것이며 자신은 함께 가지 못할 수도 있다는 설교를 했다. 이 예언과도 같은 연설이 있던 다음 날 그는 로렌 모텔의 발코니에서 신원 미상의 저격범에 의해 살해되었다. 두 달 뒤 흑백 분리주의자 제임스 얼 레이가 런던 히스로 공항에서 체포되어 미국으로 인도되었다. 그는 처음에 암살을 자백했으나 후에 강요에 의한 자백이었다고 주장했고, 죽을 때까지 이 주장을 굽히지 않았다.

바스키아 벽 위로 떨어진 운석

Basquiat, 1960년~1988년

스물일곱 살의 나이에 요절한 장미셸 바스키아Jean-Michel Basquiat는 짧지만 강렬한 활동을 통해 수많은 작품을 남겼다. 1980년대 뉴욕을 풍미했던 여러 대안적 예술가 그룹에 속했던 바스키아는 대표적인 언더그라운드 작가로 꼽힌다. 그는 소호의 건물 벽면에 그라피티를 그리기 시작했고 종국에는 뉴욕 현대 미술관에 작품이 전시되는 작가가 되었다. 전통적인 미술 교육을 받지 않은 바스키아의 작품에는 다듬어지지 않은 거친 면이 드러나곤 했다. 그의 작품은 아프리카와 라틴 아메리카, 카리브해 지역의 예술과 아즈텍 문명이 뒤섞인 추상 표현주의를 연상시킨다. 그는 후기 모더니즘적 방식을 견지하면서 이러한 다양한 예술 사조를 자신만의 것으로 새롭게 해석했다.

브루클린에서 푸에르토리코로, 다시 브루클린으로

바스키아는 1960년 12월 22일 브루클린에서 태어났다. 푸에르토리코계 미국인 어머니 마틸드는 어린 바스키아의 예술적 재능을 일깨워주었다. 아이티 출신의 아버지 제라르는 1967년 부인과 이혼한 후 바스키아와 두 딸의 양육을 맡았고, 1974년 아이들을 데리고 푸에르토리코에 정착했다. 그러나 2년 뒤 그들은 뉴욕으로 돌아왔다. 공부를 잘하던 바스키아가 열일곱 살에 학교를 그만두자 아버지는 그를 집에서 쫓아냈다. 바스키아는 그 후 3년간 온갖 아르바이트를 전전하고 노숙을 하면서 떠돌이 생활을 이어나갔다. 나중에 이 방랑의 시기는 그를 예술가로 성장시킨 중요한 경험으로 미화되었다.

너무 일찍 만개한 꽃

바스키아는 알 디아스나 섀넌 도슨과 같은 그라피티 화가들을 알게 되었다. 이들은 버려진 건물 외벽을 낙서로 뒤덮었고 행인들은 이 독특한 예술적 표현에 관심을 갖기 시작했다. 1978년 뉴욕의 대안 신문 『빌리지 보이스』에 바스키아, 더 정확히는

'세이모SAMO'라는 예술가 그룹에 대한 기사가 실렸다. 'SAMO'는 'Same Old Shit' 라는 영어 속어의 약자로 '진부하고 형편없는 것'을 의미한다. 바스키아는 록 그룹 '그레이Gray'도 결성했다. 그가 일대 전환기를 맞은 것은 1980년 독립 영화 「다운타운 81번시」에 출연하고 〈타임스 스퀘어 쇼〉와 〈뉴욕/뉴웨이브〉, 두 그룹전에 참여하면서부터이다. 앤디 워홀의 격려와 지지를 받은 바스키아는 음악을 포기한다. 시인이자 기자인 르네 리카드가 유명한 예술 잡지 『아트포럼』에 '눈부신 아이'라는 제목으로 바스키아에 관한 기사를 내던 무렵 이 젊은 예술가의 본격적인 예술 활동도 시작되었다.

너무 짧았던 성공

1981년 바스키아는 아니나 노세이와 계약을 맺고 그녀의 갤러리에서 열린 전시회에 참여했다. 이탈리아의 신표현주의 〈트란스반구아르디아 이탈리아/아메리카〉 전시회에도 참여한 그는 키스 해링과 줄리안 슈나벨과 함께 언론의 주목을 받았다. 1982년 로스앤젤레스에 있는 래리 가고시안의 갤러리에서 그의 개인전이 열렸다. 곧이어 아니나 노세이를 떠난 바스키아는 현대 미술을 소개하는 가장 큰 갤러리 대표이자 미술상인 브루노 비쇼프버거를 에이전트로 삼고 눈부신 활동을 이어갔다. 앤디 워홀과 공동 작업을 펼쳤고, 1983년 3월에는 20세기 미국을 대표하는 예술가들을 소개한 뉴욕 휘트니 미술관 비엔날레전에 초대된 것이다. 당시 고작 스물두 살이었던 바스키아의 작품은 엄청난 가격에 팔려나갔고 그는 하루아침에 부자가 되었다. 이미 동성애 파티와 마약으로 얼룩진 그의 삶은 최고의 유명 인사가 되면서 더욱 문란해졌다. 그러나 새로운 시작을 다짐한 바스키아는 온갖 유혹이 벌어지는 뉴욕을 떠나 하와이 제도 마우이섬에서 3개월간 머물며 독서와 그림에 몰두했다. 이 시기의 작품들은 뉴욕으로 돌아온 뒤 매리 분 갤러리에 전시되었고 뉴욕 현대 미술관에서도 소개되었다. 1985년 『뉴욕 타임스 매거진』은 '새로운 예술, 새로운 돈: 어느 미국 예술가의 마케팅'이라는 제호의 표지에 바스키아의 사진을 실었다. 1986년 브루노 비쇼프버거가 코트디부아르의 수도 아비장의 프랑스 문화원에서 열리는 전시회를 기획했고, 이를 계기로 바스키아는 아프리카를 방문했다. 그러나 이듬해부터 가혹한 시련이 시작되었다. 2월에 앤디 워홀이 사망하자 슬픔을 견디지 못한 바스키아는 세상과 벽을 쌓고 작품 활동도 중단한 채 약에 의지했다. 다행히 1988년 전시회를 열었고 그해 7월 마약에서 벗어나고자 하와이로 떠나기도 했다. 그러나 8월 초 본토로 돌아온 그는 8월 12일에 약물 과다 복용으로 숨진 채 발견되었다.

베토벤 ‘다양한 영혼’의 소유자

Beethoven, 1770년~1827년

루트비히 판 베토벤Ludwig van Beethoven은 고전주의와 낭만주의를 이어준 음악가이자 가장 위대한 작곡가로 여겨진다. 그의 작품에는 모차르트와 하이든의 음악적 유산은 물론 괴테의 ‘질풍노도Sturm und Drang’ 같은 영혼, 프랑스 혁명으로 잉태된 자유에 대한 열망 등이 결합되어 있다. 이는 인간과 인간 의지에 대한 전적인 신뢰를 의미하며, 베토벤은 음악을 통해 이를 실현하고자 했다. 베토벤은 거듭된 사랑의 실패, 난청으로 인한 고통, 그리고 그로 인해 스스로 만든 고립에도 불구하고 평생 최고의 가치로 여긴 인간의 존엄을 지키고 견고하게 해주는 새롭고 격정적인 음악을 창조했다.

잊고 싶은 어린 시절

1770년 12월 요한 판 베토벤과 마리아 막달레나 케베리히의 아들로 태어난 베토벤은 본에 기반을 둔 음악가 집안 출신이다. 플랑드르 출신의 할아버지는 독일 쾰른의 선제후가 소유한 교회의 음악 감독으로 재직했다. 베토벤의 이름에 독일 귀족 가문의 표시인 ‘폰von’ 대신 플랑드르 귀족을 의미하는 ‘판van’이 붙는 이유이다. 1773년 조부의 죽음으로 가세가 기울기 시작했다. 폭력적인 알코올 중독자였던 아버지는 가장의 본분을 도외시했고 이후 어머니마저 베토벤이 열일곱 살이 되던 무렵에 세상을 떠나자 그는 가족의 생계를 책임져야 했다. 열한 살에 학업을 중단한 베토벤은 음악 교육은 물론 기본 교육도 제대로 받지 못했다. 그가 피아노에 재능을 보이자 아버지는 이를 이용해 돈을 벌고자 했으나 뜻을 이루지는 못했다. 지나치게 커다란 머리에 표정마저 어두운 베토벤에게 어린 모차르트의 매력은 찾을 수가 없었던 것이다. 1784년 요제프 2세의 동생인 오스트리아의 막시밀리안 프란츠가 등장하면서 상황은 달라졌다. 쾰른의 선제후가 된 그는 본을 학문과 문화의 중심지로 만들었다. 궁정 오르가니스트로 임명된 크리스티안 고틀로프 네페는 베토벤에게 오르간과 피아노 연주 및 작곡을 가르쳤다. 네페의 보조 오르가니스트가 된 베토벤은 1783년 「드레슬러 행진곡에 의한 9개의 변주곡」을 발표하며 음악가로서의 삶을 시작했다.

배움의 시간

예술가들의 후원자를 자처했던 페르디난트 폰 발트슈타인은 1787년 젊은 베토벤의 재능을 알아보고 그를 신성 로마 제국의 수도였던 빈으로 데려갔다. 여기서 베토벤은 모차르트의 곡을 연주했을 것으로 추정되지만 확인할 수 있는 기록은 없다. 다만 모차르트가 지인들에게 "이 청년은 온 세계가 다 아는 위대한 인물이 될 것"이라고 말했다는 이야기가 전해진다. 모친의 사망 소식에 본으로 돌아간 베토벤은 그곳에 5년간 머물면서 요제프 폰 브로이닝 백작의 미망인의 네 아이들 중 둘에게 음악을 가르쳤다. 브로이닝가에 머물면서 다른 귀족의 자제들도 가르쳤고, 발트슈타인과도 정기적으로 만났다. 1792년 베토벤은 발트슈타인의 소개로 잠시 본에 머물고 있던 요제프 하이든을 만날 수 있었다. 베토벤이 요제프 2세의 타계를 애도하고 후계자 레오폴트 2세의 즉위를 축하하며 작곡한 칸타타를 듣고 이에 매료된 하이든은 베토벤을 빈으로 불러 제자로 삼았다.

빈에서 완성한 음악가의 삶

1792년에서 1794년까지 베토벤은 하이든의 강의를 들었다. 그런데 문제가 좀 있었다. 베토벤은 스승 하이든이 자신의 재능을 시기한다고 의심했고 하이든은 베토벤의 괴팍한 성격에 격노했다. 하이든이 런던으로 돌아가자 베토벤은 빈의 슈테판 대성당 성가대장 요한 게오르크 알브레히츠베르거와 궁정 소속 작곡가 안토니오 살리에리를 사사했다. 베토벤은 이미 피아니스트로서 생계를 꾸려갈 수 있었고 그를 후원하는 귀족들도 많았다. 그중 카를 폰 리히노프스키 후작은 베토벤에게 숙식을 제공했다. 1795년 베토벤은 사전 예약금을 받아 「피아노, 바이올린, 첼로를 위한 삼중주」 3곡, 그의 첫 피아노 소나타 등을 발표했고, 「피아노 협주곡 2번」으로 공식적인 첫 음악회를 열었다. 그 후 3년 동안 베토벤은 프랑스 혁명 전쟁으로 유럽 내 이동이 매우 어려운 와중에도 베를린, 라이프치히, 프라하 등지에서 연주회를 가졌다. 관객들은 베토벤이 작곡한 훌륭한 곡은 물론 그의 현란한 피아노 연주 솜씨에 열광했다. 베토벤은 3년 남짓한 기간 동안 「피아노 협주곡 1번」, 「피아노 소나타 8번」 '비창', 「교향곡 1번」 등 수많은 작품을 남겼고, 18세기 말 그는 이미 유명한 음악가가 되어 있었다.

어느 창작가의 행운과 불행

1802~1804년 나폴레옹의 행적에 고무되고 민주주의 이상에 열광한 베토벤은 나폴레옹에게 헌정할 일명 '영웅'이라 불리는 「교향곡 3번」을 작곡하기 시작했다. 그러나 나폴레옹이 황제로 등극하자 격분한 베토벤은 '영웅 교향곡, 위대했던 영웅을 기리며'로 헌정 문구를 바꾸었다. 1805년 4월에 완성한 「교향곡 3번」 '영웅'은 긴 연주 시간 때문에 반응이 썩 좋지는 않았다. 「바이올린 소타나 9번」 '크로이처', 「피아노 소나타 21번」 '발트슈타인', 「피아노 소나타 23번」 '열정' 등도 이 시기의 작품이다. 그러나 베토벤의 유일한 오페라 「피델리오」는 실패작이었다. 1806년 그가 리히노프스키 후작과 절연을 선언할 때 "지금의 당신은 태어나면서 저설로 얻은 것이지만, 지금의 나는 나 스스로 만든 것입니다. 왕족은 앞으로도 많겠지만 베토벤은 나 하나뿐일 것입니다"라고 당당히 말했다고 전해진다. 베토벤은 후원자도 잃고 무일푼이 되었으나 왕성한 작품 활동을 계속해 「교향곡 4번」, 「바이올린 협주곡」, 「교향곡 5번」 '운명', 「교향곡 6번」 '전원' 등을 세상에 내놓았다.

가혹한 운명

베토벤에게 행운이 따르기 시작했다고 생각될 즈음 운명은 가장 잔인한 얼굴로 다가왔다. 1796년부터 시작된 청력 이상은 6년 후 청력의 심각한 손실로 이어졌고 결국 베토벤은 사회로부터 스스로를 고립시키고 말았다. 1802년 10월 6일 그는 동생 카스파와 요한에게 편지를 썼다. 끝내 부치지 못한 이 '하일리겐슈타트 유서'는 그가 사망한 뒤에 발견되었다. 편지에는 청력 손실로 인한 고통과 절망이 그대로 담겨 있다. 베토벤은 자살까지 생각했으나 창작 활동을 통해 삶을 이어갈 수 있었다. "오로지 예술만이 나를 지탱해주고 있구나. 내가 만들 수 있을 것들을 세상에 모두 내놓지 못한 채 죽을 수는 없다. 그리하여 나는 비참하기 그지없는 삶을 계속 살려 한다"고 편지는 전한다. 그리고 베토벤은 「바이올린 소나타 5번」 '봄', 「피아노 소나타 14번」 '월광', 「교향곡 2번」, 「피아노 협주곡 3번」 등을 만들었다. 연주가로서의 재능 역시 뛰어났던 그였지만 청각을 잃게 되면서 더 이상 연주회를 열 수 없었다. 당시 빈은 피아노 연주 경쟁에 혈안이 되어 있었고 베토벤을 이길 연주자는 없었기에 그의 낙심은 더더욱 클 수밖에 없었다. 베토벤은 모든 것을 잃을지도 모른다는 두려움에 청각 장애 사실을 숨기고자 점점 더 사람들로부터 스스로를 고립시켰다. 1820년 청력을 완전히 상실한 그는 죽을 때까지 오로지 작곡에만 몰두했다.

사랑도 잃고 돈도 잃고

베토벤은 여러 번 연애를 했으나 불타는 열정은 아니었다. 물론 그가 피아노를 가르쳤던 줄리에타 귀차르디 백작 부인과 그 사촌들인 테레제 폰 브룬스비크와 요제피네 폰 브룬스비크 등 그의 주위에는 늘 여인들이 있었다. 줄리에타 귀차르디에게 「월광 소나타」를 바쳤으나 그녀는 갈렌베르크 백작과 결혼했다. 그러자 베토벤은 폰 다임 백작의 미망인 요제피네 폰 브룬스비크와 결혼하기로 결심했다. 그러나 브룬스비크 가문의 반대에 부딪혀 1807년 결국 결혼을 포기했다. 1810년 베토벤은 주치의의 딸 테레제 말파티와도 가까이 지냈으나 결혼으로 이어지지는 못했다. '불멸의 연인에게 보내는 편지' 세 통에서 스스로 보여준 열정과 연애 사건들에도 불구하고 베토벤은 독신으로 삶을 마쳤다. 베토벤이 사망한 후 어느 그림 뒤에서 발견된 이 편지들의 정확한 수취인은 알 수 없지만, 괴테 친구의 이복동생 안토니아 브렌타노였을 것으로 추정된다. 연애에서 성공하지 못한 베토벤은 물질적 측면에서도 어려움을 겪었다. 베스트팔렌 왕국의 국왕 제롬 보나파르트가 제안한 성가대장 자리를 거절한 그는 대신 빈의 후원자들이 약속한 장밋빛 수익을 선택했다. 물론 잘못된 선택이었고 예상했던 종신 연금은 만져보지도 못했다. 1815년 동생 카스파가 죽자 조카의 후견인 자리를 놓고 제수와 5년간 싸움을 벌였다. 어쩌다 들어오는 수입은 재판 비용으로 들어갔고 결국 그는 승소했다. 그러나 어린 조카는 괴로움에 자살을 시도했다.

음악으로 죽음에 맞서다

베토벤은 여러 번 런던에 정착하려고 했다. 그를 외면하기 시작한 빈과는 달리 런던에서는 그의 음악이 인기가 있었고 따라서 후원자를 구할 수 있으리라 믿은 것이다. 하지만 그의 계획은 매번 무산되었다. 베토벤의 말년은 말 그대로 고행의 연속이었다. 폐렴, 관절염 등을 앓으며 기력이 많이 쇠약해졌고, 무기력과 격분의 상태를 오갔으며 설상가상으로 점점 더 술에 의지하게 되었다. 그럼에도 작품 활동은 왕성하게 이루어졌다. 「교향곡 7번」, 「웰링턴의 승리」, 「교향곡 8번」을 비롯해 여러 곡의 피아노 소나타와 첼로 소나타 등이 이 시기에 만들어졌다. 그러나 이미 쇠약해진 몸에 병마가 찾아오자 역동적이던 창작력은 사라지고 말았다. 또다시 스스로 생을 마감할 생각을 했으나 병세가 호전되어 1819년에 「하머클라비어를 위한 대형 소나타」를 발표했으며 1822년에는 「장엄 미사곡」을 완성했다. 1819년에서 1823년에는 「디아벨리의 왈츠를 주제로 한 33개의 변주곡」을 만들었다. 1824년 그의 대표작이라고 할 수 있는 「교향곡 9번」이 완성되면서 교향곡의 새로운 장이 열렸다. 마지막 악장인 4악장 피날레에 프리드리히 폰 실러의 시 「환희의 찬가」를 각색해 합창 부분의 가사로 사용한 것이다. 이 악장의 도입부에 나오는 주제 선율은 1972년 이후로 유럽 연합을 상징하는 유럽가로 사용되고 있다. 1826년 중병에 걸린 베토벤은 1827년 3월 26일 빈에서 생을 마감했다.

빈센트 반 고흐 눈부신 태양

Vincent van Gogh, 1853년~1890년

빈센트 반 고흐는 휴머니스트 화가이다. 그는 인류를 돕겠다는 마음으로 붓을 들었고, 마치 사람들에게 설교하듯 화폭 위에 눈부신 색들을 수놓았다. 한때 목회자로 일하기도 했던 고흐는 결코 자신의 양들을 버린 적이 없었다. 그의 작품 앞에서 사람들은 새로운 영혼이 태어나는 것을 느끼기 때문이다. 그는 인간에 대한 사랑을 위해 광기와 죽음이라는 값비싼 대가를 치렀다. 대신 그림은 남았다. 고흐는 10여 년 동안 모든 에너지를 쏟아 창작 활동에 매달렸다. 특히 생애 마지막 두 달 동안에는 매일 그림을 하나씩 그려내며 광기에 가까운 창작열을 불태웠다. 그리고 그의 남은 삶 속에 펼쳐진 것은 들판, 총성, 마지막 이틀, 그리고 죽음과 맞바꾼 불멸이었다.

연약한 소년

빈센트 빌럼 반 고흐Vincent Willem van Gogh는 1853년 3월 30일 네덜란드 남쪽 브라반트주의 쥔더르트에서 태어났다. 아버지는 집안의 전통에 따라 목사 직분에 임했고 어머니가 여섯 자녀를 키웠다. 고흐의 집안은 대대로 미술품 거래와도 관련이 있었다. 고흐의 숙부는 당시 국제적 미술상이었던 헤이그의 구필 화랑에 다녔고 고흐를 이 화랑에 취직시켰다. 조용하고 내성적인 성격의 고흐는 열여섯 살 때부터 화랑에서 일하게 되었다. 1873년에서 1875년까지는 구필 화랑의 런던 사무소에서 일했으며 그 후 1년 동안은 파리 사무소에 다녔다.

현장에서 배우다

일찍부터 렘브란트와 프란스 할스, 장프랑수아 밀레, 카미유 코로의 그림을 좋아했던 고흐의 예술적 취향은 화랑을 다니면서 더욱더 발전했다. 그렇지만 개인적 측면에서 보자면 런던에서 체류한 일은 씁쓸한 경험이었다. 마음에 둔 여인에게 사랑을 고백했으나 거절당한 것이다. 파리 사무소에서의 근무 또한 암울한 기억으로 남았다. 고객들에게 예술은 상품이 될 수 없다고 설명했다는 이유로 해고를 당한 것이다. 영국으로 간 그는 감리교 공동체에서 교육과 설교를 맡았다. 이후 네덜란드로 돌아와 가족의 응원 속에 도르트레히트의 서점에서 일을 하기 시작했고 그곳에서 종교적 소명을 깨달았다. 목사가 되기 위해 신학을 공부했으나 시험에서 떨어진 고흐는 평신도 목사가 되기로 마음먹었고, 1879년 벨기에의 보리나주 탄광촌에 설교자로 임직되었다. 광부들을 영적으로 보살피고자 했던 그는 재산을 처분하고 이들의 가난한 삶에 동참했다. 그러나 그리스도의 청빈을 이상으로 삼은 고흐의 극단적이고 주관적인 목회 방식에 겁먹은 교회는 그를 즉각 해임했다. 교회의 결정을 받아들일 수 없었던 고흐는 반발했다. 가난한 이들을 위한 영적 위로의 길이 막힌 고흐는 예술을 통해 이들과의 연대감을 표현하기로 결심했다.

탄광촌을 떠난 10년

고흐가 화가로 산 기간은 1880년부터 1890년까지 10년에 불과하다. 게다가 본격적인 작품 활동 기간은 이보다 더 짧다. 독학으로 그림을 그리다가 정식으로 미술 교육을 받아야 할 필요성을 느낀 고흐는 이 중 몇 년 동안을 미술 학교에 다녔기 때문이다. 1881년 스케치를 배우기 위해 브뤼셀의 미술 학교에 들어갔으나 얼마 뒤 네덜란드 에텐에 살고 있던 가족 곁으로 돌아가 목사인 친척 집에 머물렀다. 고흐는 자신의 그림에 만족할 수 없었고 연륜 있는 화가의 '손길'을 간절히 원했다. 그는 바르비종파의 영향을 크게 받은 풍경화가 안톤 마우베의 회화 수업을 받기 위해 헤이그로 갔다. 그곳에서 미술관을 방문하고 다른 화가들을 만나면서 다양한 영감을 얻었다. 또한 회화 기법을 개선하는 동시에 유화도 그리기 시작했다. 그러나 고흐는 자연과 고독이 그리웠다. 결국 1883년 네덜란드 북부에 위치한 척박하고 황량한 드렌테주에서 3개월간 머물며 고생의 흔적이 그대로 나타나 있는 농부들의 얼굴을 화폭에 담았다. 그 후 2년 동안은 브라반트주의 뉘넌에 살고 있던 가족 곁에서 지냈다. 이 시기에는 정물화와 농부들의 초상화를 주로 그렸다. 에밀 졸라의 소설 『제르미날』은 고흐의 내면에 있던 사회 비판적 감성을 일깨웠고 이는 「감자 먹는 사람들」을 통해 전해졌다.

「예술가의 초상」,
빈센트 반 고흐, 1889년.

해바라기

고흐는 파리에 머무는 동안 창작열에 불타올랐다. 그러나 극심한 신경과민으로 인한 기력 쇠약에 시달렸다. 1888년 2월, 늘 자연을 그리워하고 새로움을 추구하던 고흐는 건강이 안 좋아지자 아를로 떠났다. 눈 덮인 산에서부터 태양에 익어버린 초원까지, 프랑스 남부 지방은 고흐에게 큰 영감을 불어넣었다. 자연과 사람, 집들과 그 안의 풍경, 심지어 자신의 내면까지, 무엇하나 그의 눈길을 사로잡지 않는 것이 없었다. 「해바라기」, 「아를의 여인」, 「노란 집」, 「아를의 침실」, 「밀짚모자를 쓴 자화상」, 「우편배달부 조셉 룰랭의 초상화」 등 눈부신 작품들이 연이어 탄생했다. 홀로 있는 것을 좋아한 그였지만 아를에서 느낀 모든 것을 동료 예술가들과도 나누고 싶은 마음에 집을 빌려 파리에 있는 친구들을 초대했다. 툴루즈로트레크는 초대를 거절했다. 파리의 카바레를 무척이나 좋아했던 그는 프랑스 남부 지방으로 다시 내려갈 마음이 없었던 것이다. 반면 초대에 응한 폴 고갱은 1888년 10월 아를에 도착했다. 고흐와 고갱은 두 달 동안 함께 작업했다. 하지만 고흐는 이기적이고 화를 잘 내는 고갱과 줄곧 부딪쳤고 번번이 상처를 받았다. 둘 사이의 갈등이 최고조에 달했던 1888년 12월 고흐는 면도칼을 들고 도망치는 고갱을 쫓아갔다. 얼마 후 고갱은 파리로 돌아갔고, 홀로 남은 고흐는 자신의 왼쪽 귀를 잘랐다. 그리고 매춘부를 찾아가 잘라낸 귀를 건네고 잠자리에 들었다. 이 사건 직후 고흐는 입원 치료를 받았고 이때 그 유명한 「파이프를 물고 귀에 붕대를 한 자화상」을 그렸다. 이어진 몇 달 동안 극심한 정신적 고통에 시달리던 고흐는 1889년 4월 생레미드프로방스 정신 병원에 들어가 1년을 보냈다. 상태가 호전된 그는 병실 창문 너머로 보이는 정경을 화폭에 담은 작품 「사이프러스와 꽃이 핀 나무가 있는 풍경」과 「사이프러스가 있는 밀밭」을 완성했다. 또한 「붓꽃」과 「병원 정원에 핀 라일락」을 비롯해 환자들의 초상을 그렸으며 렘브란트와 밀레의 모작들을 남겼다.

끝없는 연구

예술에서도 또한 인간관계에서도 완벽주의자였던 고흐는 결코 만족하는 법이 없었다. 아직 완벽하게 색을 다루지 못하는 그에게 베로네세, 들라크루아, 루벤스의 화폭은 눈이 부셨다. 루벤스의 색채를 연구하러 안트베르펜으로 간 고흐는 그곳 미술학교에 다녔다. 그렇지만 고흐는 파리에서 접한 인상주의와 일본 판화에서 더 큰 영향을 받았다. 1886년 그는 파리에 머물고 있던 동생 테오를 보러 갔다. 두 형제는 모든 면에서 마음이 잘 맞았다. 화상인 테오는 고흐의 후원자였고, 그의 그림을 가장 먼저 보고 가장 먼저 의견을 주는 등 형에 대한 지원을 아끼지 않았다. 형제 사이에 오고간 수많은 서신에 따르면, 이따금 둘이 크게 싸우고 서로 안 볼 때도 있었지만 절연한 적은 결코 없었다. 파리에 간 고흐는 조르주 쇠라, 폴 고갱, 툴루즈 로트레크, 카미유 피사로 등을 만났고 값진 조언도 얻었다. 그는 1년 반 만에 자신만의 기법을 완성했다. 강하고 거침없는 그의 붓놀림은 고흐를 후기 인상주의를 대표하는 화가로 자리매김하게 해주었다. 이 시기에 나온 작품으로는 「중절모를 쓴 자화상」, 「해바라기」, 「밤의 카페테라스」 등이 있다.

너무 빨리 온 결말

고흐는 고국 네덜란드에 대한 향수와 동생에 대한 그리움으로 괴로워했다. 1890년 5월 파리로 돌아와 테오와 그의 가족을 만났다. 고흐가 오베르쉬르우아즈에서 머물던 곳은 피사로의 친구이자 의사, 예술 애호가, 화가이기도 한 폴 가셰의 집과 가까웠다. 고흐는 「가셰 박사의 초상」을 그렸는데, 그에게 가셰 박사는 마음의 위로가 되는 존재였고, 더구나 테오가 네덜란드로 돌아간 후 가장 의지한 친구였다. 그러나 고흐의 평온한 마음은 오래가지 않았다. 가셰 박사와 사이가 틀어진 것이다. 이 무렵 고흐의 창작력은 상상을 초월했다. 두 달 동안에 70여 점의 그림을 그렸고, 과로로 인해 불안증은 더 심해졌다. 1890년 7월 27일 고흐는 들판으로 나가 자신의 가슴을 향해 총을 쏘았다. 그리고는 묵고 있던 라부 여인숙까지 간신히 돌아왔다. 여인숙 주인은 가셰 박사를 불렀으나 이미 늦은 상태였다. 테오도 달려왔다. 이틀 후 고흐는 세상을 떠났다. 매독을 앓고 있던 테오도 1891년 1월 25일 유트레히트 정신병원에서 사망했다. 1914년 테오의 부인은 남편의 유골을 오베르쉬르우아즈 묘지로 이장했다. 두 형제는 송악 덩굴 아래 나란히 잠들어 있다.

샤를 드골 프랑스 만세!

Charles de Gaulle, 1890년~1970년

샤를 드골의 전기문을 작성하는 것은 그가 워낙 유명한 인물인 데다가 세세한 언행까지 잘 알려져 있는 까닭에 자못 무모해 보이기도 한다. 따라서 여기서는 일생의 연대기를 덤덤하게 따라가면서 20세기 정치 거목의 하나로 남은 인물의 확신에 찬 언행을 부각할 것이다. 증조부모 때까지 멀리 거슬러 올라가지 말고 다채롭고 긴박했던 한평생 동안 그의 선택을 좌우했던 일들에 대해 살펴보도록 하자.

어느 모로 보나 훌륭한 젊은이

샤를 앙드레 조제프 마리 드골Charles André Joseph Marie de Gaulle은 1890년 11월 22일 프랑스의 릴에서 태어났다. 나열된 이름만으로도 그의 생애 이모저모를 짐작해볼 수 있을 것이다. 그는 국가에 봉사하는 가톨릭교도, 요컨대 영광스러운 선조 샤를마뉴 대제와 잘 알려진 마리아와 요셉을 연상시키는 인물인 것이다. 드골은 전통 교육을 받았으며 아주 일찍부터 군사학 분야에 깊은 관심을 보였다. 프랑스 육군 사관학교를 졸업한 그는 소위 계급장을 달았으며 필리프 페탱 대령이 이끄는 보병 연대에 배속되었다. 드골은 양식과 지식을 두루 갖춘 인물이었다. 그런 까닭에 드골이 어린 시절 잠시 교육을 받았던 벨기에 예수회(프랑스에서는 1905년 이후 예수회 교육이 금지되었다)에서는 그를 자랑으로 여겼다.

전쟁 영웅과 탁상 위의 전략

제1차 세계 대전 중에 드골 대위는 여러 차례 부상을 입었다. 1916년 3월 베르됭 인근의 두오몽 요새 근처에서 그는 대퇴부를 총검에 찔리는 큰 상처를 입고 포로가 되었다. 다섯 차례 탈출을 기도한 후에 그는 1918년 11월 11일 휴전 조약이 체결되어 석방되었다. 드골은 군사 위원단의 일원으로 폴란드에 파견을 나가기도 했으며, 육군 사관 학교에서 1년, 고등 군사 학교에서 2년 동안 생도들을 가르치기도 했다.

페탱 원수는 그를 참모 본부로 불러들였다. 1921년 4월 그는 이본느 방드루와 결혼했는데, 나중에 제5공화국이 탄생한 뒤에 프랑스인들은 그녀를 '이본느 아주머니'라고 부르곤 했다. 1927년에서 1929년 사이에 드골은 프랑스 점령군을 이끌고 라인란트에서 근무했으며 중동 지방에서 2년을 보냈다. 그는 이렇게 여러 보직을 맡으면서 군사 문제에 대해 남다른 생각을, 그것도 대개의 경우 그의 상관들이 일반적으로 받아들이던 의견과는 다른 견해를 갖게 되었다. 상관들은 하물며 한적한 지방 도시의 군사 교관 자리를 제의하면서 그를 한직으로 몰아내려 한 듯하다. 하지만 페탱 원수가 아직은 드골의 후원자 역할을 했는데, 페탱은 필요한 경우 드골의 근무 평점을 높여주고 그에게 불리한 보고서들을 재검토하면서 그의 앞길에 놓인 장애물을 치워주었다. 드골의 저서는 남들에 앞서 시대의 문제점을 포착해내는 그의 기량을 잘 보여준다.『적의 내분』(1924)은 독일 바이마르 공화국 시기 민간 권력과 군대 권력 사이의 위험한 분열을 잘 분석하고 있으며,『칼날』(1932)에 나타나는 군사 지휘관으로서의 철학은 미래의 지도자이자 장군으로서의 기량을 담고 있다.『미래의 군대』(1934)는 전문화된 군부대의 중요성을 강조하고 정태적인 방어 전술을 대체할 새로운 전략을 제안한다. 이 모든 저술은 상관들의 견해와는 어긋나는 내용을 담고 있다. 게다가『프랑스와 프랑스 군대』(1938)를 놓고는 급기야 페탱 원수와도 견해를 달리했다. 여기서 드골은 프랑스의 운명과 군대의 운명을 밀접하게 연결시켰으며, 특히 그의 멘토이기도 한 페탱 원수가 노발대발할 정도로 제1차 세계 대전에서 드러난 프랑스군의 이면을 조금도 숨김없이 보여주고 있다.

자유 프랑스의 인물

육군 기갑 부대의 창설을 주장한 드골은 메스에 주둔한 507 전차 연대의 지휘관이 되었다. 1939년에 대령으로 진급한 드골은 제5군단 기갑 부대를 지휘했다. 평온하던 전선에서 갑자기 '기묘한 전쟁', 제2차 세계 대전이 벌어졌다. 5월 말 드골은 제4예비 기갑 사단을 이끌고 독일군과 맞섰으며, 6월 5일 국방부 차관에 임명되었다. 6월 16일 페탱 원수가 휴전을 요구하자 다음 날 런던으로 날아갔다. 6월 18일 그는 BBC 방송을 통해 유명한 항독 레지스탕스 투쟁을 선언했다. 8월 2일 프랑스 군사

법정은 궐석 재판에서 드골에게 사형을 언도했다.

프랭클린 루스벨트 미국 대통령의 적대적인 태도나 윈스턴 처칠 영국 수상의 때로는 성가신 지지에도 불구하고 드골은 '자유 프랑스'를 구축하는 데 성공했다. 그는 1943년에 프랑스 민족 해방 위원회CFLN를 창립하고, 독일군이 점령한 프랑스 지역의 레지스탕스 전국 위원회CNR 의장으로 장 물랭을 파견했으며, 1944년 6월 3일 프랑스 공화국 임시 정부GPRF를 수립했다. 온갖 역경에도 불구하고, 그리고 그를 더 고분고분한 인물, 예컨대 지로 장군으로 언제든 대체할 태세를 갖춘 연합군 수뇌부를 성가시게 하면서까지 드골은 4년 동안 '프랑스의 영광 회복'이라는 한 가지 목표를 향해 매진했다.

배척당한 승리자

처칠의 지원 덕에 드골은 프랑스를 위해 거의 기적에 가까운 두 가지 결정을 얻어냈다. 1945년 프랑스는 페탱 원수가 이끄는 비시 정권의 존재에도 불구하고 나치 독일과 협조한 나라로 간주되지 않았다. 나아가 프랑스는 샌프란시스코 회의에서 채택된 유엔 헌장에 따라 1945년 6월에 창설된 국제 연합 안전 보장 이사회의 상임 이사국 자리를 차지했다. 국내 정치의 경우, 1944년 8월 26일 파리 시청에서 울려 퍼진 '파리 해방' 연설과 샹젤리제 대로를 행진하는 광경은 드골을 국민의 집단적 상상력 속에서 잔 다르크의 뒤를 잇는 프랑스 구원자의 반열에 올려놓았다. 1945년에 드골은 프랑스 공화국 임시 정부의 대통령으로 선출되었다. 그렇지만 임시 정부 대통령으로서의 위엄도, 여성에게 처음으로 부여된 참정권도 드골에게는 만족스럽지 않았다. 제헌 의회에서 통과된 제4공화국 헌법은 안정된 다수당의 출현이 불가능한 가운데 집권을 위해서는 적어도 일정 기간 동안 연립 내각을 구성해야만 하는 형태의 정당 정치 제도를 확립한 것이다. 따라서 드골은 1946년 1월 20일 사임했으며, 1947년에 자신의 정치 비전을 옹호하고 제4공화국 체제에 맞설 무기로 프랑스 인민 연합RPF을 창설했다. 그러나 프랑스 인민 연합은 1947년과 1948년에 치러진 선거에서 역사적인 승리를 거둔 후 급속하게 쇠퇴했다. 1953년부터 드골은 프랑스 인민 연합에서 발을 빼고 이른바 '역경의 시기'에 접어들었다. 그는 콜롱베레되제글리

즈로 내려가 『전쟁 회고록』을 집필하면서 세월을 보냈다. 드골은 1946년 1월에 만장일치의 희구에 따라 국민의 부름을 받은 듯 보였던 반면, 1953년에는 그의 정치 여정이 이제 막을 내리는 듯 보였다.

드골, 돌아오다

제4공화국의 대차 대조표는 이중의 독해가 가능하다. 한편으로 프랑스는 1957년에 체결된 로마 조약으로 유럽 경제 공동체EEC에 가입함으로써 경제적·사회적 현대화의 시기에 접어들었고 '영광의 30년'을 맞이하게 되었다. 다른 한편으로는 연이은 정부들이 차례로, 그것도 몇몇은 단 이틀 만에 붕괴된 까닭에 만성적인 정치적 불안정의 시기에 접어들었다. 그런데 프랑스는 1939년부터 1962년까지, 즉 제2차 세계대전에서부터 인도차이나와 알제리에서의 식민지 전쟁에 이르기까지 줄곧 전쟁 중이었다. 제4공화국이 알제리 전쟁의 수렁에 침몰한 1958년, 드골은 권좌에 복귀했다. 그해 5월 드골은 "공화국의 권력을 떠맡을 준비가 되어 있다"라고 선언했으며, 6월 1일 제4공화국의 마지막 내각 수반이 되었다. 그는 이론적으로는 프랑스령 알제리의 존속을 원했지만 사실상 불가능한 일이라는 것을 곧 깨달았다. 따라서 탈식민화 과정을 추진했으며 1959년 9월 알제리인들에게 민족 자결의 권리가 있음을 선언했다. 그해 10월 프랑스 국민은 공화국 대통령에게 더 많은 권력을 부여한 제5공화국 헌법을 채택했다. 드골은 제5공화국 초대 대통령으로 선출되었다. 1960년 1월 알제리의 수도 알제에서 당시 '피에누아pied-noir'라고 불렸던 유럽계 백인들의 폭동, 이른바 '바리케이드의 주간'이 시작되었다. 1961년 1월 프랑스 본국에서 치러진 국민 투표에서 알제리인의 민족 자결 원칙은 75%의 찬성으로 승인되었다. 그러자 1961년 4월 알제리에서 샬, 주오, 살랑, 젤레 등 장군 4인방이 이끄는 항명 쿠데타가 일어나 평화로운 해결책을 가로막았다. 탁월한 웅변가 드골 대통령은 텔레비전 방송으로 알제리에 있는 프랑스 병사들에게 호소했으며 공화국에 충성할 것을 명했다. 결국 항명 쿠데타는 실패로 끝났지만 드골은 사태의 긴박성을 주시했다. 1962년 2월 파리에서 벌어진 알제리 독립 지지 시위는 비극으로 끝났다. 샤론느 지하철역 근처에서 경찰의 폭력 진압으로 9명의 사람들이 사망한 것이다. 프랑스령 알제리를 고집하는 극단주의자들은 비밀 군사 조직OAS을 결성하고 요인 암살과 테러를 벌였다. 1962년 3월 19일 휴전 조약이 조인되었으며, 알제리는 1962년 3월 18일 에비앙 조약으로 마침내 독립을 쟁취했다. 이후 80만 명에 달하는 피에누아들이 알제리를 떠났다.

조흐라는 어디에?

비밀 군사 조직은 드골에 대한 암살 시도도 서슴지 않았다. 장 바스티앵티리 중령은 '거인 조흐라grande Zohra'를 제거하는 작전을 계획했다(비밀 군사 조직에서 드골은 '거인 조흐라'라는 코드 네임으로 불렸다). 계획은 대통령을 납치하는 것이고, 만약 납치가 어려울 경우 살해하는 것이다. 1962년 8월 22일 마침내 테러가 벌어졌다. 드골 대통령 내외는 사위 알랭 드 부아시외 대령과 함께 헌병감 프랑수아 마루가 운전하는 전용차를 타고 빌라쿠블레 공항으로 향했다. 전용차가 프티클라마르 로터리를 아주 빠른 속도로 지나가자 차를 멈춰 세우는 데 실패한 테러범들은 총탄 세례를 퍼부었다. 다행히 헌병감 마루가 재빨리 차를 몰아 위기를 모면했으며 다친 사람도 없었다. 콜롱베에 도착해서 요리에 쓰려고 '이본느 아주머니'가 식량 바구니에 담아둔 닭들도 무사했다. 이때 드골은 "이자들 총 솜씨가 형편없구먼"이라고 한마디 했을 뿐이다. 바스티앵티리는 체포되어 사형을 언도받고 1963년에 처형되었다.

투표함의 명운

1962년 헌법 개정에 따라 공화국 대통령은 이제 대략 7000명으로 제한된 선거인단에 의해서가 아니라 보통 선거로 선출되었다. 드골은 자신과 겨룰 만한 경쟁자가 없다고 생각했던 만큼 1965년의 대통령 선거는 그에게도 놀라움 그 자체였다. 1차 투표에서 응당 선출될 것으로 기대했던 드골은 선거 운동도 별로 하지 않았다. 그런데 뜻밖에도 결선 투표까지 가게 된 것이다. 예상치 못한 결과에 상처를 입은 드골은 결선 투표를 목표로 텔레비전 방송에 자주 출현하고 미디어를 적극 활용했다. 결국 결선 투표에서 승리하기는 했으나 55%의 득표율은 그에게 너무도 초라한 성적이었으며 불신임에 가까워 보였다. 반면에 대통령은 국제 정치에서는 순풍을 탔다. 1961년 처음으로 유럽 정상 회담이 파리에서 개최되었으며, 1962년 쿠바 미사일 위기 때에는 미국 대통령 케네디에게 지지를 보냈고, 1966년에는 프랑스 소재 미군 군사 기지를 폐쇄하고 북대서양 조약 기구NATO에서 탈퇴했다. 프랑스는 국제무대에서 핵보유국으로서의 면모를 과시했다. 1960년 최초로 시도한 핵폭탄 실험에 이어 1968년에는 수소 폭탄 실험을 단행했다.

제5공화국의 다행과 불행

드골은 연설문을 미리 작성하지 않고 대중 앞에서 이따금 격한 웅변조로 연설을 하곤 했다. 그러다 보니 때로는 자극적인 표현으로 난처한 결과를 야기하기도 했다. 1966년 프놈펜에서 행한 격렬한 반미 연설, 1967년 "자유 퀘벡 만세!" 연설 등이 그런 사례이다. 1958년 6월 드골이 알제에 운집한 군중 앞에서 한 "나는 당신들을 이해합니다"라는 연설은 앞날의 어려움을 예측하기에 충분했다. 피에누아들은 알제리가 프랑스령으로 남을 것이라고 해석한 반면에, 알제리인들은 독립을 향한 움직임으로 해석한 것이다. 1967년 '6일 전쟁' 당시 이스라엘 문제를 놓고 입 밖으로 꺼낸 "자신감으로 가득 찬 위압적인 민족"이라는 표현은 지레 시빗거리를 만들었다. 위대한 인간은 인간의 차원을 넘어서는 모양이다. 그가 1968년 5월의 사건들을 얕잡아 보다가 큰 낭패를 겪었다는 것은 누구나 아는 일이다. 하지만 그는 곧 불사조처럼 부활했다. 5월 말 드골은 텔레비전 화면에서 돌연 모습을 감췄으나(사실 이때 드골은 바덴바덴으로 가서 마쉬 장군의 조언을 구하고 있었다) 곧이어 5월 30일 샹젤리제 대로에서 엄청난 규모의 드골 지지 시위를 불러일으켰다. 드골의 정치적 기략은 다음과 같은 사실에서 잘 나타난다. 5월 27일 프랑수아 미테랑은 드골이 사퇴할 것으로 짐작하고 임시 정부의 구성을 제안했으며, 대통령 선거를 다시 치를 경우 자신이 후보로 출마하겠다고 밝혔다. 그러나 5월 29일 드골은 자취를 감췄다. 그리고 30일 드골은 샹젤리제의 시위에서 정치적 부활에 성공했다(정작 그는 그 자리에 있지도 않았다). 의회는 해산되었으며 6월 말 총선에서 드골파는 압승을 거두었다. 그러나 명예 회복은 잠시였다. 1969년 4월 지역 분권에 대한 국민 투표에서 드골은 '찬성'을 얻기 위해 대통령직을 걸었다. 4월 27일 국민의 답변은 '반대'였고, 약속대로 그는 다음 날 대통령직에서 물러났다. 정계에서 은퇴한 드골은 콜롱베레되제글리즈의 라 부아스리 농원에 머물면서 『희망의 기억』을 집필했다. 그는 1970년 11월 9일, 여든 살의 나이로 서재의 책상 앞에 앉은 채 숨을 거두었다.

스탕달 가혹한 진실

Stendhal, 1783년~1842년

스탕달의 본명은 마리앙리 벨Marie-Henri Beyle이다. 독일의 도시 이름인 'Stendal'에 'h'를 더해 더욱 독일풍이 느껴지게 한 필명 'Stendhal'(스탕달)에서 우리는 그의 성격을 엿볼 수 있다. 그리고 그 도시와 가까운 곳에서 펼쳐진 그의 사랑 이야기, 아니 사랑 이야기들 중 하나를 떠올릴 수도 있다. 스탕달은 줄곧 회피와 도망을 선택한 '도피자'였다. 아버지와 숨 막히는 고향 그르노블로부터 도망쳤고, 출세한 이들의 저속함을 피해 파리를 떠났다. 프랑스에서 도망쳐 나와 이탈리아로 건너갔으며, 거기서도 베네치아와 다뤼 가문의 사촌들 집을 떠나 밀라노로 도피했다. 병적인 수줍음과 스스로 못생겼다고 생각한 자신의 외모로부터 도망쳤고, 그를 사랑한 여인들을 떠났다. 그러나 자신에게 마음이 없는 여인들은 끈질기게 쫓아다녔다. 스탕달이 도망치려 했던 것들을 나열하자면 끝이 없을 것이다. 하지만 그의 도피는 오히려 창작의 기회가 되었고, 그가 그토록 열망한 행복을 찾는 기술 '벨리슴beylisme'이 탄생하는 계기가 되었다. 낭만주의자에게 도망친다는 것은 사랑받기 위한 시도였고, 여인들로 하여금 사랑스러운 시인 바이런을 추악한 칼리반Caliban처럼 보게 만드는 일이었다. 실망은 이미 정해진 운명이었지만 그 대신 『적과 흑』, 『파르마의 수도원』과 같은 독창적이고도 심오한 작품의 자양분이 되었다.

유년에서 청년으로, 계속되는 도피

스탕달은 1783년 1월 23일 그르노블에서 변호사인 아버지 셰뤼뱅 벨과 어머니 앙리에트 가뇽 사이에서 태어났다. 일곱 살 때 어머니를 여읜 스탕달은 자식에게 사랑을 베풀지 않았던 아버지와 그가 '악마'라고 불렀던 이모 세라피, 그리고 증오했던 가정 교사 신부 사이에서 불우한 어린 시절을 보냈다. 어린 스탕달에게 사랑과 기쁨을 선사했던 유일한 사람은 외할아버지인 앙리 가뇽뿐이었다. 의사였던 외할아버지는 큰 위로가 되었지만 자유와 사랑에 목말라했던 사춘기 소년의 마음을 온전히 채워줄 수는 없었다. 스탕달을 구원한 것은 그의 수학적 재능이었다. 1799년 그는 에콜 폴리테크닉의 입학시험을 보러 파리로 갔다. 그러나 스탕달이 진정으로 원한 것은 희극 작가로 성공하고 멋진 연애를 하는 것이었다. 그런데 하필 다뤼가의 사촌들을 만났고 함께 살게 되었다. 스탕달의 수줍은 성격과 허풍, 도발적 언행에 질린 사촌들은 그를 멍청한 인간이라고 생각했다. 스탕달이 에콜 폴리테크닉에 입학할 생각이 없다는 사실은 곧 드러났다. 그렇지만 아무리 바보 같더라도 한 집안사람이니 그나마 괜찮은 직업을 갖도록 해주자는 것이 사촌들의 생각이었다. 성질이 불같고 무서운 피에르 다뤼가 관장하던 육군성의 서기가 되려다 실패한 스탕달은 육군 소위로 입대해 1800년 이탈리아 원정에 참여했다.

제2의 조국 이탈리아

밀라노에 간 스탕달은 자신의 본모습을 발견했다. 밀라노에서 접한 스칼라 극장의 오페라, 자연, 음식, 여인들 모두를 사랑했다. 하지만 그의 도피적 성향은 어쩔 수 없었다. 그는 짝사랑했던 여인들, 그리고 자신에게 사랑과 함께 매독도 팔았던 매춘부들로부터 도망쳤다. 밀라노에서 황홀한 두 해를 보낸 스탕달은 열아홉 살이 되어 파리로 돌아왔다. 이제 작가가 되기로 결심한 그는 몰리에르 같은 대가가 되겠다고 다짐했다. 스탕달은 사투리 억양을 고치기 위해 발음 수업을 받았고 생각나는 것들을 메모하기 시작했다. 이렇게 메모한 글은 후에 『일기』로 출간되었다. 이탈리아에서 얻은 경험으로 파리와 마르세유에 애인들도 생겼다. 1806년은 스탕달의 인생에서 매우 중요한 해이다. 백작 작위를 받고 병참감이 된 피에르 다뤼 덕분에 독일 브라운슈바이크에서 일하게 된 것이다. 스탕달의 삶은 1814년 제정이 몰락하기까지 나폴레옹 군대의 험난한 역사와 운명을 같이했다. 그는 독일, 오스트리아는 물론 러시아 원정까지 참여했고 수많은 전쟁의 기억을 쌓았으며 전쟁과 그 처참한 결과에 환멸을 느꼈다. 모든 것이 끝났을 때 그가 바란 일은 오로지 이탈리아로 돌아가는 것이었고 마침내 1814년 8월 초 밀라노에 도착했다. 지루한 행정 업무에서 벗어난 스탕달은 문학과 음악에 탐닉했고 1815년에서 1817년까지 『하이든, 모차르트, 메타스타시오 전기』, 『이탈리아 미술사』, 여행기 『로마, 나폴리, 피렌체』 등을 집필했다. 스탕달은 힘겨운 삶의 현실도 깨달았다. 그는 이탈리아 비밀 독립 단체인 카르보나리Carbonari의 회원이었던 마틸데 비스콘티니 뎀보브스키를 사랑하게 되었다. 그러나 끝없는 구애에도 불구하고 그녀의 마음을 얻지 못했다. 오히려 그녀와의 친분 때문에 롬바르디아의 오스트리아-헝가리 당국의 의심을 받은 스탕달은 1821년 밀라노를 떠나야 했다.

파리 생활

스탕달은 밀라노를 떠난 뒤 10년 동안 파리에서 지냈다. 아버지는 세상을 떠났고 재정 상태는 최악이었다. 1816년 『에딘버러 리뷰』에 실린 바이런의 시를 읽고 그의 시에서 현대적 미학을 발견한 스탕달은 『주르날 드 파리』나 『런던 매거진』 등에 글을 실었다. 마틸데에 대한 연모의 감정에서 1822년 『연애론』이 탄생했으나 출간 당시에는 이목을 끌지 못했다. 이어서 낭만주의 선언문이라고 할 수 있는 『라신과 셰익스피어』, 문단의 이해를 받지 못한 소설로 나약한 주인공이 등장하는 『아르망스』, 그리고 『로마 산책』 등을 발표했다. 이후 1830년 7월 혁명의 혼란 속에서 『적과 흑』이 출간되었다. 당시 부르주아 왕 루이필리프 1세가 자신의 사촌이자 절대 왕권이라는 시대착오적인 욕망에 빠졌던 샤를 10세에게서 왕위를 물려받았다. 스탕달은 친구들의 도움으로 트리에스테의 영사로 임명되었다. 보잘것없는 자리였지만 이탈리아에 가깝다는 것이 큰 장점이었다. 그러나 오스트리아의 반대로 트리에스테 영사 임명은 취소되었고 그 대신 로마 인근 치비타베키아라는 교황령의 작은 항구 도시의 영사로 부임했다.

"아무것도 하지 말자"

'고약한 골방' 안에 틀어박힌 스탕달은 가끔 로마나 토스카나, 캄파니아 등지로 여행을 다니곤 했으나 권태로운 생활을 견딜 수 없었다. 집무실에 아주 잠깐만 나가 있다 보니 치비타베키아의 프랑스 영사는 만나기가 어렵다는 말이 나올 정도였다. 그에게는 불행이 아닐 수 없는 이 상황은 결과적으로는 잘된 일이었다. 이러한 권태로 인해 많은 작품이 탄생했기 때문이다. 그중 미완으로 남았던 『에고티즘 회상기』, 『앙리 브륄라르의 생애』, 『뤼시앵 뢰방』 등은 그의 사후에 출판되었다. 그는 1836년부터 3년간 휴직하고 파리에 머물면서 『어느 여행자의 기억』, 『파르마의 수도원』, 『라미엘』을 썼다. 스탕달은 치비타베키아에 도착하며 다짐했던 "아무것도 하지 말자"는 우울한 원칙을 따르지 않은 셈이다. 그는 영사직에 복귀했으나 1841년 가을 여러 번 뇌졸중으로 쓰러진 뒤 병든 몸을 이끌고 파리로 돌아왔다. 그의 작품은 발자크로부터 지지와 찬사를 받았으나 세간의 관심은 끌지 못했다. 스탕달은 1842년 3월 21일 길을 걷던 중 또다시 뇌졸중으로 쓰러져 이틀 뒤 사망했다.

스탕달과 그의 여인들

스탕달은 『연애론』에서 사랑이 시작될 무렵 대상을 이상화하는 현상을 '결정화 cristallisation'라고 부르며 자신의 연애론을 펼쳤다. 그러나 스탕달의 현실 속 사랑은 매우 험난했다. 1830년부터 알게 된 줄리아 리니에리를 사랑했으나 결말은 불행했다. 안젤라 피에트라그루아, 멜라니 길베르, 빅토린 무니에, 알렉상드린 다뤼, 빌헬미네 폰 그리슈하임, 주디타 파스타, 클레망틴 퀴리알, 알베르트 드 뤼방프레와 같은 여인들과의 추억도 모두 덧없는 열정으로 쉽게 정리되었거나 아니면 미래가 없는 아득한 동경에 그친 실패담일 뿐이었다. 그리고 그의 도피는 계속해서 이어졌다.

아르튀르 랭보 시에 취하다

Arthur Rimbaud, 1854년~1891년

아르튀르 랭보는 삶에서도, 작품에서도 섬광같이 살다 간 인물이다. 스무 살 때의 그는 이미 많은 것을 경험했고 많은 시를 썼다. 시를 접은 그에게 남은 것은 짧은 여생뿐이었다. 삶의 의미를 잃고 권태에 짓눌린 랭보는 서른일곱 살의 나이로 생을 마감했다. 생의 마지막 4년 동안 랭보는 그 누구보다도 열심히 살았고 희대의 작품을 남겼다. 물론 희대의 작품이 될 것이라는 사실을 그는 몰랐으리라. 랭보는 말년을 무기를 밀매하는 협잡꾼과 아프리카를 탐험하는 모험가 사이를 오가며 살았다. 피폐해진 영혼을 따라 육체 또한 망가졌고 결국 마르세유 병원이 그의 마지막 종착지가 되었다.

내게 어머니는 필요 없다!

장니콜라아르튀르 랭보Jean-Nicolas-Arthur Rimbaud는 1854년 10월 20일 프랑스 아르덴주의 샤를빌에서 군인인 아버지 프레데릭 랭보와 부유한 농가 출신의 어머니 비탈리 퀴프 사이에서 태어났다. 랭보의 부모는 사이가 좋지 않았고 결국 1860년 아버지는 부인과 다섯 자녀를 버리고 집을 나갔다. 랭보의 어머니는 남편과 사별한 것처럼 보이기를 원했다. 어린 랭보는 로사 학교와 시립 중학교에 다녔다. 가톨릭 신자였던 어머니는 매우 엄하고 소유욕이 강해 랭보에게 중압감을 느끼게 하는 존재였다. 인생의 실패를 자식을 통해 만회하려는 부류의 여인이었던 것이다. 랭보는 공부를 잘했으나 무슨 생각을 하는지 알 수 없는 표정으로 교사들을 걱정시켰다. 1869년 지역 교육청에서 실시한 대회에서 랭보는 라틴어로 쓴 글 「봄이었다」, 「이미 새해」, 「유구르타」로 일등상을 탔다. 1870년은 「고아들의 새해 선물」이라는 시가 잡지에 실리면서 랭보의 작품이 처음으로 인쇄된 해이자, 수사학 선생인 조르주 이장바르를 만난 중요한 시기였다. 랭보는 자신의 시적 재능을 지지해주는 이장바르의 서재에서 독서에 열중했다. 그의 어머니는 불같이 화를 냈다. 아들의 마음을 사로잡은 것도 모자라 신앙과는 거리가 먼 책들을 권했다는 사실을 참을 수 없었던 것이다. 그해 5월 랭보는 『현대 고답파 시집 *Le Parnasse contemporain*』 편집자에게 「감각」, 「오필리아」, 그리고 후에 '태양과 육체'라는 제목으로 발표되는 「신앙귀일」 등의 시를 보냈다. 답변은 정중했으나 거절이었다.

방랑 시인

이 무렵부터 그는 가출하기 시작했다. 사춘기의 랭보는 어머니와 지방 도시가 주는 중압감에서 벗어나고자 한 것이다. 첫 번째 가출은 1870년 8월에 이루어졌다. 그러나 기차표를 살 돈이 없어서 멀리 가지 못했고, 파리지앵이 되는 꿈도 포기해야 했다. 이장바르는 경찰서에 있는 랭보를 데려와 2주간 보살핀 후 집으로 돌려보냈다. 집안 분위기는 살벌했다. 랭보의 어머니는 아들에게는 따귀를, 이장바르에게는 욕설을 퍼부었다. 그리고 10월에 두 번째 가출이 이루어졌다. 브뤼셀에 도착한 랭보는 곧바로 이장바르의 이모인 잰드르 자매가 사는 두에로 갔다. 화가 난 그의 어머니는 경찰을 보내 아들을 데려왔다. 집으로 끌려오기 직전 랭보는 자신이 쓴 시들을 이장바르에게 소개받은 시인 폴 드므니에게 보냈다. 이후 1871년 2월 랭보는 세 번째 가출을 했다. 그는 스당 전투에서의 패배와 제2제정의 몰락으로 사회가 혼란한 틈을 타 파리에서 2주를 보낼 수 있었다. 그러나 빈털터리가 되자 3월 중순 샤를빌로 돌아왔다. 고향 집에 머물며 파리 코뮌 소식을 들은 랭보는 이 민중 봉기를 열성적으로 응원했다. 「파리의 향연」과 「잔마리의 손」, 「파리 전가」 같은 작품이 이를 증명한다. 고답파적 경향은 물론 상징주의 미학과도 결별한 그는 그해 5월 자신의 시학을 설명한 「견자의 편지」를 드므니와 이장바르에게 보냈다. 랭보는 이 글에서 '모든 감각의 착란'이 시와의 합일을 이루는 데 필수 불가결한 조건임을 주장했다. 그에게 있어서 시인은 "모든 감각의 오래고도 엄청난, 그리고 사리에 맞는 착란을 통해 견자가 된다. 이는 모든 형태의 사랑과 고통, 광기를 말한다. 시인은 스스로를 탐색하고, 내면의 모든 독을 뽑아내어 그 정수만을 보존하는" 존재이다. 랭보의 반항 정신은 그의 작품에 나타난 언어적 도발에서, 그리고 지나친 음주와 괴이한 옷차림에서 알 수 있다.

베를렌과의 관계

폴 베를렌Paul Verlaine과 몇 달 동안 서신을 주고받던 중 파리에 오라는 초대를 받은 랭보는 1871년 9월 베를렌을 만나러 갔고 그의 집에 머물렀다. 두 사람이 지낸 곳은 사실 베를렌의 부인인 마틸드 모테 드 플뢰르빌의 친정집이었다. 랭보의 무례한 행동과 술주정으로 부르주아 집안 출신인 마틸드의 가족이 힘들어하자 베를렌의 친구들이 마지못해 랭보를 자신들의 집으로 불렀다. 술집 주인이자 작곡가 겸 피아니스트인 에르네스트 카바네는 랭보에게 각 음에 색을 입히고 모음의 소리를 연결하는 피아노 연주법을 가르쳐주었다. 이러한 경험에서 「모음들」이 탄생하게 된다. 베를렌은 랭보의 작품들, 특히 「취한 배」에 매료되었고 두 사람은 서로 사랑하게 되었다. 이 충격적인 추문에 마틸드는 아들과 함께 베를렌을 떠났으나 남편이 랭보와 헤어지자 집으로 돌아왔다. 하지만 이것은 격렬한 사랑의 전초전에 불과했다. 몇 달 뒤 베를렌과 랭보는 브뤼셀로 사랑의 도피를 했다. 마틸드는 이들을 따라갔으나 베를렌은 부인을 역으로 데려다주었고, 파리로 돌아온 마틸드는 이혼을 요구했다. 두 연인은 런던으로 갔다. 랭보는 런던에서 「일뤼미나시옹」을, 베를렌은 「말 없는 연가」를 썼다. 샤를빌에 잠시 다녀온 랭보는 부인과의 결별로 상처받고 우울증에 심하게 빠진 베를렌을 발견했다. 베를렌은 부인과의 재결합을 시도했으나 실패했고, 랭보는 「지옥에서 보낸 한 철」을 쓰기 시작했다. 랭보에게 지옥은 베를렌과의 관계였다. 베를렌은 점점 더 술에 의지했고 랭보와 다투지 않는 날이 없었다. 결국 브뤼셀로 간 베를렌은 자살하겠다고 위협했다. 랭보는 그를 만나러 브뤼셀로 갔으나 싸움으로 끝났다. 베를렌은 랭보가 떠나지 못하도록 방아쇠를 당겼고 총알은 랭보의 손목을 스쳐 갔다. 랭보의 증언에도 불구하고 베를렌은 체포되어 치욕적인 신체검사를 당한 뒤 습관성 남색으로 2년 징역형을 받았다.

끝없는 방황

「지옥에서 보낸 한 철」을 완성한 후 이어진 몇 년은 랭보에게 방황의 시기였다. 첫 번째 무대는 유럽이었다. 랭보는 시인 제르맹 누보와 함께 런던에 머물다가 슈투트가르트로 가서 며칠을 지낸 뒤 마지막으로 베를렌을 만나 「일뤼미나시옹」 원고를 건네며 출판을 부탁했다. 1875년 스물한 살이 된 랭보는 더 이상 시를 쓰지 않기로 마음먹었다. 그는 스위스와 이탈리아를 돌아다녔으며, 빈에서 소지품을 다 빼앗긴 뒤 또다시 벨기에로 갔다. 베를렌으로부터 받던 재정적 도움이 끊겨 돈이 필요했던 랭보는 즉흥적으로 이런저런 일에 뛰어들었으며 이후 잡다하고 두서없는 행보가 이어졌다. 네덜란드 식민지 주둔 군대에 들어갔다가 탈영했고, 함부르크의 서커스단에서 통역으로 일했다가 가족에게 돌아가 농사를 짓기도 했다. 키프로스에서는 공사장 현장 감독, 에티오피아에서는 커피 무역 상사 직원이 되었다. 이후 아비시니아에서 아덴으로 갔고, 하라르는 여러 번 가서 머물렀다. 1885년에서 1887년까지 랭보는 아비시니아의 쇼아 왕국에서 무기 밀매상으로 일했다. 마지막으로 하라르에 머물던 무렵 모든 것에 환멸을 느낀 그는 1891년 5월 병든 몸을 이끌고 프랑스로 돌아오는 배에 몸을 실었다. 마르세유에 도착했을 때는 오른쪽 다리의 상태가 심각해 콩셉시옹 병원에서 다리 절단 수술을 받았다. 수술 후에는 가족이 있는 로슈의 농장으로 돌아갔는데, 수술 부위의 통증이 심해졌으며 나중에는 목발조차 짚을 수 없을 정도였다. 그런 와중에도 랭보는 아프리카로 돌아가려고 했다. 그해 8월 아프리카로 가는 배를 타기 위해 누이 이자벨과 다시 마르세유로 떠났으나 도착하자마자 병세가 악화되어 입원했다. 앙상하게 여윈 그는 온몸이 거의 마비된 채 서른일곱 살 생일을 맞은 지 얼마 되지 않은 1891년 11월 10일 눈을 감았다.

알베르트 슈바이처 보편적 인간

Albert Schweitzer, 1875년~1965년

알베르트 슈바이처의 전기 작가라면 그를 '요한 제바스티안 바흐 음악의 훌륭한 연주자'로 소개하고 싶을 것이다. 슈바이처가 훌륭한 음악가인 것은 확실하지만 그의 생각과 실천이 세계를 향해 있었다는 것 또한 중요한 사실이다. 19세기 및 20세기에 살았던 슈바이처는 16세기 휴머니즘의 의미를 다시금 보여주었고 인간이 여전히 만물의 척도임을 확인시켜주었다. 그는 용광로, 자동 직조기, 철도 등 산업 혁명을 상징하는 기술의 소용돌이 속에서도 인간이 가야 할 길을 잃지 않았다.

독일령 알자스

알베르트 슈바이처는 1875년 1월 14일 알자스 지방의 카이제르스베르크에서 독일 국적으로 태어났다. 알자스는 로렌 지방과 마찬가지로 프로이센·프랑스 전쟁에서 프랑스가 패한 후 프로이센에 넘어간 지역이다. 슈바이처 가문은 대대로 목사를 배출한 집안으로 그의 아버지 루이 슈바이처 또한 개신교 목사였고 어머니 아델 실링거는 개신교 신자였다. 슈바이처는 뮌스터 중학교와 뮐루즈 고등학교에 다녔고, 음악을 좋아해 오르간과 피아노를 배우며 평온한 유년기와 청소년기를 보냈다. 1893년 고등학교를 졸업한 뒤 스트라스부르 대학교에 진학해 개신교 신학과 철학을 공부했다.

서른이 되기 전에 무엇을 할 것인가

1894년에서 1895년까지 군에서 복무한 후 제대한 슈바이처는 학문과 음악에 몰두했다. 앞으로 어떤 직업을 가질지 결정하지 않은 상태에서 여러 가지 가능성을 타진해보았다. 스트라스부르의 성 니콜라스 교회 부목사로 재직하며 설교했고, 1899년에 철학 박사 학위를 받았다. 파리에 머무는 동안에는 파리 음악원의 오르간 연주자이자 작곡가인 샤를마리 비도르에게서 오르간 수업을 받았다. 슈바이처는 신학 박

사 학위 논문 두 편을 발표했고 1902년 스트라스부르 대학교의 신학 대학에서 무보수로 강의하며 전임 교수가 되기를 기다렸다. 향후 스트라스부르 대학교의 신학 대학으로 흡수되는 생기욤 신학교 원장으로도 재직했다. 생기욤 교회는 슈바이처가 성가대원이던 헬레네 브레슬라우Helene Bresslau를 만난 곳이다. 10여 년 동안 수많은 편지를 주고받으며 서로에 대한 마음을 확인한 두 사람은 1912년에 결혼해서 딸 레나를 낳았다.

아프리카

1913년 4월 슈바이처 부부는 아프리카로 떠났다. 현재 가봉의 랑바레네 인근의 오고우에강 기슭에 위치한 개신교 선교지 안덴데가 목적지였다. 도착해보니 상황이 매우 열악했다. 대나무로 만든 오두막이 진료실이었고, 닭 사육장을 개조한 곳이 수술실이었다. 환자의 치료와 수술은 물론 설교까지도 슈바이처의 몫이었다. 제1차 세계 대전이 발발하자 프랑스 식민지에 있던 독일인 슈바이처 부부는 체포되었으나 곧 풀려났다. 전쟁의 폐해와 현지 프랑스 당국의 방해로 안덴데의 상황은 더 악화되었다. 1917년 9월에 추방된 슈바이처 부부는 1918년 7월까지 프랑스에서 수감되었다가, 독일에 갇혀 있던 프랑스 죄수들과 맞교환되어 알자스로 돌아왔다. 1919년 알자스는 다시 프랑스령이 되었고 슈바이처는 베르사유 조약에 따라 프랑스 국적을 갖게 되었다. 곧이어 헬레네 슈바이처도 프랑스인으로 귀화했다. 그해 1월 딸 레나가 스트라스부르에서 태어났다. 1924년까지 슈바이처는 유럽을 돌며 강연을 하거나 오르간 연주회를 열어 필요한 자금을 모았다. 또한 아프리카 체류기를 책으로 엮은 『물과 원시림 사이에서』를 비롯해 『기독교와 세계 종교』를 출간했다. 스트라스부르를 떠난 슈바이처와 그의 가족은 군스바흐를 거쳐 쾨니히스펠트에 정착했다. 슈바이처가 여러 차례 아프리카에 머무는 동안 그의 가족은 이 '검은 숲Schwarzwald'에서 그를 기다렸다.

의사이자 음악가

1905년 서른 살이 된 슈바이처는 진로를 결정해야 했다. 그에게 있어서 유일한 선택의 기준은 타인을 위한 봉사였다. 그 당시 출간된 여러 선교 일지를 접하며 아프리카의 어려운 상황을 일찍이 깨닫게 된 그는 결국 아프리카와 의술을 선택했다. 그의 선택에 가족은 경악했다. 전도유망한 목사이자 음악가, 연구자로서의 안락한 미래가 보장된 그가 왜 그런 선택을 하는지 아무도 이해할 수 없었다. 그러나 헬레네는 슈바이처를 응원했고 함께 떠날 준비를 했다. 남편이 의대를 다니는 동안 그녀는 간호사 자격증을 땄다. 음악에 대한 열정도 놓지 않았던 슈바이처는 1905년에 『음악가이자 시인, 요한 제바스티안 바흐』를 펴냈다. 1906년에는 『예수의 생애 연구사』를 출간했다.

다시 아프리카로

1924년 4월 슈바이처는 다시 오고우에강 기슭의 선교지를 찾았다. 버려진 병원은 사용할 수 없는 상태여서 랑바레네에 새 병원을 짓기 시작했으며 1927년에 준공되었다. 1955년에는 나병 환자를 치료하기 위한 '빛의 마을'도 문을 열었는데 1952년에 받은 노벨 평화상 상금을 자금으로 사용했다. 슈바이처의 행적은 세상에 널리 알려졌다. 언론 기사도 넘쳐났고 미국과 유럽의 강연회는 성공적이었다. 노벨상을 비롯해 괴테상(1928), '세상에서 가장 위대한 인물'(『라이프』, 1947), 레지옹 도뇌르 훈장(1948) 등 많은 상을 받았으며 찬사가 이어졌다. 그러나 냉전 사회에서 평화 수호는 무척 지키기 힘든 대의였다. 슈바이처는 평화를 지지했고 그 결과를 감내해야 했다. 세상의 찬사를 받던 슈바이처에게 비난이 쏟아지기 시작했으며 이는 그가 세상을 떠날 때까지 계속되었다. 권위적이고 무능력하며 경영 마인드가 없다는 비난이었다. 그러나 최후의 보상이 그를 기다리고 있었다. 1960년 가봉은 독립 국가가 되었고 초대 대통령 레옹 음바는 1961년 슈바이처에게 그의 용기와 헌신을 기리는 '적도의 별' 훈장을 수여했다. 슈바이처는 1965년 9월 4일 랑바레네에서 눈을 감았다.

알베르트 아인슈타인 모든 것이 다 상대적이지는 않은 법 Albert Einstein, 1879년~1955년

알베르트 아인슈타인은 20세기의 가장 위대한 석학이자 물리학자이다. 그러나 처음부터 모든 게 쉬웠던 것은 아니었다. 그는 학교를 싫어했고 군대를 증오했으며 빈곤한 생활을 견뎌야 했다. 아인슈타인이 인정받기 시작한 것은 오로지 동료들 덕분이었다. 아인슈타인의 논문을 읽은 동료 과학자들은 그가 대학에 자리 잡을 수 있도록 힘썼다. 그렇게 되기 전까지 아인슈타인은 온갖 모욕을 감내해야 했다. 그는 다른 학자들과 소통하지 못했다. 또한 난독증을 앓고 있었다. 아인슈타인은 가족 단위건, 국가 차원이건 사람들의 모임이라면 그 규모와 상관없이 어울리지 못한다는 생각으로 스스로를 더욱 고립시켰다. 사람들과 무슨 말을 해야 할지 몰랐던 일종의 예술가 아인슈타인은 수학과 물리학의 무한한 세계에서만 사람들과 진정한 소통이 가능했다. 그에게 있어서 과학이나 실험실을 벗어난 세계는 결코 열리지 않는 세계였다.

음울한 어린 시절

아인슈타인은 1879년 독일 뷔르템베르크주 울름의 유대인 가정에서 태어났다. 그의 집안은 하스칼라Haskala, 즉 유대 계몽주의 전통을 따랐기에 전통적인 유대 관습을 그대로 지키는 분위기는 아니었다. 아버지 헤르만 아인슈타인은 작은 매트리스 가게를 운영했는데 후에 전기 설비 사업에 뛰어들었으나 파산했다. 어머니 폴린 코흐는 가정주부였고 아인슈타인과 두 살 아래 동생 마야의 교육에 힘썼다. 아인슈타인의 학교생활은 여러모로 실망스러웠다. 그는 스승의 말은 묻지 말고 따르라는 지루하고 권위적인 수업 방식을 거부했다. 스승의 가르침이니 그대로 받아들이라는 아리스토텔레스식의 교육 원칙('quia magister dixit')은 질문이나 반론을 모두 차단하는 학습 방법이었다. 아인슈타인이 놀라운 발견을 경험한 것은 집에서였다. 그는 다섯 살 때 나침반의 바늘이 움직이는 것을 보며 어떻게 이런 일이 가능한지 신기해했다. 열두 살 때는 『기하학의 바이블』을 읽었다. 물리학에 흥미를 느끼게 되면서 원래 가지고 있던 종교적 관심은 희미해졌다. 아인슈타인의 집에 자주 들르던 의대생 막스 탈마이는 어린 아인슈타인의 학구적 관심을 더욱 북돋아 주었다.

1894년 파산한 아인슈타인의 가족은 밀라노로 이주했다. 아인슈타인은 뮌헨의 기숙 학교에 들어갔으나 곧 쫓겨났고, 밀라노에 있는 가족에게 돌아갔다. 그는 아버지에게서 받은 스위스 국적으로 취리히 연방 공과 대학교의 입학시험을 쳤다. 수학과 물리학 성적은 뛰어났으나 다른 과목은 낙제점이었다. 비록 입학시험에는 떨어졌지만 그의 능력은 감독관들의 이목을 끌기에 충분했다. 아인슈타인은 감독관들의 조언에 따라 요스트 빈텔러가 책임자로 있는 아라우의 학교에서 1년간 시험을 준비했다. 마침내 취리히 연방 공과 대학교에 입학한 그는 스위스 여권을 얻기 위해 독일 국적을 포기했다. 훗날 그의 아내가 되는 밀레바 마리치도 이곳에서 만났다. 1900년 대학 학위를 받고 마르셀 그로스만과 미켈레 베소 같은 동료들과 행복한 시간을 보내던 아인슈타인에게 참혹한 시련이 찾아왔다.

떠돌이 삶은 진정한 삶이 아니다

20세기가 시작되자 아인슈타인에게는 불행한 일들이 연속으로 일어났다. 아버지는 말년에 아들을 낙오자로 여기며 밀레바 마리치와의 결혼을 반대하다가 죽기 직전에야 승낙했다. 1900년에서 1902년까지 아인슈타인은 여러 학교에 지원했으나 일자리를 구하지 못했다. 이 무렵에 첫째 딸 리제를이 태어났는데, 그녀에 대해서는 알려진 것이 거의 없다. 1904년에는 한스알베르트가, 1910년에는 에두아르트가 태어났다. 한스알베르트는 훗날 공학자가 되어 버클리 대학교 교수로 재직했고, 조현병 진단을 받은 에두아르트는 1931년 정신 병원에 수용되었다. 몇몇 집의 가정 교사로 들어갔으나 오래 버티지 못한 아인슈타인은 1902년 마르셀 그로스만의 추천으로 베른 특허청에 취직했다. 지루하고 반복적인 업무였지만 경제적 안정은 보장되는 자리였다.

'기적의 해'와 그 결과들

1901년 아인슈타인은 『물리학 연보』에 모세관 현상에 대한 논문을 실었다. 하지만 그에게 기적이 찾아온 해는 1905년이었다. 같은 학회지에 물리학의 혁명을 가져온,

광양자, 브라운 운동, 특수 상대성 이론 등에 관한 네 편의 논문을 차례로 발표했다. 학계에서는 이 논문들을 무시했으나 막스 플랑크가 관심을 가지면서 학자들 사이에 회자되기 시작했다. 1906년 1월 박사 학위를 받은 그는 3년 후에는 제네바 대학교에서 명예 박사 학위를 받았다. 1911년에는 저명한 학자들이 모여 국제 화학 및 물리학 기구를 탄생시킨 솔베이 회의에 참여했고, 베를린 왕립 인문 과학 학술원의 회원으로 선출되면서 1914년부터 베를린에 머물렀다. 이 무렵 부인과의 관계가 소원해지면서 사촌인 엘자 뢰벤탈과 사랑에 빠진 그는 1919년 마리치와 이혼하고 뢰벤탈과 재혼했다. 평화주의자인 아인슈타인은 제1차 세계 대전에 적극 반대했다.

세계적 명성의 과학자

『특수 상대성 이론과 일반 상대성 이론』이 출간된 것은 1916년이지만 아인슈타인의 이름이 널리 알려진 것은 1919년부터이다. 개기 일식이 일어났던 1919년 5월 29일 서아프리카와 브라질 북부에서 이루어진 관측 결과 태양에 근접하는 별은 측량 가능한 빛의 휘어짐 현상을 보인다는 아인슈타인의 이론이 입증된 것이다. 다시 말해 별에서 나오는 빛이 태양 가까이에서 구부러진다는 것이었다. 영국 학사원과 왕립 천문 학회는 그해 11월 런던에서 개기 일식을 이용한 관찰 결과를 발표했다. 도처에서 강연 요청이 쏟아졌다. 1921년 미국, 일본, 유럽 등 세계 곳곳을 돌아다니던 중 아인슈타인은 노벨 물리학상 수상자로 선정되었다는 소식을 들었다. 수상 이유는 상대성 이론이 아닌 광전 효과에 대한 연구였다. 이러한 결정이 못마땅했던 그는 작심한 듯 수상 연설에서 상대성 이론만을 설명했다.

외로운 인생의 말년

제2차 세계 대전 이후 아인슈타인은 학계와 거리를 두었다. 그는 1950년대 초 상대성 이론보다 학계의 지지를 받았던 양자 역학이나 불확정성의 원리에 대한 이론과 대립했다. 그러나 아인슈타인을 가장 우울하게 만든 것은 그의 이론에 대한 사람들의 비판이 아니었다. 사실 아무리 뛰어난 학문적 성과라고 하더라도 언젠가 새로운

미국인이 된 아인슈타인

나치즘이 부상하자 아인슈타인은 위협을 느꼈다. 아인슈타인 개인에 대한 비난과 학문적 비판이 이어졌다. 나치주의자들은 아인슈타인이 유대인이라는 이유로 그는 물론 상대성 이론을 아리안족의 과학이 아니라고 하면서 공격했다. 1931년 '아인슈타인을 규탄하는 100인의 작가'라는 목록이 만들어졌다. 이에 대해 아인슈타인은 상대성 이론이 틀렸다는 증명 하나면 될 일에 백 명이나 동원되었냐는 농담으로 일축했다. 그러나 사람들이 집으로 쳐들어오고 체포 명령까지 떨어지자 아인슈타인은 신변에 위협을 느꼈고, 결국 1932년 12월 독일을 떠나 미국 망명길에 올랐다. 그 후 프린스턴 대학교 교수로 재직하면서 1935년에 미국 영주권을 얻었고 5년 뒤에는 미국 시민이 되었다. 아인슈타인은 1939년 여름 물리학자 실라르드 레오의 권유로 프랭클린 루스벨트 대통령에게 서한을 보냈다. 지금까지 이룩한 과학의 발전으로 새로운 폭탄이 제조될 수 있다는 위험을 경고한 것이었다. 3년 뒤 '맨해튼 프로젝트'가 계획되고 세계 최초의 핵폭탄이 만들어졌다. 아인슈타인은 이 과정에 참여하지 않았고, 루스벨트 대통령에게 서한을 보낸 것조차 크게 후회하면서 원자의 관리를 과학 위원회에 맡길 것을 요구했다. 아인슈타인이 핵무기 개발을 애초에 반대했다고 하더라도 소용없었을 것이다. 당시 FBI 국장이었던 존 에드거 후버가 그를 무척 싫어했기 때문이다. 후버에게 사회주의 성향의 천재 물리학자는 눈엣가시였다.

연구가 이루어지면 그 의미가 퇴색되는 것은 모든 학자가 짊어져야 할 운명이었다. 그가 세상과 고립된 것은 오히려 동료 학자들과 교류하는 것을 별로 좋아하지 않는 그의 성향 때문이었다. 국제 사회에서 영향력 있는 인물이 된 아인슈타인은 간디나 로젠버그 부부와 함께 전후 세계를 위협하는 냉전과 식민지 전쟁, 매카시즘에 대한 반대 운동을 펼쳤다. 또한 이스라엘 국가의 재건을 위해 힘썼다. 1952년에는 신생국가 이스라엘의 대통령직을 제안받았으나 고사했다. 대통령이 되더라도 개인적 신념에 조금이라도 어긋나는 사안은 결코 승인할 수 없을 것이라는 이유에서였다. 건강도 악화되었다. 1948년 12월 복부 대동맥류 수술을 받았으며 그 후유증으로 1955년에 입원했다. "의사들의 도움 없이" 편안히 죽겠다며 치료를 거부한 아인슈타인은 그해 4월 18일에 눈을 감았다. 고인의 뜻에 따라 화장된 그의 유해는 아무도 모르는 곳에 뿌려졌다. 그러나 부검의는 아인슈타인의 뇌를 적출했고 안과 주치의는 고인의 눈을 보관했다. 부검의가 아인슈타인의 뇌를 해부한 이후로 많은 과학자가 그의 뇌 사진과 샘플을 연구하며 천재성의 근거를 찾고자 했으나 지금까지 발견된 특이 사항은 전혀 없다.

조피 숄 아주 특별한 장미

Sophie Scholl, 1921년~1943년

이미 스무 살을 넘긴 필자나 독자들에게 스물을 갓 넘긴 나이에 나치의 엉터리 재판 직후 세상을 떠난 조피 숄은 불편하고도 뭉클한 감정이 들게 하는 인물이다. 조피 숄은 오빠 한스 숄, 그리고 동료들과 함께 나치에 저항한 독일 조직 백장미단Die Weiße Rose의 중심인물이다. '히틀러 청소년단'에 가입하자마자 나치즘의 본질을 간파한 그녀는 나치의 선동과 거짓 신화를 적나라하게 보여주는 역선전 방식을 이용해 나치 정권에 대항했다. 그러나 나치와 그들이 '공인한 진실'에 맞서는 행위는 사형에 해당하는 범죄였다. 조피와 백장미단이 펼친 저항의 대가는 죽음이었다.

백장미단 단원 한스 숄과 조피 숄, 크리스토프 프로브스트, 1942년.

독일 소녀의 어린 시절

조피 막달레나 숄Sophie Magdalena Scholl은 1921년 5월 9일 루터교를 믿는 단란한 가정의 육 남매 중 넷째로 태어났다. 아버지 로베르트 숄은 자유주의 성향의 정치인이었고 잉게르스하임과 포르히텐베르크 시장을 지냈다. 지역 학교에 입학한 조피 숄은 뛰어난 학생이었다. 1930년 가족 모두가 루트비히스부르크로 이주했다가 1932년 울름에 정착했다. 중학생이 된 조피는 '독일 소녀 동맹'에 가입했다. 그러나 처음의 열정은 오래가지 않았고 나치의 세뇌 교육에도 그녀의 비판적 사고는 굳건했다. 더구나 조피의 가족은 물론 부친의 친구들도 모두 나치 독일에 반대했기에 그녀의 생각은 더욱 견고해졌다. 1937년 오빠 한스와 베르너가 체포되자 그녀의 생각은 더욱 명확해졌고, '독일 청년 운동' 내에서 반나치 운동을 펼친 것도 너무 순진한 발상이었음을 깨달았다. '독일 청년 운동'은 1896년 스카우트 운동을 중심으로 모인 여러 단체의 연합체로 낭만주의와 사회 비판적 정신이 혼합된 도덕적 규범을 추구했으며 아돌프 아이히만 같은 나치주의자는 물론 사회주의자, 자유주의자 등이 모인 집단이었다.

자유를 구가한 여학생

미술에 재능을 보였던 조피 숄은 나치가 '퇴폐'라는 낙인을 찍은 예술가들을 좋아했고 신학과 철학 서적을 즐겨 읽었다. 1940년 고등학교를 졸업한 조피는 대학 진학 전에 '국가를 위한 노동'의 의무를 지켜야 했다. 이를 위해 울름 프뢰벨 연구소에서 보육사로 일했다. 1941년에는 블룸베르크의 간호사 양성 학교에 보조 교사로 배치되었다. 그러나 국가가 개인의 자유를 구속하자 소극적 저항을 시작했다. 검열을 통과하지 못한 서적을 소지하는 것은 불법이었으나 그녀는 성 아우구스티누스의 책을 몰래 읽었다. 6개월간의 노동 의무를 끝낸 조피는 1942년 5월 뮌헨 대학교에서 생물학과 철학을 공부하기 시작했다. 같은 대학교에 의대생으로 재학 중이었던 한스 숄은 동생을 친구들에게 소개했다. 이들은 자연을 사랑하고 스키와 등산을 좋아했으며 책과 음악에 대해 토론하기를 즐기는 젊은이들이었다. 그리고 모든 대학생이 그렇듯 이들도 새로운 세상을 꿈꾸었다. 조피는 프리츠 하르트나겔을 연모했으나 그는 1945년 그녀의 언니 엘리자베스와 결혼했다.

백장미단

1942년 아버지가 히틀러를 공개적으로 비판했다는 죄로 투옥되고 카를 무트와 테오도어 헤커의 글을 접하면서 조피의 생각은 더욱 무르익었다. '독재 정권 아래에서 어떻게 행동할 것인가'에 대한 답을 두 독일 사상가에게서 얻은 것이다. 그녀에게 영향을 준 또 다른 인물은 '뮌스터의 사자'라고 불렸던 뮌스터 주교였다. 뮌스터 주교는 히틀러의 독재, 나치에게 이용당하는 교회, 게슈타포의 만행, 장애인 안락사 등을 거침없이 비판했다. 1942년 봄, 조피와 한스 남매는 알렉산더 슈모렐과 함께 백장미단을 조직했다. 백장미단의 첫 번째 행보는 뮌헨 사회의 유력 인사와 지식인을 향해 반나치 전단을 뿌리는 일이었다. 전단을 받은 이들은 더 많은 사람에게 나치즘의 허상을 알릴 수 있었다. 백장미단은 『성경』은 물론 괴테, 아리스토텔레스, 노자 등의 사상을 인용해 나치의 진짜 모습을 알렸다. 의대 동기생인 한스 숄과 알렉산더 슈모렐, 빌리 그라프는 1942년 여름 징집되어 동부 전선에 배치되었다. 이들은 뮌헨으로 돌아온 후 쿠르트 후버 교수의 도움을 받아 저항 운동을 계속해나갔다. 프랑크푸르트, 잘츠부르크, 빈 등 다른 지역에도 백장미단 지부가 생겼고, 전단을 발송하거나 벽에 붙이고 사람들에게 나눠주는 식으로는 부족하다는 목소리가 나왔다. 1943년 2월 18일 새벽, 강의가 시작되기 전 전단이 가득 든 가방을 들고 일찍 뮌헨 대학교로 간 한스와 조피는 건물 2층 복도와 건물 앞에서 선전물을 뿌리기 시작했다. 학교 경비원의 신고로 숄 남매는 곧바로 게슈타포에게 체포되었다. 허울뿐인 공판을 통해 1943년 2월 22일 한스 숄과 조피 숄, 크리스토프 프로브스트에게 사형이 선고되었고, 그날로 처형되었다. 몇 달 후 후버 교수와 빌리 그라프, 알렉산더 슈모렐 등도 형장의 이슬로 사라졌다. 정교도였던 오렌부르크 출신의 슈모렐은 2012년 러시아 정교회에 의해 시성되었다. 성상 속의 슈모렐은 정교회 십자가와 함께 백장미를 들고 있다.

지그문트 프로이트 신경 쇠약 환자들의 주치의

Sigmund Freud, 1856년~1939년

어떤 인물은 그에 대한 전기보다 그가 남긴 저서를 통해 더 잘 알 수 있는 경우가 있는데, 지그문트 프로이트가 바로 그런 예이다. 프로이트는 뛰어난 재능으로 유복한 부르주아의 삶을 영위한 의사였다. 그러나 관점을 바꾸면 전혀 다른 인물이 보인다. 프로이트는 정신 분석의 창시자로서 무의식을 탐험하고 오이디푸스 콤플렉스를 정립했으며 억압을 비판했던 학자이다. 여기서는 프로이트를 소개하기 위해 정신 분석이 어떻게 탄생하고 발전했는지 그 과정을 따라가 보려 한다.

어린 영재

지그문트 프로이트의 원래 이름은 지기스문트 슐로모 프로이트Sigismund Schlomo Freud로 그는 1856년 5월 6일 오스트리아 제국의 프라이베르크에서 태어났다. 아버지 야코프 프로이트는 작은 상점을 운영했고 어머니 아말리아 나탄존은 전업주부였다. 프로이트의 가족은 라이프치히로 이사했다가 1860년 빈의 유대인 구역인 레오폴트슈타트에 정착했다. 프로이트는 고등학교까지 수석을 도맡아 한 뛰어난 학생이었다. 그는 법학, 동물학, 의학 중에서 무엇을 전공할까 망설이다가 의대로 진학했다. 1881년 대학을 졸업한 그의 지적 호기심은 의학만으로는 충족될 수 없었다. 프로이트는 어렸을 때 에스파냐어를 독학했고 호메로스와 셰익스피어의 작품을 섭렵했다. 대학에서는 다윈에게 매료되었고 존 스튜어트 밀의 책들을 번역했다. 또한 야코프 부르크하르트의 영향으로 그리스 역사에 심취했고 프란츠 브렌타노의 철학 강의를 꾸준히 들었다. 그러나 대학을 졸업한 프로이트는 가난한 청년이라면 누구나 겪는 문제에 맞닥뜨렸다. 안정된 생활을 보장해줄 방법을 찾는 것이었다. 가능하면 1882년부터 사귄 마르타 베르나이스와의 생활까지 보장해줄 방법 말이다.

지그문트 프로이트,
1920년, 빈.

진료보다 연구

프로이트는 대학을 다니는 동안, 그리고 자신의 진료소를 열기 전까지 여러 곳에서 일했다. 생리학 연구소에서 강의 조교와 실험 조교로 일했으며, 빈 대학 병원에서는 외과의 보조, 외과의, 외과 주임 등을 거치며 의료원장을 보좌하는 위치까지 승진했다. 그는 병원을 개업했으나 찾아오는 환자는 많지 않았다. 훌륭한 안과 의사이자 피부과 의사였지만 개업의로서의 생활에 만족하지 못한 프로이트는 환자를 진료하면서 발견한 사실들을 논문으로 발표했고 학계로부터도 좋은 반응을 얻었다. 그는 연구를 계속하고 싶었다. 대학에서 교수 자리를 찾던 프로이트는 시험을 치고 사강사私講師, 즉 '프리바트도첸트'로 임명되었다. 1885년에는 장학금을 받았다.

영혼에 다가가는 기술

프로이트는 최면과 히스테리 분야의 저명한 신경학자 장마르탱 샤르코 교수의 강의를 듣고자 파리로 떠났다. 그곳에서 샤르코의 환대를 받았으며 그의 논문들을 연구하고 독일어로 번역했다. 프로이트는 최면이 갖는 치료 효과에 관심이 있었다. 정신병 치료법을 찾으려 했던 그는 코카인의 효과에도 관심을 가졌다. 한때는 코카인이 헤로인 중독을 고칠 수 있다고 믿기도 했다. 그러나 이 연구는 비극으로 끝났다. 코카인을 이용한 치료를 시도하던 중 생리학자이자 의사인 동료 에른스트 플라이슐 폰 마르크소브가 자살하는 사건이 발생한 것이다. 1886년 마르타와 결혼한 프로이트는 그해 10월 빈 소아 의학 연구소에 신경과 진료소를 열었다. 같은 달 빈 의사 협회에서 그가 남성 히스테리에 대한 강연을 하자 참석자들이 하나둘씩 자리를 뜨기 시작했다. 프로이트는 이에 굴하지 않고 이름을 지기스문트에서 지그문트로 바꾸고, 결과가 나오지 않는 분야는 제외하며 연구를 계속했다. 최면 대신 대화를 치료법으로 연구한 것이다. 또한 무의식, 그리고 무의식과 언어와의 관계를 연구했고, 정신병 치료에 정서적 환기, 즉 자유 연상 원리에 따라 환자가 머릿속에 떠오르는 것을 모두 이야기하는 카타르시스(정화법)를 적용하고자 했다.

화려한 성공

1900년 프로이트가 자가 분석을 기반으로 저술한 『꿈의 해석』이 큰 성공을 거두면서 그의 이름과 함께 정신 분석이라는 개념이 유럽에 알려지게 되었다. 1902년 향후 '취리히학파'를 이루게 되는 카를 구스타프 융과 루트비히 빈스방거가 그의 제자가 되었다. 융은 오랫동안 프로이트의 애제자였으나 1913년 그와 결별했다. 빈스방거는 1930년대 프로이트의 정신 분석과 거리를 둔 '현존재 분석Daseinanalyse'을 창시했다. 프로이트는 1901년에 출간한 『일상생활의 정신 병리학』에서 프로이트적 실수라고 불리는 실착 행위, 망각, 은폐 기억(실제 기억이 다른 기억으로 대체된 것), 말실수 등 얼핏 평범하고 흔한 현상으로 보이지만 꿈과 마찬가지로 무의식에서 유래한 현상을 다루었다. 1905년에는 『성욕에 관한 세 편의 에세이』와 『농담과 무의식의 관계』를, 1906년에는 정신 분석 기법을 적용한 『빌헬름 옌젠의 '그라디바'에 나타난 망상과 꿈』을 출간했다. 프로이트를 따르는 학자들은 매주 수요일 그의 집에서 모임을 가졌고, 빈 정신 분석 학회를 비롯해 정신 분석 연구소들이 설립되었다. 1908년에 베를린 정신 분석 학회가 창설되었고 1910년에는 국제 정신 분석 학회가 설립되었다. 이 무렵 잘츠부르크와 뉘른베르크에서 정신 분석에 관한 학술회의가 개최되었다.

아버지를 죽여야 한다

정신 분석이 공식적인 치료법으로 인정을 받게 될수록 프로이트를 지지하는 학자들이 늘어나는 동시에 분파 간 갈등과 해석의 차이도 쏟아졌고 그와 결별하는 동료들도 늘어갔다. 프로이트의 『정신 분석 강의』에 대한 비판은 거의 없었다. 프로이트는 분석자의 감정이 피분석자에게 향한다는 융의 '역전이' 이론을 인정했지만, 리비도를 오로지 개인적인 문제가 아니라 보편적인 요소로 보는 융의 '집단 무의식' 개념은

정신 분석의 탄생

정신 분석이 탄생하게 된 계기는 프로이트가 1895년 스승 요제프 브로이어와 공동으로 집필한 『히스테리 연구』의 출간이다. 이 책에 소개된 '안나 O', 즉 베르타 파펜하임의 사례는 잘 알려져 있다. 안나는 최면 치료를 받았는데 이 치료가 전이를 방해했다. 전이란 프로이트가 정립한 치료법의 기본 요소 중 하나로, 환자의 정동affect이 의사에게 옮겨가는 현상을 의미한다. 카타르시스 치료법을 포기하고 브로이어와 결별한 프로이트는 '정신 분석'이라는 개념을 만들어냈다. 그는 1896년에 발표한 논문에서 이 용어를 사용했다. 이듬해 많은 성과가 이어졌다. 아버지의 죽음으로 충격을 받은 프로이트는 자신을 분석하면서 신경증에 관한 매우 예리한 연구 결과를 내놓았다. 바로 어머니에 대한 욕망과 아버지와의 대립을 의미하는 '오이디푸스 콤플렉스'였다. 프로이트의 논문이 발표될 때마다 그의 명성은 높아졌고 그를 찾아오는 환자도 많아졌다. 프로이트는 경제적 부담에서 자유로워졌다.

받아들이지 않았다. 1913년 한 통의 편지로 프로이트와 융의 관계는 끝이 났다. 그 후로 유사한 결별이 이어졌다. 소수의 열렬한 프로이트 지지자들은 '코즈Cause'라는 모임을 결성했다. 회원들은 프로이트로부터 받은 보석 장식이 들어간 금반지를 자랑스럽게 생각했다. 정신 분석에서도 원탁과 용맹스러운 기사들이 있었던 셈이다.

생의 정점과 끝

프로이트는 무의식의 세계를 끊임없이 탐험하며 이에 대한 이론들을 수정, 보완하고 발전시켰다. 그는 다른 분야에도 관심이 많았다. 1913년에 출간한 『토템과 터부』는 신성한 것에 대한 사람들의 태도를 다루고 있다. 제1차 세계 대전이 발발하자 연구는 중단되고 논문 발표도 줄어들었다. 그러나 이미 이룩한 연구를 확인하고 체계화하려는 그의 노력은 계속되었다. 1920년대가 되어서야 정신 분석의 새로운 도약이 이루어졌다. 자아(현실 속에서 욕망을 어떻게 실현할 것인가), 원초아(무한한 쾌락 원칙), 초자아(금지 사항의 준수)로 이루어진 정신 이론을 연구한 것이다. 프로이트는 1930년대에 사회적 차원으로 눈을 돌렸으며 모세와 유일신 종교로 다시 돌아왔다. 1933년 1월 히틀러의 집권과 1938년 3월 오스트리아 합병은 프로이트에게는 심각한 위협이었다. 나치는 프로이트의 책을 불살랐고 게슈타포는 그의 딸 안나를 체포했다. 다행히 안나는 곧 풀려났다. 빈을 떠나기로 결심한 그는 마리 보나파르트 공주의 도움으로 탈출에 성공했다. 1925년부터 프로이트의 환자였고 파리 정신 분석 학회의 창립 멤버였던 마리 보나파르트는 일종의 몸값으로 나치에게 5000달러를 건넸다. 1938년 6월 초 프로이트는 부인과 딸 안나와 함께 오스트리아를 떠나 파리에 잠시 머물다가 런던으로 건너갔다. 구강암에 걸린 그의 건강은 계속 악화되었고 여러 차례에 걸친 수술과 치료에도 불구하고 1939년 9월 23일 세상을 떠났다.

프로이트는 유머도 즐길 줄 아는 사람이었다. 매사추세츠주 클라크 대학교 강연회에 초청받아 미국에 간 그는 맨해튼의 마천루를 보면서 융에게 이렇게 속삭였다고 한다. "우리를 초청하다니. 우리가 얼마나 고약한 걸 갖고 오는지 정말 모르나 보군."

카를 마르크스 투쟁의 글과 삶

Karl Marx, 1818년~1883년

카를 마르크스처럼 다재다능한 인물을 어떻게 몇 마디로 정의할 수 있겠는가. 에세이 작가, 역사가, 경제학자, 철학자 등으로 불렸던 마르크스의 재능은 거의 모든 지식 분야에 걸쳐 있다. 사회학이 아직 독립적인 학문 분과로 확립되지 못한 시절이었지만 마르크스는 어엿한 사회학자이기도 했다. 그는 마르크스주의로 불리는 사상 조류의 기원이었으며 제1인터내셔널(국제 노동자 협회)에 가담한 정치 활동가였다. 보다 더 과감하게 말하자면, 그가 한평생 가장 오랫동안 종사한 활동으로 볼 때 그를 저널리스트라고 칭해도 될 것이다. 어쨌든 마르크스가 '인간성'을 가능한 한 모든 각도에서 탐색했다는 점을 염두에 둘 때 그의 사상을 인문학의 울타리 안에 가둬두는 것은 부질없는 일일 것이다.

부르주아 젊은이의 교육

카를 하인리히 마르크스Karl Heinrich Marx는 1818년 5월 5일 트리어에서 유대 계몽주의 운동인 하스칼라 전통을 이어받은 유대인 가정에서 태어났다. 변호사였던 그의 부친은 사업의 번영을 위해서 루터파 개신교로 개종한 듯하다. 마르크스는 고향에서 중등학교를 마친 뒤 1835년 본 대학교에 입학했다. 그는 본 대학교에서 예술사, 그리스·로마 신화 등 고전 인문학 강좌를 들었다. 이듬해에 베를린 대학교로 옮겼으며 그곳에서 법학, 역사학, 철학 강좌를 수강했다. 1841년 마르크스는 「데모크리토스와 에피쿠로스 자연 철학의 차이」라는 논문으로 철학 박사 학위를 취득했다.

혁명의 조짐

베를린 대학교에서 카를 마르크스는 당시 대학가를 휩쓸고 있던 헤겔 철학에 입문했다. 그는 '청년헤겔학파'와 교류했는데, 그 구성원들 중 학생 저항 운동을 상징하는 인물이었던 브루노 바우어는 『성서』에 대해 급진적인 비판을 할 준비를 하고 있었다. 마르크스는 선지자 이사야에 대한 브루노의 강의를 들었는데, 여기서 브루노는 기독교 계시보다 훨씬 더 중요한 사회 변혁이 다가오고 있다고 공언했다. 사실상 무신론은 당시 막연하기는 했지만 무언가 정치적 혁신의 의지를 북돋우는 원천 중 하나였다. 학생들은 『기독교의 본질』(1841)을 탐독했는데, 저자 루트비히 포이어바흐는 자신의 옛 스승 헤겔의 관념론을 비판하고 명확하게 유물론적인 관점을 채택했다. 한편 이때부터 마르크스는 만물이 갈등과 모순을 통해 끊임없이 요동한다는 헤겔식의 변증법과 포이어바흐식의 유물론을 접목하기 시작했다.

저널리스트이자 정치 활동가

1842년 1월부터 마르크스는 부르주아 계층의 자유주의자들이 쾰른에서 발행하는 『라인 신문』을 만드는 데 가담했다. 그해 10월 편집장이 된 마르크스는 이제는 그와 멀어진 청년헤겔학파가 봉착했던 탄압보다는 덜 도발적이지만 색다른 형식의 탄압에 부딪혔다. 프로이센 당국은 처음에는 신문에 대한 검열을 강화하고 다음에는 1843년 초부터 발행을 금지했다. 1843년 6월, 마르크스는 7년간의 연애 끝에 어린 시절 친구로 귀족 출신인 예니 폰 베스트팔렌과 결혼했다. 훗날 그녀의 이복 오빠인 페르디난트 폰 베스트팔렌은 1848년 '인민의 봄' 혁명이 실패로 끝난 후 한창 반동의 분위기가 무르익던 1850~1858년 무렵 프로이센 왕국의 내무 장관이 된다. 결혼 후 파리에 살림집을 얻은 마르크스는 그곳에서 친구인 아르놀트 루게와 함께 『프랑스·독일 연보』를 창간했다. 『프랑스·독일 연보』는 자금 부족으로 창간호를 내고 폐간했으나 이를 통해 마르크스는 일생의 친구이자 조력자인 프리드리히 엥겔스를 만날 수 있었다. 『프랑스·독일 연보』 창간호는 또 다른 면에서도 아주 중요하다. 여기에 종교란 '인민의 아편'이라는 유명한 구절이 있는 마르크스의 논문 「헤겔 법철학 비판」이 실려 있기 때문이다.

'의인 동맹'

혁명적 성격이 확연하게 드러나는 마르크스의 저작들은 프로이센 정부에게 골칫거리였다. 프로이센이 프랑스 루이 필리프 왕정의 각의 의장 기조에게 외교적 압력을 가하자 마르크스는 결국 1845년 2월에 프랑스에서 추방당했다. 마르크스와 엥겔스는 브뤼셀에 자리를 잡았으며 얼마 후 마르크스는 프로이센 국적을 포기했다. 그들은 브루노 바우어의 관념론적 헤겔 사상을 비판하는 저서 『신성 가족』을 함께 썼으며, 『독일 이데올로기』도 공동으로 저술했다. 훗날 1932년에 출간되는 『독일 이데올로기』는 경제적 이해관계, 특히 지배 계급의 경제적 이해관계와 사회 구조가 사건들, 즉 역사의 전개를 규정하는 주요 요인이라는 사상을 담고 있다. 요컨대 역사적 유물론의 토대를 놓은 책이라고 할 수 있다. 1847년 영국 런던에서 마르크스와 엥겔스는 독일에서 망명한 노동자와 수공업자들로 조직된 '의인 동맹'에 가입했다. '의인 동맹'은 곧 '공산주의자 동맹'으로 개칭하고 1848년에 '공산당 선언'이라는 이름의 강령을 채택했다. 그해 2월 파리에서 앞으로 2년 동안 유럽 전역을 뒤흔들어놓을 혁명 운동이 발생했다. 곧 쾰른으로 간 마르크스는 그곳에서 1849년 5월 추방당하기 전까지 1년 남짓 『신라인 신문』의 편집장을 맡았다. 이후 파리에서는 머문 지 한 달 정도 지난 6월에 추방당했다. 벨기에와 영국은 그나마 유럽에서 정치적 관용이 허용되는 땅이었다. 마르크스는 1849년 8월 마침내 런던에 정착했으며 생을 다할 때까지 머물렀다.

서재 안의 사상가

일부 공산주의자들은 마르크스를 서재 안의 사상가라고 비판했다. 런던에서 그는 행동에 나서기보다는 지나칠 정도로 정치 경제를 분석하는 데만 몰두한다는 비난을 받곤 했다. 마르크스의 가족은 지성인이자 재력가였던 엥겔스의 후원에도 불구하고 매우 궁핍하게 살았다. 엥겔스의 협조 덕에 마르크스는 『뉴욕 트리뷴』의 유럽 특파원 자리를 맡아 1851년에서 1862년까지 약 500편의 기고문을 실었다. 유토피아 사회주의의 성향을 지닌 신문을 위한 이런 생계형 글쓰기는 절박한 가난에서 겨우 벗어나게 해주었다. 이러한 저널리스트 작업과 병행해서, 그리고 자녀들의 연이은 죽음에도 불구하고 마르크스는 연구를 계속했다. 1850년에는 자녀 중 기도가, 1852년에는 프란치스카가, 그리고 1855년에는 에드가가 죽었다. 1852년에 『루이 보나파르트의 브뤼메르 18일』이, 1859년에 『정치경제학 비판 요강』이 출간되었으며, 20여 년간의 노고 끝에 마침내 1867년 『자본론』의 첫 번째 권이 출간되었다. 각주와 부록이 포함된 『자본론』의 나머지 두 권은 마르크스 사후에 엥겔스가 편집해서 출판했다.

죽는 날까지 행동하는 인간으로

마르크스를 서재 안의 사상가로만 간주하는 것은 옳지 않아 보인다. 그도 그럴 것이 마르크스는 현실에 뿌리를 내리고 있는 사상가였으며 주요한 사건들에 가담했기 때문이다. 요컨내 그는 행동하는 인간이었다. 마르크스는 특히 1864년에 국제 노동자 협회AIT, 즉 제1인터내셔널의 창설에 깊이 관여했으며 '결성 선언문'을 작성했다. 협회의 설립 목적은 전 세계 노동자들을 여러 불협화음을 넘어 결집시키고 공동 전선을 구축하는 것이었다. 하지만 사회주의의 여러 분파 사이에서 발생하는 분규를 피할 수는 없었다. 국제 노동자 협회 안에서 미하일 바쿠닌과 그 추종자들의 노선은, 독일 사회 민주당을 결성해 단일 조직을 구성하려는 마르크스의 계획과 어긋나곤 했다. 게다가 마르크스에게 정치적인 재앙과 개인적인 불행이 한꺼번에 닥쳤다. 1871년 파리 코뮌 노동자 봉기는 아돌프 티에르에 의해 완전히 진압되었으며, 연이은 두 가지 비극이 마르크스 가족에게 일어났다. 1881년 12월에 그의 아내가, 1883년 1월에는 맏딸 예니 카롤리네가 세상을 떠났던 것이다. 1883년 3월 14일 마르크스가 그들의 뒤를 따라 눈을 감았다. 2015년, 마르크스가 잠들어 있는 런던의 하이게이트 공동묘지는 그의 무덤을 찾는 방문객에게 입장료 4파운드를 받기로 결정했다. 자본주의의 냉혹한 비판자였던 인물에게 정말 아이러니하게도 말이다.

카미유 클로델 비운의 천재 조각가

Camille Claudel, 1864년~1943년

카미유로잘리 클로델Camille-Rosalie Claudel은 유명 작가인 남동생 폴 클로델과 같은 성으로 불리기를 원치 않았다. 또한 그녀보다 더 유명한 조각가 오귀스트 로댕의 제자나 연인으로 불리는 것도 거부했다. 카미유의 작품은 많이 남아 있지 않으나 스승 로댕의 영향을 뛰어넘는 그녀만의 독자적이고 뛰어난 창작력을 충분히 확인할 수 있다.

조각이 구원한 음울한 어린 시절

카미유 클로델은 1864년 12월 8일 프랑스 엔 지방의 페레앙타르드누아에서 소시민 집안의 장녀로 태어났다. 아버지 루이프로스퍼 클로델은 등기소 소장이었고 어머니 루이즈아테나이스 세르보는 의사의 딸이었다. 가족을 따라 빌뇌브쉬르페르에서 살게 된 카미유는 '그리스도의 교육 수녀회'가 운영하는 초등학교에 다녔다. 그녀가 열두 살이 되던 해 아버지가 노장쉬르센으로 전근을 가게 되었다. 카미유는 물론 여동생 루이즈와 남동생 폴은 집에서 가정 교사에게 교육을 받았다. 아버지의 서재에 있는 수많은 책들도 삼 남매의 선생님이었다. 카미유는 일찍이 조각에 재능을 보였고 그녀의 첫 멘토인 알프레드 부셰가 그 실력을 알아보았다. 그 후 카미유의 가족은 바시에 살다가 파리로 이주했다. 아버지의 직장은 여전히 파리 외곽이었다.

첫 출발, 그리고 로댕과의 만남

카미유는 콜라로시 미술 학교에 진학했는데, 이곳은 누드모델을 조각하기도 하는 진보적인 학교였다. 여기서 평생의 친구가 되는 제시 립스컴을 만났고 두 사람은 1882년 함께 아틀리에를 빌렸다. 카미유는 알프레드 부셰에게 몇 달간 더 수학했는데 부셰가 파리를 떠나 로마로 가자 로댕이 그를 대신해 강의를 맡았다. 카미유와 로댕의 만남은 1882년 말에서 1883년 초 사이에 이루어졌다. 당시 로댕은 카미유의 작품에 강한 인상을 받았다. 로댕의 아틀리에에 합류한 카미유는 「칼레의 시민

카미유 클로델의 초상 사진, 에티엔 카르자, 1886년경.

들」, 「입맞춤」, 「지옥의 문」 등의 작업에 참여했다. 카미유는 로댕의 제자이자 모델, 조수였고, 연인이 되었다. 1883~1888년 창작열에 사로잡힌 카미유는 가족들과 로댕의 흉상을 제작했고 특히 희대의 걸작으로 손꼽히는 「밀단을 진 소녀」와 숨이 막힐 듯 서로 껴안고 있는 연인을 표현한 작품 「사쿤탈라」를 탄생시켰다. 로댕은 오래전부터 함께 살고 있던 연인이자 자신의 작품 모델이었던 로즈 뵈레와 헤어질 생각이 없었다. 실제로 그는 죽기 전 그녀와 정식으로 결혼했다. 로댕과 카미유는 격한 갈등을 겪을 수밖에 없었고 1892~1893년 무렵 결별했다. 로댕과 카미유는 각자의 삶을 살며 독자적인 작품 활동을 이어나갔다. 그러나 두 사람의 관계가 완전히 끝난 것은 1898년이었다.

로댕 이후

카미유는 감정과 예술 등 모든 면에서 로댕의 그늘을 벗어나고자 했다. 「왈츠」와 「클로토」는 그 의지를 잘 보여주는 작품이다. 1893년에서 1905년에 카미유는 '인체 소묘'를 바탕으로 조각상을 만들었다. 일상의 주제를 작은 규모의 조각상으로 표현함으로써 거대한 로댕의 작품들과 거리를 둔 것이다. 그녀는 오닉스 같은 새로운 소재도 사용했다. 「수다 떠는 여인들」, 「파도」, 「벽난롯가에서의 꿈」 등이 이 시기를 대표하는 작품으로 1890년대 말에 제작되었다. 그러나 로댕과의 결별을 확실히 보여주는 작품은 「중년」이다. 젊은 여인이 무릎을 꿇고 남자를 붙잡으려 하지만 남자는 이를 외면한 채 늙은 여인의 손에 이끌려 가는 모습을 표현한 작품이다. 늙은 여인은 인생의 노년기를 의미하며 주름진 얼굴은 나이가 든 로즈 뵈레를 표현한 것일 수도 있다. 카미유가 극심한 경제적 어려움을 겪던 1897~1905년 아르튀르 드 메그레 백작 부인이 후원자로 나서 가족의 초상화를 의뢰했다. 카미유는 1899년 생루이섬에 아틀리에를 열고 「페르세우스와 고르곤」, 그리고 그녀의 마지막 조각 작품인 「상처 입은 니오비드」(1907)를 완성했다. 이 마지막 작품은 카미유가 국가로부터 의뢰받은 유일한 작품이었다. 이는 시대를 앞서간 카미유의 예술성에 대한 결과였고 당시 여자 조각가로서 인정받는 것 또한 쉽지 않았다는 방증이었다. 카미유는 자신이 제대로 인정받지 못하는 것이 로댕 때문이라고 비난했고 이는 강박증으로 발전했다. 그녀는 외부와의 접촉을 차단하고 아틀리에에만 머물며 술에 빠져 살았다. 극동에서 돌아와 누나를 찾아간 동생 폴이 너무나도 더러운 아틀리에를 보고 경악을 금치 못했다는 이야기가 전해진다.

길고 긴 밤

평생 카미유를 싫어했던 어머니와는 달리 아버지는 딸이 재능을 살릴 수 있도록 독려했다. 그러나 1913년 아버지가 세상을 떠나자 동생 폴과 어머니는 카미유를 정신 병원에 집어넣기로 결정했고, 의사들은 편집증적 정신 착란, 즉 피해망상증이라는 진단을 내렸다. 카미유는 빌에브라르 병원에 입원했으나 제1차 세계 대전이 일어나자 아비뇽 인근 몽파베에 있는 몽드베르그 정신 병원으로 이송되었다. 그녀는 정신이 온전함을 보여주며 여러 차례 퇴원하려고 시도했으나 모두 실패했다. 그녀를 도우려던 친구들의 노력도 가족들의 완강한 뜻을 꺾을 수 없었다. 정신 병원에 갇혀 지낸 30여 년 동안 카미유는 그림도 그리지 않았고 조각도 하지 않았다. 가끔 동생 폴이 방문할 뿐이었다. 그렇게 그녀는 일흔여덟 살까지 갇혀 지내다가 1943년 10월 19일에 세상을 떠났다. 오랫동안 잊혔던 카미유 클로델이 세상의 주목을 받게 된 것은 1984년 렌마리 파리가 고모할머니였던 카미유의 작품 목록을 정리하고 그녀의 전기를 써서 갈리마르 출판사에서 출간한 덕분이었다. 이를 계기로 1988년 브뤼노 뉘텡 감독이 영화 「카미유 클로델」을 제작했고, 2017년에는 노장쉬르센에 카미유 클로델 박물관이 개관했다. 어둠 속에 갇혔던 그녀는 이제 빛의 세계로 나왔다. 처음부터 그녀를 비췄어야 할 그 환한 빛의 세계로.

톨스토이 안나와 나

Tolstoy, 1828년~1910년

레프 니콜라예비치 톨스토이Lev Nikolayevich Tolstoy 백작은 술과 도박을 즐겼으나 바람둥이는 아니었다. 그는 작가이자 그리스도의 사자이며 채식주의자였고 악에 대한 폭력적 저항에 반대했다. 이토록 복잡하고도 당당한 성격을 가진 톨스토이는 많은 사람에게 큰 영향을 미친 세계적 문인이다. 특히 간디의 투쟁 방식은 톨스토이에게서 영감을 받은 결과이다. 그러나 무엇보다 중요한 것은 그가 세계 문학사에 길이 남을 명작 『전쟁과 평화』(1869)와 『안나 카레니나』(1877)를 쓴 작가라는 점이다.

죽음이 드리운 어린 시절

톨스토이는 그레고리력으로 1828년 9월 9일(율리우스력으로는 8월 28일) 모스크바에서 남쪽으로 200킬로미터 떨어진 도시 툴라 인근의 야스나야 폴랴나에서 태어났다. 어머니 마리야 니콜라예브나 볼콘스카야는 공작 가문 출신이었고 아버지 니콜라이 일리치 톨스토이는 백작이었다. 시골에서 행복한 시절을 보내던 톨스토이는 연이어 가족의 죽음을 겪게 된다. 그의 부모는 오 남매를 남겨놓고 일찍 세상을 떠났다. 그가 두 살도 되기 전에 어머니가, 아홉 살 때는 아버지가 사망했다. 오 남매는 할머니에게 맡겨졌으나 할머니도 1년 뒤 세상을 떠나자 이모인 알렉산드라가 양육을 맡았는데 1841년 그녀 또한 사망했다. 그 후 카잔에 사는 다른 이모가 톨스토이와 형제들을 맡았다. 가정 교사의 교육을 받은 톨스토이는 1844년 카잔 대학교 동양어과에 입학했다. 그는 호기심이 많았고 책을 가까이했으나 대학 강의에는 흥미를 느끼지 못했다. 상대적으로 쉽다고 알려진 법학과로 전과하고도 학위를 받지 못했으니 학교 공부는 별로였던 셈이다. 그렇지만 그는 예카테리나 2세가 쓴 정치 철학서인 『입법 지침서』와 몽테스키외의 『법의 정신』을 연구한 논문을 썼다. 게다가 루소에 대한 열정은 대단해서 그의 초상이 들어간 목걸이를 걸고 다닐 정도였다. 대학 교수가 될 가능성이 없다고 생각한 톨스토이는 1847년 야스나야 폴랴나로 돌아와 술과 도박에 빠졌고 농노를 학대했다. 훗날 그는 이때 저지른 과오를 수없이 회개했다.

제복과 펜

톨스토이는 1847년부터 죽는 날까지 일기를 썼다. 그가 썼던 일기와 메모는 후에 그의 소설과 수필의 소재가 되었다. 1851년 그는 군인이 되어 형 니콜라이가 있는 병영에 합류했고 크림 전쟁에 참전했다. 전쟁의 경험은 유년기의 기억과 함께 초기 작품의 밑거름이 되었다. 톨스토이의 처녀작 『유년 시대』는 니콜라이 네크라소프의 눈에 띄어 그가 발행하던 문학잡지 『현대인』에 실렸다. 뒤이어 『소년 시대』와 『청년 시대』가 잇달아 출간되었다. 그리고 세바스토폴 전투를 그린 『12월의 세바스토폴』, 『5월의 세바스토폴』, 『8월의 세바스토폴』을 발표했다. 평범한 군인들의 용기를 기린 이 3부작 소설은 알렉산드르 2세 황제에게 깊은 감명을 주었다고 한다.

탕자의 귀환

크림 전쟁이 끝난 후 톨스토이는 상트페테르부르크의 문인들과 교류하기 시작했다. 하지만 그는 거만하고 냉정했으며 사람들을 빈정대거나 비판하기를 주저하지 않았다. 서구 유럽의 문학을 모방하는 것도 반대했다. 결국 주변으로부터 가능한 한 멀리 떠나라는 조언 아닌 조언을 들었다. 유럽 여행을 계획하고 파리에 도착한 톨스토이는 술과 도박에 빠져 여행 자금 대부분을 탕진하는 바람에 생각보다 일찍 러시아로 돌아왔다. 야스나야 폴랴나로 온 그는 더 이상 농노를 학대하던 사람이 아니었다. 교육에 헌신하기로 결심하고 농부의 아이들을 위해 학교를 지었으며, 1861년에 선포된 알렉산드르 2세의 농노 해방령을 지지했다. 개인적 삶에서도 좋은 일이 이어졌다. 1862년 황제의 주치의의 딸 소피아 안드레예브나와 결혼했고 13명의 자녀가 태어났다. 그러나 불행히도 그중 여럿이 어린 나이에 사망했다. 톨스토이와 소피아는 행복한 부부였고, 일기를 교환해서 읽을 만큼 서로 신뢰했다. 이 시기에 톨스토이의 중요한 작품들이 탄생했다. 『홀스토메르』와 『카자크』, 그리고 1865~1869년 그 유명한 『전쟁과 평화』가 출간된 것이다. 그러나 몇 년 동안 이어진 강도 높은 작업의 결과 그는 우울과 불안, 죽음에 대한 집착에 시달렸으며 신비로운 체험에 사로잡혔다. 마치 이단 종교의 지도자처럼 변한 그의 주위로 신자들이 모여들었고, 이를 인정하지 않았던 러시아 정교회는 격렬한 비난을 쏟아냈다. 1901년 톨스토이는 교회에서 파문당했다.

늘 새로 시작되는 죽음

톨스토이의 상태는 1875년에서 1877년에 『안나 카레니나』를 쓰면서 더욱 나빠졌다. 그는 죽음으로 끝나는 삶의 덧없음을 고민했고 그 불안을 『참회록』에 고스란히 담았다. 그 후 톨스토이는 모든 종교는 인간이 만든 것으로 일종의 사기라고 할 수 있고, 신은 그의 계시를 받은 모든 인간의 내면에 존재하며 인간의 찬양을 받는다는 결론을 내렸다. 그리고 그의 방황도 끝이 났다. 그는 자신이 발견한 이 진정한 기독교의 메시지를 세상에 전하고자 했다. 이런 확신은 잠시나마 죽음에 대한 그의 불안을 잠재웠다. 이제 톨스토이는 소설보다 「교의 신학 비판」, 「나의 신앙」, 「신의 나라는 당신 안에 있다」 등의 에세이를 쓰기 시작했으며 『신약 성경』의 일부를 다시 쓸 계획까지 세웠다. 그는 『구약 성경』은 물론이고 영혼 불멸, 삼위일체, 교회의 성사를 일체 거부했다. 도덕적 교훈을 담은 대중적인 단편들을 쓰기 시작했고, 짧지만 위대한 소설 「이반 일리치의 죽음」, 「크로이체르 소나타」도 발표했다. 스스로를 희화한 「세르기우스 신부」는 성인의 삶을 꿈꾸며 수도원에 은거해 육체적 욕망과 싸우던 한 남자가 결국 인생의 복병들을 견디면서 인간의 존엄과 정직한 삶을 지켜낸 평범한 사람들이야말로 진정한 성인임을 깨닫는다는 내용을 담고 있다. 모든 것에 관심을 보였던 톨스토이는 『예술이란 무엇인가』를 비롯해 구원에 대한 소설인 『부활』, 풍자 소설인 『살아 있는 시체』 등 다양한 주제와 장르를 시도했다. 사후에 출간된 그의 작품으로는 캅카스에서 반란군과 싸웠던 경험을 바탕으로 집필해 1904년에 완성한 『하지 무라트』와 『악마』가 있다. 소피아와의 관계는 오래전부터 악몽으로 변한 상태였다. 격한 싸움이 반복되었고 두 사람은 서로에 대한 원망을 일기장 속에 토로했다. 1910년 11월 10일 톨스토이는 야스나야 폴랴나를 도망쳐 나왔다. 젊은 시절을 보냈던 캅카스로 가기로 한 것이다. 하지만 그의 여정은 아스타포보역에서 멈추고 말았다. 톨스토이는 1910년 11월 20일 이곳에서 폐렴으로 사망했다.

프리드리히 니체 초인간이여, 거기 있는가

Friedrich Nietzsche, 1844년~1900년

프리드리히 니체가 쓴 『우상의 황혼』의 부제인 '또는 어떻게 쇠망치로 철학을 하는가'는 니체를 아주 잘 설명해주는 상징적 표현이다. 실제로 니체의 철학은 무엇보다 도덕과 종교, 그리고 기존의 철학에 대한 비판이었다. 젊은 시절에는 광기에 사로잡히고 말년에는 거의 침묵 속에 갇혀 지낸 그는 가족의 배신까지 겪어야 했다. 니체의 누이가 오빠의 글을 조작해 나치의 이데올로기에 부합하도록 바꿔버린 것이다. 니체는 유성처럼 강렬하게 빛난 학자였다. 대부분 생전에 주목받지 못한 그의 저서들은 서구의 가치들에 대한 신랄한 비판과 자유를 되찾으려는 노력을 담고 있다.

영특한 학생

프리드리히 니체는 1844년 10월 15일 프로이센 뢰켄의 학식이 높은 개신교 목사 집안에서 태어났다. 어린 시절은 불행의 연속이었다. 아버지 카를 루트비히 니체는 그가 다섯 살이 되기도 전에 세상을 떠났고 동생 루트비히 요제프는 세 살을 넘기지 못하고 사망했다. 니체는 어머니 프란치스카와 누이 엘리자베스, 독신으로 사는 두 고모 등 여자들에게 둘러싸여 성장했다. 1850년 니체의 가족은 나움부르크로 이사했고 어린 니체는 돔김나지움에 입학해 피아노 연주와 작시 등을 배웠다. 영특한 학생이었던 니체는 1858년, 16세기 이래 독일 전역의 최우수 학생만 들어갈 수 있는 슐포르타 고등학교에 입학했다. 1864년 졸업하기 전까지 이곳에서 고전주의 인문학의 토대를 쌓았다. 본 대학교에 진학해서는 신학과 문헌학을 전공했다. 결투 중에 얼굴에 흉터를 얻는 등 그는 혈기 왕성한 대학생이자 진정한 남자의 모습을 보여주려 했지만, 실제로 동료들과 잘 어울리지 못했다. 그 대신 라틴 문학 교수인 프리드리히 빌헬름 리츨의 강의에 열성을 보였다. 리츨 교수도 니체의 능력을 알아보았다. 이듬해 리츨 교수가 라이프치히 대학교로 가게 되자 니체도 그를 따라 라이프치히에 갔다. 니체는 그곳에서 쇼펜하우어를 만나 그의 사상을 접했고, 바그너를 알게 되면서 그의 음악에 빠져들었다. 또한 『프시케: 고대 그리스의 영혼 숭배 및 불멸 신

「프리드리히 니체의 초상」,
에드바르 뭉크, 1906년.

앙』의 작가 어윈 로데와는 평생의 벗이 되었다.

교수 시절

1869년 스위스 바젤 대학교의 고전 문헌학과에서 신임 교수를 채용할 당시 니체는 아직 박사 학위 논문을 발표하지 않았고 논문 발표에 필요한 과제들도 제출하지 않은 상태였다. 그러나 리츨 교수의 적극적인 지원 덕에 여러 문제가 일사천리로 해결되었다. 라이프치히 대학교는 니체에게 박사 학위를 수여했고 바젤 대학교는 그의 출중한 능력을 높이 사 우선 특별 교수로 채용하고 이듬해 정식 교수로 임명했다. 니체는 프로이센·프랑스 전쟁이 발발하자 위생병으로 자원입대해 참전했는데 디프테리아와 이질에 걸렸다. 이 일은 평생 그의 건강을 위협하는 요인이 되었다. 바젤로 돌아온 니체는 바그너와 그의 부인 코지마와 가깝게 지냈다. 니체와 바그너가 서로에게 보여준 공감과 지지는 매우 중요했다. 니체의 첫 번째 저서 『비극의 탄생』에 비판이 쏟아졌을 때 그의 사상을 적극 옹호해준 사람이 바그너였다. 니체는 이 책에서 예술의 탄생과 관련해 두 가지 상반된 경향, 즉 질서를 선호하는 아폴론적 경향과 불안정하고 격동적인 디오니소스적 경향을 구분했다. 그는 그리스 비극이 이 두 가지 본질의 균형점을 잘 보여준다고 설명하고, 소크라테스 철학에 영향을 받은 에우리피데스의 지나치게 이성적인 사상으로 인해 그리스 비극이 소멸되었다고 덧붙였다. 니체는 건강이 악화되자 1876년 안식년을 보냈다. 바그너와의 관계도 악화되었다. 가장 큰 원인은 바그너 부부의 반유대주의와 국수주의 성향 때문이었다. 1878년 니체가 '자유정신을 위한 글'이라는 부제가 달린 아포리즘 형식의 책 『인간적인, 너무나 인간적인』을 보냈을 때도 바그너는 아무 답이 없었다. 이제 두 사람의 결별은 되돌릴 수 없게 되었다. 더 이상 강의를 할 수 없게 된 니체는 1879년 교수직에서 사퇴했다. 퇴직 후 6년 동안 3000스위스프랑의 연금을 받았다.

창조자의 고독

1880년대는 니체 개인적으로는 실망과 비탄의 시기였으나 사상가로서는 절정기였다.『아침놀: 도덕적 편견에 대하여』(1881),『즐거운 지식』(1882),『차라투스트라는 이렇게 말했다: 모두를 위한, 그러나 그 누구를 위한 것도 아닌 책』(1885),『선악의 피안: 미래 철학의 서곡』(1886),『도덕의 계보: 논쟁서』(1887) 등 위대한 저술이 연이어 출간되었다. 이 시기에 니체는 니스, 제노바, 토리노, 베네치아 등 프랑스와 이탈리아 북부를 돌아다녔다. 루 안드레아스 살로메를 만나 사랑에 빠졌지만 그녀와 결별한 뒤 니체의 건강은 더욱 악화되었다. 병마에 시달리며 한시도 편히 쉴 수 없었던 니체는 더 큰 외로움과 신경 쇠약에 시달렸다. 자신의 상황을 정확하게 알고 있던 그는 일에 더더욱 몰두했다. 1888년 한 해 동안『우상의 황혼: 또는 어떻게 쇠망치로 철학을 하는가』,『안티크리스트: 기독교에 대한 저주』,『이 사람을 보라: 사람은 어떻게 자기 자신이 되는가』,『바그너의 경우』,『니체 대 바그너』가 세상에 나왔다.

암흑 속에서

1889년 토리노로 돌아온 니체는 정신 착란을 일으켰다. 친구인 프란츠 오버백이 그를 데리고 바젤로 갔다. 니체는 한동안 알 수 없는 말을 쏟아내다가 침묵 속에 빠져들었고, 결국은 식물인간이 되어 영원히 침묵하게 되었다. 니체는 인생의 말년에 11년을 요양원에서 보냈다. 처음에는 바젤 정신 병원에 입원했다가 나움부르크 병원으로 이송되어 1897년 어머니가 사망할 때까지 그곳에 있었다. 이후 누이의 보살핌을 받으며 바이마르에서 말년을 보내던 그는 1900년 8월 25일에 사망했다. 반유대주의자이자 국수주의자였던 남편 베른하르트 푀르스터와 사별한 누이 엘리자베스는 니체가 남긴 글에 매우 보수적인 옷을 입혀『권력에의 의지』를 출간했다. 나치즘에 사로잡혔던 엘리자베스는 이 인류의 재앙과 니체의 글을 연결시키는 무모한 시도를 한 것이다.

도판 목록

고대

중세

근대

현대

찾아보기

ㅈ

ㅊ

ㅋ

ㅌ

ㅍ

ㅎ

문화가 인문학이 되는 시간 인물편

초판 인쇄 | 2021년 7월 15일
초판 발행 | 2021년 7월 20일

지은이 | 플로랑스 브론스타인 · 장프랑수아 페팽
옮긴이 | 조은미 · 권지현
펴낸이 | 조승식
펴낸곳 | 도서출판 북스힐
등록 | 1998년 7월 28일 제22-457호
주소 | 서울시 강북구 한천로 153길 17
전화 | 02-994-0071
팩스 | 02-994-0073
홈페이지 | www.bookshill.com
이메일 | bookshill@bookshill.com

디자인 | 파워기획
마케팅 | 김동준 · 변재식 · 이상기 · 임종우 · 박정우

ISBN 979-11-5971-352-1
(세트) 979-11-5971-354-5

값 24,000원

* 잘못된 책은 구입하신 서점에서 교환해 드립니다.